Oeynhausen, Carl Fhr von; Dechen, Heinrich von; La Roche,

Geognostische Umrisse der Rheinländer zwischen Basel und Mainz

Oeynhausen, Carl Fhr von; Dechen, Heinrich von; La Roche, H. von

Geognostische Umrisse der Rheinländer zwischen Basel und Mainz

Inktank publishing, 2018

www.inktank-publishing.com

ISBN/EAN: 9783747789612

All rights reserved

This is a reprint of a historical out of copyright text that has been re-manufactured for better reading and printing by our unique software. Inktank publishing retains all rights of this specific copy which is marked with an invisible watermark.

Geognostische

Umrisse

der Rheinländer

zwischen

Basel und Mainz

mit

besonderer Rücksicht auf das Vorkommen

des

Steinsalzes.

Nach

Beobachtungen entworfen, auf einer Reise im
Jahre 1823 gesammelt

d u r c h

C. v. Oeynhausen, H. v. Dechen, H. v. La Roche.

Z w e i t e r   T h e i l.

E s s e n,

bei G. D. B ä d e k e r.

1 8 2 5.

Inhalt.

Zweiter Abschnitt.

Das Flötzgebirge.

I. Formation des Grauliegenden, Kupferschiefers und Zechsteins.

V. Formation des Griphitenkalks und seiner
bituminösen Mergel.

VI. Formation des eisenhaltigen Sandsteins.

VII. Formation des Jurakalksteins.

Uebersicht der in Schwaben und Lothringen angestellten Salzversuche und der vorhandenen Mineral-
und Salzquellen.

Dritter Abschnitt.

Das tertiäre und das Trappgebirge. — Allgemeine
Uebersicht der beschriebenen Flötzgebirgsformationen.

1. Tertiäre Bildungen.

2. Trappformation.

3. Wechselseitiges Verhalten der beschriebenen Formationen des Flötzgebirges.

Zweiter Abschnitt.

Das Flötzgebirge.

In den zu beschreibenden Gegenden nimmt das Flötzgebirge beiweitem den grössten Theil der Oberfläche
ein, und es legt sich in der Regel unmittelbar auf
das Urgebirge, ohne Zwischenglieder der Uebergangsformation. Es umgiebt die Urgebirgsmassen mantel-
förmig, und seine Lagerung und Schichtensenkung
wurde durch den Zug jener Gebirge bedingt. Im
Allgemeinen bemerkt man in diesem Flötzgebirge,
dass die ältesten Glieder der Flötzformation fast gänzlich fehlen, oder sich wenigstens nur eben so selten
zeigen, wie in den Vogesen und dem Schwarzwalde
die Uebergangsformation. Um eine bestimmte Reihenfolge in der Beschreibung zu ergreifen, dürfte es
am zweckmässigsten seyn, von den liegenden zu den
hangenden Schichten emporzusteigen.

I. Formation des Grauliegenden, des Kupferschiefers und des Zechsteins.

Diese Formation, welche nur auf dem nordöstlichen Abfalle des Spessarter Urgebirges, in der Gegend des Biebergrundes erscheint, ist zwar von äusserst geringer Verbreitung, aber als der südlichste
Punkt, an welchem diese Bildung bis jetzt aufgefunden, von hohem geognostischen Interesse. Daher
dürfte es auch zweckmässig seyn, das Wesentlichste,

II.   [1]

was bisher über diese Gegenden bekannt geworden ist, in der Kürze hier zusammen zu stellen*).

Die Formation des Grauliegenden, des Kupfer-schiefers und Zechsteins bildet einen zusammenhängenden Zug längs dem nordöstlichen Abfalle des Spessarter Urgebirges; derselbe beginnt bei dem Dorfe Edelbach, zieht nördlich von Kahl vorbei über Hekkelheim, und endet auf der Höhe gegen Geiselbach. Südlich dieser Linie trifft man sie noch in abgerissenen Parthien auf mehreren der höheren Punkte des Urgebirges, so unter ändern bei Vormwald, bei Eichenberg, auf den Höhen von Feldkahl und Rothenburg, und bis gegen Laufach und Hain hin. Ferner tritt diese Formation hervor in der Tiefe des Biebergrundes, und wenn auch hier häufig von rothem Sandstein bedeckt, erscheint sie doch wieder bei Wiesen, etwas südöstlich von Bieber, und beweist dadurch eine grössere Verbreitung, welche indessen mit Zuverlässigkeit bis jetzt noch nicht bekannt geworden ist; denn der Kalkstein zwischen Erbach und Michelstadt, den Steininger unter dem rothen Sandstein will haben hervortreten sehen, und den derselbe für Alpenkalk hält**), ist diesem rothen Sandsteine gewiss aufgelagert und dem rauchgrauen Kalksteine angehörig.

Das Liegende dieser Formationen ist in dem Biebergrunde und überall im Spessart ein Glimmerschie-

*) Nachrichten über die Gegenden von Bieber haben mitgetheilt: Cancrin Geschichte und systematische Beschreibung der in der Grafschaft Hanau-Münzberg, in dem Amte Bieber etc. gelegenen Bergwerke. Leipzig 1787.
Dr. Jordan mineralogische, berg- und hüttenmännische Reisebemerkungen. Göttingen 1803.
Schmidt mineralogische Beschreibung des Biebergrundes. Leonhards Taschenbuch für 1808, p. 45 — 70.
Bahlen, der Spessart. Leipzig 1823, pag. 41 — 58.

**) Steininger, Gebirgscharte des Landes zwischen dem Rhein und der Maas. 1822, pag. 55. Nach Privatmittheilungen des Herrn Hofrath Glenk indessen, soll unterhalb Michelstadt doch ein ganz kleiner Punkt seyn, wo Zechstein unter dem Sandstein hervortritt; den Kalkstein zwischen Eherbach und Michelstadt hält derselbe aber auch für ganz bestimmt dem rothen Sandstein aufgelagert.

fer, der bisweilen in Gneuss übergeht, und selbst mit demselben wechselt, unter andern im Oberlochborner Thale, einem Seitenthale des Biebergrundes. Dieser Glimmerschiefer pflegt mehr oder weniger aufgelöst zu seyn, seine Farbe ist meist leberbraun oder durch die Beimischung von vielem Eisen bräunlich-roth; er zeigt auch graue Farbennüancen, besonders in der Nähe der edlen Kobaltgänge, oder grünlich-graue Farben, und nähert sich dann dem Talkschiefer. Als fremdartigen Gemengtheil enthält er wohl Schörl, neben den Gängen findet er sich öfters mit Baryt, Kobalt, Kupferkies und gediegenem Wismuth, am häufigsten aber mit Spatheisenstein eingesprengt.

Auf diesem Glimmerschiefer ruht in der Regel das Grauliegende, wenige Fuss bis 3 und mehr Lachter mächtig, füllt es in etwas die Unebenheiten des Urgebirges aus, bildet aber selbst auch Mulden und Sättel. In dem Biebergrunde mächtiger wie in dem Lochborner Thale, geht es hier an einigen Stellen in das Rothliegende über; dies zeigt sich vorzüglich in der Gasser Hohle, wo es aus Geschieben von Gneuss, dem Granit sich nähernd, ferner aus Glimmerschiefer und Quarzgeschieben besteht, die ein rothes thoniges Bindemittel zusammenhält. Aber in der Regel fehlt das Rothliegende, und dann ruht das Grauliegende unmittelbar auf dem Glimmerschiefer. Dieses Grauliegende besteht fast ganz aus Quarzgeschieben, durch ein graues, thoniges Bindemittel nicht sehr fest verbunden; fast überall enthält dasselbe hellweisses Steinmark eingesprengt und silberweisse Glimmerblättchen. Wo das darauf ruhende Kupferschiefergebirge von höherem Gehalte ist, ziehen sich einzelne Schnüre von Kupferkies, Fahlerz, Bleiglanz in dies Liegende hinein. Bisweilen finden sich auch in demselben kurze, einige Linien dicke Trümmer von schlackigem Erdpech. Nach den Beobachtungen von Behlen sollen die oberen Schichten desselben nach und nach mit Kalktheilen geschwängert und so ein Uebergang in das Kupferschieferflötz bewerkstelligt werden.

Die Mächtigkeit des Grauliegenden, welche im Biebergrunde bis 3 Lachter beträgt, scheint gegen Süden oder dem Ausgehenden hin sehr abzunehmen, und an einigen Punkten, z. B. bei Kahl, ganz zu verschwinden.

Dem Grauliegenden ist mit einer Mächtigkeit von 1 — 5 Fuss der bituminöse Mergelschiefer aufgelagert; zwar immer von schiefriger Struktur, aber doch in oberen Teufen häufig sehr aufgelöst, und dann reicher an Erzen. Seine Farbe ist gräulich-schwarz und schwärzlich-grau, die Erze bestehen aus Kupferkies, Fahlerz, Bleiglanz, Schwefelkies; seltener Kupfergrüne, Kupferlasur und Kobalt; sie sind aber dem Mergelschiefer nicht sowohl imprägnirt, als auf häufige kleine Klüfte beschränkt. Behlen bemerkt, dass dieser Kupferschiefer sich stellenweise dem Stinkstein nähert, in dem Querbruche alsdann eine mehr oder weniger hellgraue Farbe zeigt, splitterig und halb hart ist und sich daher von dem mansfeldischen und hessischen Mergelschiefer wesentlich unterscheide.

Abdrücke von fremdartigen Körpern kommen nach Schmidt selten oder nie in diesem Kupferschiefer vor. Dagegen bemerkt Behlen, dass in dem Bergbau bei Kahl an einem Punkte, wo das Flötz mehrere Fuss mächtig, aus bituminösem Mergel von geringem Zusammenhalt bestand, sich kugelige Zusammenhäufungen von splitterigem hellgrauen Stinksteine gefunden haben.

Zwischen den Dörfern Kahl und Heckelheim bei Heiligenkreuz kommt das Kupferschieferflötz unter ganz anderen Verhältnissen vor. Es ist hier mehr am Ausgehenden, wo also das Grauliegende fehlt; anfänglich, zunächst dem Ausgehenden, fehlt nicht allein das Flötz, sondern auch das Dachgestein, und der mergelartige Kalkstein legt sich unmittelbar auf das Urgebirge. Weiter im Einfallenden findet sich über dem Glimmerschiefer eine mehrere Zoll dicke Lage von Brauneisenstein ein, ganz durchmengt mit geradschaaligem Baryt, und hier und da mit Spuren von Kupfergrün und Kupferlasur, und selbst einmal von Rothkupfererz. Auf diese Schicht legt sich endlich der erzhaltige Mergel, jedoch nicht bituminös, sondern hellgrau von Farbe und mit Kupfergrün und Kupferlasur.

Ausser den metallischen Fossilien finden sich noch auf der Erzlage Kalkspath, Schwerspath und Quarz; letzterer ist selten, und findet sich in kleinen Körnern, und selbst einmal in doppelt sechsseitigen Pyramiden krystallisirt.

Die Erzlage bildet, so wie ihr Grundgebirge, kleine Mulden und Sättel, und ist überhaupt häufig verdrückt oder doch unregelmässig, ihre Neigung ist schwach 5 — 10 Grad gegen Norden.

Auf das bituminöse Mergelschieferflötz folgt eine 3 — 4 Lachter mächtige Schicht von nur wenig bituminösem mergelartigen Schiefer, besonders in der unteren Hälfte seiner Mächtigkeit sehr dünnschieferig und von aschgrauer Farbe, in der oberen Hälfte aber, wo er dickschieferiger wird, eine mehr gelbliche Farbe annehmend. Die Mächtigkeit dieser Schicht ist sehr abwechselnd, am Ausgehenden bei Kahl z. B. ganz verschwindend. Die hellgrauen Abänderungen dieses Gesteins nähern sich dem Stinksteine und haben einen ebenen splitterigen Bruch. Uebrigens sind Drusenhöhlen sehr häufige Erscheinungen in demselben, und die Drusenwände sind mit Kalkspath, Braunspath, Schwerspath und Schwefelkies bekleidet, auch im Inneren wohl mit dünnen Blättchen von Erdharz angeflogen. Kalkspathadern durchziehen dieses Dachgestein nach allen Richtungen; die Braunspathkrystalle sind in den grösseren Klüften und Drusen in schönen Rhomboedern angesetzt, mit mannigfaltigen Farben angelaufen und öfters durch Kupferoxyde grün und blau gefärbt; bei Bieber aber findet diese Imprägnation der Erze nur in der Nähe der Gänge statt, bei Kahl hingegen ist das Dachgestein durchgehends mit Fahlerz und Bleiglanz, oft selbst in grösseren Körnern angefüllt. Nach dieser Beschreibung des Gesteins leidet die dolomitartige Natur desselben wohl kaum noch einigen Zweifel.

Ueber dem eben beschriebenen Dachgebirge liegt in der Regel eine Eisensteinschicht, die jedoch auch häufig auf ansehnliche Distanzen ganz fehlt. Das Eisensteinflötz findet sich 10 und mehr Fuss mächtig, in der Regel beträgt es 6 — 7 Fuss. Die Erze, welche auf demselben vorkommen, sind dichter und

faseriger Brauneisenstein, gelber, brauner und rother
Eisenocker, dichter und faseriger Schwarzeisenstein,
verhärteter, faseriger rother Eisenrahm von eigenthümlicher Natur, dichtes und faseriges Graubraunsteinerz, Braunsteinocker, Baryt meist eingesprengt,
Hornstein, selten in Nieren und Knollen. Bei Kahl
fehlt diese Eisenerzlage, sie erscheint aber wieder bei
Heiligenkreuz, doch nur 1 — 2 Fuss mächtig und
mit Quarz, Hornstein und Baryt verunreinigt. Auf
ähnliche Art findet sich diese Eisenerzniederlage bei
Vormwald, Eichenberg und Rothenberg, wo faseriger
Brauneisenstein wohl 1 — 1½ Fuss mächtig mit etwas
Kobaltgehalt bisweilen erschürft worden ist, doch·
meist auch mit einer reichlichen Beimengung von
Baryt.

Ueber dem Eisensteinflötz, oder wenn dieses
fehlt, unmittelbar auf dem Dachgestein ist ein gelblich, zuweilen auch lichtaschgrauer mergelartiger Kalkstein 6 — 15 und noch mehr Lachter mächtig gelagert. Der untere Theil dieses Kalksteins ist da, wo
er auf dem Eisensteine ruht, gewöhnlich zu einer
Art von Triebsand aufgelöst. An manchen Stellen
ist dieses Kalklager ohne alle Zerklüftung, und es
zeigen nur hier und da von Bitumen durchdrungene
Streifen die Schichtung an; dann aber ist der Kalkstein nicht fest, sondern zwischen den Fingern zerreiblich. Zuweilen findet sich dieses Lager auch wohl
durch Schichtungsklüfte oder durch viele, mit dentri-
tischen Zeichnungen besetzte, vertikale Risse zerklüftet; in diesem Falle ist es etwas fester und nicht unter dem Finger bröckelnd. Trümmer von gemeinem
Baryt kommen öfters in diesem Kalksteine vor, nur
selten findet sich stänglicher, weingelber Baryt in dem
auf diesem Kalksteine befindlichen Steinbruche. Versteinerungen oder Abdrücke kommen niemals in demselben vor. Nach den Beobachtungen von Behlen
ist die Hauptfarbe dieses Kalksteins lichtgrau, doch
findet man auch mächtige Schichten von mannigfaltig
lebhaft nüancirten Farben, als gelb, grün und braun,
die in Flammen und Streifen wechseln. Diese Farben zeigen sich vorzüglich schön in dem Steinbruche,
der für den Kalkofen der Kahler Ziegelhütte betrie-

ben wird. Von fremdartigen Fossilien finden sich in
diesem Kalksteine, ausser dem Baryt, noch Schwefelkies, Brauneisenstein, meist dendritisch, und schwarzer Spatheisenstein. Bei Kahl soll in demselben eine
fast seigere Schicht von Rogenstein durchbrochen
worden seyn, theils von gelblich-grauer, theils brauner Farbe. In der Gegend von Rothenburg und Eichenberg erscheint dieser Kalkstein wieder mehrere
Lachter mächtig. Er ist hier in dünnen Lagen geschichtet, von dichtem, ins Splitterige übergehendem
Bruch und hellgrauer Farbe. Er enthält stellenweise
Knollen von Schwerspath, immer aber zeigen sich in
ihm grosse, schöne Drusen mit rhomboedrischen weissen Krystallen ausgekleidet. Auf den Klüften finden
sich häufig Dentriten von Graubraunsteinerz; seigere
Klüfte durchsetzen das Gestein, die mit rothem Thon
ausgefüllt sind, der wahrscheinlich wohl von den darüber liegenden Schichten herrührt.

Es geht aus dieser Beschreibung ganz unbezwei-
felt hervor, dass dieser Kalkstein, welcher das letzte
Glied der Kupferschieferformation ausmacht, alle die
wesentlichen Charaktere des Flötzdolomits an sich
trage. Namentlich in Ansehung der zu einer sand-
ähnlichen Masse aufgelösten Kalksteinschicht, unmittelbar über dem Eisensteinflötz, stimmt sehr schön
eine Beobachtung des Herrn v. Buch *) überein,
nach welcher da, wo der Dolomit der Muggendorfer
und Gailenreuther Höhlen auf dem Kalkstein ruht,
der Boden wie mit tiefem Sande bedeckt scheint, der
aus lauter kleinen Dolomitrhomboedern besteht. Ueber diesem Kalkstein folgen zunächst Bänke von verhärtetem rothen Letten und Schieferthon, und dann
der rothe Sandstein selbst, der in diesen Gegenden
so weit verbreitet ist. Die rothen Schieferletten rechnet Schmidt noch zur Kupferschieferformation, es
soll auch einmal ein schmales Kalksteinlager in denselben vorgekommen seyn; sie dürften sich jedoch
mehr dem darauf liegenden rothen Sandsteine anschliessen.

---

*) v. Buch. über Dolomit als Gebirgsart. 1ste Abhandlung
vom 31. Jan. 1822, p. 15.

Alle diese Schichten, so wie der rothe Sandstein selbst, werden von Gängen durchsetzt, meist in der Richtung von West in Ost und 50 — 60 Grad Norden fallend. Diese Gänge setzen bis in den Glimmerschiefer nieder, in dem sie sich aber, bei einer Tiefe von 15 — 20 Lachtern, nach und nach verlieren, auch gehen dieselben nie edel zu Tage aus, sondern fangen erst in der oberen Kalkschicht an, sich zu erweitern, und dann in noch etwas grösserer Tiefe edel zu werden. Die Mächtigkeit dieser Gänge beträgt höchstens 3 — 4 Fuss, gewöhnlich aber nur wenige Zoll, die fast einzige Gangart pflegt Baryt zu seyn, nur selten findet sich etwas Kalkspath oder Quarz in den Drusen; die auf diesen Gängen am häufigsten vorkommenden Erze sind weisser und grauer Spieskobalt, Erdkobalt, Kupfernikel, Spatheisenstein, seltener gediegen Wismuth, Wismuthglanz, verschiedene Kupfererze, bisweilen Pharmakohlit auf abgebauten Gängen.

Das Grauliegende und die Kupferschieferformation von Bieber sind bis jetzt in diesen Gegenden die einzigen Schichten, welche entschieden dem älteren Flötzgebirge angehören, demjenigen nämlich, welches in dem nördlichen Deutschland unter dem bunten Sandstein vorzukommen pflegt. Es finden sich indessen in den Vogesen und dem Schwarzwalde noch einige Conglomeratbildungen, welche dem Rothliegenden analog gestellt werden können. Die rothen Conglommerate mit vorwaltendem thonigen Bindemittel, und mitunter mit weissen specksteinartigen Einsprengungen, die sich längs dem südlichen Abfall der Vogesen hinziehen, sind bereits bei Gelegenheit des Steinkohlengebirges von Ronchamps beschrieben, und von denselben bemerkt worden, dass sie sich dem nordteutschen Rothliegenden sehr nähern dürften; es wird daher hinreichen, auf diese Beschreibung hier Bezug zu nehmen.

Auf demselben südlichen Abfalle der Vogesen, zwischen Ramerschmatt und Niederburbach, findet sich ebenfalls häufig ein dem Rothliegenden nicht unähnliches Conglomerat von Quarzgeschieben und mitunter auch von Geschieben eines grauen Kalksteins.

Etwas weiter, dicht vor Niederburbach, sieht man in einem Steinbruche eine Menge grosser Kalksteinstücke in einem gelben und rothen Letten innenliegend. Dies ist offenbar ein ganz anderes Gebirge, denn der Kalkstein ist ganz dicht, weiss, mit einigen Madreporen, dem dichten Jurakalksteine ähnlich; theils bildet derselbe eine Kalksteinbreccie, in der diese dichten Kalksteine wieder sehr häufig vorkommen, theils erscheint er auch oolithisch, und die Grundmasse dann viel weisser und durchscheinender, als die gelblichen matten Körner. Diese Masse von Kalksteinschutt, denn sie bildet keine regelmässigen Schichten, ist von grossen Bruchstücken rothen Sandsteins, theils dem Rothliegenden, theils dem ausgezeichneten rothen Sandstein angehörig, bedeckt, welche ebenfalls in einem rothen, sandigen Letten inneliegen. Diese Schuttmassen halten bis über Niederburbach hin aus, und bilden einen Zug niedriger Vorberge vor dem eigentlichen Gebirge. Sobald man dieses erreicht, tritt Porphir, Grünstein und Grauwakke auf.

Aehnliche Conglomerate kommen auch an einigen Punkten in dem Schwarzwalde vor. Da, wo unter andern bei dem Dorfe Hausen im Wiesenthale der Granit verschwindet, legt sich zunächst ein dunkelrother sandiger, auch wohl etwas glimmerreicher Mergel mit gelblich-weissen Flecken an, er wird bisweilen etwas blasig und porös, oft sandsteinartig und alsdann deutlich horizontal geschichtet, doch scheint er sich ziemlich hoch in dem Gebirge hinauf zu ziehen. Er hat zuweilen die Struktur der bunten Mergel, das Krummschaalige und das Zerfallen in kleine Stücke; oft scheint er wie aus Granitgruss zu bestehen, und enthält noch kleine Quarzkörner oft mit daransitzendem Feldspath. Diese Mergel scheinen die liegenden Schichten des rothen Sandsteins zu bilden, wenigstens legt sich der Letztere erst weiterhin diesem ersteren auf und ist recht wohl von diesem thonigen Mergel zu unterscheiden. Dieselben rothen Mergel, wie bei Hausen, kommen auch wieder zwischen Schopfheim und Candern vor, und ziehen über Schillingshoff, Kreuzeiche bis nach Schluchthaus hin; auch hier scheinen sie unter dem rothen Sandsteine zu liegen. Nach den Beobachtungen von Merian *) liegt der rothe Sandstein gleichmässig auf dem rothen festen Conglomerat von Raidbach und Wallbach; bei Hassel aber, ferner zwischen Hausen und Enkenstein bei Weitnau, liegt zwischen dem Granit und dem Sandstein ein lockerer, dem verwitterten Granit ähnlicher Gruss, oft ganz lose, oft aber durch ein Bindemittel verbunden, welches schon die braunrothe oder graue Farbe des rothen Sandsteins besitzt. In diesem Gruss finden sich namentlich zwischen Hausen und Enkenstein ganze Stücke von Granit, bisweilen einige Zoll im Durchmesser und von eckiger Gestalt; meist aber besteht dieser Gruss aus Feldspath und Quarzkörnern, durch Thon verbunden. Der Gruss bildet oft ziemlich feste Bänke, welche südlich und südwestlich stark vom Urgebirge abfallen; diese festeren Bänke sind feinkörnig, braunroth, und werden gangartig durchsetzt von weissen körnigen, man möchte sagen granitartigen Trümmern, die senkrecht stehen. Unmittelbar auf diese Grussablagerungen folgt der rothe Sandstein.

Herr Pr. Merian erwähnt ebenfalls mehrerer hierher gehöriger Conglomerate an dem südlichen Fusse des Schwarzwaldes**). Diese bestehen aus Geschieben von Gneuss und Granit, mit Körnern von Feldspath und Quarz, verbunden durch ein braunrothes festes, thonartiges Bindemittel. Geschiebe und Körner sind nur wenig abgerundet, der Feldspath aber befindet sich öfters in einem sehr verwitterten Zustande. Dieses Conglomerat bildet wenig mächtige Massen, die unmittelbar dem Urgebirge aufgelagert sind; so kommt es vor in horizontalen Schichten oberhalb Seckingen unmittelbar auf dem Gneusse, überall von dieser Gebirgsart umringt und nicht weiter bedeckt***).

---

*) P. Merian über die Flötzbildungen am südwestlichen Rande des Schwarzwaldes. — Vorlesung, gehalten im Juli 1821 in der Versammlung der allgemeinen schweizerischen Gesellschaft für die gesammten Naturwissenschaften.

**) P. Merian über die Flötzbildungen etc.

***) P. Merian geognostische Beiträge, p. 113.

Nach Herrn Rengger soll es an dem Rhein bei Seckingen, dem Granite aufgelagert, ebenfalls vorkommen. Dasselbe Conglomerat erscheint wieder unter dem rothen Sandstein, und dem Gneuss aufliegend, zwischen Waldkirch und Seftingen, ferner zeigt es sich von Hassel bis Raidbach längs dem Saume der dortigen Granitberge, unmittelbar bedeckt von mächtigen Ueberlagerungen des rothen Sandsteins.

Spuren von fremdartigen Einlagerungen oder Ueberreste organischer Wesen sind bis jetzt in diesen Conglomeraten noch nicht aufgefunden.

Es ist gewiss, dass diese Conglomerate sich von dem darüberliegenden rothen Sandsteine sehr bestimmt unterscheiden, und dass sie auch mineralogisch mit dem nordteutschen Rothliegenden viele Aehnlichkeit haben, aber, die Gegenden von Ronchamps abgerechnet, ist ihre Verbreitung so gering, dass sie mehr für lokale Modifikationen, als für besondere Formationen gehalten werden müssen.

Auch auf der Grenze zwischen Granit und rothem Sandstein, da, wo sich der rothe Porphir einlagert, hat die letztere Gebirgsart mit dem eigentlichen Rothliegenden grosse Aehnlichkeit. Die Conglomerate, welche die Porphirbildung begleiten, die Porphire selbst sind denen ganz ähnlich, welche auch in dem nordteutschen Rothliegenden vorkommen. Es gehen aber diese Bildungen unmerklich in die des rothen Sandsteins über, welcher dem nordteutschen bunten Sandstein wohl näher stehen möchte, wie dem Rothliegenden, und würde daher angenommen werden können, dass in solchen Gegenden jene beiden Formationen in eine zusammen gefallen sind, indem die trennenden Gebirgsschichten, der Zechstein und der ältere Flötzgips hier fehlen. Es sprechen jedoch für die Annahme eines solchen Ueberganges nur wenig Gründe.

2. Formation des rothen oder bunten Sandsteins.

Die Formation des rothen Sandsteins, einstweilen so zu benennen, weil in ihr die rothe Farbe im Allgemeinen vorherrscht, bildet in den zu beschreibenden Gegenden eine der mächtigsten und der am weitesten verbreiteten Gebirgsmassen, die man in den verschiedenen Gegenden ihres Vorkommens auf sämmtliche Ur- und Uebergangsformationen, und in der Regel durchaus abweichend, aufliegen sieht. In den Vogesen befindet sie sich besonders auf dem westlichen Abhange, der fast ganz aus ihr besteht. Sehr interessant ist ganz vorzüglich eine durch ihre Höhe ausgezeichnete Gebirgskette dieses Sandsteins, die etwa, von dem grossen Donnon auslaufend, gegen Südwest in fast gerader Linie bis nach Epinal hinzieht, und welche bei St. Blaise (Blasien) und Raon von der Meurthe, oberhalb Remberviller von der Mortagne, und bei Epinal von der Mosel durchschnitten wird. Auf dem rechten Ufer der Meurthe besteht dieses Gebirge aus drei parallelen Ketten, von denen eigentlich nur die mittelste auf das linke Ufer übersetzt; denn die äussere nordwestliche Kette, welche gegen Norden unmittelbar mit den grossen Sandsteinmassen zwischen Pfalzburg und Savern zusammenhängt, verliert sich allmälig und die innere südöstliche, endigt, ziemlich steil der Abtei von Moyen-moutier gegenüber mit einem 80 F. hohen Sandsteinfelsen, in welchen Stufen eingehauen sind, um denselben ersteigen zu können. Die mittlere Kette aber gewinnt zwischen der Meurthe und Mortagne eine ansehnliche Verbreitung, und zieht aus dem Departement des Voges in das der haute Saône bis St. Loup, Lure und Saulnot, kehrt aber alsdann wieder auf den südlichen Abhang der Vogesen in die Gegend von Ronchamps und Belfort zurück, wo sie mehr den Charakter des Rothliegenden annimmt. Auf dem südlichen Abhange der Vogesen gewinnt diese Gebirgsart selbst einige Verbreitung, namentlich in der Gegend von Giromagny und Belfort, denn unter andern bei St. Germain befindet sich ein sehr ansehnlicher Sandsteinbruch. In den höheren Theilen des Gebirges, auf dem östlichen und westlichen Abhange der Vogesen, findet sich zwar auch der rothe Sandstein, aber nicht zusammenhängend, sondern nur angelehnt an den Abhang des primitiven Gebirges, und meist ein bedeutend niedrigeres Niveau einnehmend. Auf dem südöstlichen Abfalle der Vogesen bildet der rothe

Sandstein nur die ersten höheren Vorberge, so unter
andern bei Gebweiler, Ruffach und am Eingange des
Münsterthales, oft in hohen, schönen Kegelbergen
emporragend, wie unter andern die Spitzen, auf denen das Schloss Hohenach, westlich Colmar, und die
Hohen-Königsburg bei St. Hypolite liegen. Hier
überall dringt der rothe Sandstein nicht tief in das
Innere des Gebirges ein, und dieses Verhalten
bleibt sich gleich bis zu den Ufern der Breusch. Wie
aber weiter gegen Norden in den Vogesen das Niveau des Urgebirges allmälig sinkt, so nähern sich die
Sandsteinmassen der West- und Ostseite, zuerst nur
einzelne spitzige Kegel bildend, welche auf dem primitiven Gebirge zerstreut liegen. Nach und nach
aber gewinnen dieselben mehr Zusammenhang, dergestalt, dass nördlich dem Thale der Breusch oder
nördlich von Marmoutier diese Gebirgsart in den
Vogesen ausschliesslich herrschend wird. Das Gebirge
der Vogesen besteht dergestalt aus zwei Ketten, von
denen die südlichere oder die des primitiven Gebirges bereits mit dem Breuschthale endigt; wogegen
aber, so wie die Höhe derselben abnimmt, westlich
eine neue Kette, aus rothem Sandstein bestehend,
emporsteigt, welche anfänglich neben der Kette des
primitiven Gebirges hinzieht, nördlich dem Breuschthale aber genau in die Verlängerung desselben tritt,
und sich nun von hier bis in die Hardt fortzieht, welche ausschliessend von rothem Sandstein gebildet wird,
der namentlich zwischen Landau und Kaiserslautern
eine ganz ungemeine Verbreitung erreicht, das grosse
Bassin zwischen den Vogesen und dem rheinischen
Schiefergebirge fast ganz allein ausfüllend. Hier gegen Norden legt sich der rothe Sandstein auf das
Pfälzisch-Saarbrück'sche Steinkohlengebirge; er umgeht dasselbe auf dem östlichen Abfalle, und erscheint
zum letztenmale in der Gegend von Kreuznach, theils
auf Porphir und Kohlensandstein, theils auf Grauwakke ruhend, und hier schon so sehr an Höhe ver-
lierend, dass er das vorliegende Grauwakkengebirge
nicht mehr übersteigen kann. Besonders interessant
ist noch das Vorkommen des rothen Sandsteins unmittelbar an den Ufern des Rheins, zwischen Mainz

und Oppenheim. Bei Nackenheim und Nierstein nämlich machen die aus tertiärem Kalkstein gebildeten Hügel einen Bogen, und innerhalb desselben liegt ein isolirter Hügel von rothem Sandstein*). Dieser feinkörnige rothe Sandstein lässt sich bis Laubenheim und Hechtsheim hin verfolgen, er scheint nur den gegen das Rheinthal hingekehrten Abhang des Gebirges einzunehmen, und wird an seinen beiden Endpunkten, so wie auf der Höhe der Hügel von dem tertiären Kalkstein bedeckt**).

Aus den Gegenden der Hardt wendet sich der rothe Sandstein gegen Südwesten, dem Streichen des Steinkohlengebirges folgend, und erzeugt hier, durch die Richtung der Vogesen und des Schiefergebirges gezwungen, zwischen Saarbrücken und Bietsch eine grosse, lang gezogene Mulde, in deren Mitte der rauchgraue Kalkstein sich einfindet. Sanft überlagert in den Gegenden von Saarbrücken der rothe Sandstein das Steinkohlengebirge, selbst nur ein meist ebenes Terrain bildend. Bisweilen zeigt er sich jedoch in einzelnen Kuppen innerhalb des Gebiets des Kohlensandsteins; so unter andern zwischen St. Wendel und Winterbach***), bei Sien****) und an noch einigen andern Punkten. Im Allgemeinen ist aber das Niveau des rothen Sandsteins nicht hoch genug, um seine Massen über das Steinkohlengebirge ausbreiten zu können; der Sandstein folgt daher dem Thale der Saar, und umgeht das Steinkohlengebirge auf seinem westlichen Abhange, in dem tief eingeschnittenen Prinzbacher Thale sich tief zwischen das Steinkohlen- und Grauwakkengebirge hineinziehend. Er tritt darauf in das Mosel- und Kyllthal, und füllt hier die sehr lang gezogene, schmale, von Süden nach Norden laufende Mulde des Grauwakkengebirges aus, in

---

*) De Luc, Lettres physiques et morales etc. Tome IV. Lettre 103. pag. 374.

**) Noeggerath Rheinland-Westphalen, B. L pag. 218.

***) Steininger's geognost'sche Studien. 1819. pag. 141.

****) Noeggerath, Rheinland-Westphalen, B. I. pag. 242.

der er zwar, an Masse immer mehr abnehmend, endlich bis auf die Höhen der Eifel gelangt, wo bei Roth, bei Hillesheim und an sehr vielen anderen Punkten seine abweichende Lagerung auf dem Grauwakkengebirge mit vorzüglicher Deutlichkeit beobachtet werden kann. Die nördlichsten Punkte des linken Rheinufers, wo diese Formation noch beobachtet wird, sind die Gegenden von Niedekkén und Commern; hier tritt der rothe Sandstein noch einmal recht charakteristisch hervor, und bildet die Lagerstätte einer durch ihren Reichthum berühmten Bleierzformation. Auf dem nördlichen Abfalle des grossen rheinischen Schiefergebirges ist dies der einzige Punkt, an welchem der rothe Sandstein erscheint. Auch auf dem nördlichen Abfalle der Ardennen zeigt sich keine Spur dieser Bildungen, und deswegen ist das Vorkommen des rothen Sandsteins in den Gegenden von Commern so höchst merkwürdig, weil es offenbar mit jener grossen Mulde des Schiefergebirges in Verbindung zu stehen scheint, durch welche gleichsam der Weg bezeichnet wird, den vielleicht die Massen des rothen Sandsteins genommen haben mögten, um in diese entlegenen Gegenden zu gelangen*).

Auch auf dem südlichen Abfalle der Ardennen verschwindet bald jede Spur des rothen Sandsteins, welcher entweder auf dieser Abdachung gänzlich fehlt, oder aber, was nicht ganz unwahrscheinlich seyn mögte, von den Bildungen des Griphitenkalkes, des Jurakalkes und der Kreide überdeckt wird, die vielleicht übergreifend auf rothen Sandstein und Grauwakke ruhen, weil das Niveau des Ersteren nicht hoch genug ist, um über Tage sichtbar zu werden.

Aus der angegebenen Verbreitung des rothen Sandsteins auf dem linken Rheinufer geht hervor, dass derselbe eine zusammenhängende, im Allgemeinen von Süden nach Norden streichende Gebirgsmasse bildet, welche meist gegen Westen einschliesst, und sich unter die jüngeren Flötzgebirge nach dieser Rich-

---

*) Schon OMALIUS D'HALLOIS, Journal des Mines, Nro. 143, p. 382, hat auf diesen Zusammenhang aufmerksam gemacht.

tung hin verbirgt. Nach Steininger *) sollen sich Spuren des rothen Sandsteins zwischen Cerf und Wadern auf dem Schiefergebirge, noch in einer Höhe von 2300 F. über dem Meere finden, aber diese Angabe scheint unwahrscheinlich, weil in diesen Gegenden der rothe Sandstein nie ein so bedeutendes Niveau zu erreichen pflegt.

Auf dem rechten Rheinufer ist die Formation des rothen Sandsteins in zwei grosse Hauptmassen gesondert. Die erstere südliche umgiebt den Schwarzwald, und findet sich vorzugsweise auf der östlichen und nordöstlichen Abdachung desselben. Auch hier sind die höchsten Höhen des Gebirges ganz frei von der Bedeckung des rothen Sandsteins geblieben, und nur da, wo das Niveau des Urgebirges abnimmt, legt sich eben so, wie in den Vogesen, der rothe Sandstein erst in isolirten Massen, nach und nach aber mehr Zusammenhang gewinnend, darüber. Auf dem südlichen und westlichen Abfalle des Schwarzwaldes erscheint der rothe Sandstein nur unbedeutend an Masse, dem Urgebirge angelehnt und demselben an Höhe bedeutend nachstehend.

Dem Hardtgebirge gegenüber, auf dem rechten Rheinufer, befindet sich eine grosse Versenkung des Gebirges. Noch südlich von Pforzheim fällt das Gebirge rasch ab, und bald verschwindet auch der rothe Sandstein unter der Bedeckung des rauchgrauen Kalksteins; der nördlichste Punkt, wo der rothe Sandstein des Schwarzwaldes noch zu Tage ausgeht, ist in dem Pfinzthale bei Durlach; es befinden sich hier an dem Thurmberge bei Grötzingen sehr bedeutende Steinbrüche; doch bald wird der Sandstein vom rauchgrauen Kalkstein überdeckt. Aber 12 Stunden weiter, etwas nördlich von Wiesloch, erhebt sich wieder das Gebirge, und sogleich tritt auch wieder der rothe Sandstein in mächtigen Massen zu Tage, und unter demselben die rothen Porphire und der Granit. Er bildet nunmehr die zweite grosse Gebirgsmasse, welche von der ersteren über Tage durchaus geschieden ist.

---

*) Steininger erloschene Vulkane, p. 11.

ist. Diese zweite Hauptmasse, ungleich bedeutender, wie die erstere, bildet den ganzen östlichen Abfall des Odenwaldes, trennt das Urgebirge des Odenwaldes von dem des Spessarts, und konstituirt bei weitem den grössten Theil des Spessarter Waldes. Ganz isolirt kommt der rothe Sandstein in dem Thale des Kocher bei Ingelfingen, in dem Jaxtthale bei Krautheim und in dem Tauberthale zwischen Lauda und Königshofen vor; diese drei Punkte liegen in einer ziemlich geraden Linie, und sind merkwürdig, weil sie eine Sattellinie bezeichnen, die vielleicht auf die Absetzung der Steinsalzmassen am unteren Neckar von einigem Einfluss war. Zwischen Gemünden und Aschaffenburg setzt der rothe Sandstein über den Main, umgeht das Urgebirge bei Aschaffenburg, und erscheint wieder in den Niederungen der Umgegend von Hanau, wo sich der rothe Sandstein bis an den Fuss des Taunus hinanzieht, ohne jedoch an dem Fusse dieses Gebirges ein einigermassen höheres Niveau anzunehmen. Nach Steininger *) war bei Wiesbaden im Jahre 1816 ein Steinbruch angelegt, dessen Gestein dem bunten Sandsteine anzugehören schien. Die Schichten desselben waren fast horizontal, schwach Südost fallend; das Bindemittel sehr kieslich, glich dieses Gestein bald einer groben Kieselbreuce, bald einem gräulich weissen Hornstein. Das ganze Thal der Kinzig liegt im rothen Sandstein, der sich immer weiter gegen Norden verbreitet, in das Röhngebirge tritt, von da in die Gegenden von Fulda und gegen Marburg, wo er das grosse Schiefergebirge auf seinem östlichen Abfalle umgeht, bis in die Gegenden von Stadtberge. Er zieht sich alsdann weiter nach Fulda herab bis Cassel, und tritt nun in die Wesergegenden, wo er sich vorzüglich auf dem rechten Ufer findet und ansehnlich verbreitet ist. Auf der andern Seite verbreitet sich dieser Sandstein aus dem Fuldaischen gegen den Thüringer Wald, auf dessen beiden Abhängen er sich wieder findet; und allem Anscheine nach stehen alle diese Punkte in un-

---

*) Steininger Studien, p. 140.

II.

[2]

mittelbarem, auch über Tage nachzuweisendem Zusammenhange.

Aus dieser allgemeinen Angabe des Vorkommens
geht die ungemeine Verbreitung dieser Formation und
ihre wichtige Rolle in dem Flötzgebirge hervor, welches wenigstens in manchen Gegenden durch dieselbe
in zwei Hauptgruppen gesondert zu werden scheint,
die scharf genug von einander getrennt zu seyn
pflegen.

Dass eine so weit verbreitete Gebirgsmasse, welche unter so mannigfaltigen Verhältnissen vorkommt,
auch in ihrem Aeusseren manche Verschiedenheiten
zeigen müsse, scheint fast nothwendig, um so mehr,
wenn man die mannigfaltigen Formationen berücksichtigt, über welche sich dieselbe abgesetzt hat. Es
sind jedoch diese Verschiedenheiten im Ganzen viel
weniger bedeutend, als man auf den ersten Blick zu
glauben geneigt werden mögte, dergestalt, dass diese
Bildung wohl einförmig genannt werden kann. Manche Kennzeichen bleiben sich fast überall gleich, so
die feinkörnige, sandsteinartige Struktur und die so
sehr bezeichnende rothe Farbe, beide sind diesem
Sandsteine so charakteristisch, dass sie nur höchst
selten und ausnahmsweise fehlen. Zur besseren Uebersicht aller Verhältnisse wird es indessen zweckmässiger seyn, von einem Bezirke zum andern überzugehen, und mit dem rothen Sandstein der Vogesen
die Beschreibung zu eröffnen.

Der rothe Sandstein, der sich in dem Gebirgszuge der Vogesen findet, von Herrn Voltz Vogesen-
sandstein (grès des Vosges) genannt*), ist in der Regel aus kleinen mehr oder weniger abgerundeten
Quarzkörnern, meist von weisser Farbe und glänzenden Oberflächen zusammengesetzt. Je höher in dem
Gebirge, desto glänzender scheinen die Quarzkörner
und desto frischer ihre Kanten und Flächen, wie unter andern am Donnon oder am Climont und an

---

*) Ein grosser Theil der nachfolgenden Bemerkungen ist aus ei-
nem ungedruckten Aufsatze des Herrn Voltz, notice géognostique
sur le grès des Vosges, entlehnt, welchen dieser vortreffliche Beobachter uns mit grosser Gefälligkeit mitzutheilen die Güte hatte.

mehreren anderen ähnlichen kegelförmigen Bergen; man möchte oft glauben, die Körner wären krystallisirt, und wirklich lassen sich auch häufig krystallinische Flächen erkennen, doch vollständige Krystalle dürften wohl selten aufgefunden werden. Die Körner haben in der Regel einen Durchmesser von $\frac{1}{3}$ Millimeter, und zwischen ihnen finden sich häufig ebenfalls abgerundete, jedoch ungleich kleinere Körner oder Pünktchen einer weissen weichen thonigen Substanz, welche wohl von verwittertem Feldspath herrühren mögte. In der Regel berühren sich die Quarzkörnchen kaum, und lassen Zwischenräume, welche das Bindemittel ausfüllt, bisweilen aber sind sie auch mehr in einander geflossen, und dann besitzt das Gestein immer eine viel grössere Härte. Die thonigen Körner betragen kaum $\frac{1}{50}$ von der Masse der quarzigen. Die Farbe dieses Sandsteins ist in der Regel roth, höchst selten gelblich oder weisslich, doch im Allgemeinen licht. Da die Quarz- und die Thonkörner eine weisse oder etwas graue Farbe haben, so rührt die rothe Färbung des Gesteins lediglich von dem Bindemittel oder einigen eisenschüssigen rothen Thontheilen her, welche die Oberfläche der Körner überziehen, und, wenn das Bindemittel selbst nicht quarziger Natur ist, die Stelle des Bindemittels vertreten; wenn aber das Bindemittel quarzig ist, so pflegt zwar die Farbe des Sandsteins auch roth zu seyn, ist aber immer ungleich lichter als da, wo das thonige Bindemittel hervortritt.

In einer anderen, jedoch seltneren Varietät des rothen Sandsteins, sind die Quarzkörner etwas grösser, und haben, jedoch selten bis 3 Millimeter Durchmesser, ihre Form ist unbestimmt eckig, ihre Oberfläche glänzend und facettirt; man findet sogar einzelne Stücke, wo die Quarzkörner vollständig krystallisirt sind, doppelt sechsseitige Pyramiden mit dem Prisma dazwischen. Aber solche Stücke sind ausnehmend selten, und erscheint in dieser Form der Sandstein nie als Gebirgsart, sondern nur als lokale Modifikation.

In einer andern, ebenfalls sehr seltenen Varietät dieses Sandsteins haben sich die Quarzkörner so sehr

einander genähert, dass das Gestein nur als ein körniger Quarz erscheint, ohne einzelne unterscheidbare
Körner; alle fremdartige Materie ist hier verschwunden, das Gestein ist gleichförmig und scheint das Resultat einer verworrenen Krystallisation; die Farbe ist
alsdann grau mit einem Stich in das Rothe, mehr
oder weniger dunkel. Dieses, namentlich durch seine
Festigkeit ausgezeichnete, Gestein findet sich unter
andern bei Sulzmatt, zwischen Gebweiler und Colmar, auch findet es sich häufig als Geschiebe in den
Gebirgsflüssen, weil es wegen seiner Festigkeit länger
widersteht.

  Alle diese Sandsteine sind von einer breccienartigen Beschaffenheit, sie umschliessen häufige Geschiebe
verschiedener Quarzarten, meist von dichter oder körniger Struktur und von weissen, grauen, braunen
oder röthlich-braunen Farben. Im Allgemeinen sind
die weissen milchquarzähnlichen Geschiebe vorherrschend. Niemals aber, weder in den Vogesen noch
in dem Schwarzwalde, findet man ähnliche Gesteine
anstehend, von denen diese Geschiebe losgetrennt
seyn könnten, eine Bemerkung, die bereits von mehreren Gebirgsforschern gemacht worden ist, welche
diese Gegenden bereist haben. Gleichwohl tragen
diese Geschiebe ganz unverkennbar den Charakter
wahrer Geschiebe, theils in ihrer äusseren Gestaltung,
theils in ihrer unregelmässigen Vertheilung, denn Quarz-
kiesel von den mannigfaltigsten Farben und Dimen-
sionen finden sich durcheinander gemischt. Die Vertheilung dieser Geschiebe ist ungleichförmig; manche
Schichten des rothen Sandsteins sind so ganz mit
demselben erfüllt, dass fast der Sandstein selbst verschwindet, in anderen Schichten dagegen sind sie seltener. In den Vogesen finden sich diese Geschiebe
überall in dem rothen Sandstein, und gleichmässig
auf den höchsten wie den tiefsten Punkten, ein
bestimmtes Gesetz in ihrer Vertheilung ist uns nicht
geglückt zu entdecken. Da aber diese Geschiebe eigentlich nur auf den rothen Sandstein der Vogesen
und des Schwarzwaldes beschränkt sind, und in anderen Gegenden fast gänzlich fehlen, so dürfte doch
vielleicht ein gewisses Gesetz in der Vertheilung der-

selben statt finden, welches, gehörig entwickelt, über die Bildung dieser Gebirgsart manchen Aufschluss ertheilen dürfte. Da der Sandstein im Allgemeinen leicht verwittert, so findet man diese Geschiebe meist hervorstehend auf den Flächen des Gesteins, oder auch in grosser Menge lose auf den Wegen zerstreut liegend. Die Grösse dieser Geschiebe ist verschieden, solche von der Grösse einer Faust sind selten, und grössere finden sich wohl überhaupt nicht leicht, dagegen findet man sie von der Grösse einer Haselnuss, selbst einer Erbse; Geschiebe von der Grösse einer Wallnuss sind sehr häufig.

Oefters auch findet man in dem rothen Sandsteine dunkelroth oder weiss gefärbte Thongallen, denen ganz ähnlich, wie sie in dem nordteutschen bunten Sandsteine vorkommen; es scheinen Aussonderungen des Bindemittels zu seyn. Dieses Bindemittel ist, wie bereits erwähnt wurde, ein eisenschüssiger Thon und die Ursache der rothen Färbung. In dem Sandsteine der Vogesen ist die Quantität des Bindemittels nur gering, wenigstens des thonigen Bindemittels, die Sandkörner scheinen häufig durch eine Art von Krystallisation an einander gefesselt oder durch eine quarzige Masse verbunden. Bisweilen auch scheint das Bindemittel Eisenoxyd zu seyn, so kommt unter andern bei den sieben Brunnen, unweit Lobsan, ein grösstentheils aus runden Quarzkörnern bestehender Sandstein vor, der durch Eisenoxyd verbunden ist; vielleicht aber ist dieses Gestein auch nur ein bloss regenerirter rother Sandstein. Selten findet sich in den Vogesen dieser rothe Sandstein in der Gestalt von Sand, bedeckt von festen Sandsteinbänken, öfters dagegen erscheint er auf der Fläche des Gebirges, durch die Verwitterung in rothen Sand verwandelt.

Ueberhaupt ist dieser Sandstein sehr zur Verwitterung geneigt, und sehr wenig geeignet, der Einwirkung der Gewässer zu widerstehen. Je reicher an Bindemittel, desto mehr leidet derselbe durch die Verwitterung, und da das Bindemittel selbst in einerlei Schicht selten ganz gleichförmig vertheilt ist, so bleiben einzelne feste Kerne zurück, und dies ist ohne Zweifel die Entstehung von vielen jener grossen Felsblöcke, welche auf dem höheren Gebirge zerstreut liegen. Es scheinen jedoch auch andere Ursachen jene Felsblöcke zum Theil erzeugt zu haben, denn die Form derselben ist meist quaderförmig mit wenig abgerundeten Kanten, und der Zerklüftung des Gesteins entsprechend.

Bei Sulz, westlich von Strasburg, befinden sich beträchtliche Brüche im rothen Sandstein. Das Fallen der Schichten ist h. 8 Ost. In einem der grösseren Brüche beobachtet man auf der Sohle mächtige Schichten von rothem, feinkörnigem Sandstein mit einigen weissen Glimmerblättchen. Weiter nach oben wechseln diese Schichten mit weissen, grünen und rothen Mergelbänken, in denen auch weisse Sandsteinschichten mit auftreten. Ganz zu oberst legt sich Kalkstein auf.

Feine, silberweisse Glimmerblättchen pflegen überall diesem Sandsteine eingemengt zu seyn, jedoch nur in geringer Menge, und höchst selten hinreichend, ihm eine schieferige Absonderung zu geben, die ihn fähig macht, in dünnen Platten gewonnen zu werden; es findet sich jedoch an einigen Punkten ein solcher plattenförmiger rother Sandstein, der sogar zum Decken der Dächer benutzt werden kann.

Einförmige rothe Farbe ist die allgemein herrschende, deren Ton sich meist nach der Quantität des Bindemittels richtet, und deswegen pflegt die Farbe des rothen Sandsteins auf den höchsten Spitzen der Berge im Allgemeinen auch etwas lichter und weniger in das bräunlich-rothe übergehend zu seyn. Bunte Farben sind selten, sie zeigen sich namentlich nur in den obersten Schichten, welche merglich werden, da, wo der rauchgraue Kalkstein sich aufzulegen anfängt. Nächst der rothen Farbe zeigt sich bisweilen auch die gelblich-weisse oder ganz weisse, im Ganzen aber selten; oft sieht man den Sandstein weiss und roth gestreift, die Streifen folgen dann meist bestimmten Richtungen, die von der Schichtung ganz unabhängig sind, und deren Bildung höchst räthselhaft bleibt.

Die Schichtung des rothen Sandsteins ist ausnehmend deutlich, eben so die auf die Schichtung fast senkrechte Zerklüftung. Die Schichten und Bänke des rothen Sandsteins erreichen eine sehr ansehnliche Mächtigkeit, und deswegen ist dieses Gestein ganz vorzüglich zu der schönsten Felsenbildung geeignet. Gleichzeitig ist es ein ganz ausgezeichneter Baustein, und wirklich sind auch fast alle massiven und alle Prachtgebäude in den Gegenden, wo sich solcher Sandstein findet, aus demselben erbaut.

Der rothe Sandstein des Schwarzwaldes ist dem der Vogesen in seiner Beschaffenheit vollkommen ähnlich, und ist es daher überflüssig, in eine nähere Beschreibung desselben einzugehen. Nur an einigen wenigen Punkten zeigt das Gestein einige Eigenthümlichkeiten. So auf dem westlichen Abfalle des Schwarzwaldes, am Lorettoberge bei Freiburg, ist der Sandstein unmittelbar auf Gneuss gelagert, in Bänken, welche h. 4 streichen und Nordwest unter nicht zu starken Winkeln einschiessen. Auf diesen Sandstein werden beträchtliche Steinbrüche betrieben. In einem der ersten dieser Brüche sieht man die Sandsteinbänke mit rothen Schieferthonlagen wechseln, doch so, dass bei zunehmender Tiefe der Sandstein die Oberhand behält. Dieser Sandstein ist sehr quarzig und grobkörnig, von röthlicher, gelblicher, selbst von grünlicher Farbe, welches dem Ganzen ein so buntes Ansehen giebt, wie in der Regel dem rothen Sandsteine nie zuzukommen pflegt. In einem andern, etwas höher gelegenen Steinbruche kommt ein gewöhnlicher rother Sandstein vor, dessen Lagen aber an einigen Punkten weiss werden, und grosse weisse Quarzgeschiebe, graue Hornsteingeschiebe und schwarze Kieselschiefergeschiebe in Menge enthalten. In diesem Sandsteine, der nur wenige Schritte von dem anstehenden Gneuss entfernt ist, soll sich noch nie ein Gneussgeschiebe gefunden haben, es findet sich aber in ihm in Brauneisenstein umgeänderter Schwefelkies eingesprengt.

In dem Thale von Sexau, nördlich von Freyburg, kommt ein gleichförmiger rother Sandstein vor, bei Hermbach findet er sich mit rothen Thongallen; sehr dunkelroth gefärbt findet er sich bei Kentzingen, 6 Stunden nördlich von Freyburg.

In den Gegenden von Basel zeigt sich der rothe Sandstein nicht sehr häufig, er erscheint hier meist von braunrother Farbe, welche von dem thonigen Bindemittel herrührt, welches hier mehr als in den Sandsteinen des höheren Gebirges vorwaltet; ausserdem aber zeigen sich violette, schwärzliche, fleischrothe, graue und weisse Färbungen*), die Farben gehören auch hier dem Bindemittel an, denn die Quarzkörner besitzen immer die graue oder weisse Farbe des gemeinen Quarzes. Bei sehr vorwaltendem Bindemittel erscheint das Gestein als ein bunter sandiger Schieferthon mit parallelen Glimmerblättchen darin. Zieht sich aber das Bindemittel zurück, so erhalten die Schichten eine grössere Mächtigkeit, und der Glimmer verschwindet. Die Sandstein - und Schieferthonschichten wechseln mannigfaltig mit einander ab; in solchen Sandsteinbänken namentlich finden sich noch häufig Thongallen; doch kann man als Regel annehmen, dass die sandigen Schieferthonschichten in grösserer Tiefe verschwinden, denn diese buntgefärbten Sandsteinschichten oder sandigen Mergelbänke gehören ausschliesslich den hangenden Schichten an; sie zeigen sich nie in dem höheren Gebirge, sondern nur in der Tiefe, und zwar nur an solchen Punkten, wo der rauchgraue Kalkstein oder andere jüngere Gebirgsmassen den rothen Sandstein bedecken. Die Mächtigkeit dieser buntgefärbten Schichten ist sehr verschieden, meist nicht sehr bedeutend, oft aber auch so ansehnlich, dass diese Bildungen schon dadurch einen eigenthümlichen Charakter erhalten. Streng genommen können solche bunte Schichten stets als die Repräsentanten der unteren bunten Mergelformation betrachtet werden, welche weiter unten anhangsweise beschrieben werden wird.

Stellenweise, in der Umgegend von Basel, wird der Sandstein grobkörnig, man trifft dann in ihm Gerölle von Nussgrösse, z. B. zwischen Kaiseraugst und Rheinfelden. Dieselben bestehen meist aus Quarz-

*) P. MERIAN Beiträge zur Geognostik, p. 16 — 22.

abänderungen, zum Theil aber auch aus andern Urgebirgsarten. In den angeführten Steinbrüchen erreichen die Quarzkörner die Grösse bis einer Erbse,
sie haben eine graue Farbe und häufig krystallinische
Flächen, obgleich sie an den Ecken abgerundet sind;
zwischen den Flächen bemerkt man hier und da kleine
Feldspathkörner und sehr selten kleine Glimmerschüppchen; einige der Körner sind durch weisse
Schwerspathblättchen mit einander vereinigt.

Herr Merian *) bemerkt zwar ausdrücklich, dass
die Geschiebe des rothen Sandsteins, ausser aus Quarz,
auch noch aus anderen harten Urgebirgsarten bestehen; es sind jedoch schwerlich krystallinisch gemengte
Urgebirgsarten hierunter gemeint, wie Granit, Gneuss
oder Porphir, welche, wenn sie überhaupt in dem
Sandstein vorkommen, gewiss zu den grössten Seltenheiten gehören. Dagegen finden sich, ausser dem
mannigfalig gefärbten Quarz, auch Geschiebe von
Kieselschiefer, Hornstein und verwandten quarzigen
Massen.

Der von rauchgrauem Kalkstein bedeckte und
auf Porphir und Granit aufliegende rothe Sandstein
bei Bürgeln, unweit Candern, ist fast ohne Bindemittel, und hat das Ansehen eines körnigen Quarzes **)
von gelblich-grauer oder ganz weisser Farbe. Trümmer und Nester von Schwerspath durchziehen das
Gestein häufig, so wie den unterliegenden Porphir.

Zwischen dem Platzhof und Nebenau, südöstlich
von Candern, enthalten die feinkörnigen Sandsteinbänke zuweilen Schichten, die mehr oder weniger abgerundeten Urfelsgeschieben erfüllt sind, besonders zeichnen sich grosse, abgerundete Feldspathbrok-
ken in der rothen Grundmasse aus. An diesem
Punkte liegt der rothe Sandstein unmittelbar auf dem
Granit auf, und es wechseln und durchdringen sich
hier gleichsam verschiedene Bänke von Sandstein und
verwittertem Granitgruss auf mannigfaltige Weise.

---

*) Merian loc. cit. pag. 18.

**) P. Merian. Abhandlungen über die Flötzbildungen am süd-
westlichen Rande des Schwarzwaldes.

Besonders mächtig auf dem südlichen Abhange des Schwarzwaldes erscheint der rothe Sandstein zwischen Schopfheim und Candern. Gleich zunächst bei Schopfheim, auf dem rechten Ufer der Wiese, besteht ein beträchtlicher Berg, der Entengast genannt, aus diesem Sandstein, in dem mehrere Brüche betrieben werden. An dem Fusse des Berges ist ein sandigthoniger Mergel, mit Sandsteinlagern wechselnd, von rothen, grünen und weissen Farben; höher den Berg hinauf wird der Sandstein roth und gleichmässig fein im Korn, mit einzelnen Glimmerschüppchen. Es werden hier Hau- und Schleifsteine gewonnen, theils von rother, theils von weisser Farbe.

Derselbe Sandstein findet sich bei Langenau, zum Theil mit weissen Quarzgeschieben; weiterhin, bei Schillingshof und Schlechthaus, finden sich Grusslager zwischen dem Granit und dem rothen Sandstein ein; die Strasse nach Candern führt nun über die Scheidecke, wo man über Konglomerat, roth und weiss gefleckt, auf wahren Granitgruss und auf Granit selbst gelangt; man sieht hier sehr deutlich den Granitgruss allmälig in rothen Sandstein übergehen, der an der Scheidecke zwei ansehnliche Berge bildet. Der Weg senkt sich von hier nach Candern hinab, meist über Granitgruss und auf der Grenze zwischen Granit und Sandstein; ersterer zieht sich so nahe an Candern heran, dass er von der Schmiede daselbst, in welcher ein 630 F. tiefes Bohrloch auf Steinsalz nieder gestossen worden ist, nur kaum 300 Schritt entfernt seyn mag.

Von eigenthümlicher Beschaffenheit ist der rothe Sandstein in der Gegend von Waldshuth. Er wird meist von rauchgrauem Kalkstein bedeckt, und geht nur in einer Schlucht, rechts dem Wege von Waldshuth nach St. Blasien, zu Tage aus, wo in ihm ein unterirdischer Mühlensteinbruch betrieben wird. Dieser Sandstein ist grobkörnig, sehr quarzig und krystallinisch; seine Farbe ist weiss oder licht fleischroth; er enthält einige weisse Glimmerschüppchen und eingesprengtes Kupfergrün und Malachit, aber sehr wenig thoniges Bindemittel. Besonders ausgezeichnet ist aber dieser Sandstein durch eine Menge hohler Dru-

sen, die mit schönen weissen Quarzkrystallen ausgekleidet sind; auch gelblich-weisse Thongallen kommen in ihm vor. Ein ansehnlicher Grad von Härte
macht dieses Gestein zur Anwendung als Mühlsteine
sehr geschickt, welche hier in grosser Menge gewonnen werden. Die Verbreitung des rothen Sandsteins
ist nicht sehr bedeutend, er wird bald überall von
rauchgrauem Kalkstein bedeckt, indem sich etwas
über dem Mühlsteinbruch ein Gipslager befinden soll.
Nicht weit von hier, in dem Wutachthale bei Thiengen, wird ebenfalls Gips in einiger Höhe sichtbar,
und eine Stunde von da, dem höheren Gebirge zu,
hebt sich Porphir zu Tage*). In den Quarzdrusen
des rothen Sandsteins bei Waldshuth sollen auch bisweilen kleine weingelbe Flussspathwürfel und kleine
Kalkspathpyramiden vorkommen, sie müssen jedoch
zu den Seltenheiten gehören**). Das angebliche
Vorkommen von Chabasie in diesen Drusen scheint
unwahrscheinlich.

Ueber die Verbreitung des rothen Sandsteins in
diesen Gegenden theilt Rengger***) folgende Beobachtungen mit.

Eine Viertelstunde oberhalb Tötzelen, in dem
Steinenthale, kommt rother Sandstein vor, dem Urgebirge unmittelbar aufgelagert, welches in der Thalsohle bis Tötzelen ansteht. Von hier das Thal abwärts zeigt sich nur rauchgrauer Kalkstein. Der Sandstein ist feinkörnig, mit wenig Geschieben; sparsam
sind demselben aufgelöste Feldspathkörner eingestreut.
Er liegt zwischen dem Urgebirge und dem rauchgrauen Kalkstein, und seine Mächtigkeit ist nicht bedeutend; sie möchte kaum hier 40 F. betragen.

Der vorhin erwähnte Sandstein von Waldshuth,
welcher sich in einer Schlucht am östlichen Abhange

---

*) LANGSDORFF neue leicht fassliche Anleitung zur Salzwerks-
kunde. Heidelberg 1824, p. 340.

**) H. v. S. (STRUVE) mineralogische Beiträge, vorzüglich in Hin-
sicht auf Würtemberg und den Schwarzwald, p. 149.

***) RENGGER, Beiträge zur Geognosie. B. I. 1. Lieferung, pag.
194 — 217.

des Haspelberges findet, ist rings von rauchgrauem Kalkstein umgeben. Dieser Kalkstein hält an bis nahe nördlich von Remetswil, wo nun wieder rother Sandstein auftritt. Es kommt zwar noch einmal ein wenig weiter der Kalkstein vor, er verschwindet aber bald gänzlich, dann tritt nicht sehr mächtig der rothe Sandstein auf, und wird nun sehr bald durch das Urgebirge verdrängt, dem er nur als sehr schwache Schicht aufgelagert ist.

Ein wenig nordwestlich von Niederalpsen tritt ebenfalls rother Sandstein auf, von gelblich-weissen und braunen Farben; es wird ein Steinbruch auf demselben betrieben. Die flache Bergebene von hier bis gegen Steinbach besteht ebenfalls nur aus weissgefärbtem rothen Sandstein, in dem Steinbachthale selbst aber ist Urgebirge entblösst, ein Beweis, dass der Sandstein nicht mächtig seyn kann. Rauchgrauer Kalkstein zeigt sich hier nicht, sondern nur südlich von Unteralpsen.

Bei Laufenburg zeigt sich, wie bereits früher angegeben, etwas rother Sandstein, eben so nordwestlich von hier, an dem Gebirgsabhange bei Hennern und Rothzell, wo Brüche auf demselben betrieben werden. Ferner zeigt er sich bei Sekingen in einer Mulde des Granitgebirges abgesetzt, bei Oberwallbach, beide Ufer des Rheins, bei Unterwallbach, einen Theil des Kelberges bildend, und in dem Thale von Ober- und Niedermumpf, auf dem linken Rheinufer sich etwa eine Viertelstunde weit hineinziehend, überall von Kalkstein umgeben.

Interessant ist das Vorkommen des rothen Sandsteins bei Welledingen, nordwestlich Stühlingen, mitten im Gebiete des rauchgrauen Kalksteins. Unter demselben treten zunächst grünlich-graue, dann rothe und bunte Mergel hervor, in welchen schmale Lagen von sehr festem quarzigen Sandstein liegen. In dem Dorfe selbst kommt weisser und bunter quarziger Sandstein häufig vor, in dem sich unweit der Kirche Porphirmassen finden und gleichsam in den Sandstein zu verlaufen scheinen, der blassroth, gelblich-weiss, grünlich-gelb, selten dunkelroth ist; Porphir und Sandstein scheinen horizontal gelagert. Höher den Berg hinauf, nach Bonndorf zu, treten über dem Sandstein die bunten Mergel wieder auf, die sich zwischen ihm und dem rauchgrauen Kalkstein gewöhnlich einzufinden pflegen, und ziehen ziemlich weit gegen Bonndorf hin, wo sie wieder von Kalkstein bedeckt werden. Dieses Vorkommen ist nicht allein wegen der Porphire, sondern auch namentlich interessant, weil es beweist, dass zwischen dem rothen Sandstein und dem rauchgrauen Kalkstein häufig noch eine Letten- und Mergelformation sich einfindet, von der in der Folge noch mehrere Beispiele vorkommen werden.

Nicht weit von Villingen, auf dem Wege nach Hornberg, ist ein ungemein quarziger, oft ganz körnig-splitteriger Sandstein dem Granit des Kirnacher Thales unmittelbar aufgelagert. Dieser Sandstein hat verschiedene graue, rothe, grüne, gelbe Farben, ist meist etwas gestreift, bald lichter, bald dunkler. Eingesprengt und auf Klüften enthält er häufig Schwerspath, und wechselt in seinen oberen Bänken mit Mergellagern. Angeflogen und in Nieren kommt Brauneisenstein in ihm vor.

In den nordöstlichen Gegenden des Schwarzwaldes, wo der rothe Sandstein eine so grosse Ausdehnung gewinnt und die höchsten Bergspitzen bildet, ist er ganz dem der Vogesen ähnlich; auch hier enthält er eine Menge Quarzgeschiebe, und auf der Grenze zwischen ihm und dem primitiven Gebirge kommen häufige Bildungen von rothem Porphir vor, die jedoch bereits früher beschrieben worden sind.

Besonders ausgedehnt erscheint der rothe Sandstein in den Gegenden, zwischen den Thälern der Nagold, Alb und Murg, und hier oft Berge von sehr ansehnlicher Höhe bildend. Oestlich von Loffenau, unweit Gernsbach, ist ein Berg, die Teufelsmühle genannt, an dessen Abhange sich 7 Gewölbe befinden, die zum Theil wenigstens durch Kunst entstanden seyn mögen. Auf der Höhe des Berges liegen grosse Blöcke von rothem Sandstein[*]. Dergleichen

---

[*] Jaegerschmidt, das Murgthal, besonders in Hinsicht auf Naturgeschichte und Statistik. Nürnberg 1800, p. 201.

grosse Gebirgsblöcke sind dieser Gebirgsart überall in
dem höheren Gebirge eigen, und geben solchen Gegenden ein sehr wildes Ansehen.

Da, wo sich das Hardtgebirge den Vogesen anschliesst, ist die Beschaffenheit des rothen Sandsteins
dem in den Vogesen ganz ähnlich; so zwischen Pirmasenz und Landau ist der Sandstein ein ziemlich
grobes Konglomerat aus Quarz, Kieselschiefer, Horn-
fels und anderen Geschieben kieslicher Fossilien bestehend, die in einer feinen Sandsteinmasse eingekne-
tet liegen, deren Zusammenfügung sehr krystallinisch
erscheint, dergestalt, dass die kleinen Quarzkörner in
der Sonne lebhaft schimmern*). Die Menge dieser
Geschiebe ist sehr verschieden, manche Schichten
sind ganz mit denselben erfüllt, in anderen finden sie
sich nur sparsam, immer aber ist das Bindemittel derselben ein feinkörniger Sandstein, der nur wenig
Thontheile enthält.

In dem Queichthale findet sich feinkörniger Sandstein, jedoch bemerkt man hier überall, dass die höheren Punkte des Gebirges aus konglomeratartigem
Sandstein bestehen, welcher über dem feinkörnigen
gelagert ist. Ungemein schöne Felsenmassen bildet
der rothe Sandstein in den Thälern der Hardt.
Nach Omalius **) unter andern befindet sich bei
Frankenstein, unweit Kaiserslautern, eine Felsenmasse
in Form einer Säule, mit darauf befindlichem vorstehenden Capitale. Die steil ansteigenden Berge in
der Gegend von Anweiler sind häufig auf ihren Gi-
pfeln mit einem Kranze senkrechter Felsen geziert, so
unter andern der grosse und kleine Bollberg; schöne
Felsengruppen zeigen sich in dem Thale von Neustadt, und einige Stunden oberhalb dieses Orts ist
eine geräumige Höhle in dem Sandstein. In solchen
Felsenwänden führt das Gestein stets viele Kieselge-
schiebe, und die höchsten Höhen des Hardtgebirges,
der Kalmuck, der Drachenfels u. s. w., bestehen aus

---

*) Noeggerath Rheinland Westphalen, B. I., p. 244.

**) Omalius d'Halloy, Essai sur la Géologie du Nord de
la France, Journal des Mines, Nro. 144, p. 456.

konglomeratartigem rothen Sandstein. Diese konglo-
meratartige Beschaffenheit ist dem Sandstein des
Hardtgebirges überall eigen, aber je mehr man sich
aus der Hardt entfernt, in der Richtung nach Saarbrücken hin, desto mehr verschwinden diese Geschiebe
kieslicher Gesteine; der Sandstein wird alsdann feinkörniger, weniger krystallinisch, das thonige Bindemittel erscheint in reichlicherer Menge, auch sondern
sich häufig einige Thongallen aus, und selbst ganze
Lager von rothem Thon oder rothen Schieferletten.
In seinen oberen Schichten ist der Sandstein meist
mergelartiger Beschaffenheit, und enthält in der Regel kleine, zarte Glimmerschüppchen. Die rothe
Farbe bleibt indessen auch in diesen Sandsteinen immer vorherrschend, und sie ist meist sogar dunkler,
wie in dem hohen Gebirge, aber ausser der rothen
Farbe treten auch häufig weisse Farbennüancen auf.
Dies lässt sich unter andern sehr schön in den Gegenden des Saarthales beobachten. So unter andern
bei Saarbrücken, auf dem sogenannten Steinackerberge
bei Bischmischheim, befinden sich Steinbrüche in einem Sandstein, der in seinen Kluftflächen durch einen Ueberzug von rothem Thon zwar meist roth erscheint, aber in seinem Innern gewöhnlich weiss zu
seyn pflegt, ausserdem zeigt derselbe auch gräulich-
oder gelblich-weisse und rothe Farben, doch bleibt
hier die weisse Farbe vorherrschend. Er wechselt
mit ganz schmalen grauen Thonlagen. In mehreren
der höher am Berge liegenden Steinbrüche kann man
den Wechsel von rothem und weissem Sandstein sehr
deutlich wahrnehmen. In dem weissen Sandstein
kommen nicht allein ganz kleine grüne Thonflecken,
sondern ganze Thongallen vor. Ein ähnliches Verhalten lässt sich unter andern auf dem Wege von
Saarbrücken nach Saargemünd beobachten; hier sieht
man den Sandstein mit bunten, rothen und grünen
Mergel - und Lettenschichten wechseln. Auf dem
ganzen linken Ufer der Saar, bis über Blittersdorf
hinaus, ist der Sandstein theils roth mit weissen und
gelben Flecken, theils finden sich weisse Lagen darin, auch graue und rothe Lettenlagen sind nicht selten, oder Klüfte, die mit Letten ausgefüllt das Ge-

stein durchsetzen. Dieser Wechsel der Färbung erscheint oft unter recht interessanten Verhältnissen; so bemerkt man unter andern auf diesem Wege längs der Saar in dem rothen Sandstein eine Lage weissen Sandsteins, die sich in drei andere Lagen zerspaltet, welche weit genug aushalten. Noch interessanter ist oberhalb Arneval und gegenüber, etwas unterhalb Guiding (Güddingen), der unmittelbare Uebergang von rother in weisse Färbung in ein und derselben, durchaus nicht unterbrochenen Schicht, zugleich der beste Beweis, wie eng verbunden die Bildung des weissen und rothen Sandsteins ist. Der weisse Sandstein bildet hier eine ziemlich bedeutende Masse in dem rothen, die oberen Schichten des Gesteins scheinen dieser Veränderung gar nicht unterworfen und sind abwechselnd roth und weiss, und nur in dem Streichenden wird zu beiden Seiten die weisse feinkörnige Sandsteinmasse von ähnlichen roth gefärbten ohne sichtbare Unterbrechung scharf begrenzt.

Besonders interessant ist die Gegend von St. Avold, westlich von Saarbrücken, wo die rothe Sandsteinformation wieder eine ganz ansehnliche Verbreitung erreicht, und durch ihre Erzführung bekannt ist. Es ist ein feinkörniger Sandstein, theils roth, theils weiss, die weisse Farbe vorherrschend, mit wenig Bindemittel, und daher von keiner grossen Festigkeit. Konglomeratschichten zeigen sich nicht in demselben, übrigens ist es ganz der charakteristische rothe Sandstein, und in seinem ganzen Verhalten namentlich auch dem Sandstein ähnlich, welcher jenseits des Schiefergebirges, am Bleiberge bei Commern vorkommt, und durch seinen Reichthum an Bleierzen so berühmt ist. Das Saar- und Moselthal abwärts zeigt der rothe Sandstein eine gleichbleibende Beschaffenheit; seine Farbe ist im Allgemeinen roth, Konglomeratschichten kommen wenig oder gar nicht in ihm vor, auch das Bindemittel fehlt oft, oder der Sandstein ist, wie in der Gegend von Saarlouis, zu feinem losen Sande verwittert. In dem Sandstein, der in den Gegenden von Saarbrücken, ferner in einzelnen isolirten Parthien über dem Steinkohlengebirge, auf dem Abhange von Mertzig nach Saarlouis, in

in dem Prinzbachthale bei Wadern u. s. w. vorkommt, bemerkt man oft grosse runde Schalen von
sandigem Brauneisenstein, sie sind bis einen Zoll dick,
haben theils unregelmässige knollige Gestalt, meist
aber bilden sie grosse Nieren, oft von einem Fuss
Durchmesser. Diese Nieren sind hohl und mit Sand
ausgefüllt, dem ähnlich, welcher die Nieren von aussen umgiebt. Diese Nieren, welche dem rothen
Sandstein dieser Gegenden recht charakteristisch sind,
finden sich eigentlich nur da ein, wo der Sandstein
schon beginnt sich aufzulösen und eine bunte Farbe
anzunehmen, so namentlich in dem Prinzbachthale,
wo der Sandstein häufig als loser Sand erscheint, in
dem diese Nieren vielleicht später entstanden seyn
mögen.

Endlich kommt dieser Sandstein noch in dem
Moselthale, von Sierck bis unterhalb Trier, so wie
in dem Thale der Sauer vor, es sind aber hier meistens die rothen Thon - und Mergelschichten, die
sich in seinem Hangenden finden, und von denen
später noch besonders die Rede seyn wird.

Der rothe Sandstein des Odenwalds und Spessarts ist dem der Vogesen und des Schwarzwaldes so
ähnlich, dass über die Identität beider Gesteine kein
Zweifel obwalten kann, auch ist dieselbe noch nie in
Zweifel gezogen worden. Dennoch findet ein sogleich
in die Augen fallender Unterschied statt, welcher in
dem fast gänzlichen Mangel der Geschiebe kieslicher
Fossilien in dem Sandstein des Odenwaldes und Spessarts besteht, wohingegen dieselben dem Sandstein
der Hardt, der Vogesen und des Schwarzwaldes so
charakteristisch sind, aber gerade hierdurch beweisen,
dass sie nicht den wesentlichen Charakter der Formation ausmachen. Wenn ja in diesem ausgedehnten
Sandsteingebirge Quarzgeschiebe vorkommen sollten,
wie dies unter andern in der Umgegend von Heidelberg an einigen Punkten wirklich der Fall ist, so
müssen sie ungemein selten seyn; uns wenigstens sind
dieselben an keinem andern Punkte aufgestossen, auch
erwähnt kein anderer Schriftsteller derselben; man
darf daher wohl annehmen, dass sie höchst selten,
und auf jeden Fall ungleich seltener in diesen Gegen-

II.   [3]

den, wie in den früher beschriebenen, gefunden werden.

Der rothe Sandstein des Odenwaldes zeigt sich unter andern bei Diedesheim am Neckar, nördlich, und im Liegenden der Saline Wimpfen. Er steht hier in einigen Brüchen über 40 — 50 F. mächtig an, ist feinkörnig, roth, grösstentheils sehr schieferig und auf den Schieferungsablösungen mit vielen weissen Glimmerschüppchen bedeckt. Kleine flachgedrückte Thonzellen sind nicht selten in ihm, so wie auch Massen von weissem Sandstein; bisweilen hat er rothe oder gelbe Flecken.

Der rothe Sandstein des Odenwaldes ist ein ungemein einförmiges Gestein, die rothe Farbe fast durchgehends herrschend, und nur selten erscheinen weisse oder grünlich-graue Färbungen, aber, wie auch Behlen bemerkt[*]), nicht nach Bänken getrennt, sondern in einem und demselben unzerklüfteten Blocke häufig vereinigt anzutreffen, gerade oder wellenförmige, gestreifte, geflammte oder gefleckte Zeichnungen bildend. Eigenthümliche Färbungen lassen sich häufig, unter andern an den Bausteinen des Heidelberger Schlosses, aber auch an vielen anderen Punkten beobachten; der Sandstein ist roth und hat ganz feine weisse Streifen, aber diese Streifen liegen nicht den Schichten des Gesteins parallel, sondern sie schneiden sich in einer geraden Linie meist unter sehr spitzen Winkeln, und geben daher dem Gestein ein ganz eigenthümlich gestreiftes Ansehen, namentlich, wenn mehrere solcher Streifungen übereinander liegen und ein Zickzack bilden.

Zwischen Erbach und Michelstadt, in dem Thale des Mümling, liegt eine kleine Parthie von Kalkstein auf dem rothen Sandstein, aber zwischen dem rothen Sandstein und dem Kalkstein findet sich in der Regel noch ein rother Thon, in welchem Eisenerze gegraben werden.

Diese Lager von rothem Thon findet man an vielen Punkten, theils verhärtet, theils schieferig, und

---

*) BEHLEN, Beschreibung des Spessarts, p. 61.

zwar nach den Beobachtungen von Behlen kommen
dieselben in den hangendsten und liegendsten Schichten des rothen Sandsteins vor*), welches sich auch
an mehreren Punkten bestätigt. So beobachtete
Schmidt **) im Biebergrunde, zunächst über der
Kupferschiefer- und Zechsteinformation, eine Schicht
von rothem verhärteten Thon, der nach und nach
Sandtheile aufnimmt und in den rothen Sandstein
übergeht. Dieser Thon, von den Bergleuten Leber-
stein genannt, ist im gewöhnlichen verhärteten Zustande sehr kurzklüftig und ziemlich fest, zerfällt aber
an der Luft. Seine Farbe ist theils leberbraun, theils
bläulich-, theils grünlich-weiss. In dieser Thonschicht
findet man bisweilen scharf abgesonderte Kugeln und
Nieren von Umbra, deren innere Klüfte gewöhnlich
mit Braunstein angeflogen sind. In dem Spessarter
Walde, soll nach Behlen diese Thonschicht nur selten unter dem rothen Sandstein fehlen, z. B. bei
Heubach unweit Aschaffenburg, wo der Sandstein unmittelbar auf dem Urgebirge ruht. Seltener, und nur
in schwachen Lagen, findet sich der Thon in dem
Sandstein selbst, oft zur Anfertigung gemeiner Tö-
pferwaaren anwendbar. Auch Thonschichten über
dem rothen Sandstein kommen in diesen Gegenden
vor, sie sind jedoch selten wegen der leichten Zer-
störbarkeit des Gesteins. Nach den Beobachtungen
von Schmidt ist der rothe Sandstein, welcher in
dem Biebergrunde so mächtig vorkommt, sehr gleich
und feinkörnig, fast ohne sichtbares Bindemittel.
Ausser den Quarzkörnern scheinen noch etwas verwitterte Feldspathkörner in ihm enthalten zu seyn;
zuweilen findet man platte Geschiebe von leberbrau-
nem verhärteten Thon in demselben, die nach und
nach herauswittern und dem Gesteine ein poröses
Ansehen geben. Seine Farbe ist meist roth in verschiedenen Nüancen. Diese Farbe erhöhet sich einer
geringen Hitze ausgesetzt, aber im Hochofengestelle

---

*) Behlen loco citato, p. 60.

**) Schmidt loc. cit. Leonhard's Taschenbuch für 1808,
pag. 59.

brennt er sich nach und nach hell und gräulich weiss, und zerspringt in 4, 5 und 6seitige, $\frac{1}{2}$ bis 1 Zoll starke Säulen.

Dass die rothe Farbe, welche diesem Sandstein in allen Gegenden seines Vorkommens so charakteristisch ist, von dem Bindemittel und von Eisenoxyd herrühre, leidet keinen Zweifel, aber schon Merian bemerkt, wie auffallend es sey, dass hier das Eisenoxyd, und nicht das Eisenoxydhydrat den färbenden Bestandtheil ausmache*).

An allen Orten seines Vorkommens zeigt der rothe Sandstein eine sehr deutliche Schichtung; dieselbe ist in der Regel horizontal, und seine Schichten sind mächtig, oft mehrere Fuss dick, unter andern bei Miltenberg am Main, wo in den Steinbrüchen an der Chaussee Blöcke von ganz ungewöhnlicher Grösse gewonnen werden. Er zeigt eine ausnehmend deutliche quaderförmige Zerklüftung, und daher trifft man namentlich in dem höheren Gebirge alle Abhänge der rothen Sandsteinkegel mit ungeheuern Blöcken dieses Gesteins übersäet. Ausserdem wird er häufig von Sprüngen und Verwerfungen durchsetzt, welche seine Schichtungen oft bedeutend verrücken. Diese Sprünge haben das Eigenthümliche, dass sie sich häufig nicht allein auf den rothen Sandstein beschränken, sondern in dem unterliegenden Granit oder Porphir, oder bei Bieber in den Zechstein niedersetzen, wie solches bereits früher näher angegeben worden ist.

Man kann behaupten, dass auf allen Orten seines Vorkommens die Lage der Schichten des rothen Sandsteins sich nur höchst wenig von der horizontalen entfernt, und dass, wo dies doch der Fall wäre, es nur als lokale Ausnahme erscheint. Da nun dieser rothe Sandstein auf allen Formationen des Ur- und Uebergangsgebirges aufgelagert ist, welche zum Theil unter sehr starken Winkeln geneigt sind, so folgt schon hieraus seine abweichende Lagerung auf allen diesen Formationen, was sich auch an vielen Punkten auf das Bestimmteste beobachten lässt. So einzelne

---

*) Merian Beiträge, p. 21.

stärker geneigte Schichten bemerkt man auf dem
Wege von Brumenil und Allarmont nach dem Donnon; sie sind etwa 12 — 15 Grad geneigt, theils gegen West, theils gegen Nord, aber auch hier sind sie
nur Ausnahme von der allgemeinen Regel; denn an
dem hohen Donnon liegen wieder die Sandsteinschichten horizontal, und, nach den Beobachtungen von
de Sivry sieht man auch auf dem Gipfel des kleinen Donnon nur horizontale Schichten *). In dem Rheinthale hingegen bemerkt man, dass diejenigen rothen
Sandsteinmassen, welche an dem Fusse des primitiven
Gebirges abgelagert sind, fast immer ein Einfallen
von 15 — 30 Grad zeigen, jedesmal und ohne Ausnahme abwärts von dem primitiven Gebirge, also in
den Vogesen gegen Osten, in dem Schwarzwalde gegen Westen, und auf dem südlichen Abfalle der Vogesen und des Schwarzwaldes gegen Süden gerichtet:
diese Erscheinung ist so allgemein, dass sie wohl als
Gesetz angesehen werden kann; sie erstreckt sich
aber nur auf die Masse am Fusse des Gebirges; alle
die Sandsteinmassen hingegen, welche sich auf der
Höhe der Gebirge befinden, liegen scheinbar ganz
horizontal oder doch nur unmerklich geneigt. Ganz
besonders gilt dies von den spitzigen Sandsteinkegeln
in dem höheren Gebirge; hier liegen die Schichten
jedesmal horizontal, und diese Kegel, in Verbindung
mit dem Gebirge, auf welchem sie ruhen, sehen immer so aus, wie zwei Berge von ganz verschiedenar-
tiger Natur aufeinander gesetzt. Solche Erscheinungen, im Grossen betrachtet, scheinen unwillkührlich
auf die Muthmassung zu führen, die primitiven Gesteine der Vogesen und des Schwarzwaldes seyen aus
dem Innern emporgehoben, und haben den auf ihnen
ruhenden Sandstein zerrissen. Da, wo die Erhebung
beträchtlich genug, nämlich mehr als 2000 Fuss, ist
der Sandstein vollständig zerrissen, nur einzelne Massen, gegenwärtig gewöhnlich 500 — 600 F. hoch,

---

*) De Sivry, Journal des observations minéralogiques, faite
dans une partie des Vosges et de l'Alsace. Nancy 1782. Im Aus
zuge übersetzt in den Sammlungen zur Physik und Naturgeschichte.
Leipzig 1792. B, IV., p. 149.

auf dem primitiven Gebirge stehen lassend, in steilen Gruppen emporragend, welche durch die atmosphärischen Einflüsse zu der gegenwärtigen spitzigen Kegelform abgerundet wurden. Wo aber die Erhebung des primitiven Gebirges weniger als 2000 F. betrug, wurde die Decke des rothen Sandsteins nicht völlig zersprengt, es wurden nur, wie in der Hardt, zusammenhängende Züge von rothem Sandsteingebirge gebildet, oft in den schönsten Felsenformen emporragend, wie die unter andern von Dabo und les trois Maisons, und die grosse Felsenmasse, auf welche das Schloss Dachsburg erbaut ist. In dem Odenwalde und dem Spessart war eine Erhebung von etwa 1000 F. für das primitive Gebirge schon mehr als hinreichend, den rothen Sandstein zu durchbrechen, doch weil die Erhebung ungleich geringer ist, so erscheint hier auch der rothe Sandstein in ungleich zusammenhängenderen Massen. In dem Rheinthale hingegen, und auf dem südlichen Abfalle der Vogesen und des Schwarzwaldes, fand keine Erhebung statt, hier vielmehr senkten sich die Gebirgsschichten in die Tiefe, und mit ihnen die Sandsteinschichten, die sich daher von beiden Seiten in das Thal hinein zu neigen genöthigt wurden.

Da, wo der rothe Sandstein mit dem Grauwakkengebirge zusammengrenzt, ist sein Niveau in der Regel um ein Bedeutendes niedriger, dergestalt, dass er meist nur wie angelehnt erscheint, die Gegenden des Killthales abgerechnet, wo besondere Lokalverhältnisse es ihm möglich machten, das Schiefergebirge zu überlagern. Hier soll er, nach den Beobachtungen von Steininger *), in einzelnen Köpfen eine Höhe von 1686 F. erreichen. Die Spuren rothen Sandsteins aber, welche eben derselbe zwischen Cerf und Wadern im Hochwalde, in einer Höhe von mehr als 2000 F. gefunden haben will, mögten wohl noch eine nähere Untersuchung verdienen.

Die allgemeine Neigung des rothen Sandsteingebirges auf dem westlichen Abhange der Vogesen und

---

*) Steininger Studien am Mittelrhein. Mainz 1819. pag. 165 — 166.

in der Hardt ist sanft gegen Westen, längs dem Saarbrücker Steinkohlengebirge aber sanft gegen Süden,
und es giebt hier sehr viele Punkte, wo man die abweichende Auflagerung des rothen Sandsteins auf das
Bestimmteste beobachten kann. Dieselbe ergiebt sich
aber auch schon hinreichend aus der Art, wie der
rothe Sandstein das Steinkohlengebirge umgeht, und
lässt sich sehr deutlich beobachten unter andern am
Baurenwalde und bei Geislautern, wo unter dem rothen Sandstein im Steinkohlengebirge Bergbau betrieben wird. Die Ebene, in welcher der rothe Sandstein dem Steinkohlengebirge aufliegt, scheint sich nur
sehr sanft gegen Süden einzusenken, und scheint die
Bildung des rothen Sandsteins die Steinkohlenformation nur wenig beschädigt zu haben; noch kürzlich
hat hiervon die Auffindung des Steinkohlengebirges
unter dem rothen Sandstein bei Schönecken, zwischen
Geislautern und Forbach einen Beweis gegeben. Hier
soll man nämlich in einem 500 F. tiefen Bohrloche
zuerst 180 F. rothen Sandstein durchbohrt, dann
Steinkohlengebirge, und in demselben ein 6 F. mächtiges Kohlenflötz gefunden haben. Die Wasser dran-
gen mit grosser Gewalt aus den Klüften des rothen
Sandsteins, und hinderten den bereits angefangenen
Schacht niederzubringen, der gegenwärtig durch Cu-
vellirung gegen den Zudrang der Wasser gesichert
werden soll. Weiter gegen Norden hat sich der rothe Sandstein zwischen dem Grauwakkengebirge ein-
gemuldet, und seine Schichtenneigung wurde daher
durch die Wände der Mulde bedingt. Auf dem rechten Rheinufer ist auf der Ostseite die allgemeine Neigung des rothen Sandsteingebirges ungemein sanft gegen Osten, dies geht unter andern aus dem Verhalten bei Sulz hervor, wo man in dem tiefen Salz-
schichte die obersten Schichten der rothen Sandsteinformation wieder erreicht hat. Auf dem nordöstlichen Abfalle des Schwarzwaldes ist die Neigung des
rothen Sandsteins ebenfalls sehr sanft gegen Nordosten, und hier bildet er die grosse Mulde zwischen
dem Odenwalde, wo die Neigung der Schichten ebenfalls sanft und fast ganz horizontal ist. Die abweichende und im Allgemeinen sanfte Lagerung des ro-

theh Sandsteingebirges ist eine durchgreifende
und leicht zu beobachtende Thatsache, und daher
noch nie in Zweifel gezogen worden.

In wie fern die rothe Porphirformation, welche
sich in dem Schwarzwalde und den Vogesen unter
dem rothen Sandstein findet, und welche bereits früher beschrieben worden ist, dieser Sandsteinformation
ängehörig betrachtet werden kann, bleibt durch genauere Beobachtungen näher auseinander zu setzen.
Beide Bildungen gehen durch mechanische Mischung
allerdings ineinander über, und sollen sogar bei Handschuhsheim, unweit Heidelberg, schichtenweise mit
einander wechseln*), demungeachtet aber scheinen
diese Porphire nach keinen wesentlichen Charakter
der rothen Sandsteinformation auszumachen, weil ihr
Vorkommen nur lokal ist, und auch ihre geognostische Lagerung sie scharf von dem rothen Sandstein
scheidet, wenn gleich ein mechanischer Uebergang
statt findet.

Die Formation des rothen Sandsteins ist so ungemein arm an organischen Ueberresten, dass mehrere Schriftsteller das Vorkommen derselben gänzlich
in Zweifel gezogen haben; es finden sich indessen an
einigen Punkten derselben. So unter andern
unweit Saarbrück bei Bischmischheim, auf dem sogenannten Steinackerberge, kommen in einer Schicht
grauen Sandsteins häufige Ueberreste von verkohlten
Pflanzenstengeln vor**), Auch erwähnt Merian ***)
eines einen Fuss langen Pflanzenstengels, der in einem schieferigen Sandstein bei Rheinfelden gefunden
worden ist. In dem rothen Sandstein bei Sulz, westlich von Strasburg, kommen sehr schöne Abdrücke
von Farrenkräutern vor, ferner in eben diesem Sandstein bei Sulz oder Sulzbad, dicht bei Mutzig, Pectiniten, Kalkspath und Schwerspathdrusen, und auf

---

*) LEONHARD, Charakteristik der Felsarten, III. Abth., p. 630.
dessen mineralogisches Taschenbuch, Jahrgang 1823, pag. 228.

**) NOEGGERATH, Rheinland Westphalen, B. I, pag. 271.

***) P. MERIAN, Beiträge, pag. 19.

Klüften Anflug von Braunstein und kohlensaurem Kupfer. Auf dem Museum in Strasburg befinden sich
schöne Exemplare aus dieser Gegend, unter andern
ein Calamit, mit Kupfergrün angeflogen. In den
Sandsteinbrüchen bei Otrot, westlich von Ober-Ehn-
heim und nördlich Baar, finden sich Baumstämme,
welche in einen eisenschüssigen Sandstein verwandelt
sind, in einer Tiefe von 40 Fuss*). Aus den Sandsteinbrüchen bei Wasselonne will Hr. Pr. Hammer
den Knochen eines wahrscheinlich cetaceenartigen
Thieres besitzen, der daselbst vor 40 Jahren gefunden
seyn soll**).

Nach den Beobachtungen des Herrn Doctor
Gaillardot in Luneville kommen in dem Vogesen-
sandstein von Merville und Baccaras sehr schöne Abdrücke von Pflanzenstengeln vor, welche zu dem Geschlechte Equisetum zu gehören scheinen; endlich
auch will Herr Wolf in Spaa in dem rothen Sandstein von Steffeler in der Eifel Abdrücke von tere-
bratulitenartigen Muscheln gefunden haben***).

Auch fremdartige Einlagerungen gehören zu den
Seltenheiten dieser Formation, wenn man die rothen
Thonsteinporphire abrechnet, die sich auf der Grenze
zwischen ihr und dem primitiven Gebirge befinden,
und allerdings häufig genug auftreten. Einer Einlagerung von Gips erwähnt unter andern Merian****)
in der Gegend von Nebenau, südlich Candern. Die
Gipsgrube liegt an der oberen Grenze der Formation,
und es befinden sich Sandsteinbänke in Begleitung
von Thonbänken über dem Gips, welcher bereits
mehr als 15 F. mächtig durchsunken worden ist, ohne
seine Sohle zu erreichen. Er ist grau von Farbe, er-

---

*) Oberlin. Description du Bau de la Roche, pag. 47.

**) Lettre de Mr. Hammer a Mr. Cuvier in den Recherches
sur les Ossemens fossiles, T. II., 1. Partie, p. 199 (édit. de 1822).

***) Omalius d'Halloy, Essai sur la géologie du Nord de
la France. Journal des Mines, Nro. 143. pag. 382.

****) Merian, Abhandlung über die Flötzbildungen am südli-
chen Rande des Schwarzwaldes.

dig und mit Thon gemengt, mit mehreren krystallinischen Zwischenlagern, ganz dem jüngeren Flötzgips
und dem Gips der Kalksteinbildungen der Gegend
von Basel ähnlich. Diese Gipseinlagerung gehört
höchst wahrscheinlich der rothen und bunten Mergelformation an, welche den Beschluss der rothen Sandsteinformation ausmacht, und von der weiter unten
noch näher die Rede seyn wird.

Zu den fremdartigen Einlagerungen in der rothen
Sandsteinformation sind ferner noch die einzelnen
Massen oder Lager von Kalkstein zu rechnen, die
sich namentlich in den Vogesen an einigen Punkten
in demselben finden, und jedesmal von dolomitartiger
Beschaffenheit zu seyn pflegen. Hierher gehören unter andern die Kalksteinmassen, die sich auf dem
Wege von Raon sur pleine nach dem Donnon gleichzeitig mit Thonporphiren in dem Sandstein finden,
und deren Vorkommen schon früher bei einer anderen Gelegenheit erwähnt wurde. Ferner sind hierher
zu rechnen die Massen von Kalkstein mit Agat und
Hornsteinnieren, die sich an dem Fusse des Climont
finden, und andere dem ähnliche, deren Vorkommen
ebenfalls schon früher angegeben worden ist.

Auf dem Wege von Orschweiler nach Hohenkönigsburg, unweit der Kohlengrube von St. Hippolite,
kommen ebenfalls an dem Fusse des Sandsteinberges,
in der Nähe, wo er dem Granit aufliegt, Einlagerungen von jenem krystallinischen Dolomit mit Agatnie-
ren vor. Dasselbe Vorkommen lässt sich am Fusse
des Windstein, oberhalb dem Hüttenwerke Jägerthal
beobachten, da, wo der rothe Sandstein dem Granit
aufliegt; der Kalkstein ist hier ganz dem am Climont
ähnlich. Hier, so wie auch bei Hohenkönigsburg,
sieht man auf der Grenze zwischen dem Granit und
dem Sandstein den ersteren aufgelöst und mit dem
Sandstein untermischt; dies giebt dem Sandsteine auf
der Grenze ein eigenthümliches Ansehen, welches
sich jedoch bald höher hinauf verliert, es ist dies
Verhalten dem bei Heidelberg ganz ähnlich, auch
lässt es sich sehr schön in dem Goldbächel unweit
Jägerthal beobachten, wo übrigens die Einlagerung
von Kalkstein fehlt.

Eine ziemlich beträchtliche Einlagerung von Braun-spath oder dolomitähnlichem Kalkstein von grauen und gelblichen Farben kommt auch noch unweit Sen-nonnes bei Arlemont vor, wo der Kalkstein in einem Steinbruche gewonnen wird; man sieht hier sehr deut-lich, dass er in grossen nierenförmigen Massen dem rothen Sandstein eingelagert ist.

Nur im uneigentlichen Sinne würden zu den fremdartigen Einlagerungen des rothen Sandsteins die Thonlager zu zählen seyn, welche häufig und an vielen Punkten in demselben aufsetzen. Ein merk-würdiges Vorkommen von Thon beschreibt indessen Behlen *) unweit dem Städtchen Klingenberg im Spessarter Walde. Die Thonmasse scheint die Ge-stalt eines Stockwerks oder eines Trichters zu haben, der sich in der Tiefe verläuft. Der Kern dieses Ke-gels ist ein dunkelaschgrauer Thon, ganz rein, nur hier und da Knollen von Leberkies enthaltend. Nä-her gegen die Ränder des Trichters wird die Thon-erde perlgrau, gelb und roth gefleckt; ganz am Rande ist eine bunte und schlechte Thonerde, sie wird nur selten bei der Grubenarbeit durchbrochen, weil sie zur Abhaltung der Wasser dient. Auf dieser stock-förmigen Thonmasse wird ein ansehnlicher Betrieb geführt.

Nach Hundeshagen **) enthält der rothe Sand-stein des Schwarzwaldes zuweilen Agatbreccien bei Alpirsbach, auch schöne Quarzdrusen und Schwer-spath auf Gängen. In der Nähe des Urgebirges auch Granitstücke bei Herrenalb und Ueberreste von auf-gelösten Gneusslagern am Schlossberge zu Schramm-berg, im vierten Theile der Höhe.

Ausser diesen fremdartigen Einlagerungen sind bis jetzt eigentlich noch keine andere bekannt gewor-den. Von fremdartigen Fossilien kommen indessen hier und da Spuren in dem rothen Sandstein vor.

---

*) Behlen loco citato. p. 63 — 65.

**) Hundeshagen Beiträge zur Kenntniss der Gebirge Schwa-bens. Leonhards Taschenbuch pro 1821. dritte Abtheilung p. 817.

Hierher ist namentlich der Schwerspath zu rechnen, der sich theils auf Klüften, theils in Nieren in ihm findet, wie dies bereits früher an mehreren Punkten angegeben worden ist. Namentlich häufig kommt derselbe zugleich mit hornsteinartigen Agaten in den Konglommeraten und dem rothen Sandstein am Schlüsselstein bei Ribeauvillé vor; doch findet er sich vorzugsweise nur auf Gängen oder in der Nähe der Porphirbildungen. Solche Schwerspathgänge sind unter andern sehr häufig 2 — 6 Centimeter mächtig in dem Kronthale bei Wasselonne, westlich von Strasburg.

Da, wo der rothe Sandstein von Kalkstein bedeckt ist, findet sich wohl auf seinen Klüften ein Ueberzug von Kalkspath oder Kalksinter, wie unter andern bei Harten und Inzlingen*), ausserdem findet man von metallischen Fossilien eingesprengt in ihm, jedoch selten, Kupfergrün, Kupferlasur und Schwefelkies, so wie Dentriten von Braunsteinerz, wie dies bereits früher an einigen Punkten angegeben worden.

Die Formation des rothen Sandsteins pflegt nicht sehr erzführend zu seyn, im Gegentheil, in der Regel und auf grosse Strecken zeigt dieselbe keine Spur von bauwürdigen Fossilien, stellenweise aber giebt sie zu einem oft ergiebigen Bergbau Veranlassung. Ihre Erzformation beschränkt sich auf Blei, Kupfer und Eisen; das Kupfer pflegt bald mit dem Bleiglanz, bald mit dem Eisenstein gemeinschaftlich, seltener mehr oder weniger selbstständig vorzukommen, und überhaupt selten so reichhaltig zu seyn, dass es den Gegenstand technischer Benutzung ausmachen könnte. Alle drei Erzbildungen pflegen stets mehr oder weniger gemeinschaftlich aufzutreten, und beweisen schon dadurch, dass sie in einem genauen Zusammenhange stehen. Sie finden sich theils auf Lagern, theils auf Gängen, namentlich das Vorkommen der Bleierze ist meist lagerartig, insbesondere das des Bleiglanzes; so unter allen das reichste Vorkommen von Bleierzen bildet ein Lager in dem Bleiberge bei Commern; dasselbe kann indessen hier nur beiläufig erwähnt wer-

---

*) P. Merian Beobachtungen, p. 19.

den, weil es zu weit ausser dem Bezirke der geognostischen Charte liegt.

Ganz ähnlich ist das Vorkommen der Bleierze bei St. Avold westlich Saarbrücken. Die Bleierze, theils Bleiglanz, theils durch Zersetzung desselben gebildetes Weissbleierz, finden sich theils in schmalen Schnüren, theils und in der Regel fein eingesprengt in dem Sandstein, und werden dann Knottenerze genannt. Der bleiglanzhaltige Sandstein hat bei St. Avold, so wie bei Commern, stets eine weisse Farbe, und bildet Lager in dem roth gefärbten Sandstein, in welchem sich nie Knottenerze finden, dergestalt, dass ohne Ausnahme die Bleiglanzbildung nur auf die weissen Modifikationen des rothen Sandsteingebirges beschränkt zu seyn scheint. Bei St. Avold soll die Mächtigkeit der Bleierz führenden weissen Sandsteinbank bis 40 F. betragen; ihr Gehalt aber ist sehr verschieden, doch reichlich genug, um ehemals einen Bergbau zu beleben, der einige Hundert Menschen beschäftigte. Die Aehnlichkeit dieses Bleierzvorkommens mit dem bei Commern ist vollkommen; hier, 'so wie dort, verräth die Erzlagerstätte einigen Kupfergehalt, auch soll bei Bouley, einige Stunden von St. Avold, ein Versuch auf Kupfererz betrieben worden seyn. Der einzige Unterschied, welcher statt findet, besteht darin, dass bei St. Avold die Lagen konglommeratartigen Sandsteins fehlen, welche bei Commern so häufig vorkommen, und dort Wakkendeckel genannt werden.

Nach den Beobachtungen von Monnet[*] kommt bei Valdervange, eine Stunde von Saarlouis, grünes und blaues Kupfererz in dem Sandstein eingesprengt vor, auf dem bedeutende Versuchbaue geführt worden sind. Ein ganz ähnliches Vorkommen, zugleich mit Bleiglanz, ist bei Hargarten, Falthe und Dalheim. Es wurde hier in den Jahren 1740 — 1750 ein sehr ansehnlicher Kupfer- und Bleibergbau geführt.

Bei Barweiler, bei Dalheim und Merten, bei Varsberg, unweit Inwald, bei Liesbach und an meh-

---

[*] MONNET, Atlas et description mineralogiques de la France. 1. Partie, pag. 154 u. f.

reren anderen Punkten, unter andern bei Kreuzwald, 4 Stunden von Saarbrücken, finden sich thonige und sandige Brauneisensteine in dem rothen Sandstein, bisweilen zugleich mit Bleierzen. Sie kommen theils in Klüften oder Gängen, theils in unregelmässigen Nieren oder Lagern vor, und werden auf mehreren Hüttenwerken verschmolzen.

In der Umgegend von Duppenweiler bei Beken und bei Itbach oder Hiedsbach finden sich Kupfer- und Bleierze auf ähnliche Art in dem rothen Sandstein.

Das Vorkommen der Bleierze bei St. Avold ist entschieden lagerartig. Dieselben kommen aber auch auf Gängen oder Klüften vor; so unter andern in dem sogenannten Katzenthale, unweit Sulzthal und Fleckenstein, auf dem Wege von Bitsch nach Weissenberg. Es kommen hier Weiss-, Schwarz- und Grünbleierz nebst Gelb- und Brauneisenstein vor, in solcher Menge, dass nicht unbeträchtliche, doch gegenwärtig zum Erliegen gekommene Baue darauf versucht worden sind.

In der Gegend des Fleckensteins setzen mehrere Gänge auf, die meist dichten Braunstein führen, einer derselben wird gegenwärtig unter andern an dem sogenannten Hammlek bebaut; er erweitert sich oft oder zieht sich zusammen, und hat viele taube Mittel, doch erreichen die Eisenerze oft eine nicht unbeträchtliche Mächtigkeit, und dann pflegt sich wohl brauner Glaskopf in Nieren einzufinden; er führt vielen rothen Letten und zeigt nie ein Saalbad oder auch nur ein glattes Ablösen, die Erze vielmehr liegen in Letten und müssen gewaschen werden. Diese Gangbildung, von der bisher die Rede war, soll an dem Windstein, unweit dem Jägerthal, anfangen, über Günstel nach dem Druilbrunnen fortziehen und hier überall Eisenstein führen, am letzteren Orte über 2 F. mächtig. Von hier soll dieselbe in das Katzenthal gehen und daselbst bleiführend werden, dann nach dem Hammlek, wo sie wieder eisenhaltig wird und nach den Fleckensteiner Gruben und bis in das sogenannte Bährenthal. Selbst bis in die Gegend von Bergzabern soll sich dieser Gangzug verfolgen lassen.

Diese Gänge sollen übrigens nicht sehr in die Tiefe setzen, sondern bald unter der Thalsohle auskeilen, oder doch wenigstens taub werden. Das Liegende derselben trennt sich besser von der Gangmasse wie das Hangende, welches häufig mit Erzen geschwängert zu seyn pflegt, so dass auf diese Art die Gänge wohl eine stellenweise Mächtigkeit von 20 F. erreichen.

Auch in der Gegend von Bergzabern wird ein bedeutender Eisensteinbergbau in dem rothen Sandstein betrieben, es sollen hier auch Gänge von Braunsteinerz vorkommen*).

Auf dem Wege von Lembach nach Lampertsloch, auf der Höhe des Berges, ist ebenfalls eine nicht ganz unbeträchtliche Eisensteinförderung; es ist eine Art Bohnerz oder vielmehr ein sehr eisenschüssiger Thon, welcher durch Schlemmen gereinigt wird; er liegt in Nieren und Knollen in einem rothen Letten, der ein Lager zu bilden scheint, und von einer Schicht rothen, sehr aufgelösten Sandsteins bedeckt wird.

Drei Stunden von Weissenburg, nordwestlich bei Erlenbach, findet sich ebenfalls in dem rothen Sandstein ein Gang, welcher Bleierze führt**). Das Erz ist von einer grünlich-gelben Farbe, und nach einer Analyse von Vauquelin in 100 Theilen zusammengesetzt aus:

Kieselerde. . . 32,
Blei. 45,18
Sauerstoff. . . 4,05
Phosphorsäure . 18,77
_____
100,00 ***).

---

*) J. CALMELET, déscription des mines de fer des environs de Bergzabern. Journal des mines, No. 207, p. 215.
Auszug dieses Aufsatzes, LEONHARDS Taschenbuch, Jahrgang X., Abth. II., p. 465.

**) Rapport sur la mine de plomb d'Erlenbach, par CIVILLIER. Journal des mines, No. 40, p. 9 — 13.
DIETRICH, gites de mineroi de la haute et basse Alsace, p. 320.

***) Analyse de mineraux faites dans le laboratoire de l'Agence des mines par VAUQUELIN. Journal des mines, No. 40, p. 7.

nach einer andern Analyse von Fourcroy hinge-gen[*], aus:

Bleioxyd . . .	79
Eisenoxyd. . .	1
Phosphorsäure .	18
Wasser. . . .	2
	100

Diese Gangbildung fällt etwa in die Verlängerung der Fleckensteiner Gänge, und gehört wahrscheinlich mit zu der Eisenerzformation von Bergzabern und Schleydenbach, auf welcher ein ansehnlicher Bergbau getrieben wird. Nach den Nachrichten, welche Cal-melet[**]) darüber mittheilt, setzt der Hauptgang in dem Petronellenberge bei Bergzabern auf, 60 Grad Wesnordwest fallend, gewöhnlich 1,3 Meter, biswei-len aber auch 4 Meter mächtig. Aehnliche Gänge setzen in dem südlich gelegenen Queremberg, und nördlich in dem Walkerberg auf. Drei Stunden west-lich, in einem wilden Thale, befindet sich das Eisen-steinbergbau des Briemesberges auf der Gemarkung von Schleydenbach; der hier aufsetzende Gang ist im Mittel 5 F. mächtig und fällt stark gegen Nordosten; er hat zwei Saalbänder von rothem Thon, von denen das in der Firste mächtiger ist wie in der Sohle. Unter ähnlichen Verhältnissen wird nicht weit von hier, in dem Homberg, ein 4 — 5 Meter mächtiger Gang bebauet. Unweit der beiden alten Schlösser Hohenburg und Wekelburg, bei Nothweiler, wurde ehemals ebenfalls Eisensteinbergbau getrieben.

Alle diese Gangbildungen zwischen Jägerthal und Bergzabern haben etwa das allgemeine Streichen von Südvest nach Nordost, h. $3\frac{1}{2}$ — h. $4\frac{1}{2}$, ihre Neigung ist sehr beträchtlich, oft fast senkrecht, sie sind $\frac{1}{2}$ — 6 Meter mächtig; der Sandstein in ihrer Nachbar-schaft

[*] Analyse de la mine de plomb verte d'Erlenbach en Alsace, avec les remarques sur l'Analyse des Mines phosphoriques de plomb en général par Fourcroy. — Annales de Chimie, Tome II. An 1789, pag. 207 — 218.

[**] Timoléon Calmelet, loc. cit. p. 215.

schaft ist häufig etwas aufgelöst, und die Eisenerze befinden sich immer in dem Zustande eines Hydrats. Die gewöhnliche Gangart ist ein sandiger Thon in sehr aufgelöstem Zustande, und grosse Massen von zertrümmertem Nebengestein einschliessend; eigentliche Saalbänder zeigen diese Gänge nicht. Nach Calmelet bestehen die Erze des Petronellenberges aus:

	der faserige Brauneisenstein.	der dichte Brauneisenstein.
Eisenoxyd	78	64
Manganoxyd	7	8
Kieselerde	11	25
Wasser und Verlust . .	4	3
	100	100

Nach d'Aubuisson aber[*] aus:

Eisenoxyd	79	84
Manganoxyd	2	1
Kieselerde	3	2
Verlust im Feuer . . .	15	11
Verlust	1	2
	100	100

Werden die Gänge bleierzführend, so nimmt der Sandstein immer eine weisse Farbe an, auch pflegt sich dann häufig Schwerspath einzufinden.

In der Gegend von Saarbrücken u. s. w. sind die sogenannten Eisengallen oder die Adern von dichtem Brauneisenstein, mit Quarzsand vermischt, für den rothen Sandstein charakteristisch. Sie dienen bei St. Ingbert und Rohrbach zum Chausseebau, werden auf dem Eisenwerke zu Geislautern verschmolzen, in dem Pfalzedler Walde unter Trier und an einigen Orten an der Kill gebrochen, und auf dem Eisenwerke auf der Quinte bei Ehrang mit dem Rotheisenstein von Irsch bei Saarburg verbraucht. Selten ist der Brauneisenstein faserig oder getropft. Bei Cordel und Batzweiler, unweit Ehrang an der Kill,

---

[*] Hassenfratz, Siderotechnie, Tome I., p. 117.

soll ein schwaches Kohlenflötz nach den Beobachtungen von Steininger in dem rothen Sandstein liegen, begleitet von Fahlerz, Kupferlasur und Kupfergrün, doch unbauwürdig. Bei Saarbus, unweit Saarlouis, kam im rothen Sandstein gediegen Wismuth mit ansitzendem gediegenen Kupfer und Kupfergrün vor*).

Auch auf dem rechten Rheinufer zeigt sich die Formation des rothen Sandsteins an mehreren Punkten erzführend, so namentlich in der Gegend von Freudenstadt, wo ehemals ein sehr bedeutender Bergbau auf Kupfer und Eisen geführt wurde, der aber schon seit längerer Zeit ausser Betrieb ist. Ein sehr ansehnlicher Eisensteinbergbau wird noch gegenwärtig in dem rothen Sandstein bei Neuenbürg unweit Pforzheim betrieben: es kommen hier vorzüglich schöner Glaskopf und dichter Braun- und Schwarzeisenstein vor.

Ein sehr bedeutender Kupferbergbau wurde ehemals in dem rothen Sandstein bei Bulach, südlich Calw, geführt; es wurde vorzüglich Kupfergrün und Kupferlasur gewonnen, und der Bergbau scheint von sehr ansehnlicher Bedeutung gewesen zu seyn. Widemann**) bemerkt von demselben, dass er schon lange Zeit ausser Betrieb sey. Zu seiner Zeit wurde ein Versuch gemacht, den Bergbau wieder zu beleben, und wurde auf einem h. 10 streichenden, 60 — 70 Grad Ost einfallenden Gange aufgefahren. Die Schichten des feinkörnigen rothen Sandsteins liegen fast ganz horizontal.

Eine halbe Stunde östlich Ottersweiler, südlich von Baden-Baden, in einer Gegend, der Wolfshag genannt, befindet sich ein ziemlich prallig ansteigender Berg von gelblichem und weissem Sandstein, in welchem brauner Glaskopf auf Klüften gewonnen und auf dem Hüttenwerke im Bühlerthale verschmolzen wird***).

---

*) Steininger Studien p. 147 — 148.
**) Widemann, Schreiben über den Kupferbergbau bei Bulach, in dem Bergmännischen Journal für 1789. II. B., p. 1085.
***) Reyer, Beiträge zur Bergbaukunde, pag. 20.

Herr Hehl *) unterscheidet zwei Gangerzformationen in dem rothen Sandsteingebirge, nämlich eine Eisen- und eine Kupfererzformation, welche jedoch ohne Zweifel gleichzeitig und einerlei Formation angehörig sind. Zu Ersteren gehören die schon genannten Braunstein- und Brauneisensteingänge in dem Enz- und Christophsthale. Bei Neuenbürg setzt unter andern der Christiansgang, h. 9, streichend, 45 Grad Süd fallend, 1 — 5 F. mächtig auf; ferner der Gang, auf welchem die Hummelrainer und Frischglücker Gruben bauen, h. 10½ streichend, ein dritter Gang, welcher h. 4,7 streicht und fast seiger gegen Süden fällt. Ausser diesen drei Hauptgängen kommen ähnliche Gänge vor bei Salmbach im Eisenwald, bei Engelsbrand im Fleckenwald, zwischen Langenbrand und Kapfenhardt, auf der Ober-Langenhardter Höhe gegen Liebenzell, auf dem hinteren Hummelrain und auf dem Schwabstichberg am linken Abhange des Enzthales, im Grasselberg bei Neuenbürg, im oberen Enzthale bei Gumpelscheuer, Aach, Wittlinsweiler und auf dem Schöllkopf bei Freudenstadt. Die Gänge am Silberberg bei Aach führen viel Spatheisenstein und Braunspath, die bei Wittlinsweiler streichen h. 10 und führen Brauneisenstein. Die Gangarten aller dieser Gänge sind Quarz, Kalkspath, Braunspath, Schwerspath; die Erze Brauneisenstein, Spatheisenstein, Braunstein und selten Rotheisenstein.

Die Kupfererze finden sich vorzüglich in dem Christophsthale und bei Bulach, an dem letzteren Orte wurde schon im Jahre 1329 gebaut. Die Gangart ist vorzüglich Quarz, Hornstein, Schwerspath und Stücke von rothem Sandstein, welche die Gangräume ausfüllen. Die vorkommenden Erze sind Kupferkies, Fahlerz, Schwärzerz, Kupferlasur, Kupfergrün und Eisenocker. Die Gänge sind fast immer mit dem Nebengestein verwachsen, und häufig finden sich die Erze in dem Nebengestein eingesprengt. Der rothe Sand-

---

*) Hehl, Beiträge zur geognostischen Kenntniss von Würtemberg, entworfen im Jahre 1822. Korrespondenzblatt des Würtembergischen landwirthschaftlichen Vereins B. III., März 1823. p. 134 u. f.

stein, in dem diese Gänge aufsetzen, soll sich durch sein sehr quarziges Bindemittel von dem an anderen Punkten des Schwarzwaldes sehr unterscheiden, und eine sehr grosse Festigkeit besitzen.

Auch in dem Odenwalde zeigt der rothe Sandstein an einigen Orten Spuren von Eisenerz, so unter andern bei Michelstadt, wo dieselben in einem rothen Thon, eigentlich zwischen dem Sandstein und dem darauf gelagerten rauchgrauen Kalkstein liegen, und reichhaltig genug sind, um die Michelstädter Eisenhütten zu versorgen. Aehnliche Eisensteinbildungen möchten noch mehrere in dortiger Gegend vorkommen.

Dasselbe gilt auch von dem rothen Sandstein des Spessarter Waldes; man hat bis jetzt nur Eisenerze in demselben entdeckt, an vielen Punkten jedoch nur selten bauwürdig, so unter andern in der Umgegend des Laufacher Hüttenwerkes, in dem sogenannten Büsching*), ferner noch mächtiger und reichhaltiger jenseits dem Main, bei Grosswallstadt und Eisenbach. Hier kommt der Eisenstein lagerartig vor, er findet sich jedoch auch auf Gängen oder Klüften, unter andern zu Neuhütten und bei dem Jägerhause zu Lohrerstrasse, unweit dem Laufacher Werke, wo namentlich meist Schwarzbraunsteinerz vorkommt.

Beiläufig verdient hier noch bemerkt zu werden, dass sich in diesem rothen Sandstein, unter andern bei Büdingen, unweit Hanau, und bei Mosbach am Neckar, unterhalb Wimpfen, schwache Soolquellen befinden.

Anhang. Formation von bunten Schieferletten über dem rothen Sandstein.

Es ist in dem Vorhergehenden schon öfter die Rede gewesen von schieferigem Thon und Mergelschichten, die sich nicht allein in, sondern vorzugsweise über dem rothen Sandstein finden. Es ist leicht erklärlich, weshalb diese Schichtenmassen sich nur in wenigen Punkten verhältnissmässig finden, und

---

*) BEHLEN loco citato, p. 62 — 68.

namentlich da gänzlich fehlen, wo der rothe Sandstein in dem höheren Gebirge auftritt. Die Gesteine,
welche diese Schichten zusammensetzen, haben theils
wenig Festigkeit, theils ist die Mächtigkeit des ganzen
Gebildes nicht sehr bedeutend; es konnte daher dasselbe auch leicht zerstört werden, da, wo es frei am
Tage lag. Ausserdem aber scheint dasselbe auch nur
an den tieferen Punkten abgesetzt, und erreicht alsdann wohl eine solche Mächtigkeit und Ausbildung,
dass es als selbstständig betrachtet werden kann. Es
findet ein allmäliger Uebergang aus dem Sandstein
in den Mergel statt, indem nämlich die Sandkörner
seltener werden und das Bindemittel die Ueberhand
gewinnt. Die rothen Schieferletten werden daher nur
solchem rothen Sandstein aufgelagert seyn, in dem
viel Bindemittel vorkommt, in solchen Gegenden
aber, wo dieses Bindemittel sparsam erscheint, wie
in dem höheren Gebirge fast ohne Ausnahme, da
pflegen auch jene oberen Bildungen gänzlich zu fehlen, nicht weil sie später zerstört worden wären, sondern wahrscheinlich, weil sie niemals an solchen
Punkten abgesetzt wurden. Das Vorkommen dieser
Bildung ist daher überhaupt nur auf gewisse Gegenden, und namentlich auf solche Punkte beschränkt,
wo der rothe Sandstein von dem rauchgrauen Kalkstein bedeckt wird, und hier findet sich dieselbe zwischen beide Formationen eingeschaltet an sehr vielen
Punkten, nur da zu Tage ausgehend, wo tiefe Thäler die Decke des Kalksteins gänzlich durchschneiden.
So in ansehnlicher Verbreitung zeigt sich diese Bildung an den Ufern der Mosel, von Grevenmachern
bis zum Einfluss der Saar, und in dem Thale der
Sauer von Echternach abwärts. Recht ausgezeichnet
kommt dieselbe ferner wieder vor in der Gegend
von St. Avold, bei Longeville auf dem Wege nach
Metz, ferner in der Gegend von Saarbrücken, bei
Fechingen und Bischmischheim, in dem unteren Theile
des Bliesthales, bei Rülchingen, überhaupt da, wo
auf der Charte Gipsmassen auf der Grenze zwischen
Kalkstein und rothem Sandstein angegeben sind; denn
die Bildung selbst mit einer besonderen Farbe zu be-

zeichnen, schien wegen ihrer innigen Verbindung mit dem rothen Sandstein kaum ausführbar noch räthlich.

Auf dem südwestlichen Abfalle des Schwarzwaldes, in der Gegend von Candern, mögte diese Bildung ebenfalls vorkommen, aber doch lässt sie sich hier nicht gehörig beobachten, dagegen scheint die früher erwähnte Gipsmasse von Nebenau hierher zu gehören. Deutlicher zeigt sich dieselbe in der Umgegend von Basel, unter andern bei Rheinfelden und in dem Thale zwischen Grenzach und St. Chrischona*), und wahrscheinlich an den meisten Punkten, wo rauchgrauer Kalkstein auf dem rothen Sandstein ruht.

Wieder findet sich diese Bildung auf dem östlichen Abfalle des Schwarzwaldes in Sulz, wo man in dem tiefen Salzschachte, nach Durchsinkung des Kalksteins, etwa 20 F. mächtig rothen schieferigen Thon angetroffen hat, unter dem erst der rothe Sandstein folgte. Nach den Beobachtungen des Herrn Hofrath Hausmann**) zeigen sich ähnliche Bildungen bei Durlach zwischen dem rothen Sandstein und rauchgrauen Kalkstein, und genau auf dieselbe Weise, wie in dem Flussgebiete der Weser; auch fand derselbe diese thonigen Mergel bei Lossburg, zwischen Freudenstadt und Sulz, bei Oberndorf, zwischen Sulz und Rothweil im Neckarthale, und zwischen Rothweil und Villingen. Auf ähnliche Art traf man diesen rothen Thon zwischen dem rothen Sandstein und dem Kalkstein in dem tiefen Versuchschachte, der auf der Saline Weisbach bei Ingelfingen nieder gebracht worden ist. Aehnliche Thonbildungen endlich zeigen sich in dem Odenwalde, unter andern bei Michelstadt, und in dem Spessart an mehreren Punkten, wo derselben bereits Erwähnung geschehen ist.

Hieraus geht hervor, dass diese Bildung sehr weit verbreitet ist, sich immer unter ziemlich gleichen Be-

---

*) MERIAN, Beiträge, B. I., p. 29 u. 71.
**) HAUSMANN, Uebersicht der jüngeren Flötzgebilde im Flussgebiete der Weser. — Aus dem 1. und 2. Bande der Studien des Göttingischen Vereins bergmännischer Freunde besonders abgedruckt, Göttingen 1824. pag. 173.

dingungen findet, und daher wohl der Beachtung werth ist, indem häufig Gips und auch höchst wahrscheinlich eine Salzbildung in ihr vorkommt. Gewiss aber ist diese Bildung nicht überall, und wenigstens nicht immer an dem Ausgehenden vorhanden, denn häufig sieht man den rothen Sandstein unmittelbar von Kalkstein bedeckt werden, ohne zwischenliegende Thonschichten, auch ist die Mächtigkeit dieser Zwischenlagerung äusserst wechselnd, mächtig da, wo Gipsmassen in ihr vorkommen, und fast verschwindend, wo diese fehlen.

Hundeshagen *) erwähnt einer bituminösen Sandsteinschieferlage, welche auf dem östlichen Abfalle des Schwarzwaldes, im unmittelbaren Hangenden des rothen Sandsteins und im Liegenden des rauchgrauen Kalksteins vorhanden ist und dort die Stelle des Kupferschieferflötzes und der Steinkohlenformation vertreten soll. Dieses Lager soll sich unter andern finden zwischen Oberndorf und Schramberg, zwischen Calw und Herrnberg, zwischen Schwan und Pforzheim. Hier soll über dem rothen Sandstein ein weisslich-grauer, grobschieferiger, glimmerhaltiger Sandsteinschiefer liegen, der oft wellenförmig, etwas bituminös und eisenschüssig wird, mit braunen Mergelschichten durchzogen ist und in einen ziemlich mächtigen, gräulich-schwarzen bituminösen Sandsteinschiefer, dem Schwefelkies eingesprengt ist, übergeht. Diese Massen sollen häufig zu einer sumpfigen Thonlage verwittern, welche sich auf dem ganzen östlichen Abfalle des Gebirges fortzieht. Nach den Beobachtungen des Herrn Bergraths Dr. Hehl**) soll bei Nagold, auf der Grenze zwischen dem rothen Sandstein und dem rauchgrauen Kalkstein, ein bituminöses schwarzes Mergelschieferflötz mit Anflug von Kupferlasur vorkommen, und sich als wahres Kupferschieferflötz verhalten. Handstücke dieses Schiefers befin-

---

*) Hundeshagen, Beiträge zur Kenntniss der Gebirge Schwabens, in Leonhards Taschenbuch für 1821. 3. Abth., p. 819 — 820.

**) Korrespondenzblatt des würtembergischen landwirthschaftlichen Vereins. März 1824, p. 133 u. 147.

den sich in der interessanten Sammlung des Herrn
Hehl, welcher aber, nach diesem zu urtheilen, den
wahren bunten Mergeln angehören möchte. So viel
ist gewiss, dass sich weder am Schwarzwalde, noch
an irgend einem anderen Punkte, in dem Hangenden
des rothen Sandsteins das Mannsfeldische Kupferschieferflötz oder ein Analogon desselben nachweisen lässt,
aber der Thon und Sandschiefer, von dem H u n d e s-
h a g e n redet, gehört wohl ganz gewiss dem Schieferletten an, im Hangenden des rothen Sandsteins, welcher nach den Beobachtungen des Herrn M e r i a n *)
zum Theil mit dem rauchgrauen Kalkstein wechseln
oder vielmehr lokal in demselben eingelagert seyn
soll; denn im Allgemeinen bleiben doch beide Formationen scharf von einander geschieden.

Diese Bildung ist zusammengesetzt aus thonigen
Mergelbänken, aus schieferigem oder auch etwas sandigem Thon, aus thonigen Sandsteinbänken und aus
zum Theil sehr mächtigen Einlagerungen von Gips.
Die Beschaffenheit dieser Bildungen, die sich immer
ziemlich gleich bleibt, wird am besten aus der spe-
ziellen Beschreibung einzelner Orte ihres Vorkommens
hervorgehen.

Auf dem Wege von Luxemburg nach Grevenmachern findet sich anfänglich weisser feinkörniger
Sandstein mit kalkigem Bindemittel, welches nach
und nach die Ueberhand gewinnt und das Gestein in
rauchgrauen Kalkstein übergehen macht. Kurz vor
Grevenmachern, bei Anweiler, wie sich der Bergab-
hang in das Moselthal senkt, gehen unter sandigen
Kalksteinschichten, welche h. 6½ West in den Berg
hinein neigen, mächtige buntgefärbte Mergelschichten
zu Tage, die nicht mit Säuren brausen. Die Farbe
dieser Mergel ist braunroth vorherrschend, grau,
schwarz, grünlich, violett. Der Mergel ist theils dick,
theils dünnschieferig, zerfällt theils in Blättchen zu
einem weichen Thone, theils in würfliche unbestimmt
geformte Stücke, wie gewöhnlich thonige Mergel zu
thun pflegen. Auf Klüften in demselben liegen Schnüre
von weissem oder rothem Gips, meist von faseriger

*) M e r i a n, loc. cit., p. 26.

Struktur. Diese Mergelschichten ziehen bis Grevenmachern und in das Moselthal hinab, und sind auf
das Bestimmteste von einem Kalkstein bedeckt, der
anfänglich zwar sehr sandig ist, späterhin aber ganz
der gewöhnliche rauchgraue Kalkstein wird. Bei Te-
mels, auf dem rechten Moselufer, kommt in diesem
bunten Mergel schon eine ansehnliche Einlagerung
von Gips vor, doch senkt sich der obere bedeckende
Kalkstein, das Thal abwärts, fast wieder bis auf die
Mosel hinunter; bald aber treten dann wieder thalab-
wärts die Mergel, und in ihnen der Gips auf dem
rechten Ufer der Mosel mächtiger wie vorher hervor,
zwischen Oberliesch und Wasserliesch; eben so zeigen
sie sich auf dem linken Ufer bei Igel. Um ein vollständiges Bild von der Zusammensetzung dieser Massen zu geben, kann das folgende Profil von dem
Gipsbruche bei Temmels dienen; die Schichten sind
in der Ordnung von oben nach unten aufgeführt, und
liegen so gut wie horizontal.

1) Zu oberst liegt eine Masse des früher erwähnten Kalksteins, senkrechte Felsenwände bildend und
ausgezeichnet zerklüftet, seine Farbe ist gelblich-grau,
er ist meist dicht oder rauh mit kleinen Kalkspath-
pünktchen, theils gelblich mit kleinen Eisenocker-
pünktchen oder auch kleinen grünen Flecken.

2) Nach einem kleinen Zwischenraum, der von
Schutt überdeckt ist, kommen weisse, graue und
braune Mergel.

3) Graue Mergel.
4) Gelbe Mergel.
5) Graue Mergel.
6) Lichtgelblich-graue Mergel.
7) Gelbliche Mergel mit Fasergips.
8) Rothe Mergel.
9) Fasergips mit rothen Mergeln.
10) Rother Mergel.
11) Fasergips.
12) Gelbe Mergel.
13) Fasergips.
14) Graue Mergel.
15) Schmale abwechselnde Lagen von Fasergips
und grauem Thon, von 1 — 2 Zoll Mächtigkeit.

16) Körniger weisser oder grauer Gips, 7 — 8 Fuss mächtig. Diese Schicht bildet die Sohle des Steinbruches, unter derselben liegen noch:

17) harte und feste Mergel mit etwas Kalkgehalt, angeblich 7 — 8 Zoll mächtig;

18) graue, sehr schieferige Mergel, 2 — 3 Fuss mächtig;

19) grauer, etwas körniger Gips;

20) gelber Mergel, 2 — 3 Zoll;

21) Gips, mehr weiss wie No. 19, 6 Zoll;

22) gelbe Mergel, etwas dickschieferig;

23) Gips, in der Mitte blauer Thon;

24) gelbe Mergel;

25) grauer Gips mit Thonstreifen, 1¼ Fuss;

26) gelbe Mergel, 4 — 6 Zoll;

27) röthlicher Gips von schlechter Beschaffenheit, 6 Zoll;

28) graue und gelbe Mergel, 2 — 3 Zoll;

29) grauer Gips in drei Bänken, 4 F. mächtig;

30) grauer harter Gips, 8 Zoll;

31) rother Letten, 2 Zoll;

32) graue Mergel;

33) graue und rothe Thonmergel im Spiegel der Mosel.

Die ganze Höhe dieses Profils, von dem Spiegel der Mosel bis oben auf die Kalksteinwand, beträgt 468 F. Hiervon beträgt die Mächtigkeit des Kalksteins etwa 338 F., mithin bleiben für den Gips und die Mergel noch 130 F., und hiervon beträgt die Mächtigkeit derjenigen Mergelschichten, in denen der Gips vorzüglich bank- und lagerweise angetroffen wird, etwa 70 F.

Das Moselthal weiter gegen Trier verfolgend, heben sich alle Schichten gegen Osten hin aus, unter denselben tritt bald der rothe Sandstein hervor, der sich weiterhin an das Grauwakkengebirge anlehnt.

Aus dem vorstehenden Schichtenprofile, welches doch nur eine generelle Aufzählung ist, geht die mannigfaltige Beschaffenheit der hier vereinigten Mergelbänke hervor; in der Aufeinanderlagerung derselben scheint kein bestimmtes Gesetz zu herrschen, nur gegen unten wird man in der Regel finden, dass einige

Beimengung von Sand hinzutritt. Die mannigfaltigsten Farbenwechsel zeigen sich übrigens in der Regel nur in der Nähe des Gipses, der selbst aber meistens grau oder weiss ist.

In den Gipsbrüchen von Wasserliesch ist vor einigen Jahren ein Nest von Steinsalz gefunden worden; Herr Pr. Steininger bewahrt ein Stück dieses Steinsalzes in der Naturaliensammlung in Trier auf*). Bei Opach, nur wenig unterhalb Sierk, sollen sich nach der Angabe von Monnet ein Paar schwache Salzquellen befinden. Auch Spuren von Glaubersalz will man wohl bisweilen gefunden haben; aber gewiss gehören diese Erscheinungen zu den grössten Seltenheiten. Versteinerungen oder Pflanzenabdrücke hat man noch nie gefunden.

In dem Sauerthale, zwischen Trier und Echternach, erscheint diese Bildung unter ganz ähnlichen Verhältnissen; nur scheint es, als wenn in diesem tief eingeschnittenen Thale nicht allein die bunte Mergelformation zwischen dem rothen Sandstein und dem rauchgrauen Kalkstein, sondern auch die über diesem Kalkstein vorkommen mögte.

Die Strasse von Trier nach Echternach erhebt sich aus dem Moselthale bis auf die Höhe des von rothem Sandstein gebildeten Plateau's; dieser Sandstein ist hier in mächtigen Bänken geschichtet, und enthält zuweilen einige weisse Quarzgeschiebe, Thongallen und weisse, lang gezogene Streifen. Das Fallen desselben ist ansehnlich, 15 — 20 Grad h. 10 — 11 Nord, jedoch auch stellenweise gegen Südwest. Auf der Höhe des Berges finden sich rothe schieferige Mergel, welche mit gelben, grünen, violetten u. a., auch mit schmalen, zumal weiss gefärbten Sandsteinbänken wechseln. Es ist dies offenbar die zu beschreibende rothe Lettenformation, hier ohne Einlagerung von Gips, übrigens der von Temmels ganz ähnlich. Ganz auf der Höhe des Berges tritt gelblichgrauer feinkörniger Kalkstein auf, dem bei Temmels ganz ähnlich; er ist etwa 100 F. mächtig, bedeckt

---

*) Steininger Studien, p. 153.

die rothen Schieferletten, und findet sich in der ganzen Gegend auf der obersten Höhe der Berge, scheint auch weiterhin mächtiger zu werden. Ueber diesen Kalkstein, unter dem noch einmal die rothen Mergel in einem flachen Thale hervortreten, führt der Weg fort, bis bei Rahlingen das Sauerthal erreicht wird. Hier, an dem Abhange des Rahlinger Berges, treten sehr deutlich bunte, meist rothe Mergel hervor, und in denselben Einlagerungen von Gips, auf denen ein Bruch betrieben wird. Der Gips steht nur in dünnen Schichten an, es ist theils Fasergips, theils ist er grau und körnig. Unter den Gipsbänken liegen noch Mergelschichten; aber in der Sohle des Sauerthales tritt ganz deutlich unter diesem Mergel der rothe Sandstein in mächtigen Bänken hervor, oft ganz von Kalksinter überkleidet, welchen die von oben herabfliessenden Wasser in sehr reichlicher Menge absetzen. Es ist daher hier ein Punkt, wo das Verhalten des Kalksteins, der rothen Mergel und des rothen Sandsteins auf das Bestimmteste beobachtet werden kann.

Der zu oberst gelagerte Kalkstein zieht sich, jemehr man das Sauerthal hinauf geht, immer mehr herab, und erreicht bei Gemünd die Thalsohle, dergestalt, dass nunmehr der rothe Sandstein und die rothen Mergel verschwunden sind. Dagegen bemerkt man auf der Höhe der Kalkberge den ersten Anfang einer schwachen Bedeckung von weissem feinkörnigen Sandstein, ganz dem von Luxemburg ähnlich, und mit demselben auch in unmittelbarer Verbindung stehend.

Der Kalkstein scheint noch tiefer unter die Thalsohle einzusinken, denn bei Echternach ist auch er gänzlich verschwunden, dagegen treten an dem steilen Bergabhange mächtige Bänke von Gyps und bunten Mergeln auf, und diese scheinen nicht mit den bisher beschriebenen verwechselt werden zu dürfen, obgleich sie ihnen täuschend ähnlich sind, sondern dieselben dürften der bunten Mergelformation über dem rauchgrauen Kalkstein angehörig seyn. Die Mergelbänke zeigen hier die mannigfaltigsten Farben, besonders zeichnen sich Bänke von schwärzlichen, blauen, grauen Farben aus, dem Schieferthone sehr ähnlich;

sie bilden mit die liegendsten Schichten. Sehr häufig erscheint der eingelagerte Gips als Fasergips, und man kann sagen, dass derselbe fast vorherrschend, wie dies bei dem Gipse der oberen bunten Mergelformation sehr häufig der Fall ist. Höher hinauf erscheinen fast nur rothe Mergel, welche in flachen unregelmässigen Nieren feinkörnig blätterichen und dichten Gips enthalten. Auch hellere Bänke von gelblich-grauem, bläulich- oder röthlich-grauem verhärteten Kalkmergel, welcher mit Säuren braust, finden sich ein, und auch diese sind für die obere bunte Mergelformation sehr charakteristisch. Noch höher den Berg hinauf kommen viele gelbe Mergel vor, welche nach und nach sandig werden, und erst einen wahren Sandsteinschiefer, endlich Bänke von einem gelblichen Sandstein bilden. Ueber diesen Sandsteinlagen finden sich wieder bunte, meist rothe Mergel ein, und darin etwas Fasergips und schmale Lagen von verhärtetem Kalkmergel. So hat man fast die Höhe des Berggehänges erstiegen, und erreicht nun einen weissen feinkörnigen Sandstein, in seinen äusseren Formen ganz dem Quadersandsteine ähnlich, eben demjenigen, welcher bei Luxemburg, und selbst noch vor Echternach, dem rauchgrauen Kalksteine aufgelagert ist, und in demselben unmerklich überzugehen scheint. Es scheint daher hiernach sehr wahrscheinlich, dass sich über der bunten Mergel- und Gipsformation von Echternach kein rauchgrauer Kalkstein mehr befindet, dass diese Bildung vielmehr über derselben gelagert ist. Dieses Resultat aber wird durch das Verhalten bei Bollendorf, noch etwas höher das Sauerthal aufwärts, fast ausser allem Zweifel gesetzt.

Der eben genannte weisse feinkörnige Sandstein, von dem späterhin noch besonders die Rede seyn wird, bedeckt von Echternach aus alle Höhen und Plateaus auf beiden Seiten des Sauerthales, und ist hier das jüngste und oberste aller Glieder. Er bildet sehr pittoreske, wohl über 100 F. hohe Felsenwände, und grosse Blöcke seines Gesteins rollen bis in die Thalsohle hinab. Unter diesem Sandstein bestehen die Thalgehänge zu beiden Seiten aus bunten Mergeln, und bis Bollendorf ist jede Spur von rauchgrauem Kalkstein verschwunden. Hier aber, dicht unter dem Schlosse und in der Sohle der Sauer, sieht man den Kalkstein wieder in mächtigen Bänken hervortreten, etwas schieferig, übrigens dem bei Temmels ganz ähnlich. Dieser Kalkstein erhebt sich nicht hoch über die Sohle, und verschwindet eine Stunde oberhalb Bollendorf gänzlich. Ueber im liegen bunte Mergel und dann der weisse feinkörnige Sandstein. Aber die bunten Mergel verlieren auch nach und nach an Mächtigkeit, und der weisse feinkörnige Sandstein zieht sich bis in die Thalsohle herab. Nach diesen Beobachtungen scheinen daher in dem Sauerthale die beiden bunten Mergelformationen, die unter und die über dem rauchgrauen Kalkstein, vorzukommen. Um jedoch mit Gewissheit hierüber zu entscheiden, würde es nothwendig seyn, die Beobachtungen höher das Sauer- und Killthal hinauf auszudehnen, wo gewiss höchst interessante Lagerungsverhältnisse statt finden müssen. Aus Steiningers Beschreibung des Sauerthales[*] ist die Reihenfolge der Schichten nicht deutlich zu ersehen.

Südlich und nördlich von Fechingen, unweit Saarbrücken, kommt die untere Formation der bunten Mergel ebenfalls sehr deutlich zum Vorschein, mit Einlagerungen von schönen dichten, etwas gelblichgrau gefärbten Gipsbänken in den unteren Schichten, und bunte Mergel mit Fasergips darüber. Das Ganze wird von rauchgrauem Kalkstein bedeckt. Das Vorkommen des Fasergipses ist in dieser, so wie in der Formation der oberen bunten Mergel recht interessant. Er findet sich selten auf wahren Schichten, aber die bunten Mergel werden immer von zahlreichen Kluftflächen durchsetzt, auf denen sich dieser Gips ausscheidet, die bunten Mergel nach allen Richtungen durchziehend, gleichsam als eine spätere gangartige Bildung.

Auf ähnliche Art, und immer unter denselben Verhältnissen, zeigt sich diese Bildung noch an vielen

[*] Steininger, geognostische Studien am Mittelrhein. Mainz 1819, pag. 151 u. f.

Punkten der Gegend von Saarbrücken, und so namentlich auch in der Gegend von St. Avold, in dem Bliesthale u. s. w., so dass es überflüssig seyn würde, dieselbe noch näher an allen diesen Punkten zu beschreiben. Es ist nicht unwahrscheinlich, dass die Saline Rülchingen bei Saargemünd ihren Salzgehalt aus dieser Formation bezieht, wenigstens erlaubt ihre Lage, diese Hypothese aufzustellen. Jedoch ist auch von diesen Punkten die obere bunte Mergelformation nicht so sehr entfernt, so wie der rauchgraue Kalkstein. Die Gegenden zwischen Saargemünd und Saaralb geben ebenfalls über das Verhalten der oberen und unteren bunten Mergelformation vielen Aufschluss. Auf dem Wege von Saarbrück nach Saargemünd sieht man den rothen Sandstein noch unterhalb Saargemünd von rauchgrauem Kalkstein bedeckt werden, und an manchen Punkten zwischen beiden bunte Mergel und Gips erscheinen. Bei Saargemünd ist rauchgrauer Kalkstein, und der Weg von hier nach Saaralb führt den Abhang des Saarthales hinauf über denselben weg. Auch auf der Höhe der Ebene ist anfänglich nur rauchgrauer Kalkstein, allein bei dem Dorfe Roth erscheint auf einmal der Boden ganz roth gefärbt, und man befindet sich auf den Mergeln der oberen bunten Mergelformation, welche dem rauchgrauen Kalksteine aufgelagert sind, und die man nicht wieder verlässt, bis an die Ufer der Seille. Dieselbe Beobachtung lässt sich bei St. Avold machen, und auf allen Punkten, wo man aus dem rothen Sandstein über den rauchgrauen Kalkstein in die oberen bunten Mergel gelangt.

An vielen Punkten scheint wenigstens am Ausgehenden die untere bunte Mergelformation zu fehlen, und der Kalkstein liegt unmittelbar auf dem rothen Sandstein; aber häufig ist dieselbe am Ausgehenden nur verdeckt, und fällt da, wo die Gipseinlagerungen fehlen, weniger in die Augen. So unter andern dürfte dieselbe auf dem westlichen Abfalle der Vogesen an mehreren Punkten vorkommen, denn unter andern zwischen Blamont und Brumenil trennt von Barbas an bis Nonhygny ein breites flaches Thal den rauchgrauen Kalkstein von dem rothen Sandstein, und

in der Sohle dieses Thales sieht man, jedoch nur mit
Mühe, an einigen Punkten rothe Letten anstehen.

Dass auch auf dem rechten Rheinufer diese Bildung an mehreren Punkten unter ganz ähnlichen Verhältnissen bekannt geworden ist, und namentlich bei
Sulz am Neckar, ist bereits angeführt worden, auch
hier zeigt sie Einlagerungen von Gips, doch dürfte
es zweckmässiger seyn, um den Zusammenhang nicht
zu stören, die Beschreibung des Vorkommens bei
Sulz auf eine andere Gelegenheit zu verschieben.

Die Bildungen bunter Mergel über und unter dem
rauchgrauen Kalkstein sehen einander täuschend ähnlich, indem ihre mineralogisch-chemische Zusammensetzung häufig durchaus dieselbe ist. Wenn die tren-
nende Kalksteinschicht zwischen beiden fehlte, so
würden beide Bildungen unmerklich in einander übergehen; ob solche Punkte in Schwaben und Lothringen vorhanden sind, darüber fehlen noch hinreichende
Beobachtungen, in anderen Gegenden mögen aber
ähnliche Uebergänge nicht ungewöhnlich seyn.

In dem Odenwalde und dem Spessart kommen
rothe schieferige Lettenlagen im Hangenden des rothen
Sandsteins an mehreren Punkten vor, und zum Theil
führen dieselben Eisenerze mit sich, dagegen sind bis
jetzt noch keine Einlagerungen von Gips bekannt geworden, und sind dieselben auch nicht wohl zu erwarten, weil hier diese Mergel nicht bunt, sondern
einförmig roth zu erscheinen pflegen.

Die bisher beschriebene Thon- und Mergelbildung findet sich ohne Ausnahme nur als hangendstes
Glied der rothen Sandsteinformation. Ob auch die
liegenden Schichten derselben aus ähnlichen Thon-
und Mergelbänken bestehen, darüber fehlen noch genügende Beobachtungen. In dem Schwarzwalde und
den Vogesen scheint es nicht der Fall zu seyn; in
anderen Gegenden aber ist es keinesweges unwahrscheinlich.

3. Formation des rauchgrauen Kalksteins oder des Muschelkalkes.

Der Formation des rothen Sandsteins folgt eine
weit verbreitete Kalksteinbildung, deren vorherrschende
Farbe verschiedene Nüancen von Grau sind; dieselbe
kann

kann daher sehr passend die Formation des rauchgrauen Kalksteins genannt werden, welche Benennung ihr zuerst durch Herrn Merian beigelegt wurde.

Die Formation des rauchgrauen Kalksteins ist in den zu beschreibenden Gegenden ungemein weit verbreitet, und was besonders auffallend, fast ohne Ausnahme dem rothen Sandstein aufgelagert, nur sehr selten zieht sie sich an einigen Punkten unmittelbar bis an das Urgebirge heran, und auch da ist zu vermuthen, dass der rothe Sandstein nur am Ausgehenden überdeckt seyn werde. Man kann daher im strengsten Sinne behaupten, dass der rothe Sandstein dem rauchgrauen Kalkstein und allen späteren Formationen zur Basis dient, so dass er das eigentliche Grundgebirge der Flötzformationen dieser Gegenden ausmacht.

Es geht schon hieraus hervor, und ein Blick auf die Charte bestätigt es vollkommen, dass die Lagerung und die Verbreitung des rauchgrauen Kalksteins durch den unterliegenden rothen Sandstein gänzlich bedingt wurde, und deswegen sind auch alle Mulden und Sattelwendungen des rothen Sandsteins auf den Kalkstein übertragen, nur dass sich hier die Bassins schon beträchtlich verengen, weil das Niveau dieser Formation dem des rothen Sandsteins beträchtlich nachsteht. Während daher der rothe Sandstein sich hoch in das Killthal hinaufzieht, verschwindet der rauchgraue Kalkstein schon in der Gegend von Byttburg. Es ist aber nicht unwahrscheinlich, dass sich derselbe in den Gegenden von Commern ganz auf ähnliche Art wiederfindet, denn man sieht hier auf dem Wege von Commern nach Eixs, Wollersheim und Niedeggen einen merglichen Kalkstein dem rothen Sandstein aufgelagert, der höchst wahrscheinlich nichts anders als rauchgrauer Kalkstein seyn wird.

Nach den Beobachtungen von Steininger [*] soll auch in dem Killthale bei Gerolstein, Rokeskill u. s. w. derselbe rauchgraue Kalkstein vorkommen,

---

[*] Steininger, geognostische Studien, p. 167. Erloschene Vulkane. Mainz 1820. pag. 18.

II.

aber nicht dem rothen Sandstein aufgelagert, sondern
dem daselbst befindlichen Uebergangskalkstein, in einzelnen, sehr zerrissenen Parthieen, und nur schwer
von demselben zu unterscheiden.   Er soll namentlich
sehr arm an Muschelversteinerungen seyn, während
der Uebergangskalk von denselben und von Korallen
erfüllt ist.   Es bedürfen jedoch diese Angaben noch
einer näheren Untersuchung, da namentlich die Auflagerung des rauchgrauen Kalksteins auf den Uebergangskalk bis jetzt noch an keinem anderen Punkte
beobachtet worden ist.   Dieser rauchgraue Kalkstein
soll an dem Marxberge bei Trier Griphiten, und in
der Gegend von Prüm Sandaliohten, Buccarditen,
Ostraciten, Griphiten und Pectiniten nach eben demselben *) enthalten; eine Angabe, die aber gewiss auf
Verwechselungen beruht, denn die meisten der genannten Versteinerungen sind dem rauchgrauen Kalkstein gänzlich fremd.   Wahrscheinlich dürfte aller
Kalkstein dieser Gegend dem Uebergangskalk angehörig seyn **).

Von Byttburg aus folgt der rauchgraue Kalkstein
gegen Südwesten der Grenze des Schiefergebirges der
Ardennen, wird aber in dieser Richtung wahrscheinlich bald von dem Jurakalk und Griphitenkalk bedeckt, welche sich übergreifend bis an das Grauwak-
ken- und Schiefergebirge heranziehen.

Gegen Süden hingegen zieht sich dieser Kalkstein
das Moselthal hinauf bis oberhalb Sierk, und hier sowohl, wie bei St. Avold, ist in den Wendungen,
welche er macht, die Wirkung des unterliegenden
Grauwakken- und Steinkohlengebirges unverkennbar.

Von St. Avold aus wendet sich der Kalkstein
ganz nach Osten bis gegen Pirmasenz, und erscheint
hier als Ausfüllung der grossen Mulde des rothen
Sandsteins, selbst wieder über Fenestrange, Saarburg,
Blamont und Luneville sich wendend, und jene grosse
Hauptmulde bildend, in welcher das Steinsalz von

---

*) STEININGER, loc. cit. p. 150.

**) NOEGGERATH, das Gebirge in Rheinland-Westphalen,
B. I., p. 93.

Vie und sämmtliche lothringische Salzquellen sich befinden. Auf dem westlichen Abfalle der Vogesen gewinnt der rauchgraue Kalkstein eine sehr ansehnliche Verbreitung, und bildet ein hügeliches Land, an Höhe dem rothen Sandstein bei weitem nachstehend. Derselbe scheint sich demnächst im zusammenhängenden Zuge bis auf den südlichen Abfall der Vogesen zu wenden*), er ist aber doch hier grösstentheils von Griphiten- oder mehr noch von Jurakalk bedeckt.

Auf dem östlichen Abfalle der Vogesen bildet der rauchgraue Kalkstein nur sehr abgerissene Parthiep. Vorzüglich hat er sich in den Gegenden von Vaselonne und Weissenburg abgesetzt, wo der rothe Sandstein einen Busen bildet, so wie namentlich auch längs dem Berggehänge von Rufach bis Schlettstadt.

In dem oberen Theile des Rheinthales, auf dem westlichen und südlichen Abhange des Schwarzwaldes, erscheint der rauchgraue Kalkstein ebenfalls nur in wenigem Zusammenhange, und tritt überall da auf, wo ein Busen im Urgebirge oder in dem rothen Sandstein ihn aufnehmen konnte. Aber sobald der südliche Abhang des Schwarzwaldes in den östlichen übergeht, gewinnt auch die Formation des rauchgrauen Kalksteins mehr Zusammenhang und regelmässige Verbreitung. Auf dem ganzen östlichen und nördlichen Abhange des Schwarzwaldes verbreitet sich diese Formation ohne Unterbrechung; sie füllt demnächst die grosse Mulde zwischen dem Schwarzwalde und Odenwalde aus, und nur schwach von den oberen bunten Mergeln bedeckt, dehnt sie sich bis fast an den nordwestlichen Fuss der rauhen Alp aus, in der Sohle aller tief eingeschnittenen Thäler sichtbar. Auf dem südöstlichen Abfalle des Odenwaldes gewinnt dieselbe demnächst eine sehr ansehnliche Verbreitung, und lässt sich aus den Gegenden von Heilbronn und Wimpfen ohne Unterbrechung bis in das Tauberthal und von da bis in das Mainthal bei Würzburg verfolgen, wo sie überall weit verbreitet ist. Von Würz-

---

*) Monnet, Atlas minéralogique de la France, nach welchem überhaupt mehrere Gebirgsgrenzen in den Vogesen auf der geognostischen Charte bestimmt worden sind.

burg aus erstreckt sich dieser Kalkstein noch weiter,
und nur stellenweise leicht von bunten Mergeln überdeckt, lässt sich derselbe über Münnerstadt, Melrich-
stadt und Eisenhausen bis nach Meinungen verfolgen;
hier erscheint er in dem Werrathale noch etwas unterhalb Meinungen bis in die Gegend von Wasungen,
wo dann unter ihm der so lange verborgen gewesene
rothe Sandstein mächtig hervortritt, der auch schon
einige Stunden von Meinungen, bei Henneberg, in
einem kleinen Höhenzuge sichtbar wurde. Hier bei
Wasungen neigen sich alle Schichten sehr deutlich
gegen Süden, von dem Thüringer Walde abwärts;
der rothe Sandstein erhält sich bis jenseits Schmalkalden, wo unter ihm der Gips in Bohrlöchern bekannt
seyn soll, und dann treten unter ihm die Porphire
und das rothe todte Liegende des Thüringer Waldes
hervor. Dieser Kalkstein, ·der in Lothringen und
Schwaben eine so bedeutende Rolle spielt, ist daher
von den nordteutschen Kalksteinen nur durch den
Zug des thüringer Waldes an diesem Punkte getrennt.
Die allgemeinen Lagerungsverhältnisse dieses rauchgrauen Kalksteins sind sehr einfach. Er ist meistens
vollkommen deutlich geschichtet, und in der Regel
ist die Neigung seiner Schichten ausnehmend sanft,
wellenförmig kleine Mulden und Sattel bildend. Stark
geneigte Schichten sind sehr selten, und sie finden
sich eigentlich nur in dem Rheinthale, da, wo dieser
Kalkstein das ältere Gebirge berührt. Er ist dem
rothen Sandstein entweder unmittelbar aufgelagert,
oder es liegt, die vorhin beschriebene bunte Mergel-
und Gipsformation dazwischen. Da, wo sich ·der
Kalkstein und der rothe Sandstein berühren, scheint
in der Regel eine scharfe Grenze statt zu finden, und
ein eigentlicher Uebergang ist nie vorhanden, doch
mögen sich wohl an einigen Punkten auf dieser Grenze
rothe Mergel oder Sandtheile mit dem Kalkstein mischen und in schwachen Trümmern mit einander
wechseln. Von der Fechinger Gipsgrube unter andern in das Saarthal nach Saarbrücken zurück, ruht
an einem Punkte der Kalkstein ganz deutlich auf einer Schicht sandiger Mergel, einige Fuss mächtig;
unter diesen folgt noch eine schmale Kalksteinbank,

und dann treten erst unter dieser die Schichten des
rothen Sandsteins ganz deutlich und regelmässig hervor. Da, wo sich die Strasse von Faulquemont in
das Thal von St. Avold hinabzieht, sieht man bald
unter dem rauchgrauen Kalkstein den rothen Sandstein
hervortreten. Hier, auf der Grenze zwischen Kalk-
und Sandstein, bemerkt man zunächst einen röthlichen, sehr sandigen Kalkstein mit schwarzen Punkten, und der Sandstein befindet sich anfänglich in einer Art von Auflösung, dagegen fehlen hier an der
Strasse die bunten oder rothen Mergel, obgleich sie
sich nicht weit davon, bei Longeville, einfinden. Auf
dem Wege von Niederbronn nach Jägerthal findet
ebenfalls zwischen den oberen Schichten des rothen
Sandsteins und den unteren Schichten des rauchgrauen
Kalksteins eine Art von Uebergang statt. Es sind
Lagen von kleinkörnig-krystallinischem, gelblich nüancirten Kalkstein, der schon Glimmer enthält und
häufige Sandtheile; sie ziehen sich bis in den rothen
Sandstein, der mit ihnen so wie mit dünnen Mergelschichten wechselt; auch kommen hier schmale Lager
von Hornstein vor, bisweilen wie gefleckt oder punk-
tirt. Der körnige gelbe Kalkstein scheint wohl von
dolomitartiger Beschaffenheit, und ist demjenigen
Kalkstein nicht unähnlich, der an einigen Punkten in
den untersten Schichten des rothen Sandsteins gefunden wird. Aber solche scheinbare Uebergänge sind
nur eine Ausnahme von der Regel, und im Allgemeinen darf man behaupten, dass beide Formationen
scharf von einander geschieden sind, dass kein Uebergang zwischen beiden statt findet.

Da, wo sich beide Formationen berühren, ver-
flächt sich in der Regel die Scheidungsebene eben so
sanft, wie die Neigung der Gebirgsschichten selbst,
denen sie auch in der Regel konform zu seyn scheint;
der rothe Sandstein setzt unter dem Kalkstein nicht
rasch in die Tiefe, und ist daher durch die Absez-
zung des Kalksteins nicht angegriffen worden; dies
lässt sich an sehr vielen Punkten beobachten, namentlich auch geht es aus dem Verhalten in dem Salzschacht von Sulz am Neckar hervor, wo der rothe
Sandstein wieder erhalten worden ist, obgleich der

Schacht wohl mehr als eine Stunde in seinem Hangenden befindlich seyn mag.

Wie der Kalkstein die Busen und Becken, welche der rothe Sandstein bildete, erfüllt hat, lässt sich an vielen Punkten recht schön beobachten, so namentlich in dem Odenwalde bei Michelstadt und Erbach, und bei Lembach unweit Weissenburg in den unteren Vogesen; hier ist das schmale Lembacher Thal mit Kalkstein ausgefüllt, rings von hohen Bergen rothen Sandsteins umgeben, ausser gegen Süden, wo er mit der Hauptmasse des Kalksteins zusammenhängt.

Bisweilen wird die Grenze zwischen dem rothen Sandstein und rauchgrauen Kalkstein durch ein Thal über Tage bezeichnet, wie unter andern zwischen Blamont und Brumenil oder zwischen Zintzweiler und Niederbronn; doch kann dies nicht als Regel angesehen werden; es pflegt vielmehr, wenn nicht ein Thal den Kalkstein bis auf den rothen Sandstein durchschneidet, die Grenze über Tage nicht merklich in die Augen zu springen; der Kalkstein findet sich dann entweder an dem Fusse der steil ansteigenden Sandsteinberge horizontal geschichtet und einen Absatz bildend, wie bei Savern, oder er liegt auf der Höhe der Sandsteinberge, und bildet dann häufig ansehnliche Plateaus, die ein bedeutendes Niveau erreichen, wie bei Villingen und bei Waldshuth.

Die mineralogische Beschaffenheit des rauchgrauen Kalksteins ist sehr einförmig, und bleibt sich fast auf allen Punkten seines Vorkommens gleich. Die Farbe desselben ist fast ohne Ausnahme grau, oft sehr dunkel, dem bläulich-schwarzen sich nähernd, meist rauchgrau oder auch weisslich-grau, namentlich dann, wenn er eine mergliche Beschaffenheit annimmt, welches häufig der Fall zu seyn pflegt. Die ausgezeichnet dünnschieferigen und die ganz dichten Bänke dieses Kalksteins zeigen die dunkelsten Farben; namentlich die letzteren pflegen auch in der Regel etwas bituminös zu seyn, und ihre der Luft ausgesetzte Oberfläche ist ungleich lichter wie der frische Bruch.

Seltene Farbennüancen sind die gelblich-weissen, gelblich-braunen oder röthlich-braunen; der Kalkstein ist dann niemals dicht, sondern etwas körnig oder mit häufigen kleinen Kalkspathparthien durchwebt, oder ein zelliger, sehr thoniger Mergel; kleine Punkte von Eisenocker liegen dann in der Regel in ihm.

Der Kalkstein scheint niemals ganz rein, sondern immer mehr oder weniger mit Thontheilen vermischt; er theilt daher immer mehr oder weniger die Natur des Mergels, jedoch in sehr verschiedenen Graden. Gewöhnlich ist der Kalkstein dicht, durchscheinend an den Kanten, im Grossen flachmuschelig, im Kleinen splitterig im Bruch; er ist alsdann in dichten Bänken geschichtet, von ½ bis 1½ F. Mächtigkeit, und auf den Schichtungsablösungen liegt weicher gelblich- oder grünlich-grauer Thon. Häufig aber ist der Kalkstein auch ausgezeichnet dünnschieferig, alsdann weniger dicht und splitterig im Bruch, auch pflegt seine Farbe alsdann dunkler zu seyn. Der in dichten Bänken geschichtete Kalkstein und der dünnschieferige wechseln in mannigfaltigen Schichten und ohne regelmässige Ordnung miteinander; letzterer scheint sich vorzüglich durch einen grösseren Thongehalt zu unterscheiden. Bisweilen wird dieser Kalkstein so dünnschieferig, dass er mehr einem Schieferthon als dem Kalkstein ähnlich sieht, und seine Farbe ist dann immer sehr dunkel, sein Zusammenhang sehr gering, aber die Mächtigkeit solcher Schichten pflegt nicht bedeutend zu seyn.

Sehr deutlich, und meistens in noch nicht fussmächtigen Bänken geschichteter Kalkstein pflegt die vorherrschende Masse zu bilden, und es ist keine Gegend dieses weiten Kalksteingebirges, wo derselbe nicht in reichlicher Menge vorkommt. Die Schichtungsablösung pflegt fast nie eben zu seyn, vielmehr die Kalksteinschichten sind knollig, und die Erhöhungen einer Schicht passen in die Vertiefungen der anderen. Bei den dünngeschichteten Kalksteinbänken ist dies besonders bemerkbar, und für diesen Kalkstein ist dies sehr charakteristisch. Diese knolligen Unebenheiten scheinen häufig mit der Beschaffenheit des Gesteins in genauer Verbindung zu stehen. Man findet nämlich häufig Kalksteinschichten, die aus einer grauen Grundmasse bestehen, in denen Knollen und Nieren von Kalkstein liegen, ganz der Grundmasse

ähnlich, nur dunkler von Farbe, und wenn gleich in
die Grundmasse sich verflössend, doch härter und der
Verwitterung besser widerstehend. Solche Kalksteine,
die namentlich in den unteren Schichten sehr häufig
sind, haben immer ein knolliges unebenes Ansehen,
und auf ihrer Oberfläche Zeichnungen, wie pflanzen-
ähnliche Verzweigungen, mit einer weisslichen Thon-
decke überzogen. Zerschlägt man solche Stücke mit
dem Hammer, so zerfallen sie nach allen Richtungen,
und man sieht, dass diese Knollen die ganze Masse
des Kalksteins durchdringen. Diese Kalksteine sind,
wie bereits angegeben, namentlich den unteren Schichten angehörig, sie kommen aber auch in den oberen
Bänken vor, und finden sich überall in allen Gegenden dieses Kalkgebirges. So unter andern bei Blamont, bei Savern und in dem Thale der Tauber,
ferner bei Hasmersheim und Diedesheim in dem
Neckarthale, so wie bei Sulz am Neckar sind sie in
grosser Menge, und also gewiss in den entlegensten
Gegenden zu finden, und bald in den oberen, bald
in den unteren Schichten. Die unteren Schichten
dieses Kalksteins pflegen in manchen Gegenden schieferiger zu seyn, wie die oberen; dies lässt sich namentlich an solchen Punkten beobachten, wo die diesem Kalkstein angehörige und eingelagerte Gipsformation vorkommt, wie unter andern bei Diedesheim am
Neckar und in dem Thale der Tauber, hier sind die
Kalksteinschichten im Liegenden ausgezeichnet dünnschieferig, von rauchgrauer Farbe, und die Ablösungsflächen sind nicht eben, sondern wellenförmig gebo-
gen, auch bemerkt man häufig auf der Oberfläche
der Schichten feine Reifen oder Rippen, denen nicht
unähnlich, welche unter andern dem Mansfelder Kupferschieferflötz auf dem Gerbstädter Revier eigenthümlich sind, und welche noch mehr dazu beitragen,
diesem Kalkstein die wellenförmige Struktur zu geben. Zum Unterschiede von den Kalksteinschichten
im Hangenden der Gipseinlagerung ist daher diese
untere Abtheilung des rauchgrauen Kalksteins von dem
Herrn Hofrath Glenk Wellenkalk genannt worden,
eine Benennung, die auch wirklich nicht ganz unpassend ist. Wenn aber auch diese untere Abtheilung

des Kalksteins im Allgemeinen schieferiger oder wellenförmiger wie die obere zu seyn pflegt, so kommt doch auch in der letzteren ausgezeichnet wellenförmiger Kalkstein vor, und es würde schwer seyn, in den meisten Fällen selbst an Ort und Stelle die obere und untere Abtheilung des Kalksteins zu unterscheiden, ohne die Gipseinlagerung zu Rathe zu ziehen. Es möchte daher dieser Unterschied wirklich auch nur lokal seyn, und wenigstens auf dem linken Rheinufer scheint derselbe, so wie die Gipseinlagerung zu fehlen.

Eine andere, ebenfalls häufig vorkommende Modifikation dieses Kalksteins ist von einer sehr lichten weisslich-grauen Farbe, und scheint häufig sehr mergelartiger Natur. Es ist ein rauh anzufühlender Kalkstein, zerbröckelnd, ohne deutliche Schichtung, voller kleiner Höhlungen, die theils leer, theils mit kleinen Krystallen ausgekleidet, theils mit einem weissen zerreiblichen Staube ausgefüllt sind, der mit Säuren braust, wie bei Schleitheim, theils auch mit Eisenokker. Nach den Beobachtungen von Merian *) finden sich in der Nähe dieser porösen Kalkmergel häufig Hornsteinnieren, und der Mergel scheint selbst viel Sand und Quarztheile zu enthalten. Ausserdem scheint die Talkerde einen ansehnlichen Bestandtheil dieser porösen Mergel auszumachen. In einer zerbröckelnden Abänderung dieser Mergel vom Grenzacher Horn bei Basel fand Herr Merian in 100 Theil

in Säuren unauflösliche Theile 45,1
köhlensauren Kalk 39,3
kohlensaure Talkerde . . . 12,3
Wasser und Verlust 3,3
                              ———
                            100,00

Dieser poröse mergelartige Kalkstein, welcher von mehreren schwäbischen Geognosten Rauchwakke genannt worden ist, findet sich an vielen Orten, unter andern am Grenzacher Horn, bei Basel, bei Schleitheim sehr ausgezeichnet, bei Sulz am Neckar,

---

*) Merian, Beiträge, p. 25.

bei Schwenningen und auf der Höhe zwischen Rothenburg und Niedernau *). Durch lichtere Farbe,
Porosität, Mangel an Schichtung und gänzlichen Mangel an Versteinerungen unterscheidet er sich leicht
von allen andern Varietäten des rauchgrauen Kalksteins. Er findet sich in der Regel nicht weit ab, in
dem Hangenden der diesem Kalkgebirge eigenthümlichen Gipsformation, und bildet sehr regelmässige Lagen von oft mehreren Fussen Mächtigkeit. Seiner
Natur nach ist dieses Gestein als wahrer Dolomit zu
betrachten.

Folgende Analysen von dieser Formation angehörigen Kalksteinen theilt Herr v. Langsdorf **)
mit. Zwei Varietäten von Kalkstein, die bei Baier-
thal, zwischen Heidelberg und Wiesloch, häufig in
einer Masse, durch eine vollkommene Ebene von einander abgeschnitten, vorkommen. In 300 Gramm
dieses Kalksteins war enthalten:

	1. Varietät. Hellgrauer Kalk-stein.	2. Varietät. Kalkstein von eckigen unebe-nen Bruchstük-ken.
Kohlensaure Kalkerde	254,2 Gran.	269,0 Gran.
— — Magnesia	26,0 —	2,5 —
Kieselerde (in der 2. Variet. wahrschein- lich noch mit etwas Eisen und Thoner- de)	5,7 —	17,0 —
Thonerde	0,5 —	2,5 —
Eisenoxyd	1,9 —	2,0 —
Kohle . . . . : .	0,5 —	1,5 —
Wasser	9,0 —	2,0 —
Summa.	297,8 Gran.	296,5 Gran.
Verlust ·	2,2 —	3,5 —

---

*) Memminger, Beschreibung von Würtemberg, 2te Auf-
lage, p. 183.

**) Leichtfassliche Anleitung zur Salzwerkskunde, p. 95 — 96.

Aus dem Bohrloche von Stein am Kocher, aus einer Tiefe von etwa 100 Pariser Fuss, in 100 Theilen:

Kalkerde. 39
Kieselerde 18
Thonerde 8
Kohlensäure. 31
Wasser, nebst einer Spur von Schwefel und Eisen 4

Summa 100

Von fremdartigen Fossilien, welche in dem rauchgrauen Kalksteine vorkommen, verdienen bemerkt zu werden Beimischungen von Sandkörnern selten, und eigentlich nur in den Gegenden der Mosel und des Sauerthales; ferner Hornstein von meist blossen grauen Farben, zum Theil in kalzedonartigen Quarz übergehend, theils in Nieren, theils in ganzen schmalen Lagern sehr häufig und an sehr vielen Punkten, ferner eingesprengt an einigen Punkten, jedoch selten, Gelbeisenstein in bohnerzähnlichen Körnern, unter andern bei Bischmischheim unweit Saarbrück; Schwefelkies in kleinen Parthieen, als Anflug oder in Brauneisenstein verwandelt an mehreren Punkten; Bleiglanz, in kleinen Parthien eingesprengt, sehr selten, so wie kleine Krystalle von Blande in der Gegend von Luneville.

Von fremdartigen Einlagerungen kommen in dem rauchgrauen Kalkstein, und zwar meist in den ganz obersten Schichten desselben, oder ganz auf der Grenze zwischen dem Kalkstein und den oberen bunten Mergeln, schmale Flötze von Vitriolkohle vor, dieselben werden aber zweckmässiger bei der Formation der oberen bunten Mergel zu beschreiben seyn.

Die wichtigste Einlagerung in diesem Kalksteingebirge ist die des Gipses, welche sich an sehr vielen Punkten findet, so unter andern in der Gegend von Basel längs dem Rhein, südlich von Augst und Rheinfelden, auf dem rechten Ufer bei Rheinfelden, bei Markhof, am Grenzacher Horn, ferner bei Waldshuth, Schleitheim, Unadingen, in dem Neckarthale und Eyachthale, von Oberndorf bis Rothenburg an sehr vielen Punkten, in der untern Neckargegend bei Wimpfen und Hasmersheim, bei Weisbach und Hall im Thale der Jaxt, im Thale der Tauber, an mehreren Punkten im Mainthale, in der Gegend von Würzburg u. s. w. An mehreren Punkten sind diese Gipseinlagerungen Steinsalz und Salzthon führend, und man kann behaupten, dass alle schwäbischen Steinsalzmassen auf solchen Gipslagern im rauchgrauen Kalkstein vorkommen.

Von fremdartigen Vorkommnissen im rauchgrauen Kalkstein führt Herr Dr. Hehl folgende namentlich an *):

Quarz, theils krystallisirt, theils derb, bei Biethigheim, Weiblingen, Backnang, Sulz u. s. w.

Kalzedon, gelblich-grau in Nestern von Feuerstein, im Versuchschachte bei Holzhausen und bei dem Schlosse Alpeck.

Feuerstein in Nieren an vielen Punkten, zumal nicht weit oberhalb der Gipseinlagerung. Hornstein mit Eindrücken von wahrscheinlichen Schwerspathkrystallen zwischen Dornhan und Alpirsbach, auf dem sogenannten Eichsfelde; ferner bei Blaufelden ein Jaspis- und Carneollager auf rauchgrauem Kalkstein.

Kalkspath und Braunspath, überall in diesem Kalkgebirge.

Arragonit, krystallisirt in Drusenhöhlen eines mergelartigen Kalksteins bei Gundelsheim, in den Klüften eines dichten Kalksteins in dem Schachte bei Friedrichshall, derb bei Gundelsheim und Vaihingen an der Enz.

Cölestin, schalig, röthlich-weiss, in büschelförmig zusammengehäuften Tafeln bei Heinsheim, jedoch sehr selten.

Erdpech, im Ganzen selten, doch theils als dünner Ueberzug, theils in kleinen Kugeln bei Friedrichshall, Biethigheim, Murrhardt, Eltingen, Döffingen, Hall, Beyhingen, Laufen am Neckar.

*) HEHL, Beiträge zur geogn. Kenntniss Würtembergs etc., im Korrespondenzblatt des würtembergischen landwirthschaftlichen Vereins, März 1824, p. 134 — 141.

Kupferkies, in kleinen Teträdern und derb bei
Friedrichshall, eingesprengt im porösen Kalkstein
bei Sulz, Schwenningen.

Kupfergrün und Lasur, als zarter Anflug bei Heinsheim, Nagold, Schwenningen.

Schwefelkies, eingesprengt bei Sulz, Holzhausen,
Schwennigen.

Gelbe Blende, derb und eingesprengt bei Kochendorf, Friedrichshall, Freudenthal, Zuffenhausen,
Elbingen, Venningen, Knittlingen, Friolzheim
u. s. w.

Nach dieser allgemeinen Uebersicht der Lagerungsverhältnisse und der mineralogischen Beschaffenheit des rauchgrauen Kalksteins dürfte es hinreichend
seyn, die Punkte, wo wir Gelegenheit hatten, denselben näher zu beobachten, in der Kürze besonders
zu beschreiben.

Auf dem Wege von Luxemburg nach Grevenmachern ist anfänglich feinkörniger weisser Sandstein
mit wenig kalkigem Bindemittel; dasselbe nimmt aber
nach und nach zu, und bei Niederanweiler befinden
sich Steinbrüche auf einem Gestein, welches zwar
wie Sandstein aussieht, aber so viel Kalk enthält, dass
es zum Kalkbrennen benutzt wird. Die Schichten
sind $2\frac{1}{2}$ — 3 F. mächtig, liegen fast horizontal, und
enthalten viele undeutliche Muschelschalen. Näher
nach Grevenmachern hin wird das Gestein immer
mehr der wahre rauchgraue Kalkstein, aus dem hier
ein vortrefflicher Kalk gebrannt und weit verschifft
wird; derselbe soll sehr gut seyn, aber nach dem
Löschen bald erhärten, und ist daher unfähig lange
aufbewahrt zu werden. Der Kalkstein an der Mosel
und in dem Sauerthale sind sich ganz ähnlich; unter
andern Versteinerungen kommen in beiden Enkriniten vor.

In der Gegend von Saarbrück erscheint dieser
Kalkstein nur an wenigen Punkten, unter andern auf
der Höhe des Steinackerberges bei Bischmischheim,
jedoch nicht in sehr bedeutender Mächtigkeit. In den
oberen Schichten dieses Kalksteins finden sich sehr
viele, theis schwarz, theils schmutzig-gelb gefärbte
Feuersteinnieren, bisweilen in Hornstein übergehend,

sie werden in den unteren Schichten seltener. Noch etwas höher finden sich ganze, mehrere Fuss mächtige Kalksteinlager, fast nur aus Gliedern von Enkriniten bestehend, auf die gewöhnliche Art in Kalkspath verwandelt. Ausserdem finden sich Terebrateln und Ammoniten. Auf der Grenze zwischen diesem Kalkstein und dem rothen Sandstein sind Knochenversteinerungen gefunden worden, welche Herr Böcking in Saarbrücken in seiner Sammlung aufbewahrt. Dieser Kalkstein ist deutlich geschichtet, gelblich-grau, sehr zerklüftet, sanft wellenförmig gelagert, mehrere flache Mulden und Sättel bildend. Auf der Höhe des Fechinger Berges liegt ein ähnlicher Kalkstein. Man sieht hier und auf dem Bischmischheimer Berge eine Menge bohnerzähnlicher Eisensteinkörner lose in der Dammerde zerstreut liegen, dieselben scheinen aus dem Kalkstein herzurühren, und finden sich in den allerobersten Schichten desselben, zum Theil auch eingesprengt. Nach den Beobachtungen des Herrn Voltz *) kommen auch bei Tromborn und an mehreren anderen Punkten ähnliche Bohnerze in einer unregelmässigen Thonschicht vor.

Das Saarthal aufwärts gewinnt bei Blittersdorf der Kalkstein schon mehr Zusammenhang, er ist dem bei Bischmischheim ähnlich, enthält einzelne Parthien von Kalkspath, viele Enkriniten, so wie Ammoniten und einige andere Muscheln, und hat eine lichte graue Farbe. Er ist theils dicht, theils mehr körnig-blätterig, mit vielen kleinen, zum Theil mit Eisenockerpunkten ausgefüllten Räumen.

Der Kalkstein, welcher bei St. Avold dem Sandstein aufgelagert, ist dem bei Bischmischheim ganz ähnlich, auch hier finden sich einige Versteinerungen und Hornsteinnieren.

Auf der Strasse von Longeville nach Metz, in der Gegend von St. Avold, gelangt man bald aus dem rothen Sandstein in den rauchgrauen Kalkstein. Die unmittelbare Auflagerungsfläche ist durch herab-

*) VOLTZ, Geognostische Nachrichten über die Umgegenden von Vic. LEONHARDS Taschenbuch, 1823, p. 727.

gerollte Kalksteinblöcke verdeckt; das erste anstehende
Gestein indessen ist ein weicher, sehr hellgrauer thoniger Mergel, wenig oder gar nicht mit Säuren brausend, und vielleicht noch die Gipsformation andeu-
tend, welche in diesen Gegenden zwischen dem rothen Sandstein und Kalkstein gelagert zu seyn pflegt.
Hierauf kommt ein etwas festerer weisser Mergel, nur
wenig mit Säuren brausend, dann ein dichter grauer
Kalkstein, dann ein ähnlicher mit Enkriniten und anderen Muschelversteinerungen, dann ein körniger fester Kalkstein, grau und ebenfalls mit Muschelversteinerungen.   Nach einer Menge ähnlicher Kalksteinschichten, die zum Theil etwas dünnschieferiger sind,
gelangt man auf die Höhe des Berges.   Hier befindet
sich eine ganz oolithische, gelblich-weisse Kalksteinschicht von beträchtlicher Mächtigkeit.   In derselben
ist ein beträchtlicher Steinbruch für die Chaussee angelegt.   Dieser oolithische Kalkstein ist in grossen
Massen zerklüftet und gleichzeitig deutlich geschichtet;
er zeigt häufig eine eigenthümliche stängliche Absonderung, welche selbst die Schichtenablösung durchsetzt, und diesen Oolith in unregelmässig geformte
Prismen oder Säulen von 3 — 4 Zoll Höhe abtheilt,
die sich zu beiden Seiten in die nicht zerklüftete
Masse verlaufen, an der sie fest sitzen.   Die Seiten-
wände dieser Prismen sind häufig mit einem weissen
fettigen Thon überzogen, und lösen sich glatt ab.
Ob diese sonderbaren säulenförmigen Absonderungen
von korallenartigen Versteinerungen herrühren, lässt
sich nicht mit Deutlichkeit beobachten; ähnliche Bildungen kommen jedoch in vielen anderen Kalkgebir-
gen, und namentlich sehr schön in dem bei Rüders-
dorf unweit Berlin vor.   Ausserdem enthält dieser
Oolith häufig Muschelfragmente und Bruchstücke von
Enkriniten; auch ein sehr deutliches 2 — 3 Zoll lan-
ges Knochenfragment fand sich in demselben.   Der
Oolith besteht aus weissen kleinen, ganz runden Körnern, von denen mehrere hohl zu seyn scheinen; diese
liegen in einer dichten, etwas gelblich-weissen Kalk-
steinmasse, jedoch so, dass sie sich wechselseitig berühren.   Ob dieser oolithische Kalkstein der Formation des rauchgrauen Kalksteins angehört, ist zweifel-

felhaft. Derselbe würde wenigstens eine ganz eigenthümliche und seltene Modifikation desselben seyn, obgleich auch der rauchgraue Kalkstein an einigen Punkten entschieden eine etwas oolithische Beschaffenheit annimmt, wie unter andern in dem Sauerthale bei Bollendorf, wo er jedoch nur stellenweise sich einem unvollkommenen Oolith nähert, und ganz besonders zwischen Stühlingen und Unadingen, wo entschieden rauchgrauer Kalkstein von rogensteinartiger Natur vorkommt. Aber solche Modifikationen sind sehr selten, und der Oolith von Longeville ist so sehr den Oolithen des Jura ähnlich, dass man leicht.geneigt werden mögte, denselben für Jurakalk zu halten, der ohnehin nicht allzuweit westlich auftritt, worüber indessen nur fernere genauere Beobachtungen entscheiden können. Nach den Beobachtungen des Herrn Voltz *) macht der Rogenstein in der Gegend von Sierk (an der Mosel) ein Hauptglied des dortigen Kalkgebirges aus, von mehr als 100 Meter Mächtigkeit. Er schliesst auch hier kleine einschalige Muscheln, Pectiniten und Entrochiten ein, und wird von Herrn Voltz analog den mergelartigen Kalksteinen gerechnet, welche bei Vic, von oberen bunten Mergeln eingeschlossen, über der dortigen Gipseinlagerung liegen, und welche Derselbe als Glieder der Muschelkalkformation betrachtet. Es ist nicht unwahrscheinlich, dass diese Rogensteine und die von Longeville einer Formation angehörig sind.

Zwischen Faulquemont und St. Avold, bei Teting, Tritling und Loderfang, tritt der rauchgraue Kalkstein in ansehnlicher Verbreitung und recht charakteristisch hervor. Südlich von Faulquemont, bei Mère église, verschwinden die oberen bunten Mergel, und man sieht zwischen Mère église und Faulquemont diesen rauchgrauen Kalkstein unter demselben hervortreten; er enthält viele glatte Terebrateln und eine eigenthümliche gestreifte Muschel, wahrscheinlich eine Art Ostracit, vielleicht dem Ostracites spondyloides ähnlich, welcher in v. Schlottheims Nach-

---

*) Voltz, loc. cit. Leonhards Taschenbuch, 1823, p. 725.

Nachträgen zur Petrefaktenkunde (II., Tab. XXX., Fig. 1, 2) abgebildet ist. Ferner finden sich hier ziemlich häufig Ammoniten und Enkriniten. Dieser Kalkstein erscheint hier in ziemlich ansehnlicher Verbreitung und meist dicht, hell rauchgrau, seltener schieferig. Aus demselben entspringt bei Faulquemont eine sehr starke Quelle.

Südlich von Luneville tritt der rauchgraue Kalkstein, den man als den Gegenflügel von dem bei Faulquemont und St. Avold betrachten kann, wieder recht charakteristisch hervor. Diese Stadt liegt in dem flachen, mit Geröll erfüllten Thale der Meurthe, der Weg von hier nach Rehainvillers führt bei mehreren bedeutenden Grandgruben vorbei. Aber in Rehainvillers tritt der rauchgraue Kalkstein hervor, und geht beinahe bis auf den Spiegel des Flusses hinab; auf dem Wege von hier nach dem Dorfe Mont sind mehrere Brüche auf diesem Kalkstein eröffnet, die jedoch alle nicht tief niedergehen. In den meisten derselben ist nur sehr zerklüfteter, plattenförmiger und knolliger Kalkstein in Schichten von einigen Zollen Stärke, mit gelbem, bläulich-grauem, auch rothem Thon auf den Ablösungsflächen. Der Kalkstein ist dicht oder etwas krystallinisch-körnig, und von schmutzig-grauen oder gelblich-grauen Farben. Merkwürdig sind eine Menge von Knochenfragmenten, die sich in diesem Kalksteine finden, ferner kommen hier glatte Terebrateln, Mytuliten, kleine Austern, eine sehr grosse plattgedrückte Art von Ammoniten und ein eigenthümliches Petrefakt vor, welches für den Schnabel von Sepien gehalten wird, und sich nur selten, und meist von schwarzen Letten umgeben, auf der Kalkschicht nicht sehr fest angewachsen findet. Unter diesen versteinerungsreichen Schichten kommen mehrere bis 1 F. mächtige Bänke dichten gelblichgrauen Kalksteins vor, der sehr leicht zersprengbar ist; sie wechseln mit ganz dünnen Lagen von gelbem mergelartigen Kalkstein ab, der in der Mitte gräulichblau gefärbt ist; überhaupt bemerkt man sehr häufig, dass diese Kalksteine, in Folge wahrscheinlicher Verwitterung, an ihrer Oberfläche, und ziemlich tief in das Innere hinein, gelblich gefärbt sind, während der

II.　　　　　　　　　　　　　　　　[6]

Kern noch bläulich oder rauchgrau geblieben ist. Unter diesen Bänken kommen einige mächtige Lagen von 2 — $2\frac{1}{2}$ F. Dicke vor, aus einem ähnlichen Kalkstein bestehend, nur etwas porös und rissig, und kleine Punkte von Eisenocker enthaltend. Sind auch diese unteren Schichten nicht ganz versteinerungsleer, so enthalten sie doch, im Vergleich zu den oberen, so gut wie gar keine Versteinerungen. Alle diese Kalksteinschichten pflegen mehr oder weniger bituminös zu seyn. Als Anflug bemerkt man in den oberen Schichten des Kalksteins, namentlich in den Höhlen im Innern von Ammoniten oder Schnecken, kleine Krystalle von Schwefelkies und Blende. In diesen oberen Kalksteinschichten zeichnet sich eine namentlich durch ihren Reichthum an Austern aus, unter derselben liegen öfters Ammoniten, und so geschieht es wohl, dass sich die Austern aufgewachsen auf die Ammoniten finden.

Der Kalkstein von Luneville steht mit dem in der Gegend von Blamont in unmittelbarem Zusammenhange. Bei Avricourt liegen noch die oberen bunten Mergel, doch schon in dem Dorfe selbst geht der Kalkstein recht deutlich zu Tage, und bei einem Kalkofen, am Eingange bei Avricourt, kann man recht deutlich sehen, wie sich dieser Kalkstein unter den bunten Mergeln hervorhebt. Dieser Kalkstein ist theils grau und dicht, oder splitterig im Bruch, oder gelblich-grau und etwas körnig-späthig, mit vielen Kalkspathadern durchzogen, welche zum Theil hohl und mit Eisenocker ausgefüllt sind. Es ist dies ganz der gewöhnliche rauchgraue Kalkstein, und namentlich auch dem ähnlich, welcher zwischen Saarburg und Haut-Clocher (Zittersdorf) vorkommt. Südlich von Avricourt, nach Igney zu, hebt sich der Kalkstein immer mehr hervor, und es befinden sich hier ansehnliche Brüche, in denen ebenfalls Knochenfragmente, Fischzähne und mancherlei Muschelversteinerungen gefunden werden. Dieser Kalkstein erstreckt sich ohne Unterbrechung, mit beträchtlich ansteigendem Niveau, über Igney bis jenseits Blamont. Zwischen Blamont und Barbas ist ebenfalls noch ein langgezogener Bergrücken, aus Kalkstein bestehend, dann aber senkt sich die Gegend, und es befindet sich zwischen hier und den Vogesen ein breites flaches Thal, in dem kein anstehendes Gestein, ausser an einigen Stellen ein rother Letten, sichtbar wird; jenseits dieses Thales, an dem Fusse der Vogesen, erscheint sogleich der rothe Sandstein.

Zabern oder Savern liegt in einem kleinen Busen des rothen Sandsteingebirges, in welchem sich rauchgrauer Kalkstein und mehrere jüngere Gebirgsformationen eingelagert haben, es befinden sich hier mehrere interessante Punkte für die Lagerung des rothen Sandsteins und rauchgrauen Kalksteins. So erhebt sich auf dem Wege von Savern nach Pfalzburg vor den hohen Sandsteinbergen eine niedrige Hügelreihe von rauchgrauem Kalkstein, welche sich deutlich über St. Johann und Eckardsweiler verfolgen lässt, und obgleich dem rothen Sandstein angelehnt, durch einen Absatz des Gehänges kenntlich wird. Auf der rechten Seite der Strasse von Savern nach Pfalzburg befinden sich mehrere bedeutende Brüche, in denen dieser Kalkstein als Chaussee- und Baustein gewonnen wird. Das Streichen der Kalksteinschichten ist in einem der ersten Brüche h. 4½, das Fallen 22 Grad Süd. Es sind abwechselnde Lagen von dichtem bläulich-grauen, bisweilen etwas körnig werdenden Kalkstein, und von gelbem mergelartigen Kalkstein. In diesen Schichten kommen Enkriniten und Terebrateln vor. * In dem höher liegenden Bruche streichen die Kalksteinschichten h. 12, und fallen am Ausgehenden mit 20 Grad Ost, nehmen aber später eine flächere Lage an; dasselbe Fallen wird in einem noch höher gelegenen Bruche beobachtet, und scheint hier auch das Hauptfallen zu seyn. Dieser Kalkstein ist dem auf dem westlichen Abfalle der Vogesen vollkommen ähnlich, und es bleibt gar kein Zweifel übrig, dass er dem rothen Sandstein aufgelagert ist, wahrscheinlich wohl ganz abweichend, und in einem Niveau, welches demselben bei weitem nachsteht, die spezielle Mulde, welche das Gebirge hier bildet, ausfüllend.

Derselbe rauchgraue Kalkstein findet sich wieder auf dem Wege von Niederbronn nach Reichshofen und Gundershofen, zunächst dem rothen Sandstein aufgelagert; er bildet starke Bänke, ist dicht, von bläulich-grauer Farbe, und es finden sich viele Enkriniten und Ammoniten in ihm. Er ist ganz wellenförmig gelagert, und es lässt sich kein regelmässiges Streichen und Fallen in ihm beobachten, gegen Reichshofen zu wird er auch bald vom jüngeren Flötzgebirge bedeckt.

Derselbe Kalkstein erscheint wieder zwischen Reichshofen und Jägerthal, bei Wolfürthsbach, in nicht sehr mächtigen Bänken h. 8 streichend, von gelblich-braunen Farben und splitterig im Bruch, auf den Schichtungsablösungen häufige Aussonderungen von weissem Thon. Unter anderen Versteinerungen finden sich hier vorzüglich auch Ammoniten. Bald hinter diesem Kalkstein tritt der rothe Sandstein in mächtigen Bergmassen hervor, und der Kalkstein zeigt sich nur allein am Fusse der hohen Sandsteinberge, doch ist hinter dem Schlosse von Jägerthal noch ein Bruch auf rauchgrauem Kalkstein. Zum letztenmale in diesem Busen des rothen Sandsteingebirges erscheint der Kalkstein bei Lembach, eine kleine spezielle Mulde ausfüllend zwischen zwei hohen Bergen von rothem Sandstein, und ausserdem findet er sich noch westlich von Weissenburg.

Auf dem Wege zwischen Sulzbach und Mutzig tritt ebenfalls wieder der rauchgraue Kalkstein auf, und in demselben werden bedeutende Steinbrüche betrieben. Es kommen hier sehr viele gelblich-weisse mergelartige Kalksteine vor, die sich in ganz dünnen Platten sondern, wegen ihres wahrscheinlich sehr bedeutenden Thongehaltes, dieselben sind aber gleichzeitig von sehr vielen dünnen Aederchen eines dunkelbraunen Kalkspaths durchzogen. Auf den Klüften des Kalksteins findet sich bisweilen eine bolarartige braune Thonmasse ausgeschieden. Mit dem thonigen Kalkmergel wechseln dichtere Kalksteine. Dunkle Hornsteine oder Feuersteine in Nestern und Lagern sind nicht selten, auch schöner Faserkalk kommt hier vor. Die Schichten fallen mit flacher Neigung gegen Ost. Gegen den oberen Theil des Berges finden sich sehr kompakte feinkörnige lichtgraue Kalksteine, und dann auch poröse mergelartige Schichten von gelblich-weisser Farbe; auch ein erdiger und mergelartiger Kalkstein von ausgezeichnet schöner rother Farbe kommt hier vor. Diese Gegend ist reich an Versteinerungen von Ammoniten, Terebrateln, Pektiniten, einer Art von Terebra oder Vis.

Dieser Kalkstein hält ohne Unterbrechung an bis Dangolsheim, welches in einem tiefen Thale liegt, in dem vielleicht noch der rothe Sandstein hervorkommen könnte, denn in der Thalsohle sieht man rothe Mergel, und in seiner Nähe finden sich eine Menge Hornstein- oder Feuersteinnieren in dem Kalkstein. Dangolsheim selbst scheint auf rothen Mergeln zu liegen, und zwischen hier und Bergbieten stehen sie mehreremale an, so wie an dem Gehänge hinter diesem Orte. Bei Flexburg erhebt sich das Gehänge; es befindet sich hier ein sehr bedeutender Gipsbruch, und ganz nahe dabei eine sehr schwefelhaltige Quelle, die viel lac sulphuris absetzt. Die untersten Bänke des sehr bedeutenden Bruches bestehen aus mächtigen Schichten von feinkörnigem, meist graulich-weiss, selten röthlich durchscheinenden Gips, der sehr geschätzt wird. Der Gips wechselt mit vielen grauen Mergelschichten, über welchen mächtige rothe Mergelschichten zum Vorschein kommen. Eine schwarzgraue, mit Gips vorkommende Mergelschicht hat einen starken bituminösen Geruch, und überhaupt sind viele dieser Mergelschichten mehr oder weniger bituminös. Eingesprengter Schwefel ist in dem Bruche nicht gefunden worden, aber das Vorhandenseyn einer Schwefelquelle scheint sein Vorkommen anzudeuten. Alle Schichten haben eine geringe Neigung h. 5 — 6 Ost. Dieser Gips scheint der Mergelformation anzugehören zwischen dem rauchgrauen Kalkstein und dem rothen Sandstein, oder er ist dem Kalkstein eingelagert; auf keinen Fall scheint er über dem Kalkstein gelagert, oder der oberen bunten Mergelformation angehörig. Der Kalkstein erstreckt sich etwa von Dangolsheim bis gegen Niederhaslach. Bei Sulzbad befinden sich schwache Salzquellen.

Oberhalb Schlettstadt, an dem östlichen und südlichen Abfalle der Vogesen, erreicht der Kalkstein keine bedeutende Verbreitung mehr, er befindet sich

aufgelagert; er bildet starke B.
bläulich-grauer Farbe, und es
kriniten und Ammoniten in ihm
förmig gelagert, und es lässt
Streichen und Fallen in ihm be
hofen zu wird er auch bald
birge bedeckt.

Derselbe Kalkstein ersch
Reichshofen und Jägerthal,
nicht sehr mächtigen Bänken
gelblich-braunen Farben und
den Schichtungsablösungen
von weissem Thon. Unt
finden sich hier vorzügli
hinter diesem Kalkstein
mächtigen Bergmassen
sich nur allein am Fu
doch ist hinter dem S
Bruch auf rauchgra
in diesem Busen de
der Kalkstein bei
Mulde ausfüllend
rothem Sandstein,
westlich von We

Auf dem W
tritt ebenfalls
und in demsel
trieben. Es
mergelartige
Platten sond
deutenden
zeitig von
kelbraunen
des Kalks
braune Th
Kalkmer
Hornst
sind n
vor, I
Ost. (
sehr k
dann a

i unter oder ≡
es bebaut wird:
at, und ein an
n Strahlgips wird
reben. Von hier
n Abfalle des Ge
graaem Kalkstein
ndstein aufgelagert,
u.
u mehreren Punkten
von Gips, der wahr-
er dem rauchgrauen
is bei Oberbergheim,
rg, Küttelsheim, Nau-
eiden, Ottweiler, Wal-
sich hier sehr ansehnliche

falle der Vogesen scheint
den Seltenheiten zu ge-
ndessen doch vielleicht in
es steht hier nämlich bei
chteter, bläulich-grauer
Süden fallend, der viel-
seyn möchte; bald aber
er Perouse, von entschie-

Abfalle des Schwarzwaldes
Kalkstein nur in sehr gerin-
andern bei Emmendingen
Laurettoberge bei Frey-
aufgelagert, bei Candern
aber durch Bohrversuche
vorkommenden Gipslager,
Haus Baden, wo man den
das Gipslager darin durch-
urgthale, eine halbe Stunde
Hüfurth oder Amalienberge,

s ai d'une mineralogie economic tech-
et Bas-Rhin, formant la ci-devant
si — ßl

legt sich nach **den** Angaben von Jägerschmidt[*]
der rauchgraue Kalkstein auf den Granit. In dem
Kalkstein soll eine Höhle befindlich seyn. Uebrigens
erscheint an allen diesen Punkten, und namentlich
auch auf dem nördlichen Abfalle des Schwarzwaldes,
bei Pforzheim und Durlach der rauchgraue Kalkstein
in mannigfaltigen Varietäten, und ist im dichten kom-
pakten Zustande wohl als Marmor benutzt worden.
Solchen Marmor von grauen, gelben und braunen
Farben hat man unter andern gebrochen bei Bausch-
lot, Bezirksamt Pforzheim, bei Berghausen, Bezirksamt Durlach, bei Bottingen, Bezirksamt Emmendingen, bei Durlach, bei Essingen unweit Lörrach, unweit Pforzheim, Entrochitenmarmor bei Niefern und
an vielen andern Punkten[**]).

Spuren von Salzquellen finden sich an mehreren
Punkten, und namentlich bei Sulzburg[***]), und auf
dem westlichen Abfalle des Schwarzwaldes werden bei
Wiehlen, Grenzach, Hüsingen, Wollbach, Candern,
Badenweiler, Staufen und Sulzburg gegen 15 Gipsgru-
ben betrieben, welche grösstentheils dem rauchgrauen
Kalkstein eingelagert zu seyn scheinen.

In der Gegend von Basel zeigt sich der rauchgraue Kalkstein nur in geringer Verbreitung, denn er
ist meist von jüngeren Bildungen bedeckt. Vorzüglich
ausgezeichnet findet sich derselbe an dem Grenzacher
Horn[****]), und hier in demselben deutlich eingelagert
ein Gipsflötz. Es ist ein reiner dichter, etwas schup-
piger Gips von grauer Farbe, seine Mächtigkeit konnte
mit 60 F. tiefen Schächten noch nicht durchsunken
werden. Der Gips ist ohne zwischenliegende Mergel-

---

[*] Jaegerschmidt, Das Murgthal, besonders in Hinsicht
auf Naturgeschichte und Statistik. 1800. p. 208.

[**] Mineralien und deren Benutzung im Grossherzogthum Baden. 1819. p. 30 — 42.
Reinhards vermischte Schriften.

[***] Oberbergrath Erhardy im Magazin von und für Baden,
1ster Band, 1802.

[****] Merian, Beiträge, p. 27.

flötze dem Kalkstein eingelagert, ein ähnliches Verhalten, wie bei Candern, und von dem in der Folge
noch mehrere Beispiele vorkommen werden. An andern Stellen, z. B. bei Rheinfelden, kommen nach
den Beobachtungen des Herrn Merian auch bunte
Mergel dem Kalkstein eingelagert vor, an diesem
Punkte aber scheint die Lagerung durch Sprünge und
Verrückungen gestört.

Ferner bildet der rauchgraue Kalkstein in der
Nähe von Basel unter andern den Dinkelsberg, den
Berg von St. Chrischona, den bei Herten. Die Insel
bei Rheinfelden besteht aus stark geneigten rauch-
grauen Kalksteinschichten, bei der Rütihardt, unweit
Münchenstein, kommt der Hornstein enthaltende
rauhe Mergel hervor, und nicht weit davon ist eine
Gipsgrube.

In dem rauchgrauen Kalkstein bei Augst und
Riechen, unweit Basel fand Herr Merian *) den
Chamites striatus und lineatus, Ostracites spondyloides,
Encrinites linüformis u. s. w. In dem Thale von
Meisprach und Buus, etwas südöstlich von Rheinfelden, fand Herr Merian **) den rauchgrauen Kalkstein dem bunten Mergel und dem Griphitenkalk aufgelagert, und längs dem höchsten Grate des Jura,
von der Schafmatt über Eptingen nach Bretzweil, etwa in der Richtung von Osten gegen Westen, einen
Zug rauchgrauen Kalksteins, anscheinend dem oolithischen Jurakalk aufgelagert, in steilen Schichten gegen Süden fallend. Diese Erscheinungen, obgleich in
ihren Einzelnheiten noch einer näheren Untersuchung
bedürftig, mögten sehr bestimmt darauf hindeuten,
dass alle Gebirgsschichten in dem schweizerischen Jura
sehr gewaltsame spätere Zerrüttungen erlitten haben,
von denen namentlich die so häufig zu beobachtende
steile Schichtenstellung eine unmittelbare Folge gewesen zu seyn scheint.

---

*) P. Merian, Bemerkungen über die Versteinerungen des
rauchgrauen Kalksteins in der Gegend von Basel, in Leonhards
Zeitschrift für Mineralogie, Februar 1825, p. 99 — 114.

**) Merian, Beiträge zur Geognosie, B. I, p. 88.

In dem untern Theile des Wiesenthales, bei Rechberg und Nebenau, ferner bei Steinen und Schopfheim und in dem unteren Theile des Wehrthales, ist der rauchgraue Kalkstein ansehnlich verbreitet, hier in dem Wehrthale finden sich mehrere Punkte, wo er unmittelbar auf Granit ruht, und bei Hassel ist eine Höhle in demselben. An der Form dieser Höhle lässt sich deutlich beobachten, dass sie nicht durch Auswaschung der Wasser, sondern durch einen Einsturz der Felsen entstanden seyn muss. Gips geht in der Umgegend von Hassel an mehreren Punkten zu Tage, und noch jetzt ereignen sich bisweilen Einstürze in dieser Gegend*). Bei dem Dorfe Eichen, unweit Hassel, ist ein periodischer See, der bald trocken, bald mit Wasser gefüllt ist. In den Jahren 1771 und 1776 ereigneten sich in dem Dorfe Hassel bedeutende Erdfälle, und bemerkte man, dass auch in dieser Zeit der See sich mehreremal füllte und wieder austrocknete, was also wohl auf einen Zusammenhang beider Erscheinungen hindeuten mögte**). Der rothe Sandstein, so wie der Kalkstein, liegen hier in einem einspringenden Busen des primitiven Gebirges, welches sich über beide Bildungen bedeutend erhebt, während das Niveau des Kalksteins gegen das des Sandsteins ebenfalls noch ansehnlich zurückbleibt. Auf dem Gneuss bei Laufenberg scheint zuerst rother Sandstein aufgelagert, dann aber tritt bald rauchgrauer Kalkstein auf, welcher in der Gegend von Waldshuth herrschend ist, so dass der rothe Sandstein nur kaum in Schluchten unter ihm hervortritt; in dem Kalkstein befindet sich eine Gipseinlagerung. Von Waldshuth bis Koblenz ist nur rauchgrauer Kalkstein, dann finden sich in demselben auf dem linken Rheinufer die Gipsmergel, und weiter

---

*) MERIAN, Beiträge, B. I, p. 53.

**) Die Erdmannshöhle bei Hassel etc., von C. A. LEMDKE (mit 12 Kupfern). Basel 1803.

SANDER, Beschreibung einer Tropfsteinhöhle in der Landgrafschaft Sausenberg. Im Naturforscher, 18. Stück, IX, p. 167.

ROSENMUELLER und TILLESIUS, Beschreibung merkwürdiger Höhlen. Leipzig 1799. p. 245.

hin, hinter Zurzach bei Beckingen, treten Mergel des Griphitenkalkes und Jurakalk auf, und von nun an ist in dem Rheinthale der rauchgraue Kalkstein verschwunden, der sich ganz auf den östlichen Abfall des Schwarzwaldes zieht.

Die eben erwähnte Gipseinlagerung zeigt sich in dem rauchgrauen Kalkstein des Rheinthales an mehreren Punkten. Nach den Beobachtungen von Rengger *) unter andern findet sie sich an dem Veithibuk bei Thiengen, an dem westlichen Abhange des Kalvariberges, im Steinbrückel und an dem Haspel bei Waldshuth, so wie längs der ganzen Gebirgskette des linken Rheinufers von Schwatterloch bis Augst. In der Gegend von Waldshuth zieht sich der rauchgraue Kalkstein noch ziemlich hoch das Gebirge hinauf, denn er findet sich bei Tützelen, auf der Bergfläche zwischen hier und Thiengen, und selbst noch etwas nördlich von Remetswil, auf dem Wege von Waldshuth nach St. Blasien. Dies ist aber auch in dieser Gegend der nördlichste Punkt seines Vorkommens, und namentlich weiter westlich geht er nicht mehr über das Steinbachthal hinaus, welches sich oberhalb Tiefenstein mit dem Albthal vereinigt.

Sehr interessant ist das Verhalten des rauchgrauen Kalksteins auf dem östlichen Abfalle des Schwarzwaldes, zwischen Schleitheim und Villingen, wo derselbe sich zu einer Höhe von mehr als 2000 F. erhebt. Auf dem Wege von Schaffhausen nach Schleitheim durchschneidet man nach und nach alle obere Schichten über dem rauchgrauen Kalkstein in dem regelmässigsten Lagerungsprofile, bis endlich in dem Thale von Schleitheim, einem kleinen Seitenthale des tief eingeschnittenen Wutachthales, der rauchgraue Kalkstein selbst hervortritt, gegen Südost einfallend, anfänglich in der Sohle des Baches, doch nach und nach sich höher hervorhebend. Er hat im Allgemeinen eine lichte weisslich-graue Farbe, ist theils dicht und splitterig, theils uneben mergelig und etwas rauh. Bei Schleitheim ist durch den Hofrath Glenk ein

---

*) Rengger, Beiträge zur Geognosie, B. I, Lief. 1, p. 237.

Bohrloch auf Steinsalz angesetzt, von dem weiter unten näher die Rede seyn wird; die Hängebank desselben ruht auf rauchgrauem Kalkstein, und ganz nahe bei diesem Bohrloche befindet sich auch ein ansehnlicher Steinbruch auf diesem Kalkstein. Das Gestein ist meist licht und etwas bläulich-grau, es ist theils dicht, theils etwas mehr späthig. Vorzüglich zeichnen sich mehrere ansehnliche Bänke von einem sehr porösen und brücklichen Kalkmergel aus; er ist voll hohler zackiger Räume, und in diesen Höhlungen liegt ein weisser oder gelblich-weisser Staub, der mit Säuren braust. Auch kleine Nieren von ockerigem Gelbeisenstein kommen in diesem Kalkstein vor. Von Schleitheim nach Stühlingen geht man fast genau in das Liegende des Gebirges, und durchschneidet von hier bis in das Thal der Wutach mannigfaltige Schichten des rauchgrauen Kalksteins. Hier aber, am Eingange des Wutachthales, befindet sich in diesem Kalkstein ein Gipslager von ansehnlicher Mächtigkeit, auf dem ein unterirdischer Steinbruch betrieben wird. Es ist ein dunkelgrauer schwarz und lichtgrau gestreifter Gips, dicht oder ganz feinkörnig mit krystallinischen Punkten, sehr wenige dünne Lagen von einem weissen feinkörnigen Gips darin. Grauer schieferiger Mergel scheidet die regelmässig flach gegen Süden einschiessenden Bänke. Auf den Klüften dieses Gipses will man schon öfters Glaubersalz gefunden haben, welches aber leicht auswittert. In der Sohle des Steinbruches liegt Gips, das Dach besteht aus einem rauh anzufühlenden unreinen Gipsmergel.

Dieser Punkt ist sehr interessant, weil man hier die Einlagerung des Gipses in den Kalkstein auf das Bestimmteste beobachten kann, denn bedeckt werden hier die Gipsbänke von ganz charakteristischem rauchgrauen Kalkstein, oft etwas mergelartig, oft dichter, aber immer viel Thon auf den Schichtungsablösungen. Theils in Nieren, theils in Lagern finden sich Hornstein und Feuerstein von hellen Farben in diesem Kalkstein ein. In der Nähe des Gipslagers kommt auch eine breccienartige Kalksteinschicht vor, welche aus Kalksteinstücken mancherlei Art und einer porösen Grundmasse besteht.

Dass auch in dem Liegenden dieses Gipsbruches Kalkstein vorkommen müsse, davon überzeugt man sich leicht bei Fortsetzung des Weges nach Stühlingen; diese Richtung geht in das Liegende, und man sieht hier überall den Kalkstein mächtig und weit verbreitet vorkommen. Es ist nur der tiefe Einschnitt des Wutachthales, welcher hier und an noch vielen Punkten im Thale den Gips des rauchgrauen Kalksteins entblösst hat. Der ganze Berg, auf dem das Schloss Stühlingen liegt, besteht aus meist sehr bituminösem rauchgrauen, sehr deutlich geschichteten Kalkstein von weisslich-grauer Farbe. Ist der Berg erstiegen, so befindet man sich auf einem Plateau, welches nach Bonndorf hin immer mehr noch ansteigt. Der Kalkstein enthält viele Muscheln, Terebrateln, Mituliten u. s. w. Unter den verschiedenen Varietäten des Kalksteins kommt hier auf dem Wege nach Bonndorf auch eine vor, welche im Ganzen sehr selten ist. Der Kalkstein nimmt nämlich eine rogensteinartige Struktur an, indem in einer dichten Grundmasse einzelne runde Körner erscheinen, doch freiliegend und ohne sich wechselseitig zu berühren. Diese Struktur wird vorzüglich auf verwitterten Oberflächen deutlich, welche alsdann körnig erscheinen.

In der Gegend von Bonndorf erreicht der rauchgraue Kalkstein sein höchstes Niveau. Von hier nach Boll senkt er sich in das tiefe Thal der Wutach hinab, und es sind hier alle Schichten in dem schönsten Profile schwach gegen Osten geneigt sichtbar. Einige dieser Schichten enthalten sehr viele Enkriniten, Pektiniten, Terebrateln u. s. w. in den unteren Schichten, und auch in den oberen bemerkt man häufige Nieren von theils hell-, theils dunkelgrau gefärbtem Feuerstein und Hornstein, diese Nieren finden sich bei Boll und Unadingen auf den Feldern, sie sind bisweilen kalzedonartig und werden gesammelt. In der Tiefe des Wutachthales treten die schönsten grauen und grünlich-weissen schieferigen Kalkmergel auf, dieselben, welche immer das Hangende des Gipsflötzes bilden, so dass es keinen Zweifel leidet, dass der Gips hier nur wenig noch unter Tage liegen kann, und wirklich geht derselbe auch bald weiter unten in dem Wutachthale zu Tage aus, denn dieses Thal fällt ungleich mehr als die Gebirgsschichten. Ueber rauchgrauen Kalkstein gelangt man alsdann nach Unadingen, wo unweit der Post, in dem nach der Wutach sich hinziehenden Thale, ein Kohlenflötz in diesem rauchgrauen Kalkstein, und wie es scheint, in seinen obersten Bänken betrieben wird. Die Kohle ist das, was man wohl Vitriolkohle zu nennen pflegt, eine sehr viel erdige Theile und Schwefelkies enthaltende magere Steinkohle; sie liegt in einem schwärzlichen thonigen Mergelschiefer, soll stellenweise bis 6 und 8 Fuss mächtig, aber doch unregelmässig seyn; man war indessen damit beschäftigt, einen Bau auf derselben zu eröffnen, der schwerlich lohnend seyn dürfte. In dem hangenden Kalkstein kommen undeutliche Muscheln, vielleicht Mytuliten vor, in dem Mergelschiefer bisweilen Pflanzenabdrücke. Im Liegenden ist bräunlich-grauer Kalkstein, und unter demselben soll wieder Mergelschiefer vorkommen, jedoch ohne Kohlenflötz. Ueber der Kohle liegt eine 1 — 2 Zoll mächtige Lage von Wasserkies. Das Streichen der Schichten ist etwa h. 3; das Fallen 15 Grad Südost. Der Aussage der Bergarbeiter nach soll über diesem Kalkstein bei Unadingen Gips vorkommen.

Wie dem auch sey, so befindet sich auf jeden Fall ganz nahe bei dieser Kohlengrube, dicht bei der Unadinger Post (welche ¼ Stunde von dem Dorfe entfernt), eine sehr bedeutende Gipsgrube. Der Gips ist theils dicht, theils späthig, von verschiedenen grauen Farben, gestreift und sehr regelmässig in 1 — 2 F. mächtigen Bänken über dem Kalkstein gelagert, der von der Kohlengrube bis hierher ohne Unterbrechung zu verfolgen ist. In den oberen Bänken des Gipses kommen dünne 1 — 2 Zoll mächtige Lagen von weissem Fasergips vor, und hier fangen auch schon rothe und bunte Mergel an zu erscheinen, und die höchsten Theile der Gipsgrube einzunehmen. Der Gips streicht h. 1 und fällt 10 — 15 Grad Ost. Der Kalkstein in dem Liegenden dieses Gipsbruches ist sehr mergelig, bituminös und häufig porös.

Bei einer genauen Vergleichung dieses Vorkommens ist es zwar allerdings nicht zu leugnen, dass der Gips von Unadingen dem bei Stühlingen sehr ähnlich ist; allein es scheint doch wahrscheinlicher, dass er nicht der Formation des rauchgrauen Kalksteins, sondern vielmehr den oberen bunten Mergeln angehörig seyn dürfte, obgleich seine unmittelbare Auflagerung auf den Kalkstein dann doch immer eine Ausnahme von der Regel bleibt. Allein mit dem Gips in dem Thale der Wutach lässt er sich, den Lagerungsverhältnissen nach, nicht vereinigen, auch scheint das Vorkommen von Steinkohlen in dem Liegenden für die ausgesprochene Ansicht günstig, um so mehr, da unmittelbar von hier die oberen bunten Mergel anfangen den rauchgrauen Kalkstein zu bedecken, und über Deckingen nach Donaueschingen und Dürrheim hinziehen; dagegen erhält sich westlich der Kalkstein bis in die Gegend von Villingen, wo er noch bis fast gegen Dürrheim ansteht, und hier nur ganz schwach von bunten Mergeln bedeckt wird.

In der Umgegend von Villingen ist gewöhnlicher rauchgrauer Kalkstein in mancherlei Abänderungen anstehend, es finden sich in demselben viele Hornsteine, Feuersteine und Enkriniten. Auf dem Wege von Villingen nach Rothweil kommt eine Stunde von Villingen unter dem Kalkstein der rothe Sandstein hervor; auf der Grenze bemerkt man gelblich-graue schieferige Kalkmergel. Der Sandstein ist dunkelroth, bisweilen mit gelben runden Flecken, feinkörnig, mit einzelnen Glimmerschüppchen und sehr thonig; noch vor Niedereschach ist diese Bildung wieder verschwunden. In Niedereschach selbst steht rauchgrauer Kalkstein an, er scheint der unteren Abtheilung desselben anzugehören, denn er ist ausgezeichnet schieferig, von grauen Farben und arm an Versteinerungen. Bis Horgen ist derselbe Kalkstein sehr schön geschichtet, unter der Kirche schwach gegen Osten einfallend, er wechselt bisweilen mit mergelartigen Abänderungen. Er bildet bei Horgen einen ansehnlichen zu übersteigenden Bergzug, und in dem Walde vor Rothweil sieht man diesem Kalkstein in schwachen Schichten einen thonigen gelblich-grauen Sandstein aufgelagert, der schon der Formation der oberen bunten Mergel angehört. Bei Rothweil wird diese Formation mächtiger, und wahrscheinlich hat die Stadt auch ihren Namen von der rothen Farbe der Felder erhalten. Demungeachtet liegt der rauchgraue Kalkstein nicht tief unter Tage, und auf dem Wege nach dem Nekkarthale geht derselbe bald wieder bei dem Dorfe Villingen hervor, theils mergelig und porös, theils schieferig oder dicht und splitterig. Von nun an ist in dem durchschnittlich über 200 F. tief eingeschnittenen Neckarthale nur rauchgrauer Kalkstein anstehend, bis Rothenburg, und wenn man aus diesem Thale heraussteigt, so ist derselbe nur ganz schwach von der oberen bunten Mergelformation bedeckt.

Dieser Theil des Neckarthales ist besonders interessant, weil er eine Menge Punkte darbietet, wo der dem rauchgrauen Kalkstein eingelagerte Gips entblösst liegt; alle auf der Charte in dieser Gegend angegebenen Gipsmassen sind hierher zu rechnen. Wenn nun gleich der Gips meist nur in grossen Nestern oder stockförmig erscheint, so darf man doch aus der Menge von Punkten, an denen derselbe vorkommt, annehmen, dass er ein, wenn-auch nur unregelmässiges, doch sehr weit verbreitetes Lager bilde. Im Allgemeinen bleibt sich das Verhalten des Kalksteins und des Gipses immer gleich, und es wird daher hinreichen, dasselbe an einem Punkte, nämlich bei der Saline Sulz, etwas näher zu beschreiben*).

---

*) Einige Nachrichten über die Saline Sulz finden sich in den mineralogischen Beiträgen, vorzüglich in Hinsicht auf Würtemberg und den Schwarzwald, von H. v. S. (STRUVE). Gotha 1807. p. 47 — 64.

ROESLER Beiträge zur Naturgeschichte Würtembergs.

Dr. GMELIN, Geschichte und chemische Untersuchung der Sulzer Saline.

Die neuesten Nachrichten über Sulz sind vom Herrn Hofrath HAUSMANN,

— über die Steinsalzlager in den Neckargegenden. — Göttingische gelehrte Anzeigen, Dezember 1823, Stück 196, p. 1955 — 1959, auch abgedruckt im Kunst- und Wissenschaftsblatt des rheinisch-westphälischen Anzeigers, 1824, 4tes Stück, 24 Januar, und

Nach einer petrographischen Sammlung von 44
Gebirgsstücken[*] aus dieser Gegend sind daselbst vom
Tage nieder liegende verschiedenartige Schichten und
Gebirgsmassen bekannt und durchsunken worden:

I. Obere bunte Mergelformation findet
sich nur auf der Höhe des Gebirges, und ist etwa
15 F. mächtig; es ist ein schmutzig gelblich-grauer
Sandstein von thonigem Bindemittel und wenig Glimmer. Desselben wird später noch erwähnt werden;
in der Sammlung befanden sich keine Exemplare desselben.

II. Obere Abtheilung des rauchgrauen
Kalksteins. Sie ist etwa 240 F. mächtig, und besteht aus mannigfaltigen Schichten, als von dem Hangenden in das Liegende gerechnet:

1) bläulich-schwarzer schieferiger Kalkmergel,
2) schieferiger Kalkstein,
3) ockergelber thoniger Kalkstein,
4) lichtgelblich-grauer Kalkstein,
5) ockergelber Kalkstein,
6) dunkelrauchgrauer Kalkstein,
7) schmutziggelber und poröser Kalkstein, darin
   oder in dessen Nähe hornsteinartige Feuersteinnieren,
8) rauchgrauer Kalkstein mit Muscheln,
9) schmutzig gelblich-grauer Kalkstein,
10) derselbe mit Kalkspath in Adern und Nestern,
11) aschgrauer Kalkstein,
12) gelblich-grauer schieferiger Kalkmergel,
13) rauchgrauer, ins Bläuliche sich ziehender Kalk-
    stein,
14) breccienartiger Kalkstein, aus Bruchstücken von
    gelblich-grauem Kalkstein und Kalkspath be-
    stehend,   15)

HAUSMANN, Uebersicht der jüngeren Flötzgebilde im Flussgebiete der Weser. Göttingen 1824. p. 174 u. 241.

*) Dieselbe befindet sich im Besitz des Herrn Oberbergraths
von HERDA in Stuttgart.
Auch Herr D. HEHL theilt im Korrespondenzblatte des würm-
bergischen landwirthschaftlichen Vereins, März 1824, p. 144
ns, ein Schichtungsprofil von Sulz mit.

15) schwärzlich-grauer Kalkstein,
16) bräunlich-schwarzer bituminöser Kalkschiefer,
17) rauchgrauer Kalkstein mit Kalkspath,
    a) mit röthlich-weissem Kalkspath,
    b) mit dunkellauchgrünem Kalkspath mit ein-
       gesprengtem Schwefelkies,
18) Kalkstein mit vielen Muschelschalen, nament-
    lich Mytuliten, Pektiniten, Terebrateln, Enkri-
    niten,
19) lichtgrauer Kalkstein,
20) gelblich-weisser Kalkstein mit Kalkspath,
21) weisslicher Kalkstein von erdigem Bruch mit
    Kalkstein- und Feuersteinpunkten,
22) Feuerstein in Nieren, ein Lager bildend.

    III. Eingelagerte Gipsformation. Diese
eingelagerte Gipsformation ist überhaupt etwa bei
Sulz 128 F. mächtig; ihr Hangendes befindet sich gerade in dem Niveau des Neckars.

23) Stinkstein, kalkhaltiger,
24) Quarznester in weissen feinkörnigen staubigen
    Theilen.
25) gelblich-weisser Mergel,
26) dunkelschwärzlich-grauer Schieferthon (Hall-
    erde),
27) gräulich-weisser Gips,
28) dunkelrauchgrauer dichter Gips,
29) aschgrauer Gips, weniger dicht,
30) Thongips,
31) blauer Anhydrit,
32) gebogener kleinkörniger rauchgrauer Gips,
33) Thongips mit Gipskrystallen,
34) gräulich-weisser Gips,
35) faseriges Steinsalz mit Thongips, ein Flötz, 2
    — 4 Zoll mächtig, bildend,
36) bräunlich-schwarzer Schieferthon,
37) gräulich-weisser Gips.

    IV. Untere Abtheilung des rauchgrauen
Kalksteins. Dieselbe ist etwa 226 F. mächtig.

38) aschgrauer Kalkstein,
39) dunkelaschgrauer Kalkstein,
40) dunkelaschgrauer schieferiger Kalkstein,

II.

[7]

41) bräunlich-grauer, ins Lichtaschgraue sich ziehender Kalkstein,

42) poröser Kalkstein mit Kalkspathkörnern und Punkten von Eisenocker,

43) dunkelaschgrauer, sehr milder Schieferthon oder Schiefermergel,

44) bräunlich-grauer, ins Schwarze sich ziehender Kalkschiefer.

Die Schichten von No. 22 an liegen unter dem Niveau des Neckars, und sind durch einen 360 F. tiefen Salzschacht aufgeschlossen. Unter dem schieferigen Kalkstein No. 44 hat man in dem Schachte einen rothen schieferigen Thon mit Spuren von Fasergips gefunden, etwa 20 F. mächtig; man kann neben der Hängebank des in der Grube befindlichen Salzschachtes diese Gebirgsart noch liegen sehen. Dieser rothe schieferige Thon, mit seinen Spuren von Fasergips, scheint offenbar ganz derselbe, welcher in dem Mosel- und Sauerthale zwischen dem rauchgrauen Kalkstein und rothen Sandstein vorkommt; seine mineralogische Beschaffenheit, seine geognostische Lagerung sprechen ganz dafür. Ferner hat man in der Sohle des Schachtes noch etwa 60 F. tief gebohrt, und hat zuletzt den feinkörnigen rothen Sandstein erreicht, der nicht wohl ein anderer seyn kann, wie der früher beschriebene rothe Sandstein, welcher das Liegende aller anderen Flötzformationen der hiesigen Gegenden ausmacht.

Es sind in dem Salzwerke von Sulz drei Salzquellen, die aber nicht alle benutzt werden. Die Soole hält im Mittel 3½ Pot, und kommt aus der unteren Abtheilung des rauchgrauen Kalksteins. Die Einlagerung von Gips enthält den Salzthon, oder hier Hallerde genannt, in reichlicher Menge. Diese Hallerde ist mit Salztheilen geschwängert, aber gerade an diesem Punkte sehr arm an Salz; man hat Versuche gemacht, durch Auslaugen derselben die Soole zu verbessern, und obgleich diese Versuche gerade nicht misslangen, so fand man doch dabei nicht seine Rechnung. Ein ökonomisch-wichtiger Gebrauch wird von dieser Hallerde zum Düngen der Felder gemacht.

Zwei Feuersteinschichten sind in der oberen Abtheilung des rauchgrauen Kalksteins bei Sulz, eine fast oben, die andere in der Nähe der Gipseinlagerung, und nur etwa 10 — 15 F. über derselben bekannt; ausserdem kommen mehrere Schichten poröser Kalksteine, ferner einige Schichten vor, die mit Versteinerungen erfüllt sind, die übrigen dagegen pflegen sehr leer daran zu seyn.

In der Gipseinlagerung sind bis jetzt noch keine Versteinerungen aufgefunden worden. Zwei Eigenschaften charakterisiren diese und alle andere ähnliche Gipseinlagerungen vorzüglich; die graue Farbe nämlich und das dichte Gefüge des Gipses, so wie die Anwesenheit von Anhydrit. Der Sulzer Anhydrit findet sich besonders in der Hallerde in schmalen 2 — 4 Zoll dicken Lagen, und zwar in der oberen Abtheilung dieser Einlagerung; er zeichnet sich durch seine sehr schöne blaue Farbe aus; dieselbe bleicht jedoch mit der Zeit aus, weil sie wahrscheinlich von einer bituminösen Substanz herrührt; auch ist diesem Anhydrit häufig etwas Steinsalz eingesprengt, weshalb er sich schon deswegen nicht gut an der Luft hält, demungeachtet aber konnte er doch in dem Residenzschlosse zu Stuttgart zur Wandbekleidung eines grossen Saales mit sehr gutem Erfolge benutzt werden *).

Die Neigung aller Schichten bei Sulz ist gegen Nordosten unter einem sehr schwachen, kaum bemerkbaren Winkel gerichtet, und deswegen erhält sich auch der rauchgraue Kalkstein noch bis weit über Heigerloch hinaus, nach Hechingen zu. In dem Thale der Eyach, bei Heigerloch, sind die Schichten dieses Gesteins auf ähnliche Art, wie bei Sulz, entblösst, auch hier findet man die obere Feuersteinlage wieder,

---

*) Dissertatio inaug. sistens examen physico-chemicum Gypsi caerulei Sulza ad Niekrum nuper detecti auct. ALB. LEBRAT. Tübingen 1803.
  Ueber den Sulzer Anhydrit und seine Verwandtschaft zum Muriacit in den angeführten mineralogischen Beiträgen von H. v. S. p. 101 — 126.
  KLAPROTHS Analyse desselben in dessen Beiträgen, B. IV. p. 225.

und bei Immenau, unterhalb Heigerloch, tritt ebenfalls die Gipseinlagerung hervor.

Nach Herrn v. Alberti ist vom Liegenden in
das Hangende die Schichtenfolge in Sulz am Neckar*),
wie folgt:

Würtemb. Fuss.

1) Todtliegendes.
    a. Rother Sandstein . . . . . . —
    b. Rothe Thonflötze 15
2) Aelterer Kalkstein.
    a. Unterer Zechstein mit Sohle . 210
        α. Aelterer Gips mit Salz-
           trümmern 168
        β. Mergelkalkstein. ⎫
           Stinkstein.   ⎬ . . . 44
           Feuerstein.   ⎭
    b. Oberer Zechstein 185
    c. Rauchwakke. 90
    d. Bunter Sandstein 35

735 Fuss.

Im Allgemeinen stimmt dies ganz mit der früher
angegebenen Schichtenfolge überein, nur dass die
Formationen anders benannt werden; es ist nämlich
1 a und b die rothe Sandsteinformation nebst deren Mergeln,
2 a die untere Abtheilung des rauchgrauen Kalksteins,
2 α die Gipseinlagerung,
2 β, b und c die obere Abtheilung des rauchgrauen
Kalksteins, und
2 d die Formation der oberen bunten Mergel.

In Angabe der Mächtigkeit der verschiedenen
Schichten finden zwar einige Verschiedenheiten statt,
welche um so eher möglich sind, da der Hauptsalz-
schacht nicht fahrbar ist. Die von uns angegebenen
Mächtigkeiten sind nach der Angabe des Herrn Sali-

<hr>

*) v. Langsdorf leichtfassliche Anleitung zur Salzwerks-
kunde, p. 245.
Auch finden sich Nachrichten über Sulz in Meyers Bemerkungen auf einer Reise etc., pag. 44.

neninspektors Zinner, welcher seit mehr als 20 Jahren dem Werke vorsteht, und dürften wahrscheinlich wohl die genaueren seyn; das Maas ist Pariser Fuss.

Bei Eppendorf am Neckar, zwischen Oberndorf und Rothweil, sind früher schon Versuche auf Steinsalz gemacht worden, der Gips liegt hier auf dem rechten Ufer des Flusses schon ansehnlich über dem Spiegel des Wassers. Es wurde ein Stollen in das Gebirge getrieben, welches aus Hallerde bestand, darauf wurde die Hallerde durchteuft, und mit ihrer Gipseinlagerung überhaupt etwa 130 F. mächtig gefunden, jedoch kaum mit einigen wenigen Spuren von Salz. Man kam darauf in die untere Abtheilung des rauchgrauen Kalksteins, und in einer Tiefe von etwa 200 F. unter dem Neckar will man demnächst rothen Thon und rothen Sandstein gefunden haben und gegen 30 F. darin nieder gegangen seyn.

Die Beschaffenheit des rauchgrauen Kalksteins in den unteren Neckargegenden, in dem Jaxt-, Kocher- und Tauberthale, bietet durchaus nichts Abweichendes von dem Bisherigen dar, seine Verbreitung ergiebt sich aus der Charte, und würde es daher überflüssig seyn, auf eine nähere Beschreibung derselben einzugehen; nur einzelne interessante Punkte, wo sich namentlich die Einlagerung der Gipsbildung in dem Kalkstein beobachten lässt, verdienen einer näheren Erwähnung.

In dem Kocherthale bei Schwäbisch-Hall ist der rauchgraue Kalkstein weit verbreitet; man hat hier in neueren Zeiten sehr glückliche Versuche auf Salz gemacht, von denen weiter unten die Rede seyn wird. Gegenwärtig ist man beschäftigt, an der Steinmühle im Kocherthale einen Schacht durch den Kalkstein auf das glücklich entdeckte Steinsalzlager nieder zu bringen. Dieser Schacht, gegenwärtig (Oktober 1823) 177 F. Würtembergisch tief, steht ganz im rauchgrauen Kalkstein, und hat fast gar keine Wasserzuflüsse. Der Kalkstein ist meistens dicht, dunkelgrau, bituminös, in demselben finden sich schmale Lagen von schieferigem Thon, kaum noch mit Säuren brausend. Einzelne Lagen enthalten Versteinerungen, unter andern findet sich hier der Ammonites nodosus sehr ausgezeichnet; die Schichten liegen fast horizontal mit einer geringen Neigung gegen Osten oder Südosten. Die Sohle des Kocherthales bei Hall besteht aus einem anscheinend ganz zerrütteten Gebirge; es sind grosse Sandsteinblöcke, und dazwischen liegen grosse Massen von Gips, so wenigstens hat man dasselbe in dem alten Salzschachte in Hall angetroffen; und über das eigentliche Verhalten kann man nicht wohl ins Klare kommen. Es wäre möglich, dass sich die Gipseinlagerung, welche bei der Steinmühle erbohrt worden ist, gegen Hall hervorhöbe und bis zu Tage ausginge, und wirklich befinden sich an dem Rippberge bei Hall, auf dem die alten Gradierwerke stehen, einige Spuren eines Gipslagers; es ist dies jedoch eine blosse, nicht einmal ganz wahrscheinliche Vermuthung.

An einem anderen Punkte hingegen, bei Murrhardt, östlich von Backnang, geht die Gipseinlagerung im rauchgrauen Kalkstein zu Tage, es ist ein blätteriger oder dichter grauer Gips, und in demselben liegen Nieren von dichtem Antychrit[*].

In der Gegend von Niederhall und Künzelsau ist überall der rauchgraue Kalkstein anstehend. Bei Ingelfingen sieht man unter demselben den rothen Sandstein auf einem kleinen Punkte hervorgehen[**]; das Kalksteingebirge bildet hier einen Sattel, denn seine Schichten fallen von Ingelfingen nach Niederhall westlich, und auf der anderen Seite östlich ein. Bei Niederhall sind zwei Punkte, wo man die Einlagerung des Gipses in den Kalkstein auf das Bestimmteste beobachten kann, die eine bei Niederhall selbst, oberhalb der Saline, wo sich ein Gipsbruch im Kalkstein

---

[*] MEMMINGER, Beschreibung von Würtemberg, 2te Auflage, p. 214.

[**] Diese, so wie die rothe Sands'einmasse bei Krautheim, ist bereits auf der Charte der Umgegend von Wimpfen angegeben, welche zu der notice sur la position géognostique du terrain salifère des environs de Wimpfen sur le Neckar etc., par M. de CHARPENTIER. Annales des mines, T. VIII, 2. Livr. Jahr 1823, gehört.

befindet, die andere in dem sogenannten Ziegelstollen, Weisbach gegenüber, etwa ¼ Stunde unterhalb
Niederhall; dieser letztere Gipsbruch, welcher unter-
irdisch betrieben wird, liegt etwa in der Sohle des
Thales, und dies beweist also, dass hier die Kalksteinschichten und das Gipsflötz gegen Westen einfallen.

Dieser sogenannte Ziegelstollen ist dem Schlöss-
chen Weisbach gegenüber auf dem linken Ufer des
Flusses, in der Richtung nach Süden etwa 2000 F.
lang, in das Gebirge getrieben, anfänglich in der
Absicht, ein Steinkohlenflötz zu lösen, welches der
oberen bunten Mergelformation angehört, dem Kalkstein auf der Höhe des Berges aufgelagert ist, und
wohl nie in die Stollensohle niedersetzen dürfte.
Zuerst wurde mit diesem Stollen 300 F. rolliges und
unregelmässiges Kalkgebirge durchfahren, dann ein
festeres etwa 600 F., worauf weisser und grauer Gips
folgte, der 100 F. aushielt, darauf folgte wieder ein
unregelmässiges Kalkgebirge, 70 F. mächtig, und dann
ein ausgezeichneter grauer Gips, derselbe ist theils
weiss, theils grau, dicht, mit sehr vielen krystallinischen Parthien. In diesem sehr mächtigen Gipslager
sind ungeheure Weitungen ausgehauen, die zur Aus-
laugung des darin enthaltenen Steinsalzes gedient haben, welches sich in dem Gips und dem begleitenden
Salzthon in Adern von ½ Zoll Dicke findet. Man
hat hier auf diese Art 10 — 12 procent. Soole erhalten, doch scheint der Salzgehalt zu gering gewesen
zu seyn. In der ersten Gipsmasse hat man ein 70
F. tiefes Gesenk gemacht und dann gebohrt. Man
hat unter dem Gipsflötz 220 F. wellenförmigen Kalkstein und dann rothes Thongebirge erhalten, welches
die Annäherung des rothen Sandsteins bezeichnet. In
der zweiten Gipsmasse will man in einer 3¼ F. mächtigen Thonkluft 100 F. tief abgeteuft und reiche
Schwitzsoole, d. h. Soole, erhalten haben, die zwar
dem Gehalte nach reich, an Menge aber so gering
war, dass sie kaum die Wände des Bohrloches be-
feuchtete.

Auch bei Forchtenberg, das Kocherthal weiter
abwärts, kommt Gips vor.

Bei Niederhall wurden vor mehr als 30 Jahren
sehr tiefe Versuche auf Steinsalz gemacht, eigentlich
die ersten Versuche dieser Art, welche in diesen Gegenden unternommen wurden, und von denen weiter
unten näher die Rede seyn wird.

In der Gegend von Wimpfen ist überall der
rauchgraue Kalkstein anstehend, nur hier und da von
den oberen bunten Mergeln bedeckt. Dieser Kalkstein zieht sich das Neckarthal hinab bis unterhalb
Diedesheim, wo der rothe Sandstein unter demselben
hervortritt. Man sieht hier bei Diedesheim die untere
Abtheilung des rauchgrauen Kalksteins mit vielen Versteinerungen, als Enkriniten, Pektiniten, Ostraciten,
gestreiften Terebrateln. Zum Theil ist dieser Kalkstein
ausgezeichnet dünnschieferig, und mit jenen wellenförmigen Streifen oder Rippen versehen, welche wohl
erlauben, demselben den Namen Wellenkalk beizulegen. In den oberen Schichten dieses Wellenkalkes
kommen auch gelblich-braune Kalksteine vor, welche
galmaihaltig seyn sollen; auch behauptet man, dass
in der Gegend von Niederhall mehrere gallmaihaltige
Klüfte in dem Kalkstein aufsetzen sollen.

Das Schloss Neuburg auf dem linken Neckarufer
liegt auf recht ausgezeichnetem Wellenkalk, der überall längs dem Neckarufer in Felsen ansteht und sanft
Südost einfällt; diese Felsen ziehen bis Hasmersheim
hinauf. Ueberall sieht man hier an den Bergabhängen
eine Art von Absatz, derselbe deutet den Ort an,
wo sich die Gipseinlagerung findet, welche die Eigenthümlichkeit besitzt, häufig an ihrem Ausgehenden
von Thon und Gerölle überschüttet zu seyn, so dass,
um zu ihr zu gelangen, wohl mehrere 100 F. lange
Strecken durch Geröll und Kalksteingruss getrieben
werden müssten.

Von dem Vorhandenseyn dieser Gipseinlagerung
überzeugt man sich an dem Hünerberge bei Hasmersheim, auf dem linken Ufer des Neckars. Hier liegt
das Hangende des Gipslagers 20 F. über dem Spiegel
des Neckars, und es wird ein bedeutender Bruch auf
demselben betrieben. Dieser Gips ist grau, meist
dicht oder körnig, bisweilen krystallinisch, zum Theil
schön faserig. Eingesprengt enthält er ziemlich häu-

fig Glaubersalz, und der Kalkstein zunächst in seinem Hangenden viele Feuersteinnieren; auch kleine Nester von Steinsalz will man in dem Steinbruche bei Hasmersheim gefunden haben*). Dicht bei diesem Steinbruche ist ein Bohrloch niedergestossen, wodurch gefunden wurde, dass der Gips noch 40 Fuss unter dem Spiegel des Neckars niedersetzt, also 60 F. mächtig ist. Mit diesem Bohrloche wurden folgende Schichten durchsunken:

Gips . . . . 40 F.
Kalkstein nach zwei verschiedenen Anga-
    ben . . . . 250 oder 296 —
Rothes Thon- und Sandgebirge . . . . 150 —
           Ganze Tiefe 440 oder 486 F.

Nachdem man 25 F. in dem letzteren Gebirge abgebohrt hatte, erhielt man eine Spot. Soole, welche mit solcher Gewalt hervortreibt, dass sie noch gegenwärtig über die Hängebank des Bohrloches in den Neckar abläuft, indem dieselbe nicht weiter benutzt wird.

Das Gipslager an dem Hünerberge, dessen Einlagerung in den Kalkstein keinen Zweifel leidet, senkt sich sanft nach Südosten hin, denn dasselbe ist hier wieder bekannt bei Neckarmühlbach, wo es in dem von Langsdorf'schen Bohrversuche 30 F. unter dem Niveau des Neckars, dagegen aber mit einer Mächtigkeit von 87 F. erbohrt worden ist. Hier wurde gebohrt im

Kalkstein und Geröll . 40 F.
Gips . . . . . . 87 —
Kalkstein . . . . . 25 —
      Summa 142 F.**)

Gegenüber, auf dem rechten Ufer des Neckars, hat man dasselbe Gipslager in einem Brunnen, 20 F. unter dem Niveau des Neckars, angetroffen.

---

*) Langsdorf, neue leicht fassliche Anleitung zur Salzwerkskunde, p. 268.
**) Die Mächtigkeit der durchteuften Schichten ist von Langsdorf loc. cit., p. 269, etwas abweichend angegeben.

Hinter Homberg, bei Neckarzimmern, sieht man
in einer kleinen Schlucht die Schichten des Wellenkalkes unter der Gipseinlagerung sehr schön entblösst;
sie sind viel dünnschieferiger, wie die oberen Kalksteinschichten. Das Ausgehende des Gipslagers lässt
sich zwar hier am Bergabhange nicht beobachten,
aber der Absatz des Gehänges ist sehr bemerkbar,
auch zeigen sich Spuren von Thon- und Mergelschichten, welche in der Nähe der Gipseinlagerung vorzukommen pflegen. Etwas höher an dem Berge findet
sich Kalkstein mit Feuersteinnieren.

Stellt man nun das bisher beschriebene Verhalten
mit den Resultaten der Bohrversuche bei Wimpfen
zusammen, welche weiter unten mitgetheilt werden
sollen, so ergiebt sich als Resultat, dass hier in dem
rauchgrauen Kalkstein eine Gipseinlagerung existirt,
welche die Salzmassen umschliesst, dass diese Gipseinlagerung gegen Südosten einfällt, also gegen Nordwest zu Tage ausgeht, dass dieselbe aber nach ihrem
Ausgehenden hin an Mächtigkeit abnimmt, und sich
dergestalt verliert, dass ihr Ausgehendes nur an wenigen Punkten sichtbar wird, und meistens nur durch
einen Absatz im Berggehänge angedeutet wird. Wenn
man dieses Verhalten mit dem bei Schleitheim, bei
Sulz am Neckar, bei schwäbisch Hall und bei Niederhall vergleicht, so ergiebt sich an allen diesen Punkten eine merkwürdige Uebereinstimmung, dergestalt,
dass diese Gipseinlagerung, wenn auch nicht immer
salzhaltig, doch ungemein weit verbreitet, als ein vielleicht nur unvollkommen zusammenhängendes, unregelmässiges Lager fast überall in dem schwäbischen
rauchgrauen Kalkstein vorzukommen scheint.

Da diese Gipseinlagerung in dem rauchgrauen
Kalkstein sich vorzüglich durch ihren Salzgehalt auszeichnet, und daher besondere Aufmerksamkeit verdient, so wird es nicht unzweckmässig seyn, auch
noch eines anderen Punktes in dem Thale der Tauber zu erwähnen, wo ebenfalls diese Einlagerung mit
der grössten Evidenz beobachtet werden kann.

Wie bereits früher angegeben worden, legt sich
auf dem Wege von Miltenberg nach Würzburg, unweit Külsheim, der rauchgraue Kalkstein auf den ro-

then Sandstein. Vielleicht gehört dieser Kalkstein der
unteren Abtheilung dieser Gebirgsart an, ist wenigstens häufig ausgezeichnet schieferig. Dieser Kalkstein
zieht sich ohne Unterbrechung bis in das Thal der
Tauber bei Bischofsheim, welches ziemlich breit, aber
doch tief eingeschnitten ist. Namentlich auf dem linken Thalgehänge bemerkt man sehr deutlich einen
Absatz, welcher die Anwesenheit der Gipseinlagerung
verräth; von Bischofsheim fällt dieser Einschnitt noch
etwas gegen Königshofen hin, dann hebt er sich aber
wieder etwas. Zwischen Bischofsheim und Diestelho-
fen, Diedesheim gegenüber, auf dem rechten Ufer
der Tauber, sieht man die Schichten gegen Südost
flach geneigt, schön entblösst; es ist ein dünn geschichteter, wellenförmig gebogener und gezeichne-
ter Kalkstein, ganz gewiss der unteren Abtheilung angehörig. Nicht weit von hier liegt Gerlachsheim in
einem kleinen Seitenthale, nahe unterhalb Königshofen. Auf dem linken Gehänge dieses Seitenthales,
gerade auf der Ecke nach dem Tauberthale, befindet
sich nun ziemlich hoch am Berge ein schöner Gipsbruch*). Man muss von der Thalsohle bis zu demselben wohl 150 F. hoch über den ausgezeichneten
wellenförmigen Kalkstein emporsteigen. Der Gips
ist nach Angabe der Steinbrecher 44 F. mächtig; die
oberen Bänke desselben sind unrein, dünnschieferig
und aus abwechselnden Bänken von dunkelgrauem
spathigen Gips, weissem Fasergips, unreinem Thongips und kalkigem Gipsmergel zusammengesetzt. In
der Mitte und Sohle des Bruches befinden sich sehr
mächtige Bänke von dichtem oder körnigem grauen,
sehr reinen Gips. Ueber dem Gipsbruche, der etwas
höher als auf dem halben Abhange des Berges, liegt
eine mächtige Masse von rauchgrauem Kalkstein, welche mineralogisch und geognostisch der oberen Abtheilung angehört. Zuerst stellen sich lichte gelbe
Kalkmergel ein, in dünnen Platten geschichtet, dann
dichter bläulicher und gelblicher Kalkstein, oft knol-

---

*) Schon FLURL, „über die Gebirgsformationen in den der-
maligen churpfalzbaierischen Staaten. Akademische Rede, gehalten
am 28. März 1805, pag. 66," erwähnt dieses Gipsbruches.

lig, ferner poröse Kalksteine, und selbst die Horn-
und Feuersteine fehlen hier nicht. Ueber die Einlagerung des Gipses bleibt also hier gar kein Zweifel
übrig. Auf dem entgegengesetzten Gehänge dieses
Seitenthales ist in gleicher Höhe mit diesem Steinbruch
ein sehr deutlicher Absaiz bemerkbar, eben so jenseits der Tauber. An beiden Punkten ist zwar noch
kein Gips aufgesucht, doch möchte man denselben
mit Gewissheit vermuthen. Auch der Gipsbruch bei
Gerlachsheim ist noch nicht vor gar zu langer Zeit
(etwa 25 Jahr) entdeckt, und zwar durch Zufall nach
einem starken Platzregen, denn auch hier war das
Ausgehende des Lagers durch Geröll versteckt.

Weiter das Tauberthal hinauf, bei Königshofen,
und zwar unterhalb dem Orte, tritt an der Chaussee
der rothe Sandstein über dem Tauberspiegel hervor,
und wird hier auf demselben ein Steinbruch betrieben, der aber keine vorzügliche Hausteine liefert.

Der rauchgraue Kalkstein zieht von den Ufern
der Tauber ohne Unterbrechung bis Würzburg und
weiter, nur hier und da leicht von den oberen bunten
ten Mergeln bedeckt. In dem tiefen Mainthale bei
Würzburg lassen sich ebenfalls häufig Kalksteinschichten bemerken, welche sich durch ihre dünnschieferige
Struktur auszeichnen; und es ist nicht unwahrscheinlich, dass sich auch in dieser Gegend wenigstens Spuren der Gipseinlagerung auffinden werden. Namentl-
lich auch an den Ufern der fränkischen Saale scheint
der rauchgraue Kalkstein nebst seiner Gipseinlagerung
vorzukommen, denn nach den Beobachtungen von
Flurl[*] entspringen die Salzquellen bei Heustre, Neuhaus, Neustadt und Kissingen wahrscheinlich aus den
mächtigen Gipslagern dieser Gegend, von denen es
hiernach freilich noch ungewiss bleibt, welcher Formation sie angehören.

In dem Thale des Mümling, bei Erbach und Michelstadt, kommt der rauchgraue Kalkstein, aufgelagert als Ausfüllung eines kleinen, ganz geschlossenen
Bassins, im rothen Sandsteingebirge vor, und ist da-

---

[*] Flurl, loc. cit., p. 66.

her wegen seiner isolirten Lage mitten im rothen Sandsteingebirge interessant. Das Thal des Mümling ist oberhalb Erbach und unterhalb Michelstadt eng, zwischen beiden Orten aber erweitert es sich zu einem flachen fruchtbaren Thale. Hier zwischen beiden Orten ist der Kalkstein auf dem rechten Ufer des Mümling abgesetzt. Er bildet horizontale Schichten, und seine Auflagerung auf dem horizontalen Sandstein lässt sich an mehreren Punkten, unter andern in dem Kanal einer Sägemühle bei dem Dorfe Erbach beobachten; sie ist aber auch ausserdem durch den Eisensteinbergbau bekannt. Durch denselben weiss man, dass dieser Kalkstein etwa eine Mächtigkeit von 180 — 200 F. erreicht, und dass unter demselben und dem rothen Sandstein ein rothes Lettenflötz liegt, mit Gelb- und Brauneisenstein 6 — 18 Zoll mächtig, unter demselben ein weisses oder graues Thonlager von sehr veränderlicher Mächtigkeit, etwa 10 — 30 F., und dann der rothe Sandstein.

Der Kalkstein erhebt sich nicht leicht über 250 F. über die Thalsohle, er findet sich vorzüglich bei Dorf Erbach und bei Stammbach. Auf dem Wege von Michelstadt nach Schloss Eilenbach steigt man über diesen Kalkstein hinweg, und sieht mit ziemlicher Deutlichkeit den rothen Sandstein unter demselben hervorkommen. Die Verbreitung dieses Kalksteins ist nur auf die angegebene Erweiterung des Mümlingthales beschränkt, ausserdem soll derselbe auch noch bei Kirchbrombach vorkommen.

Dieser Kalkstein zeigt mancherlei Varietäten, von denen die wichtigsten nach gesammelten Handstücken folgende sind:

1) Dichter dunkelgrauer, fast schwarzer marmorartiger Kalkstein mit vielen Versteinerungen, welche meist Terebrateln zu seyn scheinen; er bildet mächtige Bänke und ist immer bituminös.

2) Kalkstein von eisenschüssiger, körniger, gelblich-brauner Grundmasse, mit häufig inneliegenden, meist länglich-runden Nieren von dichtem dunkelrauchgrauen Kalkstein, welche dem Gestein ein gesprenkeltes oder breccienartiges Ansehen geben. Diese Abänderung findet sich ebenfalls sehr häufig.

3) Späthiger, eisenschüssiger, gelblich-brauner Kalkstein, oder Braunkalk vielmehr, häufig mit Bruchstücken von Enkriniten.

4) Späthiger, bräunlich-grauer, stellenweise poröser Kalkstein, mit Enkriniten und andern Muscheln, auch Nieren von dichtem rauchgrauen Kalkstein.

5) dunkelrauchgrauer, ganz dichter, im Grossen muscheliger, im Kleinen splitteriger Kalkstein, ohne Versteinerungen, ist ebenfalls sehr häufig.

6) Gelblich-grauer mergeliger Kalkstein, dicht, deutlich geschichtet, die Schichten mit wellenförmigen Zeichnungen.

Schieferige, dem Wellenkalk ähnliche Kalksteine kommen hier überhaupt, wenn auch nicht vorherrschend, doch sehr häufig vor, und alles berechtigt daher zu dem Schlusse, dass dieser Kalkstein der unteren Abtheilung des rauchgrauen Kalksteins angehörig seyn mögte, zugleich aber beweist dieses Vorkommen, dass die Absetzung des rauchgrauen Kalksteins erfolgte, nachdem schon Thalbildung in dem rothen Sandstein statt gefunden hatte *).

Der rauchgraue Kalkstein ist ganz besonders ausgezeichnet durch die Versteinerungen, von denen viele ihm ganz allein eigenthümlich sind, und sich nie in oberen Schichten finden. Im Allgemeinen ist zwar dieser Kalkstein nicht sehr reich an organischen Ueberresten, aber dieselben finden sich auf einzelnen Schichten sehr konzentrirt, und auch ausserdem durch die ganze Masse vertheilt. Ob die obere und untere Abtheilung des rauchgrauen Kalksteins durch eigenthümliche Versteinerungen charakterisirt werden, muss

---

*) Der Kalkstein von Erbach ist bereits beschrieben in D. LUDOV. GODOFR. KLEINII etc. de aere aquis et locis agri Erbacensis atque Breubergensis largi Odenwaldinae tractus tentamen physico-medicum. — Anteit praefatio historica quadam tradens. — Accedunt figurae in aes incisae. — Francofurti et Lipsiae, Fleischer, 1754.

In diesem Werke, p. 78 — 79, §. 43, wird bemerkt, dass man diesen Kalkstein als Marmor in der Kirche und dem Schlosse von Erbach benutzt, und Massen von 15 — 16 F. Länge, 5 — 6 F. Breite und 2 F. Dicke gewonnen habe, auch dass Versteinerungen in demselben vorkommen.

erst durch genauere Beobachtungen entschieden werden, die Hauptversteinerungen scheinen in allen
Schichten dieses Kalksteins vorzukommen. Zu diesen
gehören vor allen folgende:

Enkrinites liliiformis, welcher in v. Schlottheims Nachträgen zur Petrefaktenkunde, II. Abtheilung, Tab. XXII, Fig. 1, abgebildet ist.

Dieser Enkrinit findet sich überall in dem Kalksteingebirge, wie aus der bisherigen Beschreibung hinreichend hervorgeht, oft ist derselbe in solcher Menge
vorhanden, dass ganze Schichten fast nur aus ihm zu
bestehen scheinen, er bildet alsdann einen wahren
Trochitenkalk, und scheint auf gleiche Weise in den
oberen und unteren Schichten vorzukommen. Nach
Memminger *) findet sich dieser Enkrinit unter andern bei Hall, Sulz, Börstingen in der oberen Abtheilung des Kalksteins, bei Hasmersheim und Diedesheim am Neckar, eben so bei Saarbrücken möchte
er in der unteren Abtheilung vorkommen. Herr
Stahl **) giebt ferner noch als ausgezeichnete Fund-
örter dieses Enkriniten die Gegenden von Meckmühl,
und namentlich Tullau bei schwäbisch Hall an, wo er
ganze Felsen bildet, und gemeinschaftlich mit Myaciten, Mytuliten und Chamiten vorkommt.

Ammonites nodosus, abgebildet bei Schlottheim,
Tab. XXXI, Fig. 1, ist eine Versteinerung, die sich
ebenfalls überall in diesem Kalkstein findet, und demselben ganz ckarakteristisch ist. Sie kommt unter andern vor bei Weissenburg, bei St. Avold, bei Fechingen u. s. w., und auf dem Museum zu Strasburg befinden sich schöne Exemplare desselben. Ferner nach
Memminger findet er sich bei Schönthal, Besigheim

---

*) Memminger, Beschreibung von Würtemberg, 2te Auf-
lage, p. 201.

**) Uebersicht über die Versteinerungen Würtembergs nach
dem gegenwärtigen Standpunkte der Petrefaktenkunde. Nebst 9
lithographirten Blättern. Stuttgart und Tübingen 1824. — In
dem Korrespondenzblatte des würtembergischen landwirthschaftlichen Vereins, Juliheft 1824.
Im Auszuge in Leonhards Zeitschrift für Mineralogie, Februar 1825, p. 115.

und Kochendorf. In den Gegenden der **Enz**, namentlich bei Entzweihingen u. s. w., ist er ebenfalls nicht selten.. Er findet sich nur als Steinkern, ganz dem ähnlich, welchen Herr von Schlottheim beschreibt. Seine gewöhnliche Grösse beträgt nach Herrn Stahl 3 — 4 Zoll, bei Siglingen an der Jaxt aber erreicht er die Grösse von einem Fuss.

Nautilites bidorsotus. Derselbe gehört zwar zu den seltenen Versteinerungen, allein er findet sich ebenfalls an mehreren Punkten, unter andern bei Niederbronn. Herr Voltz bewahrt auf dem Museum in Strasburg vollkommen charakteristische Exemplare desselben. Nach Herrn Stahl ist dieser Nautilit in dem rauchgrauen Kalkstein nur einmal bei Sulz gefunden worden; häufiger aber soll er in dem Griphitenkalke vorkommen.

Mytulites socialis. Derselbe ist ebenfalls eine diesen Kalkstein sehr bezeichnende Versteinerung, die sich an sehr vielen Punkten findet; unter andern bei Weissenburg, bei Nordheim unweit Wasselonne, bei Tromborn zwischen Saarlouis und St. Avold; ferner findet sich derselbe sehr deutlich bei Sulz, bei Wimpfen, bei Hall, bei Tullau, Schwenningen u. s. w., er scheint den oberen Schichten wie den unteren angehörig; in der Regel findet er sich auf den dünneren Kalksteinplatten, und dann immer in zahlloser Menge. Nach Herrn Stahl soll sich auch in dem Griphitenkalke bei Gammelshausen ein Exemplar dieser Versteinerung gefunden haben, was aber gewiss eine grosse Seltenheit und Ausnahme von der Regel seyn würde.

Chamites stryatus findet sich häufig an vielen Punkten, immer mit erhaltener Schaale, doch meist nur einzeln, er kommt unter andern vor bei Faulquemont, Marimont, bei Mauermünster, zwischen Wasselonne und Savern, und fast überall in dem Kalksteingebirge. Nach Herrn Stahl zeigt er sich in ausserordentlicher Menge bei Hall, Tullau, Künzelsau, Weisbach, Möckmühl, Kochendorf, am Michelsberge, bei Gundelsheim, meist aber fest in dem Gestein eingewachsen. Der Chamites lineatus soll sich noch nicht in diesem Kalkstein gefunden haben.

Den-

Dentaliten finden sich, wenn auch nicht sehr häufig, doch in mehreren Gegenden dieses Kalkgebirges. Terebratuliten kommen überall vor, namentlich der Terebratulites vulgaris orbiculatus findet sich in grosser Menge bei Hall, Sulz, Wimpfen, ferner der Terebratulites vulgaris planitiatus findet sich bei Friedrichshall. Eine dem Mytulites modiolatus ähnliche Mytulitenart kommt nach Memminger bei Sulz, Hall u. s. w. vor. Der Myacites elongatus findet sich nach Stahl bei Tullau, und eine dem Donacites costatus sehr ähnliche Versteinerung, jedoch viel kleiner, nur etwa von ⅓ Zoll Durchmesser, mit sehr feinen Querstreifen, findet sich nach eben demselben in dem Kalkstein bei Nagold gemeinschaftlich mit Trochiten.

Glossopedern finden sich sehr schön in dem rauchgrauen Kalkstein von Weissenburg, im Ganzen aber ist ihr Vorkommen selten. Chamites glaberinus, Mytilus eduliformis, Trigonellen, Terebratulites vulgaris, dem bei v. Schlottheim, Tab. XXXVII, Fig. 6, ähnlich, häufige Knochenfragmente von ausgezeichneter Schönheit, eine eigenthümliche, sehr grosse, aber flache Art von Ammoniten und viele andere Versteinerungen finden sich bei Rehainvillers unweit Luneville; ausserdem entdeckte hier Herr Gaillardot zwei Arten einer eigenthümlichen Versteinerung, die er für Sepienschnäbel zu halten geneigt ist, mit denen sie auch viele Aehnlichkeit haben[*]. Etwas höher das Meurthethal aufwärts, bei Gerbweiler und Moyen, finden sich in dem Kalkstein viele Ammoniten; sie sind aber nicht so platt gedrückt, wie die von Rehainvillers, welche bis 15 Zoll Durchmesser haben, und dem Ammonite nipatti des Denys Montfort ähnlich seyn sollen. Turbiniten, zum Ge-

---

[*] Sur des bces de Sèche fossiles. — Extrait d'une lettre de M. Gaillardot, docteur-médecin, à M. Al. Brongniart. Luneville 28. Mai 1824. — In den Annales des sciences naturelles, Tomo II, Aout 1824, pag. 485 — 489.

Auch an dem Hainberge bei Göttingen sind dergleichen Sepienschnäbel gefunden worden. Blumenbachii specimen archaeologiae telluris, I, §. 10, T. II, 5.

schlecht Terebra oder Vis gehörig, finden sich an
mehreren Punkten, so bei Niederbronn; Ostraciten
und Pektiniten finden sich namentlich auch bei Machern. Knochenfragmente kommen noch an mehreren Punkten dieses Kalksteingebirges, unter andern
bei Bischmischheim vor. Von Schlottheim in der
Petrefaktenkunde führt noch folgende Versteinerungen
aus diesem Gebirge an:

Muricites aluciformis in Kalzedon versteinert, von
Saarburg (p. 150).

Muricites melanoides, ebenfalls in Kalzedon von
Saarburg (p. 152).

Turbinites cingulatus (pag. 164), obeliscus (165),
eben daher.

Aus dieser kurzen Angabe einiger der genauer
bekannt gewordenen Versteinerungen des rauchgrauen
Kalksteins geht hervor, dass dieselben die auffallend-
ste Aehnlichkeit mit den Versteinerungen des thürin-
gischen Flötzmuschelkalkes zeigen, eine Aehnlichkeit,
die bei genauerer Untersuchung gewiss noch mehr begründet erscheinen wird.

Ausserdem sind die hier angegebenen Versteinerungen dem rauchgrauen Kalkstein ganz charakteristisch, und scheinen nur ihm allein anzugehören; denn
weder in dem nachfolgenden Griphitenkalke, noch in
dem Jurakalke oder irgend einer anderen Formation
treten dieselben wieder auf. Die Menge der Versteinerungen des rauchgrauen Kalksteins ist weder an
verschiedenen Arten noch durch die Anzahl der einzelnen Individuen sehr bedeutend, denn wenn auch
einzelne Schichten ungemein reich an Versteinerungen zu seyn pflegen, so ist doch die Hauptmasse der
Schichten arm an organischen Ueberresten zu nennen,
eine Beobachtung, die ebenfalls bei dem nordteutschen
Muschelkalk gemacht worden ist, und in welcher Hinsicht die Benennung Muschelkalk eben nicht ganz
passend gewählt zu seyn scheint, denn der Griphiten-
und Jurakalk unter andern sind ohne Vergleich reicher an Versteinerungen, sowohl in Ansehung der
Menge, als der verschiedenen Geschlechter und
Spezies.

4. Formation der oberen bunten Mergel oder des Keuper.

Auf die Formation des rauchgrauen Kalksteins folgt sehr weit verbreitet, und manchmal ausserordentlich mächtig eine Formation, welche vorwaltend aus mannigfaltig buntgefärbten Mergelbänken, ferner aus Gipseinlagerungen und aus thonigen, meist auch bunt gefärbten Sandsteinbänken besteht. Die rothe Farbe ist in diesen Bildungen vorherrschend, eben so wie in den rothen Schieferletten und Mergeln unter dem rauchgrauen Kalkstein, mit dem diese oberen bunten Mergel oft viele Aehnlichkeit haben, nur dass hier die Farben noch viel mannigfaltiger werden. Diese Bildung der oberen bunten Mergel ist unter mannigfaltigen Benennungen bereits beschrieben worden. Merian beschreibt sie unter der Formation Jurakalkstein, 2te Gruppe, bunte Mergel und untergeordnete Lager. Von vielen schwäbischen Geognosten wird dieselbe die Formation des bunten Sandsteins genannt, in den Gegenden von Koburg, Franken u. s. w. ist dieselbe unter der Provinzialbenennung Käuper bekannt; Herr Voltz, in seiner vortrefflichen Beschreibung der Gegend von Vic[*]), trennt dieselbe in mehrere Formationen, und Herr Charbaut, welcher dieselbe unter der Benennung Marnes irisées mit grosser Genauigkeit beschrieben hat[**]), rechnet dieselbe zur Formation des Griphitenkalkes. Ueber die Stellung dieser Formation ist kein Zweifel, und alle Angaben weisen derselben ihren Platz über dem rauchgrauen Kalkstein und unter dem Griphitenkalk an. Wenn nun gleich auf den Grenzen, wo

---

[*]) Voltz, notices géognostiques sur les environs de Vic (Meurthe). Annales des mines, T. 8, 2. Liv., 1823.
Teutsch unter dem Titel:
Geognostische Nachrichten über die Umgegend von Vic, von Herrn Bergwerks-Oberingenieur Voltz in Strasburg. In Leonhards mineralogischem Taschenbuche für 1823. 4. Abtheilung, p. 711 — 750.

[**]) Charbaut, mémoire sur la géologie des environs de Lous-le-Saunier. — Annales des Mines, Tome 4, Jahr 1819. pag. 578 — 622.

sich diese drei Bildungen berühren, es öfters geschehen mag, dass Lagen der einen mit Lagen der anderen eine Zeit lang wechseln, so ist doch die Gruppe
dieser bunten Mergel von den in ihrem Liegenden
und Hangenden befindlichen Kalksteinen mineralogisch
und auch geognostisch so sehr verschieden, dass sie
wohl als besondere Formation aufgeführt zu werden
verdient, der alsdann, zum Unterschiede von den rothen Mergeln unter dem rauchgrauen Kalkstein, vor
der Hand die Benennung Formation der oberen bunten Mergel beizulegen seyn dürfte.

Diese Formation ist auf beiden Ufern des Rheins
sehr weit verbreitet, so namentlich findet sie sich in
Lothringen in sehr ansehnlicher Mächtigkeit in den
Thälern der Seille und Meurthe; sie füllt hier eine
grosse Mulde des rauchgrauen Kalksteins aus, und in
ihrem Gebiete erscheinen sogleich eine grosse Menge
von Salzquellen. Von den Ufern der Seille zieht sich
diese Bildung einerseits bis in die Gegend von Luxemburg und an die Ufer der Sauer, hier einen eigenthümlichen und abweichenden Charakter annehmend. Andererseits verbreitet sie sich weit gegen
Südwesten, immer dem nordwestlichen Abfalle des
Jura folgend. Auf dem südlichen Abfalle der Vogesen tritt dieselbe nur sparsam auf, oder ist wahrscheinlich häufig von Jurakalk bedeckt, doch erscheint sie
bei Saulnot und an einigen anderen Punkten. In dem
Rheinthale erscheint diese Bildung nur an wenigen
Punkten, so namentlich in dem Busen des rothen
Sandsteingebirges bei Buxweiler und Ingweiler. Auch
in dem Rheinthale von Basel bis Schaffhausen tritt
dieselbe nur selten auf, und gewinnt erst wieder auf
dem östlichen Abfalle des Schwarzwaldes eine grössere Verbreitung, sich hier bei Dürrheim, Schwenningen, Rothweil zu einem ungewöhnlich hohen Niveau
erhebend. In diesen Gegenden scheint es zwar, als
wenn die oberen bunten Mergel dem Gebirgszuge der
rauhen Alp folgen wollten, allein dies ist nur
scheinbar, denn von den Gegenden von Tübingen aus
sieht man diese bunten Mergel sich über weite Flächen
verbreiten, und das grosse Bassin zwischen dem
Schwarzwalde und Odenwalde mit ausfüllen helfen;

es ist hier ganz deutlich, dass sie mit der Formation des Jurakalkes nichts gemein haben.

Diese bunten Mergel ziehen sich noch weiter gegen Würzburg hin, und scheinen in der Herrschaft Rothenburg an der Tauber weit verbreitet. Nach den Bemerkungen von Flurl *) treten schon eine Stunde von Rothenburg ausgebreitete Gipslager auf, und setzen drei Stunden in fast horizontaler Richtung fort, indem sie sich selbst noch in dem Hohenlohischen bedeutend ausbreiten. Diese Gipslager, welche der oberen bunten Mergelformation angehören, treten in diesen Gegenden in solcher Menge auf, und andere festere Gesteine dagegen sind so selten, dass sie fast das einzige Wegematerial abgeben. Auch östlich von Würzburg, bei Dinkelsbühl, Ansbach, Nürnberg, Erlangen, Bamberg u. s. w. treten diese Mergel auf. Auf dem Wege von Würzburg nach Gotha sieht man sie an den Ufern der fränkischen Saale bei Münnerstadt und Neustadt, und bei Schweinfurth wird ebenfalls der rauchgraue Kalkstein von solchen bunten Mergeln bedeckt**), doch bleiben die Hauptmassen dieser Formation auf dieser Strasse mehrere Stunden gegen Osten liegen.

Die Formation der oberen bunten Mergel besteht, wie bereits angegeben, aus mannigfaltigen Schichten von Thon- und Kalkmergeln, Kalkstein, schwachen Rogensteinlagern, Sandstein und Gips, und wie aus der nachfolgenden Beschreibung noch näher hervorgehen dürfte, kommen wahrscheinlich auch Einlagerungen von Salzthon und Steinsalz in derselben vor. Es scheint wohl einige bestimmte Regelmässigkeit in diesen Schichten statt zu finden, jedoch muss dieselbe erst durch genauere Beobachtungen fester begründet werden. Um die Uebersicht zu erleichtern, dürfte es am zweckmässigsten seyn, mit der Beschreibung

---

*) Flurl, über die Gebirgsformationen in den dermaligen churpfalzbaierischen Staaten. Akademische Rede, gehalten den 28. März 1805, p. 70.

**) Humboldt, Essai géognostique sur le Gisement des Roches dans les deux Hémisphères. Paris 1823, p. 280.

einzelner Gegenden den Anfang zu machen, und demnächst erst den Charakter der Formation im Allgemeinen anzugeben. Hier erscheint aber unter allen
Gegenden die von Vic in Lothringen als die interes-
santeste und am meisten untersuchteste *).

Die Stadt Vic, berühmt geworden durch die reichen Steinsalzlager, welche man in neuerer Zeit unter ihr aufgefunden hat, liegt in dem flachen Thale
der Seille. Auf dem rechten Ufer dieses Flusses erhebt sich ganz nahe bei der Stadt ein Berg, auf dessen Höhe ein Telegraph erbaut ist; er erreicht ungefähr die Höhe aller übrigen Berge der Umgegend,
und bildet auf seinem Gipfel ein Plateau. Seine Höhe

---

*) Ueber Vic haben zeither geschrieben:

Herr VOLTZ den bereits oben angeführten Aufsatz.

DE GARGAN, Note sur la géologie des environs de Vic. Annales des mines, Tom. VI, Jahr 1821, p. 160 — 164.

CORDIER, notice sur la mine de sel gemme, qui a été récemment découverte à Vic. Annales des mines, Tom. IV, 1819,
p. 495 — 498.

MATTHIEU DE DOMBASLE, Examen du sel gemme provenant
d'une mine découverte près de Vic, arrondissement de Chateau-
salins, departement de la Meurthe. Annales de chimie et de
physique, Tome XII, p. 48 — 58, und im Auszug im Journal
de Physique, Tome LXXXIX, Jahr 1819, p. 394 und 473.

Notice ou précis sur la mine de sel gemme de Vic, département
de la Meurthe, et sur les principales mines de sel de l'Europe,
suivi du rapport fait à l'Académie royale des sciences, par M.
D. ARCET, au nom d'une commission composée de M. M. le
comte CHAPTAL, GAY-LUSSAC, VAUQUELIN, DULONG
et D. ARCET. Paris, Février 1824.

In der nachfolgenden Beschreibung der nächsten Umgegend
von Vic sind wir besonders dem Aufsatze des Herrn VOLTZ gefolgt, welcher mit solcher Genauigkeit abgefasst ist, dass er überall in diesen Gegenden als der beste Leitfaden dienen kann; nur
die von Herrn VOLTZ gebrauchte Benennung der Formationen
haben wir geglaubt nicht beibehalten zu können; wir betrachten
vielmehr alle diejenigen Glieder, welche Herr VOLTZ als Quadersandstein, Muschelkalk, bunten Sandstein und salzführendes Terrain beschreibt, als der Formation der oberen bunten Mergel angehörig, und werden später noch näher auf diesen Gegenstand
zurückkommen, der übrigens auf die Beschreibung der Gebirgsschichten von gar keinem Einfluss ist.

beträgt über Vic 340 F. und über dem Meere 934 F.
Die oberste Schicht desselben besteht aus Griphitenkalk, 58 F. mächtig; unter demselben fängt die Formation der bunten Mergel an, und alle die im Nachfolgenden zu beschreibenden Schichten sind entweder
an dem Abhange dieses Berges, oder in dem Salzschachte bei Vic zu sehen. Die oberste Schicht dieser bunten Mergelformation, welche an dem Telegraphenberge sichtbar, unmittelbar unter der Formation des Griphitenberges liegt, ist:

**1. Eine Masse von meist weissen und quar-
zigen Sandsteinbänken,**

deren Ausgehendes an dem Telegraphenberge eine
Höhe von 876 F. erreicht. Diese Masse kann als aus
drei verschiedenen Bänken bestehend angesehen werden, nämlich aus einem weissen quarzigen Sandstein,
welcher bei weitem die Hauptmasse bildet, aus einem
sandigen Kalkstein, der unmerklich in den weissen
Quarzsandstein übergeht, und aus einem etwas oolithischen Kalkstein. Diese Schichten scheinen wenigstens an mehreren Punkten in der angegebenen Ordnung aufeinander zu folgen, und zwischen ihnen findet sich häufig ein schieferiger grauer Mergel in kleinen Lagen, ganz dem grauen Mergel des Griphitenkalkes ähnlich, der sich über der bunten Mergelformation auf der Höhe des Telegraphenberges findet.
Die sandigen Kalksteine bilden eigentlich keine regelmässigen Lager, sondern nur einzelne Nester, und
finden sich mehr in den oberen Schichten dieser Sandsteinbildung, wie in den unteren; im Allgemeinen
aber scheint keine grosse Regelmässigkeit in der Reihenfolge dieser drei Hauptvarietäten der Bildung statt
zu finden, von denen die des Quarzsandsteins durchaus vorherrscht.

a. Weisser Quarzsandstein. Er bildet
Bänke von ½ bis 1 Meter Mächtigkeit, und ist ein
Sandstein, aus ziemlich gleichförmigen kleinen Quarzkörnern gebildet, fast ohne alles Bindemittel, und
daher nicht sehr fest zusammenhaltend, doch aber in
der Gegend von Vic als Baustein angewendet. In
der Regel finden sich keine fremdartigen Substanzen

in ihm, ausser kleinen Quarzgeschieben von 5 bis 20 Millimeter Durchmesser, doch auch diese sind in dem des Telegraphenberges selten; dagegen finden sich kleine weisse Glimmerblättchen, und sehr selten eingesprengt etwas Schwefelkies. Bei Petoncourt hat dieser Sandstein ein etwas kalk - und eisenhaltiges Bindemittel. Seine Farbe, in der Regel weiss oder gelblich-weiss, ist bisweilen braun oder bunt. Er enthält keine Versteinerungen, ausser kleine cylindrische gestreifte Körper, und sehr selten eine kleine zweischalige Muschel.

b. Sandiger Kalkstein. Die Grundmasse dieses Gesteins ist ein bläulich-grauer, harter und kompakter Kalkstein, dem Gestein des Griphitenkalkes nicht unähnlich, oft körnig und wie krystallinisch. Er enthält viele weisse Quarzkörner in bald grösserer, bald geringerer Menge, und bisweilen nur bei Behandlung mit Säuren bemerkbar. Dieser Kalkstein biklet nur wenige Schichten von 1 — 1½ F. Mächtigkeit, und scheint auch auf diesen nur in Nestern vorzukommen. Derselbe enthält stellenweise in sehr grosser Menge eine kleine unbestimmbare Bivalve; selten finden sich kleine schwarze kohlige Punkte, und bisweilen etwas Glimmer in ihm.

c. An mehreren Punkten des Telegraphenberges enthält der Kalkstein b kleine konzentrisch-schalige oolithische Körner, welche aus einer mergeligen gelblich-weissen Masse bestehen. Oft sieht man an einem und demselben Stücke den dichten Kalkstein, dann in demselben einige oolithische Körner, welche endlich so häufig werden, dass das Ganze nur aus solchen runden Körnern besteht. Auf dem östlichen Abhange des Telegraphenberges findet sich dieser Oolith unter den Schichten a und b, Versteinerungen kommen nicht in demselben vor. Die Mächtigkeit der oolithischen Schichten ist immer unbedeutend, selten mehr als ein Paar Zoll, auch scheinen sie kein Aushalten zu haben.

Die ganze Mächtigkeit dieser Sandsteinbildung, in der die Schicht a durchaus und dergestalt vorherrscht, dass eigentlich nur sie allein in Betrachtung kommen kann, beträgt an dem Telegraphenberge 50 F., an anderen Orten wird sie oft um ein Bedeutendes mächtiger.

2. Bunte Thon- und Kalkmergelbänke.

Der eben beschriebene Sandstein ruht auf wenig verhärteten Mergelbänken von violetten, grünen, blauen, rothen und grauen Farben. Diese Mergel umschliessen mehrere Bänke von einem dichten, wenig mit Säuren aufbrausenden Kalkmergel von blassgrauer oder gräulich-gelber Farbe, erdig, fein und anscheinend zur Lithographie anwendbar. In den unteren Schichten dieser Abtheilung liegt eine schwache, kaum 1 — 2 Zoll dicke Bank von bröcklichem zerreiblichen Quarz mit Mergel gemischt, die Mächtigkeit dieser Schichten, so lange wenigstens die Kalkmergel in denselben vorherrschen, ist nicht bedeutend, und beträgt an dem Telegraphenberge etwa 8 Meter, aber an anderen Punkten ist dieselbe um sehr Vieles bedeutender.

Die Schichten des Kalksteins haben in der Regel nur 1 — 3 Dezimeter Dicke, und sind ausserdem noch häufig in Schichten von nur 4 — 15 Centimetern Dicke zertheilt; das Gestein ist daher im Ganzen schieferig zu nennen. Die unteren Schichten dieser Kalkmergel sind von sehr gleichem feinen Gefüge, dicht und mergelig; bei den oberen Bänken ist dies weniger der Fall; sie sind häufig von ungleichem Korn, bald dicht, ohne irgend eine Höhlung oder Versteinerung; an anderen Punkten hingegen, z. B. bei der Gipsgrube von Salival, enthalten sie in demselben Gestein häufig Versteinerungen, welche parallel den Schichten liegen. Diese in ziemlicher Menge vorkommenden Versteinerungen sind sämmtlich Bivalven, mit Ausnahme einiger ganz kleiner Univalven; der Kern dieser Muscheln ist verschwunden, und hat in dem Gesteine einen hohlen Raum zurück gelassen. An einigen Orten sind diese Muscheln und ihre hohlen Räume noch in dem Gestein vorhanden, aber die Grundmasse ist sehr oolithisch geworden, bestehend aus runden konzentrischen Körnern, bisweilen noch das Ansehen von Muschelfragmenten habend.

Dieser dichte mergelige Kalkstein, welcher sich fast in allen Gipsgruben der Umgegend von Vic findet, bildet meist nur schwache Schichten, und immer nur über dem Gips. Dieselben sind in der Regel nicht sehr zahlreich und durch Mergelbänke von einander getrennt. Bisweilen werden diese Kalkmergel etwas mächtiger, und eine oder einige dieser Schichten wird rauh, voller Höhlen und zackig; solche Abänderungen finden sich ziemlich häufig, und namentlich da, wo die Gipseinlagerung fehlt. Diese Kalksteine werden in der Umgegend von Vic Crapauds genannt, und sollen einer Analyse zufolge einige Prozente kohlensaure Magnesia enthalten; ähnliche Kalksteine finden sich indessen auch unter der Gipseinlagerung. Bei Petoncourt, westlich von Vic, sind die schieferigen Kalkmergel sehr mächtig, und umschliessen mehrere Lagen von Crapauds. Auch die eigentlichen bunten kalkhaltigen Mergel erreichen eine ansehnliche Mächtigkeit, und in ihnen findet sich häufig schwefelsaurer Strontian in Klüften und Nieren.

3. Bunte Mergelbänke und Gipseinlagerungen.

Unter den eben beschriebenen bunten Mergeln und Kalkmergelbänken folgen mannigfaltige Lager von grünen, violetten und rothen Mergeln, in denselben liegen ebenfalls noch häufig einzelne Kalkmergelschichten von grauen und rothen Farben, sehr thonig und bisweilen auch sandig; überhaupt ist die Mannigfaltigkeit dieser Schichten sehr gross, und die Massen 2 und 3 sind nicht scharf von einander getrennt; vielmehr die schieferigen gelblich-grauen Kalkmergel und Mergelkalksteine machen ein wesentliches Glied der bunten Mergelformation aus, und sind derselben eingelagert. In den unteren Massen dieser bunten Mergel finden sich oft sehr ansehnliche Einlagerungen von Gips. Dieser Gips pflegt immer sehr krystallinisch zu seyn, und namentlich der Fasergips findet sich sehr häufig; seine Farbe ist meist weiss, doch häufig auch roth oder bunt, von beigemengten Thontheilen, oder schmutzig-grau. Die Mächtigkeit der Gipseinlagerung übersteigt selten 10 Meter; die der einzelnen

Bänke beträgt ¼ bis 2 Meter, die mächtigeren liegen
zu unterst, nach oben zu werden sie dünner, und zuletzt liegen nur noch Streifen von Fasergips und Gips-
knauren von unbestimmt knolliger Form in den bunten Mergeln.   Die Gipslager sind immer sehr unregelmässig und namentlich sehr veränderlich in ihrer
Mächtigkeit; gewöhnlich scheinen sie sich nach allen
Richtungen auszukeilen, dergestalt, dass den einzelnen
Massen im Allgemeinen eine linsenförmige Gestalt zu-
kommen mag. Wahrscheinlich stehen diese einzelnen,
oft sehr ansehnlichen Gipsnester häufig unter sich in
gar keinem Zusammenhang, dergestalt, dass manchmal die Gipseinlagerung ganz zu fehlen scheint, und
hier bemerkt man dann wohl den porösen Mergelkalk
an solchen Stellen mächtiger werden.   Auch unter
dem Gips liegen noch Bänke von bunten Mergeln.
Die Mächtigkeit dieser bunten Mergel, welche sich
an die Abtheilung 2 sehr genau anschliessen, ist sehr
veränderlich, und beträgt für beide zusammen 8 —
30 Meter.   Nach barometrischen Messungen liegt der
Gipsbruch am Fusse des Telegraphenberges, unter
der Abtheilung Nro. 1, etwa 76 F.   Man wird hier
die Mächtigkeit der Schichten Nro. 2 und 3 zu etwa
160 F. annehmen können.   Um die grosse Mannigfaltigkeit zu zeigen, welche in diesen bunten Mergelbänken herrscht, wird es hinreichen, die Schichtenfolge mitzutheilen, die sich an einer etwa 15 F. hohen Wand in dem nebenerwähnten Gipsbruche beobachten lässt.

1) Lichter grünlich-grauer Kalkmergel.
2) Grüner schieferiger Mergel.
3) Grüner Kalkmergel.
4) Wie Nro. 2.
5) Grauer krummschaliger Kalkmergel, wird allmälig etwas schieferig und violet.
6) Ganz dünne Lagen von rothem Schiefermergel.
7) Grünlicher Kalkmergel, mit Drusen von körnigem und zerreiblichem Quarz.
8) Violette Kalkmergel.
9) Rothe kalkige Mergel.
10) Violette Mergel.

11) Rother Kalkmergel, dem sehr ähnlich, welcher häufig höher am Telegraphenberge vorkömmt, und auch schwach mit Säuren brausend, er ist häufig zerklüftet in grosse abgerundete Massen, auf den Klüften findet sich Schwerspath, schwefelsaurer Strontian, meist röthlich gefärbt, und blumig auch Kalkspath.

12) Grüne schieferige Mergel.

13) Rothe Mergel.

14) Wie Nro. 12.

15) Dunkelroth gefärbte, sehr thonige Mergel, nach allen Richtungen mit kleinen Adern von Fasergips durchsetzt.

16) Fasergips, mit grünen und gelben oder grauen Mergeln und Gipsknollen.

17) Körniger Gips in reinen Bänken, aussen röthlich, in Folge eines Ueberzuges von rothem Thon, innen grau und körnig.

In der Folge dieser Schichten scheint keine grosse Regelmässigkeit statt zu finden, sondern Kalk und Thonmergel von den mannigfaltigsten Farben wechseln unter einander ab, aber es verdient bemerkt zu werden, dass nicht leicht ein Gipsbruch in dieser Formation angetroffen wird, wo sich nicht eine oder einige Schichten bunter Mergel mit häufigen Nieren eines perlgrauen zerreiblichen Quarzes einfinden sollten.

4. Mergelige Kalksteine unter der Gipseinlagerung.

Unter den eben beschriebenen bunten Mergeln und der Gipseinlagerung finden sich wieder einzelne Bänke von gräulich-weissem Mergelkalkstein, 0,02 — 0,5 Meter stark, zusammen zwei Massen von 3 bis 6 Meter Mächtigkeit bildend. Dieses Gestein hat ein fast erdiges Ansehen, doch unter der Luppe erscheint es aus kleinen krystallinischen Körnern bestehend. Es ist etwas bituminös, löst sich mit lebhaftem Aufbrausen in Säuren auf, und giebt gebrannt einen schlechten Kalk.

Die unteren und oberen Bänke dieses Mergels sind in der Regel weniger dicht und rein, auch die Farben mannigfaltiger; bisweilen werden sie auch bla-

sig, voll unregelmässiger zackiger Höhlen, entweder
leer oder mit einem weissen und gelben kalkartigen
Staube ausgefüllt. Diese porösen Kalksteine werden
ebenfalls Crapauds genannt, und man bedient sich ihrer, theils zum Kalkbrennen, theils zum Belegen der
Chausseen, denn das Gestein besitzt einige Zähigkeit.
Der gewöhnliche Chausseestein dieser Gegenden aber,
da wo er zu haben ist, pflegt Griphitenkalk zu seyn.

Bisweilen fehlen die Crapauds, und dann sind
die oberen Schichten dieser Mergel caverneus, die
Höhlen haben 2 — 8 Centimeter Länge, und pflegen
mit gelblichen Kalkspathrhomboedern ausgekleidet zu
seyn. Dies ist die erste Schicht, welche man unfern
dem Salzschachte Becquey bei Vic zu Tage anstehen
sieht; dieselbe enthält keine Crapauds, aber viele
Kalkspathdrusen, und ist kaum 5 Meter mächtig.
Versteinerungen finden sich nicht in ihr.

5. Thonige Sandsteine.

Die bisher angegebenen Schichten sind bei Vic
am Tage sichtbar, die aber nunmehr nachfolgenden
liegen unter der Hängebank des neuen Salzschachtes.
Die zunächst kommende ist eine Ablagerung von sehr
feinkörnigen, theils roth, theils grau gefärbten, nach
unten schieferig werdenden Sandsteinbänken, deren
Mächtigkeit etwa 18 Meter beträgt. Etwas unter dem
Salzschachte sieht man diese Schicht eben noch zu
Tage ausgehen; sie scheint zwar ziemlich verbreitet,
wird aber nur selten sichtbar, weil sie nicht häufig zu
Tage ausgeht. Bei dem Salzschachte besteht diese
Sandsteinschicht aus zwei Bänken, einem roth gefärbten Sandstein, 11 Meter mächtig, welcher zu oberst
liegt, und einem schieferigen grauen Sandstein, 7½
Meter mächtig, welcher das Liegende bildet. Der
obere Theil des rothen Sandsteins geht in einem thonigen unreinen Mergel von bunten Farben über, viol-
blau mit grünen Flecken. Spuren organischer Ueberreste finden sich an diesem Punkte nicht in diesem
Sandstein.

6. Salzführendes Gebirge.

Unter diesem Sandstein, den man in den Umgegenden von Vic als die letzte, bisweilen noch zu Tage ausgehende Schicht betrachten kann, fängt nun das salzführende Gebirge an, welches anfänglich aus·abwechselnden Schichten von thonigem und kalkigem Mergel, dann aus Gips und Salzthon, endlich aus Steinsalz besteht. In dem Bohrloche bei dem Salzschachte bei Vic ist das erste Steinsalzlager in einer Tiefe von etwa 65 Meter erreicht. Die nähere Beschreibung der durchbohrten und durchteuften Schichten wird aber zweckmässiger erst später vorzunehmen seyn.

In der Kürze würde sich daher die Schichtenfolge unter dem Griphitenkalke in der Gegend von Vic folgendergestalt angeben lassen.

1) **Weisser quarziger Sandstein**, bestehend aus:
   a) sandigen Kalksteinen, bisweilen oolithisch mit Muscheln,
   b) weissem Quarzsandstein, mit grauen Schiefern wechselnd.
   c) oolithischem Mergelkalkstein, in ganz dünnen Schichten, und selten.
      Das ganze Gebilde mächtig. . .   50 F.

2) **Graue und gelblich-graue Kalkmergel und bunte Mergel**, bestehend aus:
   a) bunten thonigen Mergeln,
   b) grauen und gelblich-grauen thonigen oder erdigen Kalkmergeln, bisweilen oolithisch,
   c) porösen Kalkmergeln, Crapauds genannt,
   d) bunten thonigen Mergeln.

3) **Bunte Mergel**, bestehend aus:
   a) bunten Mergeln von den mannigfaltigsten Farben, mit Schwerspath und Strontian auf Klüften und Drusen,

Latus   50 F.

Transport   50 F.

b) bunten kalkigen Mergeln,
c) Streifen oder Drusen von zerreiblichem Quarz,
d) Gips in unregelmässigen Lagern,
e) bunten Mergeln.

4) Mergelkalksteine, bestehend aus:
a) porösen Mergelkalksteinen, Crapauds genannt,
b) Mergelkalkstein mit Kalkspathdrusen,
c) dichtem Mergelkalkstein, meist in Platten.

    Die Mächtigkeit von Nro. 2, 3 und 4 beträgt bei Vic etwa . . 160 —

             Summa 210 F.
   bis auf die Hangebank des Salzschachtes.

5) Sandsteinbänke, bestehend aus:
a) rothen thonigen und sandigen Mergeln . 8 F.
b) feinem röthlichen Sandstein, mit Glimmerschüppchen und thonigem Bindemittel . . . . 30 —
c) grauem thonigen Sandstein . . . . . 18 —

            Summa 56 F.

6) Salzgebirge, bestehend aus:
a) Mergelkalksteinen,
b) bunten, doch meist grauen Mergeln und mit Säuren brausend, welches nach und nach aufhört, indem das Gebirge in Salzthon übergeht.
c) Gips, Salzthon, Steinsalz.

Herr Voltz, in der angeführten Beschreibung, benennt die

sub Nro. 1 aufgeführten Gebirgsmassen Quadersandstein,
sub Nro. 2 Muschelkalk,
sub Nro. 3 Mergelbildung mit dem oberen Gips,
sub Nro. 4 untere Kalksteinbildung,
sub Nro. 5 Formation des bunten Sandsteins, und
sub Nro. 6 das Steinsalz führende Gebirge.

Es lassen sich auch allerdings einzelne Hauptgruppen in der Formation der bunten Mergel beobachten,

so namentlich die Massen sub Nro. 1 sind sehr allgemein verbreitet, auch die Mergelkalksteine fehlen selten und fast nie, aber die Stellung, welche sie gegen
die übrigen Massen einnehmen, ist sehr veränderlich;
in der Regel finden sie sich über dem Gips und von
demselben nicht zu weit entfernt; von der Sandsteinbildung Nro. 5 gilt dasselbe, sie erscheint zum Theil,
wie bei Vic, sehr schwach, zum Theil erreicht sie,
und namentlich in Schwaben, eine grössere Mächtigkeit, liegt dann aber sowohl über als unter dem Gips.
Ausserdem sind alle 6 Gruppen durch den mannigfaltigsten Schichtenwechsel mit einander verbunden,
so dass sie nicht wohl von einander zu trennen seyn
dürften.

Die angegebenen Schichten lassen sich fast überall in der Umgegend von Vic wieder finden, unter
andern auf dem linken Ufer der Seille, die Strasse
nach Luneville verfolgend, zeigen sich zuerst häufige
Schichten der gelblich-grauen Kalkmergel, welche auch
neben dem Salzschachte anstehen. Sie sind sehr plattenförmig und dünnschieferig; über denselben treten
sehr häufig die bunten, meist rothen thonigen Mergel
auf, mit Einlagerungen von Gips, und darüber liegen
mannigfaltige buntgefärbte Mergel, meist etwas kalkhaltig, und Drusen von Kalkspath, Schwerspath und
Strontian in denselben. Auf den höchsten Höhen
liegt der weisse quarzige Sandstein, aber der Griphitenkalk fehlt hier.

Dieselbe Schichtenfolge lässt sich auch an dem
Mont St. Jean bei Mojenvic beobachten, einem Berge, welcher etwa dieselbe Höhe wie der Telegraphenberg bei Vic erreicht, und diesem gegenüber gegen
Osten liegt. An dem Fusse desselben befindet sich
ein recht ansehnlicher Sandsteinbruch auf Bänken eines theils röthlichen, theils grünlich-grauen feinkörnigen thonigen Sandsteins, welcher gegen 30 F. mäch-
tig-entblösst ist; es ist offenbar derselbe Sandstein,
welcher in dem Salzschachte bei Vic vorkommt, und
der sich hier durch die Menge von zum Theil recht
gut erhaltenen Pflanzenabdrücken auszeichnet; es sind
oft Fuss lange Stengel, meist mit einer kohligen Rinde
überzogen. Ueber diesem Sandstein liegt gelblich-
grauer

grauer mergeliger Kalkstein in dünnen Platten geschichtet, und kleine Kalkspathdrusen darin, offenbar
die Masse Nro. 4 bei dem Salzschacht. Ueber diesen Kalkmergeln liegen mächtige Lagen von meist rothen Thonmergeln, darauf folgt eine Einlagerung von
Gips, auf welcher nach der Abtei Salvial hin ein
Steinbruch betrieben wird. Ueber diesem Gipsbruche
sind an einer etwa 15 F. hohen Wand folgende
Schichten entblösst:

1) Kalkmergel von lichtweissen oder etwas gelblich-
   granen Farben.
2) Grüne schieferige Mergel.
3) Grünliche, sehr dünnschieferige Mergel.
4) Weisslich-graue Mergel, dicht, eben und erdig im Bruch.
5) Grüner dünnschieferiger Mergel.
6) Violetter Mergel.
7) Rothe Mergel.
8) Grüne Mergel, mit Quarznestern von perlgrauen zerreiblichen Quarzkörnern, rothe Mergelschiefer darin.
9) Grüne Mergel, mit rothen wechselnd, und
   Quarzsster und Adern darin ziemlich häufig;
   dieselben wittern häufig heraus, und die Quarzkörner liegen alsdann auf den Schichten aus-
   gestreut.
10) Rothe Mergel.
11) Grüne Mergel mit Gipsnieren.
12) Rothe und bunte Mergel mit Fasergips.
13) Grüne Mergel mit Gips.
14) Feinkörniger weiser Gids mit grünen und ro-
    then Mergelstreifen, in 4 — 5 F. mächtigen
    Bänken.

Diese Schichtenfolge hat mit der im Gipsbruche
am Telegraphenberge die grösste Aehnlichkeit.
Ueber diesem Gips liegen häufige bunte Mergel
von den mannigfaltigsten Farben, häufig etwas kalkhaltig, ferner Schichten von gelblich- und gräulich-
weissen Kalkmergeln, theils plattenförmig, theils porös, wie die Crapauds. Ueber diese bunte Mergel
endlich legt sich weisser quarziger Sandstein, und auf
diesen folgt der Griphitenkalk.

II.

[9]

Von den verschiedenen Schichten dieser bunten Mergelformation zeichnen sich zwei, namentlich die Sandsteinschicht Nro. 5 und der weisse quarzige Sandstein Nro. 1, durch ihr ziemlich konstantes Vorkommen und durch ihre ansehnliche Verbreitung besonders aus, und verdienen daher in dieser Hinsicht besonders hervorgehoben zu werden, um so mehr, da auch ihre mineralogische Beschaffenheit sie von den eigentlichen Mergelbänken hinreichend unterscheidet.

So sind unter andern die sub Nro. 5 aufgeführten Sandsteinschichten in der Umgegend von Vic an mehreren Punkten bekannt; sie finden sich z. B., ausser an dem bereits angegebenen Punkte, bei Mojenvic und bei Dieuze, dicht hinter der Saline, wo ein Steinbruch auf denselben betrieben wird; es ist ein gelblich-grauer, sehr thoniger feinkörniger Sandstein von geringer Festigkeit. Derselbe kommt ferner vor bei Mulcey, etwa 6 Meter oberhalb dem Bohrloche, seine Farbe ist gelblich, er hat weniger thoniges Bindemittel, wie der Sandstein bei Vic, und nähert sich mehr dem Sandstein sub Nro. 1, seine Mächtigkeit ist aber nicht bekannt. Derselbe Sandstein befindet sich auch bei dem Teiche von Lindre, und eben so bei Kuttinge, hier ist derselbe roth, sehr thonig und von geringem Zusammenhalt. Von Dieuze bis Maizières führt der Weg beständig über bunte Mergel, und es mag auf diesem Wege der in Rede stehende Sandstein an mehreren Punkten vorkommen. Bei Maizières beginnen die Schichten des bunten Mergels sich gegen Südost hin zu erheben, weil diese Gegenden sich schon dem Gebirgszuge der Vogesen nähern, und es fehlen daher schon mehrere der oberen Bänke; das Bohrloch von Maizières ist ganz in der sub 6 aufgeführten Abtheilung der bunten Mergel angesetzt. Auf dem Wege von Maizières nach Malgre-Moussy und Blamont befinden sich mehrere Gipsbrüche, aber sie liegen nicht am Fusse, sondern auf der Höhe der Berge, es ist demungeachtet gewiss dieselbe Gipseinlagerung, wie an dem Fusse des Telegraphenberges und des Mont St. Jean bei Vic. Der Gips ist weiss, grau und röthlich, doch letztere Färbung ist seltener; derselbe wird bedeckt von grünlich-grauen Mergeln, und auch die

Nieren von körnigem zerreiblichen Quarz fehlen nicht, dagegen werden die rothen Mergel hier sehr selten. Unweit des Gipsbruches, doch anscheinend in gleichem oder höherem Niveau, liegt ein Steinbruch, in welchem ein gelblich-grauer, zuweilen brauner, sehr feinkörniger Sandstein gewonnen wird, wahrscheinlich ist dieser Sandstein dem am Salzschachte bei Vic analog, und liegt unter dem Gips, doch mit Gewissheit liess es sich nicht beobachten; dass aber in der Richtung gegen Südost die Schichten des bunten Mergelgebirges sich ausheben, scheint wohl sehr gewiss zu seyn.

Die Gruppe von Sandsteinbänken, von der bisher die Rede war, wird westlich von Vic an keinem Punkte sichtbar; die Formation der bunten Mergel nämlich, welche das grosse Bassin ausfüllt, in dessen Mittelpunkt beinahe Vic liegt, hat, obgleich ihre Schichten horizontal erscheinen, doch eine sehr bestimmte Neigung gegen Westen, welches sich namentlich an den Ufern der Seille sehr gut beobachten lässt. Hier legt sich nämlich der Griphitenkalk an dem Telegraphenberge bei Vic auf die sehr ausgezeichnete Schicht des weissen quarzigen Sandsteins in einer Höhe von . . . . 876 F.

Bei Malancourt und Manhoué hingegen ist dieselbe Schicht von weissem quarzigen Sandstein schon fast bis auf das Niveau der Seille herabgesunken, und der Griphitenkalk legt sich auf dieselbe in einer Höhe von . . 636 —

Dieser letztere Punkt liegt von dem ersteren etwa 1½ Meilen westlich, und mithin ist die bunte Mergelformation auf dieser Länge um . . . . 240 F. gesunken. Wirklich sieht man auch auf diesem Punkte die rothen und bunten Mergel kaum nur noch im Bette der Seille unter dem Quarzsandstein hervortreten, und weiterhin gegen Metz verschwindet die ganze Formation unter der Bedeckung des Griphitenkalkes und seiner Mergel, und des Jurakalksteins. Ueberhaupt ist anzunehmen, dass sich die bunten Mergel überall nach den Rändern der Mulde aushe-

ben, nach Westen aber, wo diese Mulde offen ist,
einfallen.

Eins der ausgezeichnetsten Glieder dieser bunten
Mergelformation ist der weisse quarzige Sandstein,
welcher sich immer als die oberste Schicht findet,
sehr weit verbreitet ist, und oft eine sehr ansehnliche
Mächtigkeit erreicht.

So findet sich dieser weisse Quarzsandstein überall in der Umgegend von Vic, als oberstes Glied der
bunten Mergel, er erscheint als solches an dem Abhange des Telegraphenberges von Château salin, so
wie bereits angegeben bei Malancourt und Manhoué.
Hier erscheint er theils als ein ungemein fester Quarzsandstein von grauweisser Farbe, theils aber auch als
ein gelblich-weisser Sandstein von minderer Härte
und etwas kalkigem Bindemittel, dem von Vic ganz
ähnlich, selbst die grauen schieferigen Mergel fehlen
nicht. Wieder erscheint dieses Gestein auf dem Wege
von St. Nicolas nach Rosières. Aus dem Thale der
Meurthe bei St. Nicolas den hohen Bergrücken hinauf
steigend nach Rosières aux salines, erhalten sich anfänglich bis zu bedeutender Höhe die bunten und rothen thonigen Mergel, die gelblich-weissen dichten
und porösen Mergel mit vorherrschendem Kalkgehalt,
so wie die Einlagerung von Gips. Auf der Höhe
des ansehnlichen Bergrückens ist eine Ebene von feinem weissen Sande, und unter demselben einige
Schichten von weissem quarzigen Sandstein; Griphitenkalk zeigt sich nicht, kann jedoch nicht sehr weit
entfernt seyn. In das Thal nach Rosières aux salines
hinabsteigend, treten wieder die bunten Mergel und
die Gipseinlagerung hervor, und in der Tiefe des
Thales befinden sich reichhaltige, jedoch nicht benutzte
Salzquellen.

Recht interessant ist der kleine spitzige Berg Leomont auf dem Wege von Rosières nach Luneville. An
dem Fusse dieses Berges ist eine Gipsgrube, über derselben liegen mächtige Schichten von bunten und von
gelblich-grauen Kalkmergeln, und die äusserste Spitze
besteht etwa 40 F. hoch aus feinem weissen quarzigen Sandstein; derselbe bildet einen kleinen spitzigen
Kegel, der sich weit und breit über die nicht sehr

bergige Gegend erhebt. Auf dem Abhange von hier nach Luneville befinden sich noch mehrere Gipsbrüche. Griphitenkalk scheint in dieser Gegend nicht vorzukommen, sondern auf der Chaussee werden nur mergelige Kalksteine angewendet. In der Gegend von Luneville sind sehr viele Gipsbrüche vorhanden, wie überall in diesem bunten Mergelgebirge, so unter andern bei Valhei in der Richtung auf Serres, bei Bathelemont, bei Haut-Fouquerette, bei Jolivet und in den Weinbergen um Luneville; auch hier finden sich die Nieren von zerreiblichem Quarz, in denen zum Theil ganz auskrystallisirte durchsichtige Quarzkrystalle enthalten sind, ferner kommen auch in dem Meurthethale bei Crevic, Mache und bei Glonville Gipseinlagerungen vor.

Nach Herrn Voltz[*]) erscheinen bei Hettange unweit Thionville die weissen quarzigen Sandsteine mit einigen anderen Sandsteinen wechselnd, welche schieferig, mit thonigem Bindemittel und einigen sehr schmalen Braunkohlenstreifen. Es wäre jedoch möglich, dass diese Sandsteine einer späteren Bildung über dem Griphitenkalke angehörten.

Bei Medange (Dep. de la Moselle) finden sich ähnliche Sand- und Kalksteine, welche gegenseitig in einander übergehen. Die sandigen Kalksteine sind hier sehr reich an Versteinerungen, Pektiniten, Modioliten u. s. w.

Bei Saulnot (Haut-Saône) und an mehreren anderen Punkten dieses Departements, wo überhaupt ganz ähnliche Verhältnisse wie zu Vic statt zu finden scheinen, tritt ebenfalls dieser Sandstein auf.

In der Richtung gegen Luxemburg nimmt die Bildung des quarzigen Sandsteins sehr an Mächtigkeit zu, dergestalt, dass endlich die bunten Mergel ganz unterdrückt erscheinen. Bei Hettange, auf dem Wege von Thionville nach Luxemburg, befinden sich bedeutende Steinbrüche, welche aus abwechselnden Schichten von feinkörnigem gelblich-weissen Sandstein mit

---

[*]) Voltz, loc. cit. Leonhards Taschenbuch 1823, p. 720 — 722.

sehr wenig kalkigem Bindemittel, und aus kompaktem
bläulich-grauen Kalkstein mit häufig beigemengten
Quarzkörnern bestehen. Zwischen diesen verschiedenen Lagen finden sich oft schmale kohlige, ganz
schwarze Streifen, dünnschieferig und zerreiblich; auch
in dem Gestein selbst sind viele kleine schwarze Fleck-
chen, die von kohliger Beschaffenheit zu seyn scheinen. Einzelne Bänke, in denen die Kalkmasse vorwaltet, sind ganz mit sehr undeutlichen und unbe-
stimmbaren Muschelversteinerungen erfüllt, doch sollen hier sowohl, wie bei Hettange, unweit Thionville,
Griphiten, Pektiniten und Venusmuscheln, und bei
Roussy und Frisange Belemniten in dem Sandstein
oder sandigen Kalkstein vorkommen. Auch vegetabilische Abdrücke finden sich in den meist sehr sandigen Kalksteinen, scheinen aber doch selten zu seyn,
Oft weiss man bei diesen Gesteinen nicht, ob sie dem
Kalk- oder dem Sandstein angehören, so veränderlich
ist ihre Mengung. Ueberhaupt haben diese Gesteine
etwas Eigenthümliches, und genauere Beobachtungen
sind noch erforderlich, um ihre Lagerungsverhältnisse
zu entwickeln, und nachzuweisen, ob sie wirklich dem
Quarzsandstein von Vic analog gestellt werden können. Dies gilt überhaupt von dem ganzen, meist für
Quadersandstein angesprochenen Gesteine der Gegend
von Luxemburg und des Sauerthales. Zur Entscheidung dieser Frage wird vorzüglich das Verhalten gegen den Griphitenkalk (und dessen Mergel von Wichtigkeit seyn, welches aber bis jetzt noch nicht gehörig bekannt ist. Nach einigen Angaben sollen sich
westlich von Luxemburg die Mergel des Griphitenkalkes, und vielleicht der Griphitenkalk selbst diesem
Sandstein auflagern, und hiernach würde derselbe alsdann der Formation der oberen bunten Mergel angehörig und dem Quarzsandstein von Vic analog erscheinen; diese Angaben sind aber noch zu ungewiss, und
deswegen ist auch die Stellung der Luxemburger Gesteine vor der Hand noch sehr problematisch, und
auch unsere Beobachtungen sind zu unvollständig, um
zur Entscheidung dieser Frage beitragen zu können.
Nach denselben indessen tritt weiterhin, auf dem
Wege von Hettange nach Luxemburg, bei Hesperin-

gen, ein ganz weisser feinkörniger Sandstein auf, und
die Kalksteine scheinen nun verschwunden, es dürfte
aber auch dieser Sandstein wenigstens stellenweise
noch etwas kalkiges Bindemittel besitzen. Dieser Sandstein bildet sogleich ansehnliche Felsenmassen, und
hält bis Luxemburg an; es ist ein ganz weisses fein-
körniges Gestein, fast ohne Bindemittel, zerreiblich,
mehr als 100 F. hohe Felsenmassen in dem Thale
der Alzette bildend, ganz in dem Charakter des Quadersandsteins. Immer indessen scheint doch das Bindemittel etwas kalkig zu seyn, auch kleine schwarze
kohlige Punkte fehlen nicht; kleine Streifen von gelbem Eisenocker liegen bisweilen zwischen den Schichten und auf den Klüften; auch bei Hettange kommen
in dem dortigen Gesteine Nieren von Gelbeisenstein
zuweilen vor. Versteinerungen finden sich selten oder
fast nie in diesem Gestein, doch glauben wir einen
ziemlich deutlichen Pentakriniten in demselben, und
zwar in Kalkspath verwandelt gesehen zu haben; es
war aber auch die einzige Spur von Versteinerungen
oder Abdrücken, welche wir auffinden konnten. Steininger dagegen berichtet, dass bei Dalheim, unweit
Luxemburg, die obersten Schichten dieses Sandsteins
sehr weiss und zart, von kalkigem Bindemittel, zuweilen aber auch ein grobes Kieselkonglommerat würden, in dem viele grosse zweischaalige Konchilien liegen*). Von Luxemburg, auf dem Wege nach Niederanweiler, hält dieser Sandstein beständig an, aber
er nimmt immer mehr kalkiges Bindemittel auf, so
dass man endlich nicht mehr weis, ob man Kalkstein
oder Sandstein vor sich hat, bis zuletzt bei Niederanweiler die bunten Mergel unter demselben hervortreten, welche zwischen dem rothen Sandstein und dem
rauchgrauen Kalkstein eingelagert sind, wie dies bereits an einem andern Orte beschrieben worden ist.

Auch in dem Sauerthale gewinnt dieser Sandstein
eine sehr grosse Verbreitung; er zeigt sich auf den
Höhen der Berge ganz mit ähnlichen Felsenformen,
wie bei Luxemburg. Seine Farbe ist ganz weiss, Bin-

---

*) Steininger, Gebirgscharte p. 59.

demittel scheint fast gar nicht vorhanden, oder wenn welches da ist, von kalkartiger Beschaffenheit zu seyn. Dieser Sandstein liegt theils auf rauchgrauem Kalkstein, theils auch scheint er auf oberen bunten Mergeln zu ruhen, ein Verhalten, welches dem des Quarzsandsteins bei Vic ganz analog seyn würde. Das Vorkommen dieser mächtigen Quarzsandsteinformation bietet daher manche Anomalien dar, und nur genaue Beobachtungen werden erst seine wahren Lagerungsverhältnisse ins Licht setzen, und ausweisen, ob er als dem Quarzsandstein des Telegraphenberges bei Vic identisch zu betrachten ist. Herr Steininger *) hält diesen Sandstein für Quadersandstein, dem er auch mineralogisch im höchsten Grade ähnlich ist; da aber der wirkliche Quadersandstein in der Reihenfolge der Gebirgsmassen über der Formation des Griphitenkalkes liegt, so frägt es sich noch, wie sich der Sandstein von Luxemburg gegen den Griphitenkalk und den Jurakalk verhält, die, wie bereits angegeben, einigen Beobachtungen zufolge, westlich und südwestlich von Luxemburg demselben aufgelagert zu seyn scheinen.

Nach den Beobachtungen des Herrn Steininger **) besitzt dieser Quadersandstein eine noch viel grössere Verbreitung, denn die Schneifel von Urmund bis Brandtscheidt soll aus demselben bestehen, und $1\frac{1}{2}$ Stunden östlich, bei Dubach, Gondelsheim, Weinsheim und Lauch, eine Reihe von Quadersandsteinköpfen, in der nämlichen Richtung, zwei Stunden weiter gegen Osten aber, zwischen Mühlenborn und Hersdorf, auf gleiche Weise eine zweite Reihe solcher Köpfe aufsetzen. Diese Angaben verdienen aber um so mehr noch eine nähere Untersuchung, da auch rother Sandstein in diesen Gegenden vorkommt, der, wenn er eine weisse Farbe annimmt, wohl dem Quadersandstein ähnlich werden kann.

---

*) STEININGER, Gebirgscharte der Länder zwischen dem Rhein und der Maas, p. 56.
Geognostische Studien am Mittelrhein, p. 153 — 159.
**) STEININGER, erloschene Vulkane in der Eifel und am Niederrhein, p. 20 — 21.

In der nächsten Umgegend von Vic erreichen die den bunten Mergeln eingelagerten hellen gelblich-grauen Kalkmergel keine sehr grosse Mächtigkeit, an anderen Punkten hingegen treten dieselben in etwas grösserer Menge auf; so unter andern bei Chambray an der Seille, zwei Stunden unterhalb Vic. Dieses Dorf liegt auf dichtem gelblich-grauen plattenförmigen Kalkmergel, welcher wohl 20 — 30 F. Mächtigkeit erreichen mag, und in dünnen, aber grossen Platten bricht. Höher an dem Abhange der Berge, nach Petoncourt hin, wird er von mächtigen Schichten bunt gefärbter Mergel von allen Farben bedeckt, die meist noch etwas kalkhaltig zu seyn pflegen. In einigen dieser buntgefärbten kalkhaltigen Mergel findet sich röthlicher strahliger Strontian oft in schönen und grossen Parthien. Ueber diesen bunten Mergeln liegt wieder der weisse quarzige Sandstein, dann folgt der Griphitenkalk. Auch bei Petoncourt sind die hellen Kalkmergel mächtig, sie werden bisweilen porös, und nehmen die Form von Crapauds an. Zwischen Chambray und Vic befindet sich auf dem rechten Ufer der Seille ein ganzer Zug von meist sehr verschütteten Gipsbrüchen; der Gips liegt unter den hellen Kalkmergelbänken, und ist von bunten, meist röthlichen und grünlichen Mergeln begleitet.

Sehr selten wird dieser helle Kalkmergel oolithisch, und dann immer nur in ganz dünnen Schichten, so in dem Gipsbruche bei Salival und in einer Schlucht von Vic nach Salonne hin; diese Oolithen sind sehr lose, fast zerreiblich und ganz denen ähnlich, welche auch schon bei dem weissen Quarzsandstein erwähnt wurden; von dem Oolithenkalke des Jura sind sie daher sehr verschieden.

Wieder finden sich die mergeligen Kalksteine sehr häufig auf dem Wege von Luneville nach Vic, unter andern bei la Rochelle, wo sie für die Chaussee gebrochen werden. Es ist ein dichter, grauer, mergelartiger, in dünnen Platten brechender Kalkstein ohne Versteinerungen, der von einer dünnen 2 F. mächtigen Schicht rother Mergel bedeckt wird, in denen er wohl ganz gewiss eingelagert ist, denn bei Einville ist derselbe schon wieder mächtiger, und zeigt öfters ein sehr deutliches nördliches Einfallen.

Muschelversteinerungen sind in diesen mergeligen Kalksteinen ungemein selten, doch sollen sie ünter andern bei Bourdonnay zwischen Vic und Blamont vorkommen, und zwar trigonellenartige Muscheln, ferner an dem Telegraphenberge bei Vic, auf dem Wege nach Château salins, finden sich in den Mergelkalksteinen unweit dem Galvaire kleine unbestimmbare Muscheln und Knochenfragmente, jedoch selten, finden sich ebenfalls an dem Telegraphenberge, bald unterhalb der Schicht von quarzigem Sandstein.

Ueber das Verhalten der den bunten Mergeln eingelagerten mergeligen gelblich-grauen Kalksteine gewährt der Weg von Vic nach St. Avold, und von da zurück nach Dieuze, manche Aufschlüsse. Man bemerkt auf diesem Wege nach und nach folgende Gebirgsmassen:

Von Vic nach Morville zeigt sich als oberste Schicht auf der Höhe der Griphitenkalk, und hält bis hinter dem bois de Chaumont an, dann treten an dem Abhange des Berges, 40 — 60 F. mächtig, unter demselben der weisse quarzige Sandstein, und unter diesem die bunten Mergel hervor, welche in dem breiten und flachen Thale der kleinen Seille bis über Hampont weit verbreitet sind. In diesen Mergeln, und besonders in den höheren Schichten, befinden sich mehrere Lagen von theils plattenförmigen, theils porösen hellgelblich-grauen Kalkmergeln, zum Theil mit Muschelversteinerungen, namentlich zwischen Morville und Hampont. Dieses Gebirge hält über Bourlioncourt und Aubondange bis Morhange an, welches an dem Abhange eines ziemlich tiefen Thales liegt.

Den Abhang des Thales ersteigend, zeigt sich von unten nach oben folgende Schichtenfolge:

a) Zu unterst grauer schieferiger Thon, oft ganz schwarz, mit ansehnlichen Bänken von dichtem, theils grau, theils weiss gefärbten Gips mit wenig Fasergips. Diese Schicht ist etwa 50 F. mächtig entblösst, doch liegen noch ansehnliche Thon- und Gipsbänke in der Sohle.

b) Darauf folgt ein grauer, glimmerreicher, horizontal geschichteter, feinkörniger Sandstein, welcher in seinen oberen Schichten röther wird, was sich besonders auf dem Wege von Morhange nach Baronvillé beobachten lässt. Diese Schicht ist wenigstens 40 F. mächtig. Ueber derselben folgt

c) bunter Mergel von mannigfaltigen Farben, mit einigen schmalen Bänken von Mergelkalksteinen, zusammen etwa 40 F. mächtig. In diesen Mergelschichten liegt ein schmales Kohlenflötz, aus einer schieferigen, sehr schwefelkiesreichen Vitriolkohle bestehend. Man hat Versuchbaue auf demselben betrieben, das Flötz etwa 6 — 8 Zoll mächtig, aber zu unregelmässig und unbauwürdig gefunden. Dieses Kohlenflötz nähert sich schon ungemein der gewöhnlichen Braunkohle, denn man findet in demselben und den begleitenden grauen Schieferbänken sehr deutliche Blätterabdrücke.

d) Ueber diesen Mergeln liegt eine wohl 15 — 20 F. mächtige Schicht von hellgelblich-grauem, dichten, plattenförmigen Mergelkalkstein, deutlich horizontal geschichtet und grosse Platten gebend. Es befinden sich hier mehrere Steinbrüche, in denen dieser Mergelkalk als Baustein gewonnen wird. An manchen Stellen wird dieser Mergelkalk porös und bildet Crapauds; an anderen Stellen enthält er in einer dichten Grundmasse häufige Kalkspathdrusen, er ist alsdann noch härter und wird als Chausseestein angewendet.

Diese Mergelkalkschicht bildet das Plateau des Berges, man befindet sich auf ihr, sobald der Abhang erstiegen ist, der also überhaupt etwa 150 F. hoch seyn mag. Aber zwischen Morhange und Baronvillé steigt das Gebirge noch einmal an, und hier legt sich auf diesen Mergelkalk

e) abermals eine wohl 100 F. mächtige Schicht bunter, grösstentheils rother thoniger Mergel. In den unteren Schichten dieser bunten Mergel kommt weisser, theils dichter, theils faseriger Gips vor, nicht sowohl in regelmässigen Lagern, als nesterweise und in nicht ganz unansehnlicher Menge. Mergelkalksteine werden hier selten, doch finden sie sich auch, und

zwar in einiger Höhe über der Gipseinlagerung, auch
findet sich hier häufig gräulich-weisser Quarz, zerreiblich und in losen Körnern, in Nestern und kleinen Lagern. Ueber den bunten Mergeln findet sich
in dieser Gegend kein anstehendes Gebirge mehr,
dergestalt, dass also hier der weisse Quarzsandstein
und der Griphitenkalk fehlen.

Diese Schichtenfolge bei Morhange, welche sich
an einem anderen Punkte nicht leicht wird so vollständig beobachten lassen, bietet manche interessante
Erscheinungen dar. Es lassen sich hier zwei Gipseinlagerungen auf das Bestimmteste nachweisen, von diesen gehört die sub e gewiss der oberen Gipsformation
an; die sub a aufgeführte Gipseinlagerung hingegen
scheint, sowohl geognostisch als mineralogisch der
Gruppe 6 der früher aufgestellten allgemeinen Schichtenfolge der Gegend von Vic anzugehören, und wäre
dies also einer von den wenigen Punkten, wo das
Salzgebirge wirklich bis zu Tage ausginge. Auch hat
man bei Auboudenge, nicht weit von Morhange, das
Steinsalz wirklich erbohrt. Dieses Ausheben der unteren Schichten scheint auch überhaupt nicht ganz unwahrscheinlich, da bereits 4 Stunden nördlich von
hier, bei Faulquemont, sich der Rand der grossen
Mulde befindet. Hierbei tritt indessen eine Erscheinung ein, die sich in vielen flachen Mulden und bei
den meisten horizontal geschichteten Gebirgsmassen
beobachten lässt. Nach dem Rande der Mulde nämlich gehen nicht die tieferen und älteren Schichten zu
Tage aus, sondern die jüngsten obersten Schichten
erhalten sich bis an den Rand des Beckens, und grei-
fen über die älteren Schichten über. Dies ist auch
hier der Fall, denn zwischen Baronvillé und Morhange
sind gewiss nur obere Mergel anstehend.

Das Kohlenflötz, welches höchst wahrscheinlich
in der sub c aufgeführten Abtheilung eingelagert ist,
scheint in den Umgebungen von Vic nicht vorzukommen, oder ist daselbst wenigstens nicht bekannt, doch
müssen auch in anderen Gegenden von Lothringen
noch Spuren desselben vorkommen. Bestimmt findet
es sich bei Valmünster, zwischen Bouley und Bou-
zonville, und wie es scheint, unter ganz ähnlichen

Verhältnissen. In der Umgegend von Dieuze sollen auch Spuren von einem unregelmässigen Kohlenflötz, und in der Nähe derselben Haifischzähne, und Kinnladen und Knochen von grossen Meerthieren gefunden worden seyn[*]); ferner bei Saulnot, 3 Stunden südlich von Ronchamp, hat man neuerdings, nach Mittheilungen des Herrn Ingenieur Voltz, ein schönes Flötz von Lettenkohle, ebenfalls in den oberen bunten Mergeln aufgefunden. In dem Liegenden der Kohlen befindet sich eine Gipsbildung, welche der am Fusse des Telegraphenberges bei Vic analog ist, und im Hangenden eine Schicht von weissem Quarzsandstein, der des Telegraphenberges ebenfalls entsprechend. Auch auf dem rechten Rheinufer ist die Bildung von schwefelkiesreicher Schiefer - oder Lettenkohle sehr allgemein verbreitet, und findet sich hier immer in den untersten Schichten der bunten Mergelformation, da, wo noch Bänke von rauchgrauem Kalkstein mit bunten Mergeln wechseln.

Bei Valmünster, unfern Boulay, wird das vorhin erwähnte Kohlenflötz bebaut. Nicht weit von hier, bei Tromborn, in der Halsbacher Kräte, ist nach Herrn Voltz[**]) folgendes Schichtenprofil, von dem Hangenden in das Liegende gerechnet, zu beobachten:

1) Kalkstein in dünnen Bänken, die oberen Schichten weniger regelmässig wie die unteren.
2) Uebergang zu den Crapauds.
3) Thoniger Kalk, weichere weisse Theile, von einem härteren körnigen Kalk umhüllt werdend.
4) Crapauds mit zelligen Räumen.
5) Schieferiger grauer Mergel.
6) Rother und grauer Mergel mit Gipsnestern.
7) Sandstein mit rothem mergeligen Bindemittel.
8) Gelber Sandstein mit thonig - kalkigem Bindemittel.

---

[*]) LOYSEL, Observations sur les salines du Département de la Meurthe. Journal des mines, No. 13, p. 14.

[**]) VOLTZ, loc. cit. LEONHARDS Taschenbuch, 1823, p. 738 — 741.

9) Uebergang desselben in einen thonigen Kalk.
10) Thoniger feinkörniger Kalk, wenig brausend.
11) Gelber quarziger Sandstein mit wenig thonigem Bindemittel.
12) Mergel.
13) Körniger Kalk, gemengt mit thonigen Theilen und mit etwas Glimmer, viele Abdrücke von zweischaligen Muscheln enthaltend.
14) Sandstein wie Nro. 8.
15) Derselbe mit Thongallen.
16) Schieferiger Mergel.
17) Quarziger Sandstein mit viel kalkigem Bindemittel und mit Spuren von Kohlen.
18) Grauer Sandstein. — Nunmehr verschwindet das kalkige Bindemittel.
19) Rother Sandstein.
20) Sandstein, roth und braun gestreift.
21) Sandstein mit grossen Quarzkörpern und rothen und gelblichen Streifen.

Die tieferen Schichten bestehen gänzlich aus rothem Sandstein. Auf der Höhe gegen Westen hin ist nur rauchgrauer Kalkstein, von dem die Schicht Nro. 1 eine der untersten Schichten ausmacht. Hiernach wird es sehr wahrscheinlich, dass das eben mitgetheilte Schichtungsprofil nur Glieder der früher beschriebenen unteren bunten Mergelformation umfasst, derjenigen, welche zwischen dem rothen Sandstein und dem rauchgrauen Kalkstein eingelagert ist, und daher mit den bunten Mergeln von Vic nichts gemein hat; auch die geographische Lage scheint dies wohl zu bestätigen.

Ein anderes Profil theilt Herr Voltz aus der Gegend von Valmünster selbst mit; hier ist an dem Abhange, der Kohlengrube gegenüber, von dem Hangenden in das Liegende gerechnet, nachstehende Schichtenfolge zu beobachten:
1) Kalkige und violblaue Mergel, einige Meter mächtig.
2) Rothe Mergel, einige Meter mächtig.
3) Crapauds, röthlich, 2 Meter mächtig.
4) Mergel von gleicher Mächtigkeit.
5) Rother Sandstein, 2 Meter mächtig.

6) Theils thoniger, theils glimmeriger Sandstein, 7 Meter mächtig.

7) Zerreiblicher körniger Kalk, weniger mächtig.

8) Mergel mit Gips, etwa 10 Meter mächtig.

9) Schieferiger Mergel und Thon, mit einem Ausgehenden von Kohle.

An der Kohlengrube selbst ist der körnige Gips des andern Abhanges sehr mächtig, und untermengt mit Fasergips; er bildet das Dach des Kohlenflötzes. Die Sohle desselben ist ein thoniger Mergelschiefer mit Kiesen und einigen Schichten gelben und grauen Sandsteins. Sämmtliche Schichten dieses Profiles gehören sehr wahrscheinlich der Formation der oberen bunten Mergel an, von denen das Kohlenflötz eine der liegendsten ist. Diese Annahme wird auch durch die Angabe sehr wahrscheinlich, dass östlich von hier, noch vor Hargarten, die Auflagerung des rauchgrauen Kalksteins auf den rothen Sandstein ungemein deutlich zu beobachten seyn soll.

Nach dieser Abschweifung auf den Weg von Morhange nach Faulquemont wieder zurückkommend, halten die oberen bunten Mergel von Baronville fortwährend bis Langdorf an, meist mit vorherrschender rother Farbe. Gleich hinter Langdorf legt sich auf diese bunten Mergel weisser quarziger Sandstein, ganz dem am Telegraphenberge von Vic ähnlich, er ist wohl 60 F. mächtig, und enthält dieselben schieferigen grauen Mergel und dieselben kleinen Muschelversteinerungen, wie dort. Bei Encheviller legt sich Griphitenkalk auf diesen weissen Quarzsandstein, er ist weit verbreitet, und hält an bis Mère église, etwa eine halbe Stunde vor Faulquemont. Hier aber, den Abhang des Niedthales hinabsteigend, sieht man unter demselben wieder den weissen Quarzsandstein, unter diesem die rothen bunten Mergel, und endlich bei Faulquemont den rauchgrauen Kalkstein hervortreten, welcher bis gegen St. Avold anhält, dergestalt, dass die entgegengesetzte oder rechte Thalseite der Nied hier nur allein aus rauchgrauem Kalkstein besteht, unter dem erst bei St. Avold der rothe Sandstein hervortritt.

Auf dem Wege von St. Avold nach Dieuze nun ist zuerst der rothe Sandstein, dann aus dem Thale von St. Avold hinaufsteigend, legt sich auf denselben bei dem Vorwerk Wenhek rauchgrauer Kalkstein, wohl gegen 100 F. mächtig, bald darauf aber wird dieser Kalkstein von mächtigen Schichten bunter Mergel bedeckt. Hier beobachtet man auf das Bestimmteste, dass die unteren Schichten dieser bunten Mergel thonig, bunt und vorwaltend roth gefärbt sind. In den oberen Schichten aber, doch ansehnlich im Hangenden, treten kalkhaltige Mergel von bunten Farben, mit Strontian, und später sehr ansehnliche und mächtige Schichten von gelblich-grauem mergelartigen Kalkstein, meist sehr plattenförmig auf. In diesen Mergelkalksteinen befinden sich hier und bei Alteville bedeutende Brüche, wo dieses Gestein für die Chaussee gewonnen wird. Die Schichten der gelblich-grauen plattenförmigen Kalkmergel werden wieder von bunten, meist roth gefärbten Thonmergeln bedeckt, und sind daher denselben gewiss eingelagert. Hiernach scheint es daher wohl sehr wahrscheinlich, ja so gut wie gewiss, dass diese gelblich-grauen, meist plattenförmigen Mergelkalksteine, von der Formation des rauchgrauen Kalksteins gänzlich verschieden, vielmehr der bunten Mergelformation angehörig sind, und in dieser Hinsicht ist dieser Punkt besonders wichtig, denn wenn es einmal als gewiss angesehen werden kann, dass diese, und also auch die mergeligen Kalksteine von Vic, dem rauchgrauen Kalksteine nicht angehören, so erscheinen auch alle am Telegraphenberge bei Vic sichtbaren Schichten der bunten Mergelformation über dem rauchgrauen Kalkstein, nicht aber mehreren verschiedenen Formationen angehörig.

Dicht hinter Alteville legen sich ziemlich mächtige gelbe Letten auf den bunten Mergel, die zum Ziegelbrennen benutzt werden; ein wenig weiter legt sich gelblicher zerreiblicher Sandstein, den bunten Mergeln sicher aufgelagert, und ganz analog dem weissen Quarzsandstein des Telegraphenberges bei Vic. Bei Evresing sieht man den Griphitenkalk auftreten, er ruht unmittelbar auf bunten Mergeln, von denen er nur durch eine schwache Schicht grauen Thons getrennt

getrennt wird, jede Spur von weissen Quarzsandstei-
nen fehlt. Dieser Griphitenkalk hält an bis etwa 10
Minuten hinter Rixingen, hier treten unter demselben
die bunten Mergel ohne eine Spur von Quarzsandstein
hervor; der bunte Mergel erhält sich bis über Freybousse. Hinter Freybousse geht ein gelblich-weisser
poröser Mergelkalkstein zu Tage, der für die Chaussee gebrochen wird; in dem Chausseegraben sieht
man diesen porösen Mergel, der wahre Crapauds bildet, auf rothe Mergel aufgelagert, und in einzelnen
Schichten mit ihm wechseln; die oberen aufgelagerten
Bänke mögen wohl 20 F. mächtig seyn, und die unteren abwechselnden Bänke von bunten Mergeln und
Mergelkalk können gleiche Mächtigkeit haben.

Zwischen Altroff und Neufvillage ist sehr harter
weisser Mergelkalk auf der Chaussee, ringsum aber
rothe Mergel oder auch mergelige Kalksteine, welche
sich bei Burgaltroff und an noch vielen anderen Punkten finden, bis nach Dieuze hin.

Südlich von Fenestrange, bei dem Dorfe Haut-
Clocher oder Zittersdorf, findet sich, nach den Beobachtungen von Monnet *), ein ansehnliches Lager
von Eisenerz 50 F. unter Tage in einem rothen thonigen Mergel. Es soll sich in dem Umkreise von etwa einer halben Stunde finden, und scheint eine Art
Bohnerz zu seyn. Es wurde auf einem Hochofen bei
Blamont verschmolzen. In der Gegend von Haut-
Clocher befindet sich die Grenze zwischen den oberen bunten Mergeln und dem rauchgrauen Kalkstein,
und nach der von Monnet gegebenen Beschreibung
bleibt es zweifelhaft, in welcher von beiden Formationen sich diese Eisenerze finden, deren Vorkommen
übrigens in beiden nicht sehr gewöhnlich seyn würde.

Aus der bisherigen Beschreibung des bunten Mergelgebirges in Lothringen dürfte hervorgehen, dass
sich die in der allgemeinen Schichtenfolge bei Vic angegebenen fünf oberen Gruppen ziemlich allgemein in
allen Gegenden dieser Formation auffinden lassen,

---

*) Monnet, Atlas et Description mineralogiques de la Fran-
ce. 1. partie, p. 176.
II.

[10]

dass namentlich die Stellung der obersten Gruppe sehr konstant erscheint, dass hingegen die Gruppen Nro. 2, 3, 4 und 5 diese Regelmässigkeit nicht in dem Grade beobachten, sondern dergestalt häufig mit einander wechseln, dass sie nicht wohl von einander getrennt werden können. Auf jeden Fall scheint es gewiss, dass die Mergelkalksteine den bunten Mergeln eingelagert sind, und mit ihnen zu einer Formation gehören, so dass sie nicht als Glieder des rauchgrauen Kalksteins betrachtet werden können.

Die Gruppe Nro. 6 (von Herrn Voltz Formation salifère genannt) geht höchstens bei Morhange zu Tage, und ist daher nur durch Bohrlöcher und durch den neuen Salzschacht bei Vic bekannt, dessen Hängebank etwa 600 F. über dem Meere liegen mag. Mit diesem Schacht, Becquey genannt, sind vom Tage nieder folgende Schichten durchsunken, nach Angabe der Originaltabellen und einer Gebirgssuitensammlung, welche der Ingénieur des mines, Herr Levoillois, in Vic besitzt[*]).

1) Feiner röthlicher Sandstein . . . . 9 m.
   Gelber und grauer Sandstein . . . . 6 m.
   ————————————
   15 m.

Dies ist die in der allgemeinen Schichtenfolge sub Nro. 5 aufgeführte Gruppe.

2) Dichter mergeliger Kalkstein, gelblich-grau . . . . 0,5 m.
3) Schieferiger Mergel, gelblich-grau, mit kleinen zerreiblichen Quarzkörnern . . 0,3 m.
4) Sehr zerreiblicher Mergel, stark brausend, schwärzlich-grau, mit unregelmässig geformten Nieren von einer dichteren Masse, die weniger braust, und mit einzelnen zerreiblichen Quarzkörnern; — hält viel Wasser, ist fast fliessend . . . . 0,8 m.

————————————

[*]) Auch in der Notice additionnelle au mémoire de M. Voltz sur le terrain salifère de Vic. Annales des mines, Tom. 8, 1823, findet sich ein Verzeichniss der durchsunkenen Gebirgsschichten, welches mit dem hier Mitgetheilten im Wesentlichen übereinstimmt.

5) Schieferiger schwärzlich-grauer Mergel, fest, enthält Platten von lichterer Farbe und kleine Parthien von zerreiblichem Quarz, bisweilen kommen auch poröse Kalksteine in demselben vor . . . 1,3 m.

6) Sehr zerreiblicher dunkelgrauer Mergel, sehr wasserreich und druckhaft . 0,8 m.

7) Graue Mergel, sehr fest, mit vielem weissen zerreiblichen Quarz . . . . 1,0 m.

8) Graue Mergel, den vorigen ähnlich, mit Quarz . . . . 0,5 m.

9) Mergel, wie No. 6, aber wasserreicher 0,5 m.

10) Mergel, wie No. 7 . . . . 0,7 m.

11) Schieferiger Mergel, fest, halb hart, grünlich, er braust gerieben ziemlich stark mit Säuren, ist dickschieferig und eben im Bruch (von Herrn Voltz Salzthon genannt) . . . . 1,1 m.

_____

22,5 m.

12) Graue Mergel, theils weisslich, theils grau, darin Nieren von dichtem Gips 0,4 m.

13) Rother Mergel, grünlich-grau gefleckt 0,1 m.

14) Grünliche Mergel mit zerreiblichem Quarz. . . . . 0,3 m.

15) Graue Mergel, etwas blätterig, mit Säuren brausend . . . . 0,4 m.

16) Grauer Mergel, gemengt mit weisslichen Partien und anderen dunkeln Partien, die weniger brausen, auch zerreiblicher Quarz, bisweilen Faserkalk . . . . 0,7 m.

17) Grauer Mergel in zarten Blättchen, hin und wieder Quarzpartien . . . 0,6 m.

18) dichter, schieferiger, erdiger, grünlichgrauer Mergel, brausend (Salzthon von Herrn Voltz) . . . . 0,2 m.

_____

25,2 m.

19) Graue, zarte, schieferige Mergel . . 0,4 m.

20) Graue, sehr brausende Mergel, und kleine Quarzpartien enthaltend; in den

unteren Schichten ein wenig Gips. In dieser Schicht befindet sich die Haupt-picotage . . . . 1,1 ᵐ·

Anfang des Gipses 26,7 ᵐ·

21) Rother Thon, etwas fettig, wenig brausend, mit vielem krystallinischen und faserigen Gips in grauem Thon. 'Der Gips liegt in Schnüren oder grossen Nieren . . . . 2,0 ᵐ·

22) Gips, innig gemengt mit schieferigem Thon, grau, stellenweise brausend. . 0,4 ᵐ·

23) Schieferiger Thon, roth, mit Fasergips 1,1 ᵐ·

24) Wie No. 22 . . . . 0,4 ᵐ·

25) Wie No. 23 . . . . 1,1 ᵐ·

26) Wie No. 22, Gips . . . . 0,4 ᵐ·

27) Wie No. 23, mit kleinen grünen Punkten . . . . 1,8 ᵐ·

33,9 ᵐ·

Von hier fängt das Gebirge schon an merklich gesalzen zu werden.

28) Wie No. 22 . . . . 1,9 ᵐ·

29) Röthlicher Thon mit wenig grauem Thon, leicht brausend, mit Blättern von Gips, rothe Mergel, sehr brausend, ein wenig mit grünen Punkten gefleckt, mit Fasergips, krystallinischem Gips und röthlichen Mergeln, der Gips bildet von nun an dicke Bänke . . . . 3,3 ᵐ·

30) Dichter Gips, zum Theil vielleicht Anhydrit, mit grauem Thon . . . 2,5 ᵐ·

41,6 ᵐ·

31) Schieferiger dichter Thon, grau und roth gebändert, schwarzer Thon mit Fasergips . . . . 1,5 ᵐ·

32) Grauer Thon mit dichtem Gips und Anhydrit. . . . . 0,8 ᵐ·

33) Schieferiger Thon, grünlich, mit Gipsschnüren . . . . 0,7 ᵐ·

34) Gips mit röthlichem und grünlichem
Thon . . . . 0,5 m.
35) Krystallinischer Gips mit rothem Thon 0,4 m.
36) Dichter grünlicher Thonschiefer . . 0,2 m.
37) Dichter Gips, röthlicher Thon und
grüner Thon . . . . 0,6 m.
38) Schieferiger Thon mit Fasergips . . 0,2 m.
39) Gips, innig mit röthlichem Thon gemengt, etwas faseriges Steinsalz enthaltend . . . . 0,3 m.
———————
46,8 m.

40) Grünlicher Thon mit krystallinischem
Gips . . . . 0,9 m.
41) Dichter Gips mit grünem und röthlichem Thon. . . . . 0,6 m.
42) Desgleichen. . . . . 0,8 m.
43) Schieferiger rother Thon mit faseri-
gem Steinsalz, Gips mit grauem und
schwärzlichem Thon . . . . . 0,7 m.
44) Schieferiger Thon, grünlich, dicht,
halbhart, mit feinen Steinsalzblättchen 0,7 m.
45) Schieferiger rother Thon mit vielem
Fasergips . . . . 0,8 m.
46) Gips mit grauem und rothem Thon . 2,9 m.
47) Schieferiger rother Thon mit blätterigem Gips . . . . 1,6 m.
48) Schieferiger Thon, Gips mit geboge-
nen Fasern, dichter Gips, Gips gemengt mit röthlichem Thon und mit
Salzkrystallen bedeckt, ein breccienartiger Thon . . . . 2,7 m.
49) Gips, innig gemengt mit schwärzlichem Thon. . . . . 3,8 m.
50) Schieferiger rother und grüner Thon
mit Blättergips, dichter Gips mit einigen Krystallen. Dies Gebirge bedeckt
unmittelbar das Salz. . . . . . . 4,4 m.
———————
Anfang des Steinsalzes 66,7 m.

51) Graues Salz, theils grau, theils
bläulich, mit kleinen Gipsschnü-

ren und Thon mit rothen salzigen
Massen . . . .　2,9 ᵐ.

52) Zwischenschicht von Gips mit schwärzlichem Thon, sehr fest, selbst feuer-
reissend, mit Körnern von Salz. . .　1,5 ᵐ.

53) Graues Salz, ein wenig mit schwar-
zem Gips vermischt, gelbes Salz, ein
wenig mit Thon gemischt, graues
Salz mit rothen Salzmassen, Salz mit
Gips, sehr reines weisses Salz, graues
Salz, mit rothem Salz gemengt, weis-
ses Salz mit rothen Aederchen, graues
Salz . . . .　2,6 ᵐ.

54) Dichter Gips und Anhydrit mit grauem
Thon und Fasersalz, weiss und roth,
Fasergips . . . .　0,7 ᵐ.

55) Gräulich - weisses Salz, häufig
mit Gips verunreinigt. — Weisses
Salz, gelbes Salz, kubisches und faseriges Salz, Mengung von rothen Massen und schieferigem Thon, weisses
und graues Salz, mit Gips gemengt .　14,3 ᵐ.

56) Gips, gemengt mit schwärzlichem
Thon und mit rothem und weissem
Fasersalz. . . . .　1,3 ᵐ.

57) 4tes Salzlager. . . . .　——

Ganze Teufe (August 1823)　90,0 ᵐ.

Aus diesen Angaben geht hervor, dass
1) in einer Teufe von . . . . . .　26,7 ᵐ.
die untere Gipseinlagerung erreicht wurde, bis dahin
befand man sich in Mergelschichten, meist bunt, nach
und nach eine dunklere graue Farbe annehmend, immer ein wenig kalkhaltig, doch im Ganzen immer
noch wahre Mergel bleibend; eigentlicher rauchgrauer
Kalkstein ist über dieser unteren Gipsablagerung nicht
gefunden worden.

2) Die untere Gipsablagerung besteht aus Gips
und Thon mit vorwaltend grauen Farben; jedoch tritt
bisweilen auch Roth auf, sie wurde mit einer Mächtigkeit von . . . .　40,0 ᵐ.
bis auf das erste Steinsalzlager durchsunken.

3) Das erste Steinsalzlager, so wie alle nachfolgenden, bestehen theils aus reinerem, theils aus mit
Gips und Thon gemengtem Steinsalz, auch hier ist
die graue Farbe vorherrschend, doch bisweilen auch
treten rothe Thonbänke auf, und namentlich häufig
eine rothe salzige Masse, die sich stellenweise sehr
häufig findet.

Nach der oben angeführten Schrift des Herrn
Darcet sind in dem Schachte Becquey nun bereits
9 verschiedene Steinsalzschichten bekannt, von denen
die erste in einer Teufe von 205 Fuss erreicht wurde.

Das 1. Steinsalzlager ist mächtig . . 8 F.
— 2. — — . . $7\frac{1}{2}$ —
— 3. — — — . . 42 —
— 4. — — — . . 9 —
— 5. — — — . . 10 —
— 6. — — — . . 34 —
— 7. — — — . . 2 —
— 8. — — — . . 3 —

— 9. ist mit einer Mächtigkeit von 9 — noch
nicht durchsunken worden. Die Mächtigkeit aller 9
Schichten beträgt 129 F. Der Schacht Becquey geht
nur bis durch die 6te Salzlage. Die Zwischenmittel
zwischen diesen 6 ersten Schichten betragen nur 3 —
4 Fuss. Zwischen der 6. und 7. Schicht ist ein Zwischenmittel von 27 Fuss. Der muthmassliche Reichthum an Steinsalz ist so gross, dass bei einer jährli-
chen Förderung von einer Million Zentner 96000
Jahre gefördert werden könnte.

Eine Vergleichung des lothringischen Salzgebirges
mit dem in Schwaben, welches bereits bei dem rauchgrauen Kalkstein im Allgemeinen beschrieben worden
ist, ergiebt sogleich mehrere wesentliche Unterschiede. Denn in Schwaben wurden allgemein mehrere
Hundert Fuss mächtige Bänke von rauchgrauem Kalkstein über der salzführenden Gipseinlagerung angetroffen, und eben so unter derselben; diese Gipsbildung
war daher dem rauchgrauen Kalkstein eingelagert;
bunte Mergel haben sich nie in derselben gefunden,
sondern die Farben sind schwarzgrau oder grünlich-
grau, es sind meistens thonige Mergel, die fast gar
keine Beimischung von Kalk enthalten. Bei Vic hin-

gegen ist über der unteren Gipsformation kein rauchgrauer Kalkstein; sondern nur Mergel, häufig von bunten Farben, auch bei Morhange namentlich lässt sich
dieses Verhalten gut beobachten; dergestalt, dass hier
die untere Gipsbildung nur als eine Einlagerung in
die bunten Mergel über dem rauchgrauen Kalkstein
erscheint. Hierauf deutet auch das ganze Verhalten
des Salzgebirges in Lothringen hin; dasselbe ist in einer grossen Mulde des rauchgrauen Kalksteins abgesetzt; die Kalksteinmassen bei Faulquemont und Saargemünd können als die Gegenflügel von denen bei
Luneville und Blamont betrachtet werden, und auch
die Lagerung der bunten Mergelformation ist ganz
muldenförmig; denn aus angestellten Barometermes-
sungen*) geht hervor, dass sämmtliche, anscheinend
horizontal liegende Schichten der bunten Mergel 19½
Minuten gegen Westen, oder nach der Seite einfallen, wo die grosse lothringische Mulde, welche zunächst durch den Zug der Vogesen und des rheinischen Schiefergebirges gebildet wird, offen ist. Aus
später mitzutheilenden Angaben wird ferner hervorgehen, dass bei Vic das Steinsalz am tiefsten liegend
gefunden worden ist, in allen anderen Bohrlöchern
aber, welche mehr an dem Rande der Mulde befindlich sind, um vieles höher, und auch hieraus folgt daher, dass das Steinsalz eine ähnliche Mulde bildet,
wie der unterliegende rauchgraue Kalkstein. Die schieferigen plattenförmigen Mergelkalksteine, welche dem
bunten Mergelgebirge eingelagert sind, unterscheiden
sich wesentlich von dem rauchgrauen Kalkstein, wie
dies aus den vielen aufgestellten Beobachtungen hinreichend hervorgeht; sie sind dem rauchgrauen Kalkstein nicht allein aufgelagert, sondern auch von demselben noch durch mächtige bunte Mergelbänke und
durch die obere Gipsbildung getrennt, welche aber
immer über dem rauchgrauen Kalkstein vorkommt,
wie sich dies nicht allein in Lothringen, sondern auch
in Schwaben ganz besonders auf das Bestimmteste
beobachten lässt. Die in der allgemeinen Schichten-

---

*) HERTHA, B. I, p. 29.

nge vor vic sub No. 5 aufgestellte Masse roujer und
...uer Sandsteine ist ebenfalls nicht im Stande, eine
Abtheilung in dem bunten Mergelgebirge zu bestimmen, noch weniger möchte dieselbe als eine selbstständige Formation zu betrachten seyn. Aus der Beschreibung des schwäbischen bunten Mergelgebirges
wird nämlich mit der grössten Bestimmtheit hervorgehen, dass mannigfaltige rothe, graue und gelblich-
graue Sandsteinbänke ein wesentliches Glied dieser
bunten Mergelformation ausmachen, so wie der weisse
Quarzsandstein, der gewöhnlich als oberstes Glied der
Bildung erscheint.

Betrachtet man nun vollends die Regelmässigkeit
der grossen lothringer Steinsalzmulde, und berücksichtigt die geringe Tiefe, bis zu der zeither nur nieder-
gegangen ist, und die noch nicht viel über 400 F.
beträgt, so scheint wenig Grund vorhanden, die Anwesenheit des rauchgrauen Kalksteins unter dem Steinsalzgebirge bei Vic in Zweifel zu ziehen. Mit Gewissheit freilich würde sich dies nur durch tiefe Bohrversuche entscheiden lassen, doch aber ist gegenwärtig
weder ein Grund noch eine Beobachtung bekannt,
welche es nur wahrscheinlich machen sollte, dass der
rauchgraue Kalkstein, welcher bei Faulquemont und
Luneville so mächtig auftritt, sich in der Tiefe der
Mulde verlieren oder ausspitzen könnte, eine Erscheinung, welche in dem Flötzgebirge ganz ungewöhnlich
seyn dürfte. Nach allem diesen würden daher über
das Verhalten und die Lagerungsverhältnisse des lothringer Salzgebirges nur vielleicht die folgenden beiden Ansichten aufzustellen seyn: Entweder

1) dieses Salzgebirge gehört der Formation der
   bunten Mergel über dem rauchgrauen Kalkstein
   an, und die Steinsalzbänke befinden sich, nebst
   ihren Begleitern von Gips und Thon, in den
   unteren Schichten dieser Formation, oder:

2) die häufig besprochenen Einlagerungen der plattenförmigen Mergelkalksteine sind als Repräsentanten der oberen Abtheilung des rauchgrauen
   Kalksteins zu betrachten, und das lothringer
   Steinsalzgebirge befindet sich eben so, wie das
   schwäbische, eingelagert zwischen der oberen

und unteren Abtheilung des rauchgrauen Kalksteins, wogegen aber die bereits angeführten
Gründe sprechen.

Die bisherige Darstellung ist der ersteren Ansicht
gefolgt, welche als die wahrscheinlichere erscheinen
muss, wenn berücksichtigt wird, dass in dem letzteren Falle auch die obere Gipseinlagerung diejenige,
welche in Schwaben unbedingt den oberen bunten
Mergeln angehört, hier dem rauchgrauen Kalkstein
eingelagert erscheinen würde. Wenn übrigens nach
dieser Ansicht die Steinsalzbildung nicht auf eine Formation beschränkt erscheint, so dürfte hierin weder
etwas Ungewöhnliches noch irgend ein begründeter
Einwurf gegen die Wahrscheinlichkeit derselben liegen; denn dass das Steinsalz in sehr verschiedenen
Formationen wirklich auftritt, kann wohl nicht be-
zweifelt werden; auch scheint ein solches Auftreten
in verschiedenen Formationen bei dem jüngeren Flötzgebirge um so eher möglich gewesen zu seyn, weil
die Bildungsepochen von kürzerer Dauer, und schnel-
ler, wie bei den älteren Bildungen, auf einander gefolgt seyn mögen.

Gegen vorstehende, bereits in einem kleinen Aufsatze ohne näheren Beweis und bloss historisch ent-
wickelte Ansichten*) ist Herr B o u é aufgetreten**).
So unangenehm es uns auch seyn muss, mit einem so
ausgezeichneten Geognostèn im Widerspruch zu stehen, so glaubten wir doch einer Ansicht nicht entsa-
gen zu dürfen, welche nach dem gegenwärtigen Stande
der Beobachtungen die wahrscheinlichere zu seyn
scheint. Wenn aber Herr B o u é die Identität der
bunten Mergel von Tübingen und Sulz (welche Letztere Quadersandstein von ihm genannt werden) be-
streitet, und nicht die Auflagerung der bunten Mer-

---

*) Ueber die geognostische Aehnlichkeit des Steinsalz führenden
Gebirges in Lothringen und im südlichen Teutschland mit einigen
Gegenden auf beiden Ufern der Weser. — K a r s t e n s Archiv,
B. VIII, H. 1, p. 52 — 84.

**) Mémoire géologique sur les terrains anciens et secondaires
du Sud-Ouest de l'Allemagne, au nord du Danube, par A. B o u é.
Annales des sciences naturelles, Tome II, Juin 1824, p. 180.

gel auf den Muschelkalk in Westphalen anerkennen will, so kann die Richtigkeit oder Unrichtigkeit solcher Fakta nur durch das Zeugniss anderer Geognosten ausgemittelt werden.

Uebrigens hat schon Monnet, dessen mineralogische Schriften so viele schätzbare Beobachtungen enthalten, sehr wohl eingesehen, dass sich das Innere der lothringer Mulde von dem umgebenden Saume des rauchgrauen Kalksteins sehr wohl unterscheidet, wie dies unter andern aus seiner Beschreibung der Gegend von Haut-Clocher*) hervorgeht, welche auf der Grenze der bunten Mergel- und Kalksteinformation und südlich von Fenestrange liegt.

Ganz ähnliche Verhältnisse, wie in Vic, scheinen nach Charbauts Beschreibung bei Lons-le-Saunier statt zu finden. Nach demselben**) findet hier von unten nach oben folgende Schichtenordnung statt:

---

*) Die angeführte Stelle im MONNET. loc. cit., p. 176 — 177, ist wörtlich folgende:

La côté sur laquelle est placé le village de Haut-Clocher, est tellement remplie de pierre calcaire en plaques, qu'il n'est pas facile d'y marcher, mais aussi c'est le dernier endroit vers ce côté, où il-y-a de cette pierre abondamment; de là on passe sur le pays à plâtre et à argille, ou à peine trouve-t-on quelques petites pierres calcaires, poreuses, inégales, à la surface du terrain. Ce changement est si sensible vers le village de Bischepin, qui est éloigné de celui dont nous venons de parler, de 3 lieues, qu'on ne peut y marcher quand il a plu. Les habitants de ce village, ainsi que ceux des autres villages qui l'avoisinent, sont obligés d'aller prendre des pierres à Haut-Clocher, qui, étant en plaques, comme nous l'avons dit, leur servent à paver le devant de leurs maisons; elle est d'ailleurs très dure, quoique très pure: on en fait de la bonne chaux. Il est vrai, qu'on retrouve de la pierre vers Cuttin, à Alstrof, Lostrof, Bedstrof etc. etc. (nordöstlich von Dieuze), qui sont plus élevés, mais cette pierre n'a presque rien de commun avec la véritable pierre calcaire: elle est fort tendre, et s'effleurit à l'air, comme le chyte: elle contient peu de parties calcaires, mais beaucoup plus de parties argilleuses; c'est une mauvaise qualité de pierre marneuse, qui ne peut être d'aucun usage; elle y forme des couches minces, mais il-y-en a une autre par-dessus, qui est véritablement calcaire: c'est la même que nous avons dit se trouver de Fenestrange à Dieuze. (Dieser Letztere ist wahrscheinlich Griphitenkalk.)

**) CHARBAUT, Mémoire sur la géologie des Environs de Lons-le-Saunier. Annales des Mines, T. IV, Jahr 1819, p. 579

1) System der bunten Mergel,
2) System des Griphitenkalkes,
3) System der Mergelschichten,
4) System des eigentlichen oolithischen Jurakalksteins.

Von diesen ist das System der bunten Mergel, welches die Basis der drei nachfolgenden ausmacht, aber an keinem Punkte in seiner ganzen Mächtigkeit entblösst ist, von unten nach oben aus nachfolgenden Schichten zusammengesetzt:

a) Graue Mergel mit untergeordneten Gipsflötzen.
b) Weisse Mergelkalksteine, 6 — 8 Meter mächtig.
c) Gips, Mergel und Gipsmergelschichten, die oberen Bänke immer reiner werdend.
d) Bunte Mergel, bestehend und einschliessend zunächst auf c:

    1) eine Schicht weisser Mergelkalksteine, No. 6 ähnlich,

    2) ein Flötz schieferiger Kohle, 12 — 13 Centimeter mächtig,

    3) ziemlich mächtige Schichten von schmutzig-weissen Muschelkalksteinen, durchsetzt von häufigen Spathadern,

    4) einzelne Schichten von Sandstein, mit übel erhaltenen Muschelversteinerungen und Schwefelkies,

    5) Grauer, dichter, oder gelblich-grauer erdiger Kalkstein mit vielen Muschelfragmenten,

    6) unmittelbar unter dem Griphitenkalk, mergeliger Kalkstein von weisser Farbe und erdiger Grundmasse.

Hierauf folgen nun der Griphitenkalk, dessen Mergel und der oolithische Jurakalk.

Die angegebene Schichtenfolge bunter Mergel bietet grosse Aehnlichkeit mit derjenigen dar, welche überall in Lothringen beobachtet wird. Den Ursprung der Salzquellen sucht Herr Charbaut in der Gipseinlagerung, und glaubt den eigentlichen Salzstock in der Butte de Pimont, einem benachbarten Berge, zu finden. Bei Lons-le-Saunier wird von Herrn Charbaut nur eine Gipseinlagerung angegeben; vergleicht

man diese Gegenden mit denen von Morhange, so
scheint diese Gipseinlagerung der unteren Gipseinlagerung von Morhange oder dem eigentlichen Salzgebirge zu entsprechen, die obere Gipseinlagerung aber
zu fehlen, welches an sich nichts Auffallendes seyn
würde; zu diesem Schlusse berechtigt namentlich auch
das Vorkommen des sehr weit verbreiteten Kohlenflötzes, welches hier, so wie bei Morhange, über der
unteren Gipseinlagerung liegt. Rauchgrauer Kalkstein
ist in der Gegend von Lons-le-Saunier nicht bekannt,
derselbe muss noch in ansehnlicher Tiefe liegen, denn
sonst würde er, bei der sehr zerrütteten Lagerung
der Schichten, doch irgend wo am Tage sichtbar
werden. In diesen Gegenden ist es daher sehr wahrscheinlich, dass die Salzquellen in der Formation der
bunten Mergel ihren Ursprung nehmen.

In dem Rheinthale, auf beiden Ufern unterhalb
Basel, kommt die Formation der oberen bunten Mergel so selten vor, dass sie weiter keiner Erwähnung
verdient; mit einiger Deutlichkeit und Verbreitung zeigt
sie sich nur zwischen Buxweiler und Ingweiler. Auch
in der Gegend von Basel selbst ist ihre Verbreitung
nicht sehr bedeutend, sie ist jedoch hier durch die
genaue Beschreibung des Herrn Merian besser bekannt geworden, nur ist zu bemerken, dass derselbe
die Mergel des Griphitenkalkes zugleich dieser Formation mit beizählt*).

Nach demselben ist bunter Mergel das Hauptglied
dieser Formation; es ist ein Kalkmergel von grauen
und braunrothen, seltener von fleischrothen, grünlich-
grauen und schmutzigweissen Farben; diese Farben
wechseln mit einander und durchziehen sich auf eine
sehr unregelmässige Weise. Dieses Gestein ist nach
allen Richtungen sehr zerklüftet, und zerfällt wie Mergel, oder es ist dünn geschichtet (Neue Welt; Bette
der Ergolz bei der Hüftenschanze). Seltenere Uebergänge bildet der bunte Mergel in einen sandigen Mergel (Neue Welt) oder in einen hellgrauen Mergel von
flachmuscheligem Bruch (zwischen Giebenach und
Arisdorf).

---

*) Merian, Beiträge etc.; p. 30 — 45.

Die angeführten Versteinerungen sind sämmtlich aus dem Griphitenkalke und dessen Mergeln, der bunte Mergel ist in der Regel petrefaktenleer; doch sollen Versteinerungen in ihm vorkommen bei Ollsburg und Hemmiken.

Auf dem rechten Ufer der Birs, bei der neuen Welt, fallen die Schichten des bunten Mergels unter 30 — 40 Grad West. Hier bemerkt man nachstehende Schichtenfolge:

1) Eine dünne Schicht festen, dunkelgelben, thonigen Kalksteins von splitterigem Bruch.

2) Ein nach allen Richtungen zerklüfteter Schieferthon, meist von grünlich-grauer Farbe, dem charakteristischen bunten Thon sehr genähert.

3) Ein schieferthonartiger Sandmergel, mit Nestern von Steinkohle und mit Abdrücken von Pflanzen, stellenweise enthält das Gestein viel Glimmer.

4) Mächtiges Lager von Sandmergel, mit Streifen eines schwärzlichen Thons.

5) Mergelschichten, und zwar:
    a) dunkelgelber Sandmergel mit Thonknauren und Nieren eines thonigen Gelbeisensteins, mächtig. . . . . $2\frac{1}{2}$ F.
    b) schieferiger gelblich-grauer Letten . . . . $1\frac{1}{2}$ —
    c) schwärzlicher Mergel . . . . 1 —
    d) hellgrauer Mergel . . . $1\frac{1}{2}$ — 2 —
    e) derselbe mit schwärzlichen Streifen.

Weiter oben an der Birs, der Lage nach alle diese Schichten unterteufend, sind mächtige Ablagerungen eines zum Wasserbau tauglichen Lettens, und unter diesem, noch weiter oben, zwischen Rütihardt und dem Asp, gehen Mergel des rauchgrauen Kalksteins mit Hornsteinnieren zu Tage.

Zwischen Giebenach und Fühingsdorf, wo der bunte Mergel sehr ausgezeichnet auftritt, lässt sich folgende Schichtenfolge wahrnehmen. Man sieht hier auf dem rauchgrauen Kalkstein, mit Hornsteinnieren aufgelagert:

1) einen, ziemlich mächtige Bänke bildenden, nicht
sehr festen hellgelben Mergel, durch und durch
mit kleinen schwarzen Dendriten imprägnirt.

2) Darauf folgen die schönsten Bänke eines sehr
charakteristischen bunten Mergels. Rothe, graue,
weissliche und fleischrothe Schichten von verschiedener Härte und Mächtigkeit wechseln mannigfaltig mit einander. Man bemerkt in diesen
Schichten besondere härtere Parthien; finger-
dicke Platten von strahligem Kalkspath, die
Strahlen senkrecht auf die Ebenen der Platten,
an den Enden mit Rhomboederflächen krystallisirt, der Kalkstein mit rothen und grauen Thon-
massen imprägnirt; solche Platten finden sich
nur an diesem Punkte. Versteinerungen sind in
diesen Schichten nicht enthalten.

Diese Schichten setzen gegen Westen fort. An
dem Ufer der Ergolz, unterhalb der Hüttenschanze,
bilden sie herrliche Tafeln eines gelblichen Mergels,
hier und da mit dünnen rothen und grauen Schichten
wechselnd, dann folgt ein grauer, beinahe lettenarti-
ger Mergel, der nach und nach in rauchgrauen Kalkstein übergeht. Dieser gelbe tafelförmige Mergel
dürfte wahrscheinlich wohl den mergelartigen Kalksteinen ähnlich seyn, welche in den Gegenden von Lothringen so häufig erwähnt wurden.

Von fremdartigen Einlagerungen kommen in diesem Gebilde Lager von Gips, Sandstein und Steinkohlen vor.

Der Gips ist in diesen bunten Mergeln ungemein
häufig; er bildet unförmliche, unregelmässige Lager,
und besteht aus grauem und braunrothem Thongips,
weissem und röthlichem dichten Gips, späthigem Gips,
Fasergips u. s. w.

Auch Sandstein zeigt sich an mehreren Stellen in
dem charakteristischen bunten Mergel eingelagert; es
ist Thonsandstein, in Farbe und Beschaffenheit dem
älteren (rothen Sandstein) nicht unähnlich, aber überall sehr feinkörnig; seine Farben, roth und grünlich-
grau, sind in der Regel nicht sehr lebhaft; kleine
Glimmerschüppchen liegen in der Masse. Er ist theils
dick geschichtet, theils schieferig. Bei Hemmiken z. B.

werden die schönsten Bausteine auf solchen Schichten gebrochen, die oft 10 F. und mehr Dicke haben.

Am Bilstein, oberhalb Waldenburg, sind auf das Bestimmteste mehrere nur wenig mächtige, zum Theil sich auskeilende Sandsteinlager den bunten Mergeln eingelagert. Der Mergel in der Nähe dieser Lager enthält Drusen, mit kleinen Kalkspathrhomboedern besetzt, seltener zeigen sich in demselben fleischrothe Quarzkrystalle. Häufige Thongallen enthält der hierher zu rechnende Sandstein von Waldburgstuhl bei Epfringen.

Versteinerungen finden sich in diesen Sandsteinen nicht; der Luft ausgesetzt, verlieren sie ihr Bindemittel grösstentheils, man sieht alsdann, dass sie aus gelblichen oder weissen Quarzkörnern bestehen.

Ueber das Vorkommen dieser Sandsteinlager macht Herr Merian noch die interessante Bemerkung, dass sie sich sämmtlich in der Nähe des rauchgrauen Kalksteins finden, also in den unteren Schichten der bunten Mergel.

Die Steinkohlen, welche ebenfalls als häufige Einlagerungen erscheinen, bilden selten bauwürdige Flözze, und wenigstens nicht in der Umgegend von Basel, doch finden sich Spuren von Steinkohlen ziemlich häufig.

Bei Bretzweil*) liegt das schwache, unlängst bebaute Steinkohlenflötz über einem mächtigen, im bunten Mergel eingeschlossenen Gipslager. Die Steinkohle selbst bildet nur 2 — 3 Zoll dicke Schichten, und hat zum Dach und Sohle blaugrauen und schwärzlichen Schieferthon mit vielen sonderbaren Pflanzenabdrücken. Um diese Schichten liegt Letten, welcher grosse Knauer festen Mergels mit schönen Wasserkieskrystallen, Würfel und Pentagonaldodekaeder einschliesst.

Bei der neuen Welt ist das erwähnte Steinkohlenflötz in Sandmergellagern, die auch häufig Wasserkies enthalten, angetroffen worden. Die Versuche bei

---

*) Bernoulli, Mineralogisches Taschenbuch für die Schweiz, 1811, p. 137.

bei Holee, oberhalb Binningen, und die bei Bottmingen*) waren in einem Letten angestellt, der auch dieser Formation angehört. Bei Rickenbach finden sich ebenfalls Steinkohlenspuren im bunten Mergel; auf der öffentlichen Sammlung in Basel werden Steinkohlen von hier aufbewahrt, die mit Gipsadern durchzogen sind. Bei Dürnen zeigten sich die Steinkohlen als ein $\frac{1}{2}$ — 1 Zoll mächtiges Trumm in einem Wasserkies einschliessenden Letten, der unfern von den Steinkohlen Belemniten und Griphiten enthielt. Die vorgekommene Steinkohle war eine Art Pechkohle. Von Mapprach bei Zeglingen beschreibt Herr Merian ein Nest ähnlicher Steinkohlen von eigenthümlicher Gestaltung.

Der Schieferthon, welcher in der Nähe der Steinkohlen vorkommt, enthält oft schöne Pflanzenabdrükke. Schöne Farrenkräuter finden sich im Schieferthon bei der neuen Welt; eine Art dieser Farrenkräuter hat sich bei dem Steinkohlenflötz von Bretzweil wieder gefunden, ausserdem noch grössere gekerbte Abdrücke.

Auch Hornsteine finden sich in dem bunten Mergel, oberhalb Leufelfingen, in einem Uebergange von diesem zu dem rauchgrauen Kalkstein; sie scheinen jedoch sehr selten zu seyn.

In dem eigentlichen Rheinthale, oberhalb Basel, zeigt sich die Formation der bunten Mergel wenig oder fast gar nicht, nur vielleicht zwischen Waldshuth und Kaiserstuhl tritt sie auf, es befinden sich hier einige Gipsbrüche; sie wird jedoch bald wieder vom Jurakalk bedeckt. In den Bohrlöchern bei Eglisau will man sie in der Tiefe von 500 — 600 F. erbohrt haben.

Im Allgemeinen geht aus der mitgetheilten Beschreibung der bunten Mergelformation der Umgegend von Basel hervor, dass dieselbe mit der in Lothringen sehr grosse Aehnlichkeit hat; nur die mergeligen Kalksteine scheinen hier weniger häufig, auch der weisse Quarzsandstein scheint hier zu fehlen; dagegen hat

---

*) Bruckner, Merkwürdigkeiten der Stadt Basel, p. 393.

II.   [11]

aber auch diese Formation hier wenig Raum gefunden, sich zu entwickeln.

Auf dem östlichen Abfalle des Schwarzwaldes hingegen tritt die Formation der oberen bunten Mergel in ansehnlicher Verbreitung auf, und erreicht hier ein ungewöhnlich hohes Niveau, der Mächtigkeit und Regelmässigkeit ihrer Schichten unbeschadet.

Den aus Jurakalkstein bestehenden Bergzug des hohen Randen hinabsteigend, sieht man bei Beggingen zunächst den Griphitenkalk und seine Mergel in grosser Mächtigkeit unter dem Jurakalk hervortreten. Das Dorf Beggingen liegt auf solchen Schichten. Hinter dem Dorfe aber, auf dem Wege nach Schleitheim, tritt an dem Ufer des Baches unter dem Griphitenkalk ein weisser, grobkörniger, konglommeratartiger Sandstein von ansehnlicher Festigkeit hervor. Seine Mächtigkeit ist zwar nicht sehr bedeutend, vielleicht nur 15 — 20 F., aber es ist ganz offenbar ein ähnliches Gestein, wie der weisse Quarzsandstein am Telegraphenberge bei Vic, nur etwas grobkörniger. Dieser Quarzsandstein ruht ganz sichtlich auf schönen bunten Mergeln, roth, grün, graulich-weiss u. s. w., mit schmalen Flötzen von weisslichen und röthlichen Kalkmergeln. Die Schichten fallen gegen Südost, fast gegen Süden, und die Formation scheint nicht sehr mächtig, denn bald tritt in der Thalsohle der rauchgraue Kalkstein auf, aber die Höhen des Thales auf dem Wege nach Schleitheim bestehen fortwährend aus bunten Mergeln. Auf der linken Thalseite, in nicht beträchtlicher Höhe über dem Thalboden, befindet sich ein ansehnlicher Sandsteinbruch. Es ist ein grünlich-grauer, thoniger, vielleicht auch mergeliger Sandstein, in ansehnlichen Bänken geschichtet, bisweilen aber auch dünnschieferig und viele Thongallen enthaltend. Eine Menge schwarzer kohliger Punkte und kleine verkohlte Pflanzenstengel liegen in demselben, vorzüglich auf den Ablösungsflächen, wo sich auch häufig zarte Glimmerblättchen einfinden. Die Bänke dieses Sandsteins liegen horizontal, unmittelbar über denselben finden sich bunte Mergel und auch gelblichgraue Kalkmergel. Gegenüber, auf dem rechten Thalgehänge, und in ansehnlicher Höhe über diesem Sand-

steinbruch, liegen Gipseinlagerungen in ansehnlicher
Mächtigkeit und Verbreitung, sie befinden sich in
schönen roth und bunt gefärbten Mergelschichten.
Diese Gipseinlagerung, und wohl der grösste Theil
dieser bunten Mergel, scheint hier über den Bänken
des erwähnten feinkörnigen rothen Sandsteins zu liegen, welcher eines der untersten Glieder der Formation der oberen bunten Mergel auszumachen scheint,
und sich auf ähnliche Art noch an mehreren anderen
Punkten wieder findet. Zwischen diesem Sandsteinbruch und Schleitheim hebt sich nun bald immer mehr
der rauchgraue Kalkstein hervor, und die bunten Mergel verschwinden.

Auf dem Wege von Stühlingen nach Donaueschingen erscheinen die oberen bunten Mergel zuerst wieder ganz schwach bei dem Unadinger Posthause, über
dem Gips liegend, auch ist hier ein Kohlenflötz befindlich, welches bereits beschrieben worden ist. Aber
zusammenhängend treten die oberen bunten Mergel
erst auf bei Döckingen, und ziehen nun von hier bis
Donaueschingen und Dürrheim, den rauchgrauen Kalkstein nur ganz schwach, etwa 20 — 40 F. mächtig,
bedeckend, wie dies die Bohrversuche bei Dürrheim
bewiesen haben, durch welche sich auch ergab, dass
hier ganz in der Nähe, zwischen bunten Mergeln und
rauchgrauem Kalkstein, ein schwaches Kohlenflötz vorkommt, mit Schieferthon und Sandsteinschiefer. Dieses Kohlenflötz ist fast in allen Bohrlöchern durchsunken, und da, wo es nicht angegeben, wahrscheinlich
übersehen worden.

Von Dürrheim aus gegen Hohenemmingen, in
der Richtung nach der rauhen Alp, wird die Bedek-
kung der bunten Mergel sogleich um Vieles ansehnlicher. In dieser Richtung zieht etwa 5 Minuten von
Dürrheim ein kleiner, etwa bis 200 F. hoher Höhenzug vorbei, der oben ein Plateau bildet; derselbe besteht nur aus bunten Mergeln. Die Schichten scheinen hier alle ungemein sanft gegen Südosten zu fallen, und in dieser Richtung also von dem Liegenden
in das Hangende fortgehend, durchschneidet man bis
auf die Höhe jenes Bergzuges folgende Schichten:

·1) Gleich hinter dem Salinenhofe Gips, in regelmässigen Bänken geschichtet, die stellenweise
ein unregelmässiges, aber starkes Einfallen haben und sehr klüftig sind. Dieser Gips wird
in mehreren Steinbrüchen unmittelbar an der
Oberfläche gewonnen, und ist etwa in einer
Mächtigkeit von **10** F. entblösst; seine wahre
Mächtigkeit ist unbekannt. Er ist weiss und
grau gestreift, dicht und wenig blätterig, sehr
rein, fast ohne Mergelbänke. Dieser Gips liegt
ganz in der Ebene, und ist nur sehr schwach
von bunten Mergeln bedeckt. Geht man aber
von den Brüchen aus den hohen Abhang nach
Hohenemmingen hinauf, so zeigen sich zunächst

2) mannigfaltige Bänke bunter Mergel von rothen,
grünen, grauen Farben, mit einzelnen Schichten
von Mergelkalksteinen und Spuren von Gips,
theils dicht, theils faserig, bisweilen werden die
Schichten sehr thonig. Darauf kommt

3) ein feinkörniger, glimmerreicher, sehr thoniger
und schieferiger Sandstein von bunten Farben,
die grünliche und grünlich-graue Farbe vorherrschend; er ist sehr weich, aber erhärtet wohl
etwas an der Luft, und wird als Baustein ge-
braucht, er enthält viele kleine weisse Glimmerschüppchen.

4) Ueber demselben liegt ein eigenthümlicher quarziger, konglommeratartiger, weisser Sandstein.
Er sieht aus wie ein lichtgraulich-weisser Granitgruss, doch fehlt der Glimmer beinahe gänzlich, so wie das thonige Bindemittel; die grau-
weissen Quarzkörner haben ganz ein eckiges
Ansehen. Viele kleine fleischrothe Feldspath-
brocken liegen in dem Gestein, welches mehrere Bänke bildet. In einigen derselben liegen
ausserdem noch eine Menge grosser eckiger
Stücke von dichtem gelblich-grauen Mergelkalkstein, und selbst sogar Fragmente von Knochen
finden sich in diesen Schichten. Bindemittel ist
immer nur wenig vorhanden, doch mag es bisweilen thonig und kalkmergelartig seyn, in der
Regel haben die Quarzkörner nur einen gerin-

gen Zusammenhalt, und das Gestein kält sich nicht an der Luft, man gewinnt es aber als Zuschlag bei Bereitung von Mörtel. Die Lagen dieses Quarzsandsteins wechseln nicht allein mit dunkelrothen und lichtgrünen Thonmergeln, die besonders nach oben hin sehr häufig werden, sondern es kommen in demselben auch Schichten von lichtweisslich - grauem Mergelkalk vor. Bisweilen wird dieses Gestein feinkörnig, grösstentheils aber ist es grobkörnig und konglömeratartig.

5) Ueber diesem Quarzsandstein, welcher mit dem des Telegraphenberges bei Vic wohl identisch seyn dürfte, kommen nur noch wenig bunte Mergel vor, meist roth und thonig, und den Beschluss der rothen Mergelformation machend, die hier nicht über 300 F. Mächtigkeit zu haben scheint. Auf dieselbe legt sich endlich:

6) der Griphitenkalk, welcher die Höhe des Bergzuges einnimmt und ein weites Plateau bildet.

In der Gegend von Schwenningen ist die Formation der oberen bunten Mergel schon um ein Ansehnliches mächtiger, auch finden sich hier, so wie bei Aasen und Pforen, häufig Einlagerungen von Gips. Die Formation der bunten Mergel zieht sich von hier in das Neckarthal hinab, wo sie um Rothweil ziemlich weit verbreitet ist, doch in ihrer Zusammensetzung nichts Abweichendes darbietet.

Der Weg von Sulz nach Hechingen bietet einen ziemlich vollständigen Durchschnitt der bunten Mergelformation dar. So wie bei Sulz das Neckarthal verlassen ist, legt sich auf den rauchgrauen Kalkstein eine anfänglich nur vielleicht 20 — 30 F. mächtige Schicht von sehr thonigem, schmutziggrauem, feinkörnig - schieferigem Sandstein, der allmälig gelber wird, doch noch bisweilen mit sandigen Kalksteinen wechselt. Häufig kommen in diesem Thonsandsteine, der offenbar hier als Glied der bunten Mergelformation erscheint, theilweis verkohlte Abdrücke von Pflanzenstengeln, und gleichzeitig vielleicht auch, aber nur sehr undeutliche Muschelversteinerungen vor. Weiterhin wird diese Formation mächtiger, doch kommen

noch Schichten von sandigen Kalksteinen darin vor.
bis nach und nach der Sandstein reiner wird und eine
mehr gelbe Farbe annimmt. Bei Renfritzhausen, bei
Mühlheim und Impfingen, etwa $1\frac{1}{2}$ Stunde von Sulz,
soll sich auf diesen thonigen Sandstein ein rother thoniger feinkörniger Sandstein auflagern, auf dem beträchtliche Hausteinbrüche betrieben werden.

Auf dem Wege von Sulz nach Heigerloch ist der rauchgraue Kalkstein meist nur ganz schwach von feinkörnigem gelblich-grauen Sandstein bedeckt, sehr
lose, mit vielem thonigen Bindemittel. Hinter Heigerloch, auf dem Wege nach Hechingen, werden aber
bald die bunten Mergel mächtiger, und noch vor Rangendingen befinden sich ansehnliche Gipsbrüche. Der
Gips ist so, wie er gewöhnlich in den oberen bunten
Mergeln vorzukommen pflegt, und scheint ziemlich
mächtig und weit verbreitet, liegt aber in der Ebene.
Zwischen Rangedingen und Stein zieht ein kleiner
Höhenzug parallel der Alp, derselbe besteht nur aus
bunten Mergeln von sehr mannigfaltigen Farben, und
mit Einlagerungen von weissem und gelblich-grauem
Mergelkalk. Die von Hechingen kommende Starzel
hat diesen Höhenzug quer durchbrochen, dergestalt,
dass die schönsten Schichtungsprofile entblösst werden;
die rothe Farbe hat hier oft viel Intensität, und wird
daher das Weisse der Kalkmergel um so abstechender. An mehreren Punkten geht der Gips zu Tage.
Hinter Stein tritt ein weisser quarziger Sandstein auf,
dem vorhin bei Dürrheim beschriebenen nicht unähnlich. Er enthält bisweilen grosse Quarznüsse, wird
konglommeratartig, und ist besonders in seinen oberen Schichten dünn gestreift mit verschiedenen Farben, weisslich und dunkelgrau. An einer Stelle scheinen diese Streifen unter einem spitzen Winkel zusammen zu stossen, ähnlich den bunten Zeichnungen im
rothen Sandstein, deren in der Gegend von Heidelberg erwähnt wurde. Eingesprengt in diesen Sandstein finden sich kleine Punkte von Kupferlasur und
Malachit. Mineralogisch scheint auch dieser Quarzsandstein dem des Telegraphenberges bei Vic analog,
jedoch, so weit es sich beobachten liess, befanden
sich noch mächtige Bänke bunter Mergel über dem-

selben, allein völlige Gewissheit liess sich nicht darüber erhalten, und hiernach freilich würde die Stellung dieses Quarzsandsteins mit dem des Telegraphenberges nicht wohl übereinkommen. Gleich hinter Stein ist nun die Formation der bunten Mergel, die hier ein bestimmtes Einfallen gegen Osten hat, durchschnitten, und sehr schöner Griphitenkalk tritt in dem Bette der Starzel hervor.

Bis hieher sind die bunten Mergel immer dem Zuge der rauhen Alp gefolgt, so dass man glauben könnte, sie ständen mit dieser Gebirgsmasse in einer näheren Verbindung. Allein nördlich von Hechingen treten andere Verhältnisse ein, und die bunten Mergel verbreiten sich nunmehr über die grosse weite Fläche des rauchgrauen Kalksteins, selbst sehr bedeutend an Mächtigkeit gewinnend.

Ungemein charakteristisch tritt die Formation der bunten Mergel in der Umgegend von Tübingen und Stuttgart auf. Sie bildet hier den Schönbuch und die Filder, eine sehr bergige Gegend, von einigen tiefen Thälern durchschnitten, doch auf den Höhen meistens ein weites Plateau bildend. Die Formation der bunten Mergel erreicht hier eine sehr bedeutende Mächtigkeit, und gleichzeitig treten bedeutende Sandsteinbänke in derselben auf, welche sie zur Bergbildung geeignet machen, aber eben dadurch dieser Formation einen von dem bisherigen etwas abweichenden Charakter geben*).

An dem Neckar, gleich unterhalb Canstadt, geht der rauchgraue Kalkstein zu Tage, etwa in einer Höhe von . . . . . 658 F.

Auf dem Bopser bildet der Griphitenkalk nur eine geringe Bedeckung, und die Höhe dieses Berges beträgt . . . . . 1478 —

Beide Punkte möchten so ziemlich in der Streichungslinie liegen, und die Mächtigkeit der ganzen bunten Mergelformation

---

*) In H. v. S. (STRUVE) mineralogische Beiträge, vorzüglich in Hinsicht auf Würtemberg und den Schwarzwald, findet sich §. 3 — 45 ein mineralogischer Ueberblick der Gegend von Stuttgart.

beträgt daher bei Stuttgart etwa . . . . 820 F.
und vielleicht noch etwas mehr.

Von dem Liegenden in das Hangende steigend,
lassen sich im Allgemeinen folgende Hauptgruppen
des Gebirges beobachten:

1) Zunächst auf der Sohle des Stuttgarter Thales
bemerkt man Schichten von mannigfaltig gefärbten bunten Mergeln, sie können wohl eine Mächtigkeit von . . . . 130 F.
erreichen; einzelne Bänke von Mergelkalksteinen
finden sich in ihnen.

2) Auf diese bunten Mergel folgt eine Einlagerung
von Gips, der theils weiss, theils röthlich, meist
etwas körnig, oder späthig, oder dicht ist; die
Mächtigkeit dieser Gipseinlagerung ist bei Stuttgart nicht sehr bedeutend, etwa . . . 60 F.,
doch liegen auch noch bunte Mergel zwischen
den Gipsbänken.

3) Ueber der Gipseinlagerung liegen wieder mannigfaltige Schichten bunter Mergel von grünen,
rothen, grauen und weissen Farben, mit kleinen Streifen von grünem glimmerreichen Sandsteinschiefer dazwischen; auch kommen hier häufig in der Nähe über dem Gips kleine Nieren
von zerreiblichem Quarz vor.

Herr Professor Schübler, in einer sehr
interessanten Abhandlung über die Ackererden[*],
hat die bunten Mergel von Stuttgart der chemischen Analyse unterworfen. Er fand dieselben
aus überwiegend vielem Thon, 80, 90 bis 95
Prozent, bestehend, durch 4—8 Prozent Eisenoxyd gefärbt, und mit 5 — 20 Prozent kohlensaurem Kalk verbunden, zuweilen auch mit etwas Bittererde. In Festigkeit des Kornes und
in der Farbe zeigen diese Mergel grosse Ver-

---

[*] Pr. SCHUEBLER, fortgesetzte Untersuchungen über die phy-
sisch-chemischen Eigenschaften der Ackererden, mit der näheren
Untersuchung einiger Erd- und Mergelarten Würtembergs, in Ver-
bindung mit Beobachtungen ihrer Wirkungen auf die Vegetation.
In SCHWEIGGERS Journal für Chemie und Physik, B. XXXVII,
Jahrg. 1823, pag. 66.

schiedenheit; bemerkenswerth ist das scharfe
Abschneiden der grünlich-blauen und röthlich-
braunen Farbe, oft an ganz gleichförmig dichten Stücken. Die Ursache der verschiedenen
Farben ist gewöhnlich Eisenoxyd, nur selten
findet sich in den hellgrün gefärbten Abänderungen etwas Kupferoxyd.

Den Thon, welcher diese Mergelarten begleitet, fand Herr Schübler sehr verschiedenartig zusammengesetzt; ein solcher rother dicht-
schieferiger Mergel bestand aus:

60,1 Kieselerde,
26,0 Thonerde,
7,4 Eisenoxyd,
6,5 Wasser, durch Glühen zu entfernen.

Ein anderer bläulich-grau gefärbter fein-
schieferiger Mergel bestand aus:

41,3 Kieselerde,
44,0 Thonerde,
6,5 Eisenoxyd,
8,2 Wasser.

Diese Mergelarten, in dem Würtenbergi-
schen häufig unter dem Namen Leberkies bekannt, werden ganz besonders zur Verbesserung
der Weinberge angewendet, wo sie den Boden
locker und warm machen; da dieselbe aber aus
so mannigfaltigen verschiedenartigen Schichten
bestehen, so pflegen gewöhnlich auch nur einzelne Bänke zu diesem Behufe vorzüglich geeignet zu seyn.

Die Mächtigkeit aller dieser Mergelbänke
beträgt wohl bis . . . . 100 F.

4) Ueber diesen bunten Mergel liegen sehr mächtige Schichten eines ganz feinkörnigen Sandsteins
von thonigem Bindemittel, mit kleinen silber-
weissen Glimmerblättchen. Bisweilen scheint
auch das Bindemittel von einer mergelartigen
Beschaffenheit zu seyn, denn auf den Klüften
sieht man häufig Kalkspath oder Sinter sich an-
setzen. Dieser Sandstein zeigt verschiedene Farben, grau, gelblich-grau, roth oder grünlich,
immer aber sind dieselben bunt. Seine Härte

ist nicht sehr bedeutend, aber er ist in grosse rhomboidale Massen zerklüftet, und liefert einen vortrefflichen Bausstein. Namentlich an dem Abhange des Bopsers und in dem nach Rohr- lack führenden Thale sind sehr bedeutende Stein- brüche auf demselben angelegt. Seine Mächtig- keit ist verschieden, mag aber zumal am Bopser wohl bis . . . . 200 F. betragen.

5) Auf diese feinkörnigen Sandsteinbänke folgen wieder die mannigfaltigsten Schichten bunter Mer- gel, oft von ungemein lebhaften rothen, grünen, violetten Farben; thonige Schichten sind hier vorherrschend, doch findet man auch Mergel- bänke von helleren Farben, die mit Säuren brausen, in ihnen findet sich auf Klüften Schwer- spath und Strontian. In den ganz roth gefärb- ten thonigen Mergeln liegen auch an einigen Stellen hohle Drusen, inwendig mit einer Kalk- rinde überzogen, die mit rhomboedrischen Kry- stallen ausgekleidet ist. Einzelne, jedoch nur unbedeutende Schichten oder Streifen von gelb- lich-grauem, quarzigem, feinkörnigem Sandstein auf den Schichtenablösungen, mit grünlich-gel- bem oder rothem Thon belegt, finden sich auch zwischen diesen Mergelbänken, und unter die- sen Schichten kommt auch der sogenannte kry- stallisirte Sandstein vor, der sich an sehr vielen Punkten zwischen Esslingen, Stuttgart und Tü- bingen, und immer unter ähnlichen Verhältnis- sen findet[*]. Die Krystalle sind kleine Rhom- boeder, dem primitiven Quarzrhomboeder nahe kommend, in der Regel nur mit einer Ecke, oder kaum nur mit $\frac{1}{3}$ ihrer Höhe aus der Sand- steinplatte hervorstehend, und so innig mit der übrigen Sandsteinmasse verwachsen, dass es nie- mals gelingt, vollständige Krystalle zu erhalten. Diese Krystalle, so wie die Sandsteinplatte, auf

---

[*] Beschreibung eines krystallisirten Sandsteins aus der Gegend von Stuttgart, von JAEGER. — In den Denkschriften der Aerzte und Naturforscher Schwabens, B. I, p. 293 — 306.

welcher sie sitzen, enthalten keine Kalktheile,
und sind daher von dem krystallisirten Sandstein
von Fontainebleau ganz verschieden. Nach einer Analyse der Herren Jäger und Gaup enthalten 100 Theile dieser Krystalle, deren spezifisches Gewicht 2,585 — 2,633 ist,

    ausgeglühete Kieselerde . 72,6
    Alaunerde 23,6
    Kalkerde 0,7
    Eisenkalk 0,6

Gleichzeitig mit diesen rhomboedrischen Sand-
steinkrystallen finden sich auch halbzirkelförmige
oder cylindrische Sandsteinbildungen, auf ähnliche Art aus der Sandsteinplatte hervorstehend,
wie jene sogenannten Krystalle, welche wahrscheinlich gleicher Entstehung wie diese seyn
mögen *). Die ganze Mächtigkeit dieser bunten
Mergelbänke beträgt bei Stuttgart wenigstens bis
                          100 F.

6) Auf diese bunten Mergel folgt eine Schicht von
weissem grobkörnigen Quarzsandstein, einzelne
Mergelnieren, kleine fleischrothe Feldspathkörner, vielleicht auch Schwerspath darin. Es ist
ganz ein ähnliches Gestein und von ähnlicher
Beschaffenheit, wie das bei Dürrheim; stellenweise verfliessen die Quarzkörner mehr in einander, und dann wird seine Härte bedeutender,
so dass er als Pflasterstein benutzt werden kann,
in der Regel widersteht er aber der Witterung
nicht, und zerfällt. Namentlich bei Degerloch,
eine Stunde von Stuttgart, werden mehrere Brüche auf ihm betrieben, seine Mächtigkeit beträgt
hier wohl . . . . 50 F.,
doch wechselt er in seinen unteren und oberen
Schichten wohl mit bunten Mergeln.

7) Ueber diesem sehr ausgezeichneten weissen Quarzsandstein liegen wieder bunte, meist sehr thonige Mergel von sehr verschiedener Mächtig-

---

*) v. STRUVE, loc. cit., p. 50, 52. p. 13 — 21, p. 38.
FREIESLEBEN, geognostische Arbeiten, B. IV, p. 325 — 328.

bei Stuttgart beträgt ...
. . . . 40 F.
... der Berge endlich wird ...
... gebildet, welcher sich ...
...unten Mergeln auflegt, und ...
... bis . . . . 100 F.
...den kann, wo ihn bituminöse ...
...; derselbe wird auch bisweilen ...
... gelblichen, sehr feinkörnigen und ...
..., jedoch nur schwach bedeckt.
... angegebene Reihenfolge der Gebir...
... ziemlich beständig, und lässt sich ...
... und Tübingen an vielen Stellen wahr...
... tritt jedoch häufig der Fall ein, dass ...
...ten theils gänzlich fehlen, theils auf ...
...dern zu mächtig ausgebildet, oder ...
...dere unterdrückt sind; die Reihenfolge ...
...aut weniger Abwechselungen unterworfen.
...on Untertürkheim am Ufer des Neckars, ...
...berg ersteigend, auf dem noch vor kurzem ...
...chloss des würtembergischen Hauses ...
...ich nachstehende Schichtenfolge:
...in dem Neckarthale sind noch die obers...
...chichten des rauchgrauen Kalksteins anstehend...
...ie sind dicht, von lichten gelblichen und grau...
...arben, und bilden ziemlich mächtige und ...
...änke. Darauf folgt:
...au dem Abhange des Berges hinauf bunter Mer...
...gel in mannigfaltigen Modifikationen, mit weiss...
...lich-grauen Mergelkalksteinen darin; dann
...kommt
...die Gipseinlagerung, welche sich hier durch ihr...
...Mächtigkeit auszeichnet, der Gips ist meist weiss...
...oder lichtgrau, theils dicht, theils sehr krystal...
...lisch, mit schönen Selenitkrystallen und m...
...grünlich-grauen Thonstreifen durchzogen; dan...
...folgen:
...bunte Mergel, mit schmalen Sandsteinflötzen
...wechselnd; die Sandsteine sind grösstentheils
...weiss, quarzig, grobkörnig, oft konglommerat-
...artig, dem vorhin sub No. 6 aufgeführten Quarz-
...sandstein ähnlich, aber ihre Mächtigkeit ist nicht

sehr bedeutend, und die feinkörnigen thonigen Sandsteine fehlen fast gänzlich. Diese bunten Mergel halten an bis auf die Höhe des ziemlich ansehnlichen Berges, und der Griphitenkalk fehlt hier, derselbe findet sich aber bald ein auf der Höhe des mit dem Rothenberge zusammenhängenden Gebirgszuges.

Der feinkörnige thonige Sandstein, welcher bei Stuttgart so mächtig ist, scheint daher an dem Rothenberge, ungeachtet der ansehnlichen Höhe dieses Berges, grösstentheils zu fehlen und von Gips verdrängt zu werden. Diese feinkörnigen Sandsteine treten indessen nicht weit von hier, auf dem Wege von Weil nach Scharnhausen, wieder in ansehnlicher Mächtigkeit hervor, und es befinden sich hier bedeutende Steinbrüche. Zuletzt, neben der Scharnhäuser Gestütseinzäunung, treten schwache Lager eines kalkigen Sandsteins auf von bläulich-grauer Farbe, darüber liegt ein bläulich-grauer Thon. Der Abhang von Nellingen nach Esslingen zeigt die bunten Mergel mit Gipsspuren in schmalen Bänken recht ausgezeichnet, dieselben reichen hier bis auf die Thalsohle des Neckars hinab.

Versteinerungen finden sich in dem bunten Mergelgebirge der Umgebungen von Stuttgart selten, vielleicht möchten in den oberen Schichten Knochenfragmente vorkommen können. Abdrücke von Pflanzenstengeln dagegen finden sich, zumal in dem feinkörnigen thonigen Sandstein, ziemlich häufig und an vielen Punkten; sie sind meistens von einer schwarzen kohligen Substanz überzogen. So kommen dieselben vor in den Steinbrüchen am Bopser, an dem Griesberge, in dem Haslacher Thale. Am letzteren Punkte wurden vor mehreren Jahren beim Brunnengraben, in einer Tiefe von 8 — 12 F., mehrere in Sandstein versteinerte Baumstämme gefunden, rohrartige Gewächse mit Absätzen und Knoten; Exemplare davon befinden sich in der Sammlung des Herrn Bergraths Hehl in Stuttgart.

In einem Sandsteinbruche am Griesberge, auf dem Wege nach Bernang, finden sich viel vegetabilische Abdrücke, welche von schilfähnlichen oder von

Rohrgewächsen herzurühren scheinen. Der Sandstein
ist sehr schieferig, mit vielem beigemengten Thone
von gelblich-grauer und bräunlicher Farbe.

An den Griesbergen finden sich auch die Spuren
eines schmalen Flötzes von Lettenkohle. Dasselbe
zeigt sich in den sub 5 aufgeführten bunten Mergeln,
und erreicht stellenweise eine Mächtigkeit von 1 F.,
es ist aber sehr unregelmässig und nicht bauwürdig.

Schwefelkies ist dem Sandstein an mehreren Punkten eingesprengt; so finden sich namentlich in dem
Steinbruche auf dem Wege nach Botnang Nieren und
Kugeln von Schwefelkies, von Nussgrüsse bis zu dem
Durchmesser von 2 — 3 Zoll. In einem ähnlichen
Sandsteine, auf dem Wege nach Feuerbach, sollen
Körner von Bohnerz, oder vielmehr wohl von ockerigem Gelbeisenstein liegen. Häufig kommen in dem
feinkörnigen thonigen Sandstein Gallen von grünlich-
gelbem oder von ganz rothem Thon vor; es finden
sich bisweilen in demselben faustgrosse Nieren von
einem rothen thonigen Eisenstein. Kleine Nieren, und
namentlich schöne Dendriten von Brauneisenstein, finden sich in dem Sandstein, besonders aber in den
bunten Mergeln. In dem Sandstein, namentlich dem
grünlich-grauen oder gelblichen, so wie in dem Quarzsandstein, kommen häufig Spuren von Kupfergrün und
Malachit vor. In den grauen und violetten Kalkmergeln, welche häufig im Innern sehr zerklüftet sind,
findet sich an sehr vielen Punkten der Umgegend von
Stuttgart fleischrother Schwerspath und Strontian, auch
Kalkspathnieren bisweilen, doch mehr in den roth
gefärbten Mergeln. In den übrigen Gebirgsschichten
sind diese Fossilien Seltenheiten, sie scheinen hier, so
wie überall in dieser Formation, vorzugsweise nur in
den kalkhaltigen Mergeln vorzukommen.

Auch in den Gegenden zwischen Stuttgart und
schwäbisch Hall ist die Formation der bunten Mergel
in grosser Mächtigkeit und Ausdehnung verbreitet.
Auf dem Wege von Stuttgart nach Hall sind gleich
hinter Canstadt die bunten Mergel dem rauchgrauen
Kalkstein aufgelagert, und hier, ganz nahe an der
Auflagerungsebene, treten auch Bänke von weissem
und grauem Gips auf, die oft sehr unregelmässig ge-

bogen sind; unter dem Gips liegen noch einige bunte
Mergelbänke mit Einlagerungen von Mergelkalksteinen. Die ganze Gegend zwischen Canstadt und Waiblingen scheint nur sehr schwach mit bunten Mergeln
bedeckt, aber gegen Osten hin erheben sich höhere
Berge, die wahrscheinlich nur aus bunten Mergeln
bestehen. In dem Thale bei Waiblingen geht der
rauchgraue Kalkstein wieder zu Tage, doch die jen-
seitigen Höhen sind wieder mit bunten Mergeln, wenn
auch nur schwach, bedeckt. Vor Winnenden stehen
die bunten, rothen, grünen und grauen Mergel mit
Mergelkalksteinen und Spuren von Gips recht charakteristisch an. Diese Massen bilden einen ganz ansehnlichen Höhenzug, welchen der Weg übersteigt. Zu
oberst liegt ein Sandstein, der in sehr weitläufigen
Brüchen gewonnen wird. Er ist theils von rother,
theils und vorwaltend von schmutziggelblich-grauer
Farbe, weich, feinkörnig, glimmerreich, das Bindemittel ist thonig, mehr oder weniger vorwaltend; das
Gestein bildet daher theils sehr mächtige Bänke, theils
ist es ein Sandsteinschiefer, und offenbar ganz analog
dem thonigen feinkörnigen Sandstein von Stuttgart.
An dem steilen Abhange nach Winnenden erhält sich
fortwährend dieser Sandstein. Jenseits Winnenden
wird als Deckmittel auf der Chaussee ein grobkörniger konglommeratartiger Sandstein angewendet, der
sehr viel lichtgraue Quarzkörner und fleischrothe Feldspathkörner enthält. Auch Nieren eines dichten mergelartigen Kalksteins kommen häufig in demselben vor;
er ist offenbar dem sub 6 aufgeführten Quarzsandstein
bei Stuttgart analog. In diesem Sandstein finden sich
Pflanzenabdrücke, auch entwickeln einzelne Stücke
beim Zerschlagen einen eigenthümlichen bituminösen
Geruch. Dieser Quarzsandstein scheint hier auf den
Höhen der Berge ziemlich weit verbreitet; aber gegen
Maubach treten wieder ausgezeichnete bunte Mergel
auf. Hinter Maubach wechseln Mergel und Mergelkalkstein, welcher Letztere schon den oberen Schichten des rauchgrauen Kalksteins anzugehören scheint,
der in dem Thale bei Backnang ganz charakteristisch
auftritt. Gegen Sulzbach hin wird aber die Bedek-
kung der bunten Mergel wieder mächtig, und es sind

ansehnliche Berge aus denselben gebildet. Von Sulzbach den Abhang des Murrthales hinauf, nach Hall zu, stehen zunächst bunte Mergel an, unten mit sehr vielen gelblich-weissen Kalkmergellagern von geringer Mächtigkeit wechseln, darüber liegen grosse Massen von mannigfaltigen bunten Mergeln mit einigem Kalkgehalt, und daher meist zerklüftet, im Bruche krummschalig, mit Schwerspath und Strontian auf den Klüften. Darüber kommen Lager von feinkörnigem, gelblich-weissem Sandstein ohne viele Glimmerschüppchen; bisweilen ist dieser Sandstein mit braunen Pünktchen gesprenkelt, aber nirgends wird er konglommeratartig. Die Schichten wechseln mit dünnen Lagen von grünlich-grauem Mergel, und halten an bis gegen Eschenstruth. Hier auf der Hohenbrach erheben sich die Berge ansehnlich, und es tritt ein weisser, grobkörniger, konglommeratartiger Sandstein auf, der fleischrothen Feldspath, vielleicht auch etwas Schwerspath in ganz kleinen Parthien zu enthalten scheint, in demselben finden sich Nieren von Mergelkalkstein und Pflanzenabdrücke. Weiterhin gegen Hall sinkt das Terrain, und jener Quarzsandstein ist alsdann verschwunden. Bei Biebersfeld treten wieder bunte Mergel, und in diesen Gipseinlagerungen auf, die ebenfalls der Grenze des rauchgrauen Kalksteins sehr nahe zu liegen scheinen. Unmittelbar auf der Grenze der bunten Mergel und des rauchgrauen Kalksteins liegt ein gelblicher Mergelkalkstein, anscheinend sehr thonig und mit vielen Kalkspathadern durchzogen.

Auf dem Wege nach schwäbisch Hall, im Kocherthale hinunter nach Untermunkheim, steht überall der rauchgraue Kalkstein an; über dem sich nur einzelne Berge von bunten Mergeln oft zu bedeutender Höhe erheben, wie unter andern der Einkorn und die Berge in der Umgegend von Waldenburg. Bei Westernach ist der rauchgraue Kalkstein ganz schwach mit bunten Mergeln bedeckt, und in demselben befindet sich ein etwa 6 Zoll mächtiges Flötz von Lettenkohle, mit sehr vielem Schwefelkies imprägnirt. Dieses Flötz wird hier bebaut, und die Kohlen werden wegen ihres reichen Schwefelkiesgehaltes auf dem Oedendorfer Vitriolwerke, welches in dem Kocherthale

thales, 2 Stunden oberhalb Hall liegt, auf Vitriol benutzt. / Auch bei Oedendorf kommt unter ähnlichen
Verhältnissen ein ganz ähnliches Flötz von Vitriolkohle
vor, welches ebenfalls zur Bereitung von Vitriol bebaut wird, aber weniger regelmässig und ergiebig ist,
wie das bei Westernach. Ueber diesem Kohlenflötze
liegen verschiedene Kalkmergelschichten von grauen
und dunkeln Farben, sie gehen ganz in bläulich-
schwarzen Schieferthon über, der mit grauen Sandsteinschichten abwechselt, welche voller Pflanzenabdrücke sind. Eine solche Sandsteinschicht scheint das
unmittelbare Hangende zu bilden; in der Sohle des
Flötzes liegt zunächst ein blauer Schieferthon. Dicht
neben der Grube ist ein Steinbruch, in welchem
das Flötz, welches überhaupt nicht tief unter Tage
liegt, zuerst aufgefunden seyn soll. Hier sieht man
gelbliche feinkörnige Sandsteinschichten über dem
Flötze, und auch unter demselben liegen. Diese
wechseln mit Bänken von sandigem Kalkstein von
bläulich-grauer Farbe. Die Sandsteinbänke, wenn
gleich nicht sehr mächtig, liefern doch sehr schöne
Bau- und Hausteine.

Das Kohlenflötz, von dem so eben die Rede war,
scheint in diesen Gegenden ziemlich weit verbreitet;
so findet man ähnliche Bildungen von Vitriolkohle auf
dem linken Ufer des Kocher bei Weissbach, unterhalb
Niederhall, und bei Kochendorf, auf dem Wege nach
Neckarsulm. Gleich hinter Kochendorf zeigen sich,
schwach gegen Süd geneigt, Schichten von sandigem
bläulich- und gelblich-grauen Kalkstein, von dünnschieferigem dunkelschwarzen Mergel, von dichtem,
sehr kompaktem dunkelgrauen Kalkstein, von einem
mehr fein- als grobkörnigen Sandstein, der Pflanzenabdrücke und Muscheln enthält, und in dem das eben-
genannte Kohlenflötz etwa 2 — 4 Zoll mächtig aufsetzt. Alle diese Schichten scheinen den untersten
Schichten der bunten Mergelformation anzugehören,
denn sehr bald tritt unter ihnen der charakteristische
rauchgraue Kalkstein hervor.

Zwischen hier und Heilbronn liegt eine Hügelreihe bunter Mergel, einer der höchsten Punkte derselben ist der Wartberg; dicht daneben liegt der weit

II.

[12]

niedrigere Stiftsberg; an beiden befinden sich bedeutende Gipsbrüche, besonders am letzteren. Von der Sohle des Neckarthales, welche aus rauchgrauem Kalkstein besteht, bis in die Gipsbrüche ist kein anstehendes Gestein entblösst, es befinden sich hier Weinberge, doch scheinen rothe und bunte Mergel, und vielleicht feinkörnige Sandsteinbänke hier vorzukommen. In dem Gipsbruche am Stiftsberge lassen sich von oben nieder folgende Schichten an einer wohl 40 bis 50 F. hohen, fast senkrechten Wand beobachten:

1) Bänke von unregelmässig gelagerten bunten Mergeln, die wahrscheinlich etwas kalkhaltig sind.

2) Rothe Mergel, nach unten hin mit grünen Mergeln in schmalen regelmässigen Schichten abwechselnd, und mit Fasergips durchtrümmert. Die grünen Mergelschichten werden nach unten hin herrschend.

3) Darunter liegen dann Bänke von weissem, grauem oder rothem Gips, zum Theil rein, zum Theil mit Mergeln gemischt.

Der Wechsel bunter Mergel in der Gruppe No. 2 ist sehr mannigfaltig, und überhaupt ist dieselbe sehr mächtig; an einem Punkte liessen sich folgende Schichten in ihr beobachten:

a) Grüne, graue und ganz rothe Mergelstreifen mit einander abwechselnd.

b) Eine Lage von weisslich-grauem, dichtem, kleinblätterigem Gips.

c) Graue Mergel.

d) Lage von dichtem Gips.

e) Bläulich-graue Mergel.

f) Dichter Gips.

g) Grüne und rothe Mergel, mit weissem, dichtem und etwas körnigem Gips.

h) Bläulich-graue Mergel mit dünnen Adern, von weissem Fasergips durchzogen.

i) Mehrere grüne und graue Mergelschichten.

k) Eine Lage von schwärzlich-grauem, sehr dünnschieferigem Mergel.

l) Grüne Mergel, mit rothem Fasergips in unregelmässigen Trümmern.

m) Grauer dichter Gips, mit sehr wenig krystallinischem, blätterigem, dunkelgrauem Gips.

n) Blaue und rothe Mergel, mit unregelmässigen
Trümmern von weissem Fasergips.

In vielen von diesen Schichten, besonders aber in
der sub m, zeigt sich ein Anflug von Kupfergrün und
Kupferlasur auf den Klüften, ferner bemerkt man
stellenweise eingesprengt kleine Massen von Bleiglanz,
wohl bis zur Grösse einer Erbse, bisweilen ist die
Oberfläche des Bleiglanzes glänzend und rein, in der
Regel aber mit einem dünnen Anflug von Kupfergrün
überzogen. Aehnliche Spuren von Bleiglanz sollen
sich an mehreren Punkten finden, und namentlich
hier an dem Stiftsberge sind sie eben nicht selten.
Auch ist es in einem von den Gipsbrüchen dieser Gegend, wo Herr v. Langsdorf die Spuren von Steinsalz oder Glaubersalz fand, welche die Veranlassung
zu den Bohrversuchen bei Jaxtfeld gaben.

An dem Stifts- und Wartberge scheinen wenigstens keine bedeutenden Sandsteinbänke über dem Gips
mehr vorzukommen; wahrscheinlich aber unter demselben. Zu Bachenan, eine Stunde von Jaxtfeld, auf
dem rechten Jaxt- und Neckarufer, sind beträchtliche
Sandsteinbrüche gelegen; hier soll sich der meist etwas röthliche feinkörnige Sandstein unmittelbar über
dem rauchgrauen Kalkstein und unter dem Gips befinden. Zwischen Bapstadt und Adersbach, auf dem
Wege von Jaxtfeld nach Sinzheim, kommen immer
die dem Kalkstein zunächst liegenden Mergelschichten
zuweilen mit Gips vor; zwischen Adersbach und Sinzheim tritt der rauchgraue Kalkstein hervor, aber hinter Sinzheim befinden sich wieder Sandsteinbänke,
welche höchst wahrscheinlich dem Kalkstein aufgelagert sind. Die untersten Schichten sind mächtige
Bänke von gelblich-grauem feinkörnigen Sandstein
mit wenig Glimmer, 6 — 7 F. dick, sie werden von
Schiefermergel und Sandsteinschiefer bedeckt, die in
verschiedenen Lagen mit einander wechseln. Auch
finden sich hier Abdrücke von Pflanzenstengeln.

In den Löwensteiner Gebirgen, und namentlich
auch in der Gegend von Maulbronn, treten die bunten Mergel ebenfalls sehr charakteristisch hervor. Zwi-

schen Maulbronn und Derdingen liegt Sternenfels auf
der Spitze des Stromberges, am Anfange des Zaber-
gaues. Hier liegen unten ebenfalls schöne Gipsbrüche, und dann findet sich hier ein weisser Quarzsandstein, dem auf der Höhe des Bopsers bei Stuttgart ähnlich; dieser Sandstein, der als Stubensand benutzt wird, soll etwas goldhaltig seyn[*]. Ferner finden sich in der Gegend von Oeschelbronn sehr schöne,
vollständig auskrystallisirte Rauchtopase, etwa $\frac{1}{4} - \frac{1}{2}$
Zoll lang; sie sollen lose in der Ackerkrume mehre-
rer Felder beim Pflügen gefunden werden; es ist
wahrscheinlich, dass sie der Formation der bunten
Mergel angehören. Herr D. Hehl aber glaubt ihr
Vorkommen in dem rauchgrauen Kalkstein; dagegen
kommen nach demselben rothe Quarzkrystalle, ganz
denen von Compostella ähnlich, bei Grossvillars in
der bunten Mergelformation vor[**]. In derselben Formation kommt auch Arragonit in der sogenannten
Mordklinge bei Lövenstein vor[***], so wie schmale
Schichten von Rogenstein[****], denen in der Gegend
von Vic vielleicht ähnlich.

Nachdem im Vorstehenden die Formation der
oberen bunten Mergel an den verschiedenen Orten
ihres Vorkommens speziell beschrieben worden ist,
lässt sich nunmehr der allgemeine Charakter dieser
Formation leichter aufstellen.

Eine Vergleichung dieser Formation in Lothringen und in Schwaben ergiebt zunächst, der kleinen
Verschiedenheiten ungeachtet, doch die allergrösste

---

[*] MEMMINGER Beschreibung von Würtemberg, zweite Auflage, p. 216.

[**] HEHL, Beiträge zur geognostischen Kenntniss von Würtemberg, im Korrespondenzblatt des würtembergischen landwirthschaftlichen Vereins, März 1824, p. 134.

[***] STROMEYER, Untersuchungen über die Mischungen der
Mineralkörper, B. I, p. 21.

[****] Uebersicht der in dem Königreiche Würtemberg vorkommenden einfachen Fossilien, von Dr. HEHL. In LEONHARDS
Taschenbuch, 1821, 3. Abth., p. 686.

Uebereinstimmung. Wirklich findet man in beiden Gegenden alle die einzelnen Glieder der bunten Mergelformation, und oft in der nämlichen Ordnung wieder, oft aber auch ist die Ordnung der Schichten mehr oder weniger verändert. In beiden Gegenden sind thonige Bildungen und rothe Farbe vorherrschend; in beiden Gegenden finden sich reiche Gipseinlagerungen in dieser Formation. Dagegen walten in Schwaben die Bildungen von feinkörnigen thonigen Sandsteinen, in Lothringen hingegen die Einlagerungen von hellgrauen plattenförmigen Kalkmergeln vor; aber es fehlen in Lothringen die feinkörnigen Thonsandsteine so wenig, wie in Schwaben die mergeligen Kalksteine.

Aus dieser Analogie beider Gegenden dürfte hervorgehen, dass eine etwa 50 F. mächtige Schicht feinkörnigen Thonsandsteins (in dem Schichtenprofil von Vic sub. No. 5 aufgeführt) nicht geeignet seyn kann, als eine selbstständige Formation betrachtet zu werden, und dass vielmehr in Vic alle Schichten, welche vom Tage nieder bis in das Tiefste des Salzschachtes bekannt geworden sind, der Formation der bunten Mergel über dem rauchgrauen Kalkstein angehörig seyn möchten, entweder weil hier die obere Abtheilung des rauchgrauen Kalksteins fehlt, oder aber weil die Salzformation hier wirklich als ein Glied der bunten Mergelformation auftritt.

Auf der Grenze zwischen rauchgrauem Kalkstein und oberen bunten Mergeln sieht man die Schichten beider Gebirgsmassen häufig sich durchdringen, oder in einem Zwischenraum von 20 — 30 F. mehreremale mit einander wechseln. Allein diese, oft vielleicht nur mechanischen Uebergänge können doch nicht berechtigen, beide so wesentlich verschiedene Bildungen in eine Formation zu vereinigen. In der ersten dieser Bildungen liegt eine Welt von Muscheln begraben, in der anderen finden sich kaum nur Spuren derselben, und man darf behaupten, dass Muscheln, wenigstens Muscheln des rauchgrauen Kalksteins, den bunten Mergeln gänzlich fremd sind. Dagegen treten Abdrücke von Pflanzen, selbst schmale Kohlenflötze in diesen Sandstein- und Mergelbildun-

gen auf, und in der Nähe der Letzteren sind sogar
Knochen von einem amphibienartigen Thiere gefunden worden. Beide Bildungen müssen daher unter
ganz verschiedenen Umständen erzeugt seyn, aber die
eine konnte der andern vielleicht rasch folgen, gleichsam in dieselbe noch eingreifen, und so jene schein-
baren Uebergänge möglich machen. In der Ordnung
der Schichten, welche die Formation dieser bunten
Mergel zusammensetzen, scheint keine sehr grosse
Regelmässigkeit statt zu finden. Häufig nehmen einzelne Schichten auf Kosten der anderen sehr an Mächtigkeit zu, und dann wieder verschwinden sie fast
gänzlich; namentlich in der Nähe der Gipseinlagerungen pflegt die Unregelmässigkeit oft gross zu seyn;
wie denn überhaupt diese Gipseinlagerung weder eine
konstante Mächtigkeit besitzt, noch überhaupt ein zusammenhängendes Lager bildet. Man kann wohl annehmen, dass der Gips wenigstens in Lothringen und
Schwaben ein wesentliches Glied dieser Formation
bildet, denn er findet sich an zu vielen und an zu
entlegenen Punkten, dagegen ist es aber auch als entschieden anzusehen, dass er nicht zusammenhängend
gelagert ist, und oft auf ansehnlichen Strecken fehlt.
Aber nicht allein die grosse Veränderlichkeit in der
Mächtigkeit der Schichten erzeugt Unregelmässigkeiten in der Lagerung, häufig findet sich auch die Reihenfolge der Schichten in der Formation der oberen
bunten Mergel verändert, wovon im Verfolg der gegebenen Lokalbeschreibungen mehrere sehr auffallende
Beispiele vorgekommen sind. So namentlich die feinkörnigen Thonsandsteine, die Einlagerungen von Mergelkalksteinen, die Spuren von Kohlenflötzen verän-
dern sehr häufig ihre Stellung in der allgemeinen Reihenfolge der Schichten, und nur allein der quarzige
Sandstein, und gewissermassen auch die Gipseinlagerung zeigen einige Selbstständigkeit in dem Platz, den
sie einnehmen. Erstere bilden in der Regel die obersten Schichten, letztere findet sich meistens in den
untersten Lagen der bunten Mergelformation.

In Schwaben scheint überall nur eine Gipseinlagerung in den oberen bunten Mergeln vorzukommen,
an keinem Punkte finden sich zwei Lagen über ein-

ander. In Lothringen hingegen sind bei Morhange am Tage zwei Gipseinlagerungen entblösst, und überall hat man hier mit dem Bergbohrer eine untere salz-führende Gipseinlagerung in den bunten Mergeln auf-gefunden, welche in Schwaben zu fehlen scheint, we-nigstens bis jetzt noch an keinem Punkte entdeckt worden ist, wenn gleich auch hier in einigen Gegen-den die bunten Mergel salzhaltig zu seyn scheinen.

Die Lagerung der bunten Mergelformation ist fast ohne Ausnahme sehr flach, meist fast ganz horizontal, und nur da, wo mächtige Gipseinlagerungen vorkom-men, oder in den Gegenden von Basel zeigt sich bis-weilen eine stärkere Neigung der Schichten. Fast im-mer ruhen die bunten Mergel auf rauchgrauem Kalk-stein, und füllen namentlich die Mulden aus, welche diese Gebirgsmasse bildet, aber auch in diesen stets sehr flachen Mulden bleibt die Lagerung meist fast horizontal. die Mächtigkeit der Schichten nimmt in den-selben nach dem Ausgehenden ab, und häufig ziehen sich die oberen Lagen über die tieferen hinweg bis an den Rand der Mulde, welches oft nur eine Folge der sehr flachen horizontalen Lagerung zu seyn scheint.

Die Hauptschichtenfolge, aus denen die Forma-tion der bunten Mergel zusammengesetzt ist, würde nach dem bisherigen, von dem Hangenden in das Liegende gerechnet, etwa folgendermassen aufgestellt werden können.

1. Weisser Quarzsandstein.

Derselbe ist theils grobkörnig, theils konglomme-ratartig, theils sehr feinkörnig, dem Quadersandstein ähnlich, hat immer nur wenig thoniges, bisweilen ein mergeliges Bindemittel. Bisweilen kleine Bänke von sandigem Kalkstein und graue Schiefer, denen des Griphitenkalkes ähnlich (nur in der Gegend von Vic). Ist in der Regel die oberste Schicht, und findet sich an sehr vielen Punkten, wie überall bei Vic, bei Ma-lancourt, Leomont, Luxemburg, Sauerthal, Langdorf und Mère église, bei Faulquemont, Beggingen, bei Schleitheim, Dürrheim, Stein, bei Hechingen, Umge-gend von Stuttgart, Winnenden, zwischen Waiblingen und Backnang, Eschenstruth, Hohenbruch u. s. w.

In den Umgebungen von Basel scheint dieser quarzige Sandstein zu fehlen, sonst würde derselbe wahrscheinlich von Herrn Merian, der diese Gegenden mit so grosser Genauigkeit beschrieben hat, angegeben worden seyn. Dagegen tritt er in anderen entlegenen Gegenden wieder auf; so namentlich die Altenburg bei Bamberg liegt auf einem dem Quadersandstein sehr ähnlichen Gesteine, welches aber unmittelbar auf bunten Mergeln ruht, und daher höchst wahrscheinlich diesem Quarzsandstein angehörig seyn wird*).

2. Bunte Mergel.

Unter dem weissen Quarzsandstein folgen mächtige Schichten bunter Mergel, in denselben ist die rothe Farbe vorherrschend, und namentlich je thoniger dieselben, desto dunkler roth pflegt auch ihre Farbe zu seyn. Es treten aber in diesen Bänken auch häufige Schichten auf, die viel Kalk enthalten, und diese kalkigthonigen Mergel zeichnen sich dann ganz besonders durch ihre bunten Farben aus; diese Kalkmergel haben einen erdigen flachmuscheligen Bruch, und sind stark zerklüftet; sie zerfallen gern an der Luft, und hinterlassen einen schweren thonigen Boden.

3. Bunte thonige Sandsteine.

Den Mergelbänken folgen oft sehr mächtige Schichten von einem sehr thonigen feinkörnigen Sandstein von rothen, grauen und gelben Farben, theils in dikken Bänken geschichtet, theils dünnschieferig, im ersten Falle vortreffliche Bausteine liefernd. Diese feinkörnigen thonigen Sandsteine, welche in Schwaben, und namentlich in der Umgegend von Stuttgart, eine sehr bedeutende Mächtigkeit erreichen, geben diesen Bildungen wohl stellenweise einige Aehnlichkeit mit dem nordteutschen bunten Sandstein. Aber selbst auch in Schwaben sind die Mergelbildungen immer

---

*) Hausmann, Uebersicht der jüngeren Flötzgebilde im Flussgebiete der Weser etc. Güttingen 1824, p. 264.

vorwaltend, und diese Sandsteine selbst besitzen eine grosse Menge thonigen, mitunter sogar kalkhaltigen Bindemittels.

4. Bunte Mergel und Mergelkalksteine.

Unter jenen Thonsandsteinen finden sich wieder ansehnliche Schichten von sehr bunt gefärbten Mergeln in den mannigfaltigsten Modifikationen ein; sie sind grösstentheils kalkhaltig. In denselben eingelagert liegen Schichten von meist plattenförmigem gelblich-grauen Mergelkalkstein, bisweilen eine ansehnliche Mächtigkeit erreichend, bisweilen porös werdend (Crapauds).

5. Gipseinlagerung mit bunten Mergeln.

Unter jenen buntgefärbten Mergeln und Mergel-kalksteinen pflegt sich in der Regel die Gipseinlage-rung einzufinden, sie bildet zwar keine zusammen-hängenden Lager, ist aber doch sehr allgemein ver-breitet, und erreicht oft eine sehr bedeutende Mäch-tigkeit.

Diese Gipseinlagerung ist von der des rauchgrauen Kalksteins und der in dem Salzschachte von Vic eini-germassen verschieden, dadurch, dass

a) in derselben mehr Fasergips vorzukommen pflegt;

b) dass die Farbe des Gipses häufig etwas röthlich ist, zumal auf der Oberfläche, wo sich oft ein Ueberzug von rothem Letten findet;

c) dass nur sehr selten oder nie Anhydrit in der-selben vorkommt, überhaupt das Gefüge des Gipses meist viel späthiger ist, wie bei demjo-nigen, welcher sich in dem rauchgrauen Kalk-stein findet. Endlich

d) dass mit diesem Gips der oberen bunten Mergel niemals eigentlicher dunkelgrauer Salzthon vor-kommt, welcher bei dem des rauchgrauen Kalk-steins fast nie zu fehlen scheint.

Dagegen ist aber diese Gipseinlagerung derjeni-gen, welche in der Formation der unteren bunten Mergel auftritt, täuschend ähnlich, und von derselben nur durch die Lagerung verschieden.

6. Bunte Mergel und Mergelkalksteine.

Unter der Gipseinlagerung liegen wieder Mergelbänke, die sich durch ihre bunten Farben auszeichnen, und meist etwas kalkhaltig zu seyn pflegen. In
denselben eingelagert befinden sich ebenfalls gelblich-
graue Mergelkalksteine, meist plattenförmig, aber auch
porös (Crapauds).

7. Thonige Sandsteine.

Unter diesen Mergelbänken liegt abermals ein
feinkörniger, thoniger, theils gelblich-grauer, theils
röthlicher Sandstein in dicken Bänken geschichtet,
aber auch schieferig.

8. Grauer Schieferthon und Vitriolkohle.

Unter oder in der Nähe der eben genannten thonigen Sandsteine pflegt häufig ein schwarzer und
grauer Schieferthon, und darin ein schmales, sehr mit
Schwefelkies imprägnirtes Kohlenflötz vorzukommen.
Dasselbe findet sich an vielen Punkten, aber, wie bereits angegeben, ist seine Stellung ungemein schwan-
kend, denn das Kohlenflötz findet sich bald über, bald
unter der sub 5 angeführten Gipseinlagerung, und
zeigt sich unter andern bei Morhange, Valmünster,
unweit Bouley, bei Dieuze, in der Gegend von Basel,
bei Bretzweil, bei der neuen Welt, Rickenbach, Dür-
ner, Mapprach, Dürrheim, an den Griesbergen bei
Stuttgart, bei Oedendorf, Westernach, Niederhall, Kochendorf, Mittelbronn und Gaildorf, Lövenstein, Kreils-
heim, Erlaheim u. s. w.

9. Salzgebirge.

Unter allen diesen Schichten endlich kommt das
Salzgebirge vor, welches jedoch in Schwaben gänzlich
zu fehlen scheint, bestehend in seinen oberen Bänken
aus Mergelkalksteinen, dann aus bunten, doch meist
grauen Mergeln, noch häufig mit Säuren brausend,
Salzthon, Gips und Anhydrit, und Steinsalz in Bänken und Nestern.

Die aufgestellte Schichtenfolge ist gar vielen Abwechselungen unterworfen, und kann nur dienen, ein

allgemeines Bild von der Zusammensetzung der Formation zu geben. Die Schichten No. 1 und 5 zeigen die grösste Regelmässigkeit in der Reihenfolge ihres Vorkommens; die Abtheilung No. 9 ist in Schwaben noch nicht aufgefunden worden, dagegen scheint in Lothringen die Abtheilung No. 3 fast ganz zu fehlen.

In der Abtheilung No. 1 haben sich an einigen Punkten Knochenversteinerungen (Dürrheim), und bisweilen auch kleine Bivalven gefunden (Vic), jedoch nur da, wo kleine Kalksteinlager in derselben auftreten; nur an solchen Punkten finden sich dann auch wohl schwache oolithische Bänke.

In der Abtheilung No. 4 sind ebenfalls wieder an einigen Punkten (Vic, Bourdonnaye) kleine versteinerte Muscheln gefunden worden, sie gehören aber zu den Seltenheiten. In der Abtheilung No. 7, wo solche dem rauchgrauen Kalkstein unmittelbar aufliegt, scheinen auch wohl einzelne Spuren von Muschelversteinerungen vorzukommen (Sulz), aber dies sind grosse Seltenheiten. In allen anderen Schichten haben sich bis jetzt noch keine Muschelversteinerungen gefunden, und man darf wohl behaupten, dass Muschelversteinerungen diesem Gebirge eigentlich gänzlich fremd sind, vorzüglich, wenn berücksichtigt wird, dass in dem Liegenden und Hangenden desselben Gebirgsmassen vorkommen, die ganz von Muscheln erfüllt sind.

Ungleich häufiger dagegen finden sich Adrücke von rohrartigen Gewächsen, von Farrenkräutern und Blättern ein. Sie finden sich vorzugsweise in der Abtheilung No. 8, dann aber auch ganz besonders in den Abtheilungen No. 3 und 7. In der Abtheilung No. 1 gehören sie zu grossen Seltenheiten, in den übrigen finden sie sich niemals. Abdrücke von Farrenkräutern, ferner Stengel von Pflanzen, dem calamites nodosus von Sternberg ähnlich, sollen sich nach Memminger *) im feinkörnigen Thonsandstein bei Stuttgart und Heilbronn finden.

---

*) Memminger Beschreibung von Würtemberg. 2. Auflage, pag. 202.

Nach Herrn Stahl *) findet sich versteinertes, in
eine braune Quarzmasse verwandeltes Holz sehr häufig in der Formation der bunten Mergel; unter andern
am Bopser, auf der Bothnanger und Feuerbacher Heide
bei Stuttgart, bei Welzheim, Lorch, Adelberg, ganz
besonders aber bei Lövenstein.

In Schiefer, Pech und Braunkohle verwandeltes
Holz findet sich, nach demselben um Stuttgart, Lövenstein, Spiegelberg, Geilenkirchen, bei Hall, bei Glas-
lautern u. s. w.

Calamiten finden sich an mehreren Punkten in
der Formation der bunten Mergel, unter andern der
Calamites nodosus oder Calamites interruptus (Schlotheim) bei Stuttgart; ferner bei Löventein und
Heilbronn.

Filiciten, wiewohl selten, finden sich in dem feinkörnigen Sandstein bei Stuttgart und Heilbronn, 5 —
8 Zoll lang, 3 — 4 Zoll breit, meist nur als Abdruck,
aber auch in deutlich erhaltenen Exemplaren. An der
sogenannten Wagenburg bei Stuttgart wurde vor einigen Jahren ein Filicit gefunden, der mit Polypodium
filix mas Aehnlichkeit hatte.

In den Schwarzkohlen der bunten Mergelformation bei Lövenstein finden sich in der sogenannten
Mordklinge zollbreite, plattgedrückte Pflanzen, welche
Poacites zeaeformis anzugehören scheinen. In den
schieferigen Sandsteinen bei Gaildorf kommen oft
Halme zum Vorschein, welche Poacites gramineus angehören könnten, und in der Nähe des dortigen Kohlenflötzes Knochenüberreste eines amphibienartigen
Thieres. Im Allgemeinen aber ist diese Formation
doch ungemein arm, sowohl an vegetabilischen als
animalischen Ueberresten, wenn gleich etwas reicher,
wie die Formation des rothen Sandsteins.

Das Vorkommen von Feldspath scheint nur auf
die Abtheilung No. 1 beschränkt, und ist bis jetzt
nur in Schwaben beobachtet worden, es ist aber nicht
ohne Interesse, da es in Schwaben ziemlich allgemein

*) Uebersicht über die Versteinerungen Würtembergs. — Kor-
respondenzblatt des würtembergischen landwirthschaftlichen Vereins. Juliheft 1824.

zu seyn scheint. Die kleinen fleischrothen Feldspathkörner haben ein sehr frisches Ansehen, und geben
dem Gestein oft einige Aehnlichkeit mit Granitgruss.
Schwerspath, Strontian und Kalkspath scheinen
nur auf die Abtheilungen No. 2, 4, und vielleicht
auch 6 beschränkt zu seyn. Schwerspath findet sich
auch in der Abtheilung No. 1.

Quarz, meist in Nieren und in Form zerreiblicher
Körner, oder seltener krystallisirt, findet sich in den
Abtheilungen No. 4, 6 und 9; Quarzkrystalle erschei-
nen vielleicht auch in der Abtheilung No. 1.

Schwefelkies erscheint vorzüglich in der Abtheilung No. 8, doch scheint er auch fast in allen anderen Abtheilungen vorzukommen.

Kupfergrün, Kupferlasur und Bleiglanz finden sich
als Anflug und eingesprengt an mehreren Punkten,
und ihr Vorkommen ist eben nicht selten, auch scheint
sich dasselbe auf fast alle Abtheilungen zu verbreiten,
vorzüglich aber wird es in den Abtheilungen No. 4
und 5 beobachtet.

5. Formation des Griphitenkalkes und seiner bituminösen Mergel.

Ueber der eben beschriebenen Formation bunter
Mergel ist eine Kalksteinbildung gelagert, die sich
durch dunkle Farbe, durch mächtige Lagen bituminöser Mergel und durch einen ausserordentlichen Reichthum an Versteinerungen auszeichnet. Unter dieser
zahlreichen Menge von Versteinerungen fallen die Griphiten durch ihre eigenthümliche Form und durch ihre
ausserordentliche Menge besonders auf, weshalb dieser Kalksteinformation die Benennung Griphitenkalk
beigelegt worden ist. Dieselbe ist in den zu beschreibenden Gegenden sehr weit verbreitet und ungemein
charakteristisch, aber nicht mit der dem Zechstein
angehörigen Gebirgsschicht des nördlichen Teutschlands
zu verwechseln, welche wegen des häufig in ihr vorkommenden Griphites aculeatus ebenfalls Griphitenkalk genannt wurde.

In Lothringen zeigt sich der Griphitenkalk als
eine wenig mächtige Gebirgsmasse, welche immer die
höchsten Punkte der von dem bunten Mergel gebil-

deten Berge einnimmt, und auf denselben meisten ansehnliche Plateau's bildet. Häufig sind die Berge, auf denen sich dieser Kalkstein findet, etwas höher wie diejenigen, wo derselbe fehlt, gleichsam als wenn die bunten Mergel durch diese Decke gegen Abschwemmung und Zerstörung geschützt worden wären, der sie nur einen geringen Widerstand entgegen zu setzen vermögen. Diese Eigenthümlichkeit des Vorkommens bringt es mit sich, dass in Lothringen der Griphitenkalk häufig nur in isolirten Parthien erscheint, zugleich ein Beweis, dass die oft ansehnlich breiten Thäler erst nach der Absetzung dieses Kalksteins gebildet wurden. Auf der geognostischen Charte sind die einzelnen Parthien des Griphitenkalkes in diesen Gegenden so genau wie möglich angegeben, doch können leicht noch mehrere fehlen; so namentlich soll nach Herrn Voltz*) auch bei Maiziéres Griphitenkalk vorkommen.

Bei Nancy, ferner in dem Thale der Mosel bei Metz und Thionville, zeigt sich ebenfalls der Griphitenkalk mit seinen Mergeln längs dem Fusse der aus Jurakalkstein bestehenden Höhen, deren Basis er bildet. Aber im Allgemeinen wird er in diesen Gegenden wegen häufiger Bedeckung von Sand und Flussgeröllen nur selten sichtbar.

Auf dem südlichen Abfalle der Vogesen scheint der Griphitenkalk nur selten vorzukommen, nach den Angaben von Monnet **) dürfte sich derselbe auf dem rechten Ufer des Oignon, südlich von Luxeul finden, wenigstens hat Monnet in dieser Gegend Griphiten angegeben.

Auf dem östlichen Abfalle der Vogesen erscheint der Griphitenkalk ebenfalls nur sehr selten, er findet sich unter andern bei Buxweiler und Reichshofen in dem kleinen Busen des rothen Sandsteins, in dem sich fast alle die jüngeren Flötzgebirge eingelagert haben.

*) Voltz, notice géognostique sur les environs de Vic (Soudaye de Maizières).

**) Monnet, atlas minerdlogique de la France.

In den Gegenden von Basel zeigt sich der Griphitenkalk ebenfalls an vielen Punkten, und ist oft in ansehnlicher Mächtigkeit zwischen die oberen bunten Mergel und den Jurakalk gelagert. In dem Rheinthale, oberhalb Basel bis Schaffhausen, wird er im Ganzen nur selten sichtbar, dagegen tritt er auf dem östlichen Abfalle des Schwarzwaldes wieder ungemein charakteristisch hervor. Hier geht er bei Beggingen, unweit Stühlingen, unter der Bedeckung des Jurakalkes ausnehmend deutlich hervor, und bituminöse schieferige Mergel begleiten ihn in mächtigen Bänken. Von hier aus folgt er beständig in nordöstlicher Richtung dem Fusse der Alp, zum Theil eine ganz ungemeine Mächtigkeit erreichend; namentlich sind es seine bituminösen Mergel, die hier mit so bedeutender Mächtigkeit auftreten, und sich oft zu einem sehr hohen Niveau erheben.

Doch auch auf dem linken Neckarufer gewinnt die Formation des Griphitenkalkes eine recht ansehnliche Verbreitung, und sie bedeckt zwischen Tübingen und Stuttgart alle Höhen des Schönbuches und der Filder. Nach einigen nicht ganz verbürgten Nachrichten soll sich der Griphitenkalk sogar noch auf den Höhen des Lövensteiner Gebirges wieder finden.

Charbaut *), und selbst auch Merian haben die Formation des Griphitenkalkes den vorher beschriebenen bunten Mergeln beigeordnet, vielleicht, weil da, wo beide Formationen sich berühren, einiger Wechsel statt findet, auch erscheint in den Umgebungen von Basel die Griphitenkalkformation nur sehr subordinirt und in unregelmässiger Lagerung. Allein schon aus den angegebenen Punkten ihres Vorkommens dürfte hinreichend hervorgehen, dass die Formation der bunten Mergel und des Griphitenkalkes nichts mit einander gemein haben, und dass sie geognostisch nicht näher verwandt sind wie mineralogisch. Näher scheint sich dagegen der Griphitenkalk und

*) Charbaut, Memoire sur la géologie des environs de Lous-le-Saunier. Annales des mines, Tom. IV, 1819, p. 578—622.

seine bituminösen Mergel dem Jurakalkstein anzuschliessen; sie dienen demselben fast überall zur Basis, und erscheinen in seiner Nähe vorzüglich mächtig und charakteristisch, ein Verhalten, welches sich
gleich bleibt in Lothringen und in Schwaben. Aber
auch von dem Jurakalke scheint die Formation des
Griphitenkalkes frei und unabhängig, denn sie findet
sich in ansehnlichen Entfernungen von demselben und
ganz charakteristisch in den Umgegenden von Vic unter andern, und zwischen Tübingen und Stuttgart.
Es dürfte daher schon hieraus hervorgehen, dass diese
Formation als selbstständig betrachtet werden muss,
und dies dürfte der Verlauf der Beschreibung noch
näher ergeben, denn der Griphitenkalk ist eine der
am schärfsten charakterisirten und der am leichtesten
wieder zu erkennenden Gebirgsmassen dieser Gegenden.

An dem Telegraphenberge bei Vic in die Höhe
steigend, finden sich sogleich über dem quarzigen
Sandstein, der obersten Schicht der bunten Mergel,
mehrere Bänke von einem dunkelrauchgrauen dünnschieferigen Mergel, kaum noch mit Säuren brausend,
und leicht an der Luft in ganz dünne kleine Blättchen
zerfallend. Diese Blättchen nehmen alsdann eine ungleich lichtere, fast aschgraue Farbe an, auch in der
Hitze brennen sie sich um vieles lichter, sie verdanken daher einer kohligen oder bituminösen Beimischung ihre dunkle Farbe. Zwischen den Blättchen
dieser schieferigen Mergel liegen bisweilen kleine
weisse abgeplattete Gipskrystalle, auch zarte weisse
Glimmerschüppchen. Organische Ueberreste zeigen
sich nicht in denselben. Ihre Mächtigkeit ist nicht
sehr bedeutend, oft fehlen sie fast gänzlich, sie machen aber eine Art von Uebergang zwischen der Formation der bunten Mergel und dem Griphitenkalk,
denn sie drängen sich zwischen die Schichten, sowohl
des weissen quarzigen Sandsteins, als des eigentlichen
Griphitenkalkes ein, gehören aber doch immer mehr
dem Letzteren als dem Ersteren an.

Auf diese Mergel folgt nun der eigentliche Griphitenkalk. Diese Formation legt sich auf den weissen

sen Quarzsandstein in einer Höhe von 876 Paris. F.
Die Höhe des Telegraphenberges
aber beträgt. . . . . 934 — —

Mithin ist die ganze Mächtigkeit
der Formation nur . . . . 58 Paris. F.

Der Griphitenkalk besteht aus einem bläulich-
grauen, ziemlich dunkel gefärbten Kalkstein; diese
Färbung, namentlich der Stich in das Bläuliche, ist
so allgemein, dass sich schon hierdurch dieser Kalkstein von jedem andern unterscheidet, und in Lothringen wie in Schwaben ihn schon in blossen Handstücken
sogleich kenntlich macht. Andere Färbungen, wie
diese bläulich-grauen, kommen eigentlich nicht vor,
nur vielleicht in der Intensität der Farbe findet einige
Abwechselung statt.

Der Griphitenkalk ist ein sehr feinkörniger oder
selbst krystallinisch-körniger Kalkstein, dem dichten
sich nähernd, sehr zähe und schwer zersprengbar, sein
Bruch ist körnig splitterig, er riecht, angehaucht, etwas thonig, und scheint immer etwas Thontheile zu
enthalten, ausserdem ist er fast immer bituminös.

Er ist immer deutlich geschichtet, und zwischen
seinen Bänken liegen immer schmale Schichten des
vorerwähnten schieferigen Mergels. Die Mächtigkeit
seiner Bänke steigt an einigen Stellen bis zu 1 und
$1\frac{1}{2}$ F. Die Schichtung ist so gut wie horizontal. Auf
der Höhe des Telegraphenberges sieht man diese Formation ein grosses Plateau bilden; es befinden sich
hier eine Menge kleiner Steinbrüche, wo der Griphitenkalk für die Chausseen gewonnen wird, zu welchem Gebrauch er sich auch recht wohl eignet.

In diesen Steinbrüchen, und so auch auf den
Chausseen sind alle Stücke dieses Kalksteins auf den
Kluftflächen, und überhaupt auf jeder Fläche, die einige Zeit der Luft ausgesetzt war, mit einer gelblich-
braunen Rinde überzogen, die wohl bis $\frac{1}{4}$ Zoll tief in
das Innere des Gesteins eindringt; sie ist offenbar
Folge der Verwitterung, aber diese Erscheinung ist
so allgemein, dass sie als ein gutes Kennzeichen des
Griphitenkalkes betrachtet werden kann. Auch er-

II.   [13]

wähnt M e r i a n dieses Verhalten schon von dem Griphitenkalke in der Gegend um Basel*).

Dieser Griphitenkalk ist auf dem Telegraphenberge, so wie überall, wo derselbe vorkommt, ungemein reich an Versteinerungen, meistens von zweischaligen Muscheln, und sowohl die Anzahl der verschiedenen Arten, als der Individuen, ist sehr gross. Ueberall, wo dieser Griphitenkalk vorkommt, findet sich derselbe so reich an Versteinerungen, und es sind auch überall dieselben Arten, um daher Wiederholungen zu vermeiden, sollen dieselben später besonders angeführt werden.

Der Griphitenkalk, so wie er auf dem Telegraphenberge bei Vic vorkommt, findet sich überall in der Umgegend von Vic, auf dem Mont St. Jean bei Mojenvic, bei Malancourt, auf dem Telegraphenberge bei Chateau-Salins, bei Encheviler, Evresingen, Gueblingen u. a. O.; überall zeigt er sich auf den Höhen der Berge, und bildet meistens sehr ausgedehnte Plateaus.

Auf dem Wege von Vic über Chateau-Salins nach Delme befinden sich mehrere Berge bunter Mergel, die auf ihrer Höhe von Griphitenkalk bedeckt sind. Namentlich auf dem Telegraphenberge bei Chateau-Salins zeigt sich der Griphitenkalk sehr charakteristisch, und der Weg führt lange Zeit über denselben hin. Aber die Schichten senken sich allmälig gegen Nordwesten, und es legen sich die Mergel des Griphitenkalkes über den eigentlichen Griphitenkalk. Dies lässt sich zwar auf der Strasse nach Delme nicht sehr gut beobachten, denn die Gegend ist zu sehr mit Ackerboden bedeckt, und weiterhin, bei Tincry, tritt oolithischer Jurakalk auf, und überdeckt diese Mergel. Aber auf dem Wege von Tincry oder Bascourt nach Xocourt treten dieselben unter dem Jurakalke sehr deutlich in dem tiefen Thale hervor. Die

---

*) M e r i a n, Beiträge zur Geognosie, p. 41.

Höhen nämlich von Tincry über Bacourt herabge-
hend, verschwindet allmälig die oolithische Struktur
des Gesteins, es tritt ein krystallinisch-körniger, theils
dichter, theils etwas poröser Kalkstein auf, die Poren
häufig mit Eisenocker ausgefüllt. Nach und nach wird
das Gestein hart, spröde und klingend, und bildet
dünne Scheiben, die Schichtungsflächen rauh, uneben,
oft knollig und zackig, mit Drusen von Kalkspath.
Unter demselben tritt nunmehr zwischen Bascourt und
Xocourt ein gelblich-grauer und rauchgrauer Schieferthon, meist sehr lettig und aufgelöst, auf; es ist der
Mergel des Griphitenkalkes, der sich hier und an so
vielen anderen Punkten über demselben findet.   In
diesem sehr aufgelösten, meist lettigen Schieferthon
liegen eine grosse Menge von Thoneisensteinnieren,
dicht, schwer, von bläulich-grauer Farbe, ein wahrer
thoniger Sphaerosiderit. Häufig sind diese Nieren durch
die Verwitterung in Gelbeisenstein oder in Eisenocker
verwandelt.   In Xocourt selbst, an dem Gehänge eines aus dem Dorfe führenden Hohlweges, steht dieser Schieferthon mit Eisensteinnieren sehr mächtig
an, und zum Theil sehr grosse Nieren von Thoneisenstein darin.   Zumal diese Nieren sind sehr reich
an Muschelversteinerungen, namentlich finden sich
kleine Ammoniten in Schwefelkies verwandelt, sehr
schöne Terebrateln, Belemniten u. a. in demselben,
und meist mit schön erhaltener Schale.   Nur Griphiten finden sich hier nicht, und überhaupt nicht in
den bituminösen Mergeln des Griphitenkalkes. Diese
Schieferthonschichten machen den Fuss der Côte de
Delme aus, eines steil ansteigenden Berges, der aus
Jurakalkstein besteht. Delme liegt an dem Fusse dieses Berges, wahrscheinlich auf den Mergeln des Griphitenkalkes, denn geht man von hier nach Leman-
court, einem kleinen südlich von Delme gelegenen
Dorfe, so tritt der Griphitenkalk wieder deutlich hervor, und bildet hier eine tief gelegene Ebene an dem
Fusse der Jurakalksteinberge.   Man gelangt von hier
nach Malacourt beständig auf dem Griphitenkalk,
aber derselbe ist von der Höhe, welche er an dem
Telegraphenberge behauptete, schon bedeutend herab-

gesunken. Auf dem ersteren Berge betrug
dieselbe . . . . **934** F.
bei Malancourt nur etwa . . . . **694** —

er ist mithin. . . . . **240** F.
gesunken, und liegt kaum nur noch wenige Fuss über
dem Spiegel der Seille. Es ist daher auch in dem
Thale bei Malancourt die Masse des Griphitenkalkes
zwar noch gänzlich durchschnitten, aber der weisse
Quarzsandstein und wenig Spuren bunter Mergel können kaum nur noch unter demselben hervortreten.
Dasselbe lässt sich bei Manhoué an dem Ufer der
Seille beobachten. Von hier gegen Armancourt scheint
der Griphitenkalk bald von seinen Mergeln bedeckt
zu werden, Kalksteinstücke liegen nur noch lose auf
den Feldern umher. Von hier auf dem Wege nach
Ajancourt, etwa $\frac{1}{2}$ Stunde hinter Armencourt, kommen in Gräben auf der flachen Ebene schieferige
graue Mergel zum Vorschein, mit Enkriniten, Ammoniten und Belemniten darin; dies müssen die oberen
Mergel des Griphitenkalkes seyn; aber nun steigen
auch sogleich hohe Berge von Jurakalkstein aus der
Ebene empor, und unter denselben verschwindet ferner alle Spur jener Mergel.

Die Gegend um Nancy ist zu sehr mit dem Fluss-
gerölle der Meurthe bedeckt, als dass sich hier die
Mergel des Griphitenkalkes an vielen Punkten wahrnehmen liessen, dieselben aber sollen namentlich beim
Graben von Fundamenten und Brunnen angetroffen
werden, und dies ist auch sehr wahrscheinlich, wenn
man die flachen Ebenen betrachtet an dem Fusse der
hohen Berge des Jurakalksteins.

Nach den Angaben von **Monnet**[*] ist die Stadt
Nancy auf einem Lager von dunkel gefärbtem blätterigen Kalkmergel gebaut, welcher bisweilen für Dach-
schiefer gehalten wurde, und wonach daher ebenfalls
kein Zweifel übrig bleibt, dass dies die bituminösen
Schiefer des Griphitenkalkes seyn müssen.

---

[*] Monnet, Atlas et description minéralogiques de la France. 1. partie, p. 185.

In der Gegend von Metz ist etwa derselbe Fall.
Hier ist das linke Ufer der Mosel mit hohen Kalk-
steinbergen besetzt; das rechte hingegen bietet eine
flache, mit Wiesen bedeckte Ebene dar; ohne Zweifel liegen hier die Mergel des Griphitenkalkes nicht
tief unter Tage. Zwischen Metz und Thionville, auf
der linken Seite des Moselthales, erhebt sich bei Noroy ein beträchtlicher kahler Berg von Jurakalk; an
dem Fusse desselben, und noch vielleicht 40 — 60
F. über die Thalsohle, ist ein bläulich-grauer Letten
anstehend, mit kleinen weissen Streifchen, die etwas
kalkhaltig, und vielleicht Mergel des Griphitenkalkes
seyn mögen.

In diesen Gegenden, bei Seronville, eine Stunde
nördlich Audun, sah Steininger *) nicht tief unter
der Oberfläche des Thalbodens blaue Lettenflötze in
neu gegrabenen Pfützen anstehen, bis 5 F. mächtig.
Getrocknet war der Letten aschgrau, feinsandig, brauste ein wenig mit Säuren, hatte Thongeruch, und enthielt zuweilen sehr zerbrechliche zweischalige Seekonchilien.

Oestlich von Metz sollen in ähnlichen grauen und
blauen Letten, der daselbst ziemlich weit verbreitet
ist, Belemniten gefunden werden; Belemniten aber
sind eine für die Mergel des Griphitenkalks ganz charakteristische Versteinerung.

Nach der Angabe von Braconnot **) werden in
Nancy und der Umgegend bei Ausgrabungen bisweilen eisenschüssige Kalknieren getroffen, welche in ihrem Innern sehr weisse Krystalle von schwefelsaurem
Strontian enthalten; dann auch findet man in diesen
Nieren bisweilen Zinkblende und Schwefelkies. In
der Thongrube von Bouvron, unweit Toul, ist ebenfalls Strontian gefunden worden. Es ist sehr wahrscheinlich, dass diese Nieren den Thoneisensteinnieren angehören, welche sich so häufig in den bitumi-

---

*) Steininger, Gebirgscharte, p. 59 — 60.

**) Braconnot, Examen d'un sédiment des eaux de Lu-
xeuil. Annales de Chimie et de Physique, Tome XVIII, an 1821,
p. 222.

nösen Schiefern des Griphitenkalkes finden. Ganz
ähnlich scheint das Vorkommen des Strontians zu seyn,
welches Henaux bei Vézénobres, unweit d'Alais im
Département du Gard, beschreibt*), und wonach kein
Zweifel übrig bleibt, dass sich der Strontian hier in
den bituminösen Schiefern des Griphitenkalkes findet.
Auf ähnliche Art hat auch Brogniart denselben in
Burgund längs dem Fusse des Jura, und Charbaut
in der Gegend von Salins beobachtet. Häufiger jedoch, wie in der Formation des Griphitenkalkes,
scheint der Strontian in der darunter befindlichen bunten Mergelformation vorzukommen.

Aehnliche Lettenlager, wie die, welche Steininger bei Audun beobachtete, scheinen auf dem rechten Ufer der Mosel an mehreren Punkten vorzukommen. So unter andern bei dem Dorfe Norroy, $\frac{3}{4}$
Stunden nördlich von Pont à Mousson, befinden sich
ansehnliche Steinbrüche im Jurakalkstein auf den Höhen der Berge; der Fuss dieser Berge aber besteht
aus bläulichem Thon. Dieser Thon in Regenzeiten
erweicht, giebt häufig zu Erdfällen und Abrutschung
der Berggehänge Veranlassung, wie unter andern ein
solcher Fall sich den 11. und 12. März 1818 ereignete**).

Auf dem östlichen Abfalle der Vogesen erscheint
der Griphitenkalk in dem kleinen Busen des rothen
Sandsteingebirges, in welchem Buxweiler liegt, unter
eigenthümlichen und interessanten Verhältnissen, wie
denn überhaupt in diesem Busen sich alle die jüngeren Flötzgebirge, und meist in sehr grosser Nähe neben und übereinander abgesetzt haben.

Auf dem Wege von Savern nach Buxweiler zeigt
sich lange kein anstehendes Gestein, bis endlich, unter der Bedeckung von losem Sand und Lehm, zwi-

---

*) RENAUX, Notice sur un gissement de Strontiane sulfatée,
auprès d'Alais, département du Gard. Journal de Physique, Tome XCII, an 1821, p. 288.

**) HALDAT, Rapport, fait à la société royale des sciences
etc. de Nancy, sur les Eboulemens qui ont eu lieu à Norroy près
de Pont à Mousson, département de la Meurthe. Journal de Physique, Tome LXXXVII, an 1818, p. 352 — 358.

schen Hattmatt und Imbsheim die Formation der oberen bunten Mergel hervortritt. Es sind rothe und bunte Mergel, mit gelblich-grauen Mergelkalksteinen darin. Die Formation ist hier aber von keiner Verbreitung, denn noch vor Imbsheim wird sie von oolithischem Jurakalk bedeckt. Ob hier zwischen beiden noch Griphitenkalk vorkommt, ist zwar nicht unwahrscheinlich, doch liess es sich nicht mit Bestimmtheit beobachten. Der oolithische Jurakalk dagegen breitet sich aus, bildet die Höhe des Bastberges, und zieht bis über Buxweiler hinaus.

Auf dem Wege von Buxweiler nach Reitheim ist anfänglich oolithischer Jurakalkstein, unter demselben geht aber, auf dem Wege nach Prinzheim, ein bläulich-grauer Kalkstein hervor, von dunkler Farbe, ganz dem Griphitenkalke-ähnlich, nur ohne Griphiten, dagegen finden sich Buccarditen und andere Versteinerungen des Griphitenkalkes in ihm, und auf der chemischen Fabrik an der Raith tritt dieser Kalkstein endlich ganz charakteristisch auf. Weiterhin gegen Prinzheim liegen mächtige bläulich-graue schieferige Letten des Griphitenkalkes, mit vielen Versteinerungen, Schwefelkies- und Eisensteinnieren, auch mit Spuren von Steinkohlen, die jedoch niemals die Kosten des Nachsuchens verlohnt haben. Eine mit Schwefelkies imprägnirte Schicht dieser bituminösen Mergel ist auf der Vitriolfabrik zu Buxweiler wahrscheinlich auf Vitriol benutzt, aber doch nicht ergiebig genug befunden worden.

Nach den Beobachtungen von de Sivry *) besteht die Anhöhe, an welcher das Dorf Hochfelden liegt, aus Griphitenkalk. Diese Anhöhe hängt zusammen mit einem kleinen Höhenzuge, der sich von hier südlich bis Wildenheim und gegen Wasslonne hinzieht. In der kleinen Anhöhe bei Hochfelden werden mehrere Gipsbrüche betrieben; der Gips scheint der Formation der oberen bunten Mergel zwischen dem rauch-

---

*) De Sivry, Journal des observations minéralogiques, faites dans une partie des Vosges et de l'Alsace. Nancy 1782. — Im Auszug übersetzt in den Sammlungen zur Physik und Naturgeschichte. Leipzig 1792, B. IV, p. 139.

grauen Kalkstein und dem Griphitenkalk angehörig; letztere scheint jenen Höhenzug grösstentheils zu bilden.

Von Buxweiler auf der Strasse nach Hagenau tritt da, wo der Fussweg nach Obermodern abgeht, die obere bunte Mergelformation in den mannigfaltigsten Farbennüancen mit Einlagerungen von Mergelkalksteinen auf, die porös werden. Diese Mergel halten bis dicht an Obermodern aus, hier aber tritt wieder der Griphitenkalk auf, welcher schwach Ostsüdost zu fallen scheint. Dieser Kalkstein bildet grosse Platten, und wechselt häufig mit Schichten von dunkelgrauem schieferigen Mergel. Bei Zutzdorf fällt derselbe h. 8 Südost. Der schwarze Mergelschiefer wird in demselben immer häufiger. Noch etwas über Zutzdorf hinaus lässt sich der Griphitenkalk, oder vielmehr die Mergel desselben verfolgen, vor Nyffern aber verschwinden dieselben unter einer Ueberdeckung von losem röthlichen Sande. Von hier den Abhang gegen Urweiler hinaufgehend, ist wieder der Griphitenkalk mit vorwaltenden vielen schieferigen Mergeln anstehend; beide wechseln in unzähligen Schichten mit einander ab. Der Kalkstein enthält viele Griphiten, die schieferigen Mergel hingegen vorzüglich Belemniten und eine Menge von Eisensteinnieren.

Auf der Höhe des Berges legt sich auf diese Mergel ein eisenschüssiger Letten und Sand auf, der eine Menge kleiner abgeriebener Stückchen, oder auch wohl noch kleine unförmliche Nieren von Thoneisenstein enthält; sie liegen als Geschiebe oder als unregelmässige Lager in ihm, und bilden auch zuweilen eine Art von Nester; auch kleine Kügelchen von Bohnerz finden sich darunter. Diese Erze, welche theils in Form kleiner grauer oder gelber Blättchen erscheinen, und dann Blättelerze genannt werden, oder in Form von gewöhnlichem Bohnerz, scheinen aus der Zerstörung derjenigen Eisensteinnieren entstanden, welche in den bituminösen Mergeln des Griphitenkalkes so häufig angetroffen werden. Sie finden sich in geringer Teufe unter Tage, und werden meist durch Abdeckarbeit gewonnen, sie liegen in einem gelben oder grauen Letten, der meist sehr sandig ist, oft selbst zu fast losem Sand wird, und ebenfalls aus der Zerstörung der Mergel des Griphitenkalkes entstanden zu seyn scheint. Hier bei Urweiler ist der Anfang einer sehr reichhaltigen und ergiebigen Erzformation, welche sich den Mergeln des Griphitenkalkes zunächst anschliessen möchte. Die Gegend nämlich, in welcher jene Blättelerze und Bohnerze gefunden werden, erstreckt sich von Lampertsloch über Surburg, hinter Hagenau vorbei, dergestalt, dass dieser Ort ausserhalb dem Bezirke liegt. Hier scheint eine noch jüngere Sandanschwemmung diese Erzformation zu überdekken, und eine lange Zunge in dem Bezirk derselben zu erstrecken, gegen Reichshofen hin bis Griesbach, so weit die grosse Waldung geht. Von hier läuft die ungefähre Grenze über Ohlungen, Mommenheim, und von da längs der Strasse nach Hochfelden.

Innerhalb dieses Bezirks befinden sich eine grosse Anzahl Förderungen, theils von Blättelerzen, theils von Bohnerzen, die sich übrigens in ihrem Vorkommen gar nicht unterscheiden. Namentlich die Letzteren werden gewonnen bei Miezheim, Gundershofen (mit Schwefelkies verunreinigt), Niederaltdorf, Ohlangen, Weidersheim, Wimpfersheim, Schwindrathsheim, Schwoweiler, Noxweiler, Dauendorf, Uhlweiler, Kessendorf, Lampertsloch u. s. w.

Die Menge der Eisenhütten, welche sich hier befinden, lassen auf die Ergiebigkeit dieses Gebirges schliessen. So namentlich werden die von Dietrich'schen Werke nur mit Erzen dieser Formation betrieben. Diese Werke bestehen aus folgenden Etablissements:

Zinzweiler 1 Hochofen, 3 Frischfeuer;
Niederbronn 1 Hochofen, 1 Frischfeuer, 1 Kleinhammer;
Reichshofen 1 Hochofen;
Jägerthal 1 Hochofen, 2 Frischfeuer, 1 Kleinhammer;
Rauschendwasser Walzwerk, Schmiedewerk und Drathzug.

Ausserdem befinden sich noch andere Etablissements in der Nähe, als die Frischfeuer von Bärenthal, die Werke von Mutterhausen, in 2 Hochöfen und mehreren Frischfeuern bestehend, der Hochofen von Schönau u. s. w., welche wenigstens einen Theil ihres Erzbedarfs aus diesen Gegenden beziehen.

Bei Urweiler liegt diese Erzformation unmittelbar auf den Mergeln des Griphitenkalkes. Die Eisenerze erstrecken sich oft bis in die Dammerde hinein, oft sind aber auch die Abdeckarbeiten bis 20 F. tief. Spuren von diesen Erzen, meist in der Form der Blätelerze, liegen auf allen Feldern.

Zwischen Urweiler und Mühlhausen, noch auf der Höhe des Berges, ehe man in das Thal hinabsteigt, sind sehr bedeutende Eisenerzgräbereien. Hier liegen die Erze in einem gelben sandig-thonigen Letten, unten darunter liegen weisse Thonlagen, welche noch einzelne Nester von Blätelerz enthalten. Die Lagerung ist immer sehr unregelmässig, der Gehalt sehr abwechselnd, die gewonnenen Erze werden gleich an Ort und Stelle gewaschen und dann nach den Hütten geführt.

Den Abhang des Berges nach Mühlhausen hinabsteigend, kommen die schwarzen bituminösen Schiefer des Griphitenkalkes wieder in grosser Mächtigkeit zu Tage; sie enthalten sehr viele Thoneisensteinnieren, und es ist sichtlich, wie die Verwitterung dieselben angegriffen hat. Ein grosser Theil von ihnen ist in Gelbeisenstein oder in einen Ocker verwandelt; eine Menge Schalen haben sich dann von diesen Nieren abgetrennt, die zum Theil aus der Gebirgsmasse herausgefallen, jetzt in grosser Anzahl auf denselben zerstreut liegen. Man würde hier leicht und mit wenig Kosten einen Bau auf diesen Nieren eröffnen können, aber dieselben sollen kein gutes Eisen geben, wie alle die Nieren nicht, die sich noch in den Mergeln des Griphitenkalkes selbst befinden.

Zwischen Mühlhausen und Offweiler ist wieder eine Aufdeckarbeit in der Nähe des ersteren Ortes, auch hier werden Blätelerze gewonnen. An dem Abhange des Thales nach Offweiler hinab kommt wieder schieferiger, dunkelschwarzgrauer Kalkmergel mit Thon und Gelbeisensteinnieren vor.

Von Offweiler nach Zinsweiler führt der Weg grösstentheils ein flaches Wiesenthal hinauf, in dem

kein Wasser fliesst. Dieses Thal befindet sich genau
auf der Scheidungslinie des rothen Sandsteins, der
auf der einen Seite steil emporsteigt, und das jüngere
Flötzgebirge hoch überragt; auf der andern Seite lagern sich die Griphitenmergel mit Eisensteinnieren
auf dem Griphitenkalk, welcher schöne Griphiten,
die Mergel hingegen Belemniten enthalten. Zinsweiler liegt unmittelbar am Fusse des rothen Sandsteins,
und der Griphitenkalk ist hier von demselben nur
durch jenes kaum 100 Schritt breite Thal getrennt;
von bunten Mergeln, von rauchgrauem Kalkstein zeigt
sich keine Spur; an keinem anderen Punkte erscheint
der Griphitenkalk in solcher Nähe des rothen Sandsteins.

Rechts, auf dem Wege von Zinsweiler nach Gumbrechtshofen, liegt eine bedeutende Abdeckarbeit auf
Blätterz. Die erzhaltigen Lehmlagen haben eine
Mächtigkeit von wohl 24 F., darin liegen kleine Bruchstücke von Thoneisensteinnieren, etwa 4 F. unter der
Dammerde. Es ist ein sandiger Letten, in dem die
Erze liegen, mit unregelmässigen Schichten von losem
rothen Sande wechselnd, der weiter nichts als aufgelöster rother Sandstein der rothen Sandsteinformation
zu seyn scheint. Unter den erzhaltigen Schichten finden sich noch Thon- und Sandlagen, welche bis jetzt
noch nicht durchsunken worden sind, doch ist Griphitenkalk höchst wahrscheinlich mit seinen Mergeln
hier, so wie überall, das Liegende dieser Bildungen.

Auf dem Wege von Zinsweiler über Oberbronn
nach Niederbronn tritt bald der rauchgraue Kalkstein
auf, ohne dass sich Spuren von bunten Mergeln zeigten, derselbe zieht sich ebenfalls ganz nahe an das
hoch über ihm emporragende rothe Sandsteingebirge
heran.

Von Niederbronn bis über Reichshofen hinaus ist
rauchgrauer Kalkstein, auf den sich alsdann Griphitenkalk aufzulagern scheint. In dem Dorfe Miezheim
und hinter demselben befindet sich eine Förderung
von Bohnerz. Die Schächte sind bis auf das Bohn-
erzlager 80 F. tief durch das Lettengebirge abgesun-
ken, die Erze liegen in gelben Letten, und bestehen
aus kleinen Kügelchen von der Grösse einer Erbse,

die gleich an Ort und Stelle aus dem Letten heraus-
gewaschen werden; einige dieser Nieren sind grösser
und im Innern mit einem braunrothen Thon ausgefüllt. Auch in einem weissen, anscheinend sehr kalkhaltigen Thon oder Mergel kommen hier Bohnerze
vor; dieselben lassen sich aber nicht gut herauswa-
schen, sollen auch von schlechter Qualität seyn, und
werden daher nicht benutzt. Ueber die näheren Lagerungsverhältnisse dieser Bohnerze liessen sich an Ort
und Stelle keine genauere Erkundigungen einziehen,
sie scheinen aber auch der Blättel- und Bohnerzformation. anzugehören, von der bisher die Rede war.

Dieser Erzförderungen erwähnt bereits von Dietrich an dem später anzuführenden Orte; sie sollen
nach demselben schon 180 Jahre im Betriebe seyn,
und um zu dem Erze zu gelangen, müssen nach seiner Angabe folgende Schichten durchsunken werden:

Damm- und Thonerde. . . . . . . 18 F.
Grünlicher Thon . . . . 30 —
Kalkstein. . . . . 2 —
Blauer schieferiger Thon mit Erzspuren . 5 —
Gelber ähnlicher Thon mit Erz. . . . 5 —

Die Sohle bildet ein weisser Thon, unter welchem ein wilder Kalkstein kommt. Die Erzlage erstreckt sich von Norden nach Süden ohne Unterbre-
chung, mehr als 600 Toisen weit.

Von Miezheim zurück nach Gundershofen finden
sich bei der Griesbacher Mühle ansehnliche Kalkstein-
brüche. Die Schichten scheinen im Hangenden von
demjenigen Kalkstein befindlich, der zwischen hier
und Reichshofen in so vielen Steinbrüchen ansteht,
und wohl rauchgrauer Kalkstein seyn dürfte. Hier
bei der Griesbacher Mühle ist ein bläulich-grauer
dichter Kalkstein in Bänken von 4 — 5 Fuss Mächtigkeit geschichtet, darüber liegt ein gelblicher, schmu-
ziger, sehr sandiger Kalkstein, der wohl zuweilen in
eine Art von Sandstein übergehen möchte. Er enthält Belemniten und Buccarditen. Die Schichten fallen schwach gegen Süden. Der in Rede stehende
Kalkstein ist weder ein charakteristischer rauchgrauer,
noch ein charakteristischer Griphitenkalk, auch scheinen keine Griphiten in demselben vorzukommen, Buc-

carditen, Belemniten und andere Muscheln hingegen, welche sich in dem rauchgrauen Kalkstein in der Regel nicht finden, sind hier nicht selten, und deswegen wird dieser Kalkstein wohl dem Griphitenkalk beizuzählen seyn, der in der Gegend von Gundershofen so charakteristisch auftritt; genauere Untersuchungen müssen indessen hierüber mehr Gewissheit geben.

Von hier aus gegen Schirlenhof liegen auf der Fläche des Berges noch viele ähnliche Kalkbrüche, überall geht hier der Kalkstein wenig oder gar nicht bedeckt an dem sanften Abhang zu Tage. Etwa eine gute Viertelstunde von der Griesbacher Mühle gelangt man alsdann zu einer Eisenerzförderung, und dicht daneben wird Gips gegraben. Die Schächte, sowohl auf der Gips- als Eisenerzförderung, sind gegen 70 F. tief, schon früher ist der Kalkstein unter einer Lehmbedeckung auf der Höhe des Bergplateaus verschwunden, überall auf den Feldern liegen kleine Körner von Bohnerz. Der Gips und Eisenstein kommen eigentlich gemeinschaftlich vor, Kalkstein hat sich nie über dem Gips und Eisenstein gefunden, aber auch das Liegende ist unbekannt, und nur zu vermuthen, dass es der vorhin erwähnte Kalkstein seyn werde.

In dem 70 F. tiefen Eisenerzschachte sollen, nach Aussage der Arbeiter, folgende Schichten durchsunken worden seyn:

1) Gelber Letten und Thon, brauner Thon, die Schichten zum Theil mit Sand gemengt und von ansehnlicher Mächtigkeit.

2) Gips, 10 F. mächtig; der Gips kommt in kugelartigen Massen vor, die in rothem, grünem und weissem, meist sehr fettigem Thon liegen; der Gips ist theils weiss und dicht, theils faserig und sehr späthig.

3) Braunkohle, 2 — 3 F. mächtig, eine wahre dichte Braunkohle, der von Buxweiler ähnlich, sehr vitriolisch und effloreszirend, sie scheint aber mehr nester- als flötzweise vorzukommen; früher wurde diese Braunkohle bebaut und ziemlich weit verfolgt, sie wurde zur Vitriolölerzeugung benutzt.

4) Sehr lichter gelblich-weisser, sehr thoniger Mergel, mit etwas Bohnerz, welches aber nicht benutzt wird. Oft liegt auch unmittelbar über dem Eisenerz ein fetter grüner und rother Thon, der erzarm ist.

5) Eisensteinflötz mit Bohnerz-in Letten, 3 — 5 F. mächtig.

6) Weisser Thon.

7) Gips, 10 F. mächtig, ganz dem oberen ähnlich, in grossen knolligen Massen.

8) Weisser Thon.

Dies ist die Schichtenfolge in diesem Schachte nach Angabe der Arbeiter. Das ganze Gebirge scheint hier muldenförmig dem Kalkstein aufgelagert, von dem vorhin die Rede war, und namentlich scheint dasselbe nach Griesbach hin stark einzusinken, wohin auch über Tage das Gebirge eine Mulde bildet. Denn ganz in der Nähe nach dieser Richtung befindet sich ein Schacht, dessen Hängebank viel tiefer liegt, und demungeachtet erst mit 125 F. Teufe das Eisenerz getroffen haben soll. Nach v. Dietrich wurde hier mit einem 74 F. tiefen Schachte nachfolgende Schichtenfolge durchsunken:

Thonerde	12 F.
Blauer Thon	50 —
Gips mit Erz gemischt.	2 —
Blauer vitriolischer Thon	2 —
Gelber Thon, mit dem Eisenerz in braun-rothen Körnern.	5 —

Der blaue vitriolische Thon scheint in dieser Gegend einigermassen verbreitet, denn in Gundershofen soll früher Vitriol bereitet worden seyn, auch findet sich in dem Orte selbst eine grünlich-graue sandige Schicht mit vielem Schwefelkies, und darunter eine Schicht von vitriolischem Schiefer.

Die unmittelbar bei der Eisenerzgrube befindliche Gipsgrube fördert den im Hangenden der Erze befindlichen Gips aus einem 30 F. tiefen Schachte. Dieser Gips ist schön gelblich-weiss, durchscheinend, dicht, er bildet grosse nierenförmige Kugeln, in grünem und rothem Thon liegend, mit ihm kommt sehr viel schöner, seidenartig glänzender Fasergips vor.

Der Gips scheint sich nach der Angabe der Arbeiter wirklich in dem Hangenden und Liegenden der Eisenerze zu finden. Es ist eine Gipsbildung, die mit keiner der bisher beschriebenen Gipsformationen verwechselt werden darf. Es kommen in der Nähe der Bohnerze und Blättelerze mehrere kleine Massen von Gips, einzelne Nieren oder Selenitkrystalle vor, nie aber in so grosser Menge, wie an diesem Punkte, auch werden im Allgemeinen solche Erze vermieden, in deren Nähe Gips sich einfindet; deswegen ist diese Gipsbildung zu wenig bekannt, und erscheint daher hier fast als eine nur lokale Bildung in dieser Gegend; es möchte daher gewagt seyn, vor der Hand dieselbe entweder einer schon bekannten Gipsformation beizuordnen, oder als eigene Formation zu betrachten. Der rothe und grüne Thon endlich, in denen dieser Gips vorkommt, lässt sich den bunten Mergeln auf keine Weise parallel stellen, letztere sind immer mager, dieser dagegen ist fettig und plastisch. Gleichzeitig mit dem Gips und Bohnerz kommt auch in dieser Grube ein rother Thonsteinjaspis in Nieren vor, ähnlich demjenigen, welcher auf ähnliche Art bei Candern in einer Eisenerzförderung im Jurakalkstein gefunden wird.

Auf dem Wege von dieser Gips- und Eisenerzgrube nach Schürlehof kommt ein gelblich-grauer thoniger Sandstein vor, schieferig, mit einigen Muscheln, nicht unähnlich den sandigen Kalksteinen, von denen vorhin die Rede war. Dieses Gestein zeigt sich besonders bei Schürlehof an einem Bergabhange, auch zwischen Schürlehof nach Eberbach.

Nordwestlich von Eberbach, in einem Walde, etwa 10 Minuten von Schürlehof, sind sehr bedeutende, weit ausgedehnte, aber nicht tiefe Steinbrüche im charakteristischem Griphitenkalk, der hier mit einem dunkelbläulich-grauen Schieferthon wechselt; die Schichten sind schwach h. 10 Süd geneigt. Es finden sich hier sehr viel Griphiten, Plagiostomen, Ammoniten, Nautiliten, Enkriniten.

Zwischen Schürlehof und Reichshofen scheint grösstentheils noch Griphitenkalk befindlich, so wie in der Gegend von Gundershofen, welche durch die

Menge ihrer Versteinerungen berühmt ist. Auch liegt hier zwischen Schürlehof und Reichshofen eine kleine Basaltmasse, man kann aber in ihrer Nähe kein anderes anstehendes Gestein beobachten, da sie nur in einem kleinen Steinbruch entblöst ist.

Die Blättelerz- und Bohnerzbildung, so wie sie sich in den eben beschriebenen Gegenden findet, erscheint nur lokal, wenigstens an anderen Punkten der zu beschreibenden Gegenden findet sich nichts Aehnliches. Hier sowohl wie überall, wo die Schiefer des Griphitenkalkes vorkommen, ist der Reichthum an Eisennieren sehr gross. Dass die Blättelerze und Bohnerze durch die Zerstörung solcher Eisennieren entstanden sind, wird durch ihre chemische Natur sehr wahrscheinlich. Die Bohnerze sind immer thoniger Gelbeisenstein, die Blättelerze hingegen haben eine bald mehr graue, bald mehr gelbliche Farbe, es sind mehr oder weniger oxydirte Spharosiderite, gerade so, wie man es noch bei den der Verwitterung ausgesetzten Thoneisensteinnieren sieht, die im Innern in Gelbeisenstein verwandelt werden, während sich Schalen ablösen, auf welche die Verwitterung weniger einwirkt.

Die Nachrichten, welche v. Dietrich *) über den sehr wichtigen Eisensteinbergbau der eben beschriebenen Gegenden mittheilt, sind in der Kürze folgende:

Nach demselben ist diese Erzbildung auf einen Raum beschränkt, welcher gegen Süden durch eine Linie von Hagenau über Weittbruch nach Hochfelden, gegen Westen durch eine Linie von Hochfelden nach Buxweiler und Rothbach, gegen Norden durch die Vogesen, welche hinter Oberbronn, Niederbronn, Sulzbach und Lampertsloch vorbeigehen, und gegen Osten durch die Strasse von Sulz nach Hagenau begrenzt wird. Innerhalb dieses Bezirks befinden sich eine ausserordentliche Menge von Förderungen, deren jährliche Production auf etwa 260000 Zentner Erz angeschlagen werden kann. Die

---

*) DE DIETRICH, Description des gites de minérai de la Haute- et Basse-Alsace. Quatrième partie, p. 275 — 300.

Die Erze liegen zerstreut in einer thonigen Erde, und werden durch Aufdeckarbeit gewonnen. Die bedeutendsten der damals (1789) in Betrieb befindlichen Förderungen waren folgende:

Bei Weitbruch; hier muss 5 F. hoch sandiger Lehm abgedeckt werden, und dann findet sich eine 3 F. mächtige Lehmschicht mit Erzen von ebenfalls gelber Farbe, welche ein etwas kaltbrüichiges Eisen geben.

Bei Schwindratzheim, unweit Hochfelden, wird 3 — 5 F. hoch abgedeckt, dann findet sich eine roth und weiss gefärbte Thonschicht, in der roth gefärbte, unbestimmt geformte Eisenerze liegen; die vorige Erzschicht dehnte sich von Norden nach Süden aus, diese hingegen von Osten nach Westen, in einer Breite von 40 F. Die Erze geben ein weiches Eisen.

Bei Minversheim, in einem rothen Thon, findet sich ein mächtiges Erzlager, allein wegen der zu kostbaren Aufdeckarbeit wurde die Arbeit eingestellt.

Bei Weitersheim, unter einer 9 F. mächtigen grauen Thonbank, findet sich 3 F. gelber Thon, und in demselben ein unbestimmt geformtes braunes, sehr gutes Eisenerz.

In der Umgegend von Hagenau werden die Eisenerze für das Hüttenwerk zu Moderhausen an mehreren Punkten gewonnen. Ansehnliche Erzförderungen liegen bei Keffendorf, Ohlungen, bei der Abtei Neuburg, bei Uhlweiler, bei Dauendorf, Bitschoffen, Urweiler. An letzterem Orte werden zwei Erzschichten unter einander abgebaut. Die obere ist 4 F. mächtig, und findet sich in einer Tiefe von $13\frac{1}{2}$ F. Noch 6 Fuss tiefer ist die zweite 5 F. mächtige Erzschicht. Das Erz, namentlich in dieser letzteren Schicht, hat die Form kleiner Scheiben, selten von der Grösse eines Thalers; es gehört zu derjenigen Abänderung der Erze, welche namentlich Blättelerz genannt werden.

Andere Erzförderungen liegen bei Mühlhausen, Engweiler, Mietesheim, Hochrein, Gumbrechtshofen, bei Zinsweiler, wo Blättelerze gewonnen werden, mit denen gleichzeitig viele Quarzgeschiebe vorkommen, ferner bei Gundershofen, deren Vorkommen früher

II.

[14]

näher beschrieben worden ist, bei Griesbach, Elsass-
hausen, Nehweiler, Kutzenhausen und an noch vielen
anderen Punkten.

In dem Rheinthale, auf dem rechten Rheinufer,
ist der Griphitenkalk selten, und erscheint nur an
wenigen Punkten. So ist unter andern auf dem Wege
von Freyburg nach dem Kaiserstuhl, in dem Dorfe
Lehn, recht ausgezeichneter Griphitenkalk in einem Steinbruche entblösst; es sind dünne Lagen von
dichtem bläulich-grauen Kalkstein, die mit dunkeln
bituminösen Mergellagern abwechseln. Griphiten, Belemniten, Terebrateln finden sich in grosser Menge
in diesem Steinbruch. Indessen ist hier der Griphitenkalk nicht weit verbreitet, und verliert sich bald
unter aufgeschwemmtem Gebirge oder unter oolithischem Jurakalk. Eine noch besonders interessante
Erscheinung in diesem Steinbruche ist ein ausnehmend
deutlicher Basaltgang, welcher die fast horizontalen
Schichten fast seiger durchsetzt.

Ausserdem ist in dem Rheinthale der Griphitenkalk noch bekannt zwischen Kandern und Badenweiler, bei Feldberg und Lipburg, wo er nur ganz schmal
zu Tage ausgeht, unter ihm liegen bunte Mergel, Gips,
rauchgrauer Kalkstein, und bald in der Nähe der Rui-
nen tritt der rothe Sandstein auf, aber alle die jüngeren Flötzgebirgsschichten werden beinahe ganz von
dem Jurakalkstein überdeckt.

Auch in Candern selbst geht zwar der Griphitenkalk nicht recht deutlich zu Tage, aber er ist doch
in dem Bohrloche, in einer Teufe von 100 F., auf
bunten Mergeln ruhend, durchsunken worden, hier
ist derselbe, so wie alle andere Gebirgsschichten, unter einem Winkel von beinahe 60 Grad geneigt, eine
ausnehmend seltene Erscheinung bei dem Griphitenkalk.

In den Gegenden von Basel kommen der Griphitenkalk und seine Mergel ebenfalls häufig als unmittelbare Basis des oolithischen Jurakalkes vor. Nach
den Beobachtungen von Herrn Merian[*] besteht hier

---

[*] Merian, Beiträge zur Geognosie, B. I, p. 41 — 42.

dieses Gestein aus einem grauen mergeligen Kalkstein von unebenem Bruch, nicht selten auch von körnigem Gefüge, durch die Verwitterung graulich-gelb werdend. Oft wird dieser Kalkstein thonig, nimmt eine schieferige Beschaffenheit an, wo dann in der Masse silberweisse Glimmerblättchen zerstreut liegen, und geht endlich in wahren Letten über. Der Letten enthält gemeiniglich härtere mergelartige Parthien, welche an der Luft zerfallen. An einigen Orten zeigt dieser dunkelgraue Mergel kugelige konzentrischschalige Absonderungen (Rothenfluch); bei Rösern erscheint er als feinblätteriger Schieferthon.

Oft liegt Wasserkies in ihm (Böktemer Fluh; Arisdorf). Eine ausgezeichnete, diese Gesteine aber beinahe beständig begleitende Einlagerung ist rogensteinförmiger Eisenstein Seine Grundmasse ist dicht, mergelartig, zuweilen grau, meist des starken Eisengehaltes wegen braunroth. In derselben liegen, mehr oder minder häufig zerstreut, kleine runde, schalig abgesonderte Körner gelben Thoneisensteins von Hirsekorngrösse. Dieses Eisenerz bildet wenig mächtige, unregelmässige kleine Lager in den mergeligen Steinarten (Arisdorf, Rothenfluh, Laufen, Münchensteiner Brücke u. s. w.), und ist vielleicht dem körnigen Thoneisenstein analog, der sich an dem Fusse der schwäbischen Alp in der später zu beschreibenden Eisensandsteinformation findet.

Versteinerungen sind in der Regel häufig, obgleich grosse Lager ganz davon entblösst scheinen, es zeigen sich ausser den eigentlichen Griphiten, welche vorzüglich in dem Kalkstein nur vorkommen, Belemniten, Ammoniten, glatte und gestreifte Terebrateln, Ostraciten, Muskuliten, Chamiten u. s. w.

In dem Rheinthale, oberhalb Basel, erscheint der Griphitenkalk nur vielleicht unterhalb Kaiserstuhl, und auch hier nicht charakteristisch. Man sieht bei Rekkingen, unten am Bache, in fast horizontalen Bänken einen blätterigen bläulich-grauen Mergel ziemlich dickschieferig zum Vorschein kommen; darüber liegt, hoch am Berge, in ansehnlichen senkrechten Felsenmassen ein lichtgelblich-grauer, fast weisser, dichter Kalkstein von flachmuscheligem, splitterigem Bruch. Die

Schichten fallen flach gegen Ost, und bei Rümekon zeigt sich dieselbe Felswand, die bei Reckingen noch hoch am Berge war, in der Sohle des Thales. Es ist dichter Jurakalkstein, der hier auf jenen grauen schieferigen Mergeln liegt, die vielleicht dem Griphitenkalk angehören ˙mögen, doch liessen sich keine Versteinerungen in demselben finden, die den eigentlichen Mergeln des Griphitenkalkes selten, und man könnte sagen, fast nie fehlen.

Desto charakteristischer dagegen tritt der Griphitenkalk mit seinen Mergeln bei Beggingen, nordwestlich Schaffhausen auf. So wie hier die Kette des Jurakalksteins, die hohe Reith oder der hohe Randen genannt, überstiegen ist, noch vor dem Dorfe Beggingen, treten unter dem Jurakalkstein zuerst die bituminösen Schiefer des Griphitenkalkes in ungemein mächtigen Bänken hervor, 10 — 15 Grad Süd gegen den Gebirgszug der Reith einfallend. Die Mächtigkeit dieser Mergel beträgt gewiss 100 — 150 F., und Eisensteinnieren und Belemniten liegen in unzähliger Menge darin. Auf einem Schieferstücke glaubten wir einen Theil eines Fischabdruckes, namentlich deutliche Schuppen erkennen zu können, aber das Bruchstück war doch zu klein, um Gewissheit zu geben. Die obersten Schichten bestehen nur aus fast ganz schwarzem schieferigen Mergel, nach und nach finden sich einzelne Bänke von einem dunkelgrauen plattenförmigen Mergelkalkstein ein, hier und da schon mit Griphiten, und ganz zu unterst werden die Kalksteine immer mächtiger, zuletzt herrschend, und so steht -endlich unten in dem Dorfe ganz charakteristischer Griphitenkalk an, mit zahllosen Griphiten, Ammoniten, Buccarditen u. s. w., die sich oben in den Mergeln gar nicht und in den eingelagerten Kalksteinen doch nur selten fanden, dahingegen werden nun die Belemniten wiederum sehr selten. Unter dem Griphitenkalk geht endlich der weisse Quarzsandstein der oberen bunten Mergelformation zu Tage. Der Griphitenkalk und seine Mergel sind mehr oder weniger bituminös, der Griphitenkalk anscheinend mehr wie die Mergel, doch mögen die Letzteren mehr kohlige Beimengungen enthalten.

Der Griphitenkalk und seine Mergel ziehen nun ohne Unterbrechung längs dem Fusse der schwäbischen Alp fort; so finden sie sich unter andern auf der Höhe bei Dürrheim nach Hohenemmingen zu, wo ihr Vorkommen, welches weiter. nichts Merkwürdiges darbietet, bereits an einem anderen Orte beschrieben worden ist.

Recht charakterisch und in grosser Menge erscheint der Griphitenkalk mit seinen Mergeln in der Umgegend von Bahlingen, besonders aber in den Gegenden von Hechingen.

Hier zeigt er sich zuerst in dem Thale der Starzel, bei dem Dorfe Stein, ausgezeichnet schön, in fast horizontalen Bänken den bunten Mergeln aufliegend. Alle Schichten sind mit grossen Ammoniten und Griphiten wie übersäet, namentlich die Letzteren stehen wie Höcker mit ihrer schön erhaltenen braunen Schale aus den Schichten hervor, die Ammoniten aber liegen alle flach.

Herr Professor Storr *) erwähnt auch des Vorkommens von Gagat und versteinerten Holzes in dem Kalkschiefer dieser Gegend, ferner der Menge von Versteinerungen und der Eisensteinnieren, welche sich in dem Thale der Starzel finden, und ohne Zweifel dem Griphitenkalk und seinen Mergeln angehörig sind.

Die Mächtigkeit des Griphitenkalkes und seiner Mergel ergiebt sich etwa aus folgenden Angaben:

Der Spiegel der Starzel bei Hechingen, welcher zugleich etwa das Liegende des Griphitenkalkes bezeichnet, liegt in einer Höhe von . . . . 1552 F.

Der Schlossplatz von Hechingen, der etwa im Hangenden des eigentlichen Griphitenkalkes liegt . . . . 1641 —

und das Niveau, welches die bituminösen Mergel des Griphitenkalkes an dem Hohenzollern bei Hechingen erreichen, ist. 2170 —

Mithin beträgt:

---

*) Storr, Alpenreise vom Jahre 1781, Th. I, p. 7.

1) die Mächtigkeit der ganzen Formation. 618 F.
2) die Mächtigkeit des eigentlichen Griphitenkalkes etwa . . . . 89 —
3) die Mächtigkeit der bituminösen Schiefer desselben . . . . 529 —

Die Mächtigkeit, welche an diesem Punkte gewiss nicht zu gross angegeben worden, ist an andern,
z. B. in der Gegend von Boll, Geisslingen, Urach u.
s. w., vielleicht noch etwas beträchtlicher, und auf
jeden Fall um sehr vieles ansehnlicher, wie in Lothringen und in den Gegenden von Basel.

In dem Thale der Starzel sind die Schichten des
Griphitenkalkes in ansehnlicher Ausdehnung entblösst,
sie fallen schwach gegen Nordost. Aus dem Thale
der Starzel bis auf den Schlossplatz in Hechingen sind
an dem Abhange des Berges beständig Schichten des
Griphitenkalkes, und schwache Mergelschichten dazwischen, sichtbar. Hechingen selbst liegt auf einer
kleinen Ebene, und diese scheint etwa das Niveau
des eigentlichen Griphitenkalkes zu bezeichnen. Diese
Ebene, nur wenig ansteigend, zieht sich bis an den
Fuss des Hohenzollern, hier, so wie sich der Fuss
des Berges mit ziemlicher Steilheit erhebt, sind fortwährend nur bituminöse dunkle Mergel des Griphitenkalkes anstehend, die sich hoch den Berg hinauf
ziehen. Häufig liegen Eisensteinnieren in denselben
und auch Belemniten. Höher hinauf scheinen diese
Schiefer etwas von ihrer dunkeln Farbe zu verlieren
und sandig zu werden, doch nur unvollkommen.
Dann aber, über denselben und auf der Grenze zwischen ihnen und Jurakalk, liegt ein eigenthümlicher
rogensteinartiger Thoneisenstein. Die Grundmasse ist
dicht, thonig, gelblich-grau; darin liegen häufig kleine
schalige Körner von thonigem Braun- oder Gelbeisenstein mehr oder weniger häufig, etwa von der Grösse
einer Erbse, und so, dass sie sich noch nicht berühren. Diese Schichten erreichen keine grosse Mächtigkeit an dem Hohenzollern, und ihre Lagerungsverhältnisse lassen sich hier nicht genau beobachten.
Aber nach den Beobachtungen mehrerer schwäbischen
Geognosten sollen analoge Schichten sich überall auf
der Grenze zwischen den bituminösen Mergeln des

Griphitenkalkes und dem Jurakalkstein der Alp finden, und dem Eisensandstein analog seyn, der unter
andern bei Aalen und Wasseralfingen so reiche Thon-
eisensteinflötze einschliesst.

Ueber alle jene Schichten endlich erhebt sich die
letzte Spitze des Hohenzollern, das ohnehin schon
steile Ansteigen noch mehr verstärkend, zu einer Höhe
von 2698 F. Sie besteht aus ganz weissem dichten
Jurakalk, mit vielen Ammoniten, Belemniten und Terebrateln.

Von Hechingen bis Ofterdingen ist wieder nur
die Griphitenkalkformation anstehend, dann in dem
Neckarthale treten unter ihr die bunten Mergel hervor. Aber zwischen Tübingen und Stuttgart zeigt sie
sich wieder auf der Höhe fast aller Berge, hier ebenfalls wieder grosse zusammenhängende Plateaus bildend. Es ist hier mehr der eigentliche Griphitenkalk,
welcher vorkömmt, ungemein reich an Versteinerungen; die bituminösen Mergel sind nur in geringer
Mächtigkeit hier vorhanden.

In der Formation des Griphitenkalkes kommt
auch bei Stuttgart, unweit Degerloch, und an einigen
anderen Punkten, als bei Tübingen und Wasseralfingen, die eigenthümliche Bildung vor, welche unter
dem Namen Nagelkalk oder Tutenmergel so bekannt
geworden ist*). Dieser Nagelkalk findet sich in einem
kleinen Steinbruche, und bildet eine noch nicht 2
Zoll mächtige Schicht in dem Griphitenkalk, oder ist
vielmehr Griphitenkalk von jener eigenthümlichen krystallinischen Struktur, die ihm den Namen gegeben
hat. Es ist ganz dieselbe Bildung, welche bei Hildes-
heim unter dem Namen Tutenmergel bekannt ist, nur
dass hier keine auseinander zu nehmende Tuten, sondern konische Massen oder Stengel gebildet sind, die
von strahliger Struktur mit ihren Spitzen auf einer
festen Masse aufsitzen, welche dieselben zugleich umgiebt; oben auf der Schicht befinden sich kleine ring-
förmige Zeichnungen, welche die Grundflächen solcher Kegel darstellen, die sich mit dem Hammer aus

---

*) Mineralogische Beiträge von H. v. S., p. 34.

den umgebenden festen Massen leicht heraustrennen lassen. In natürlicher Lagerung sind die Spitzen dieser Kegel stets nach unten gekehrt. Das spezifische Gewicht des reinen Griphitenkalkes beträgt nach Herrn Schübler *) 2,671 — 2,675, das des Nagelkalkes 2,672; beim Auflösen in Säuren lässt er nur etwa 5 Prozent thonige Theile zurück. In dem genannten Steinbruche, wo der Nagelkalk wenigstens vor mehreren Jahren in grosser Schönheit vorkam, fanden sich auch gleichzeitig eine grosse Menge von Versteinerungen.

Der Griphitenkalk und seine Mergel sind ungemein reich an mannigfaltigen und charakteristischen Versteinerungen, überall, wo sich diese Formation zeigt, ist ihr Reichthum sehr gross. Eine der charakteristischen Versteinerungen des eigentlichen Griphitenkalkes, welche sich in zahlloser Menge findet, und welche auch dieser Formation den Namen gegeben hat, ist der gewöhnliche Griphit, griphaea arcuata (Lamark), griphaea incurva (Sawerby), griphaea cymbium (von Schlotheim). Die eigentliche griphaea cymbium soll indessen von der griphaea arcuata etwas verschieden seyn, wenn gleich sehr ihr ähnelnd. Dieser Griphit findet sich immer mit seiner meist noch sehr gut erhaltenen braunen Schale, jedoch meist ohne Deckel; er zeigt sich nur in dem eigentlichen Kalkstein, nicht aber in den bituminösen Schiefern des Griphitenkalkes.

Ausser diesem Griphit kommt noch ein anderer gleichzeitig und ganz auf ähnliche Art vor, der immer etwas kleiner und an seiner Mündung etwas breiter zu seyn pflegt, wie die griphaea arcuata, und entweder eine Spielart von dieser oder eine eigenthümliche Art seyn möchte.

Eine andere Muschel, welche namentlich auch für den eigentlichen Griphitenkalk ganz charakteristisch ist, und die sich nur in ihm, meist mit gut erhaltener Schale und in ziemlicher Menge findet, ist die Plagio-

*) Leonhard, Charakteristik der Felsarten, II. Abth., pag. 356 u. 365.

stoma gigantea (Lamark) oder Chamites laevis giganteus (Schlotheim). Sie erreicht oft eine Grösse
von mehr als 6 Zoll, und ist eine dem eigentlichen
Griphitenkalk ganz besonders charakteristische Versteinerung, die sich wenigstens in Lothringen und
Schwaben, nie in anderen Formationen, und auch
nicht in den bituminösen Mergeln findet.

Gemeinschaftlich mit ihr kommt noch eine andere Art, Plagiostoma semilunaris (Lamark), vor;
dieselbe ist etwas kleiner, nicht so breit, verhältnissmässig aber etwas mehr gewölbt.

Eine eigenthümliche Art grosser Nautiliten findet
sich auch meist gemeinschaftlich mit den Plagiostomen,
doch weniger häufig; sie sind aber ebenfalls dem Griphitenkalk ganz charakteristisch, und von den Nautiliten des rauchgrauen Kalksteins sehr verschieden.

Der Ammonites 'amaltheus (Schlotheim) findet sich sehr ausgezeichnet, theils verkiest, theils in
einen grauen Kalkspath verwandelt, und oft mit schön
erhaltener Schale, besonders in den Thoneisensteinnieren der bituminösen Mergel bei Xocourt, und
noch an vielen anderen Punkten; er scheint vorzüglich diesen Thoneisensteinnieren und den bituminösen
Mergeln anzugehören, und findet sich in dem eigentlichen Griphitenkalke selten oder gar nicht.

Dagegen kommen andere, zum Theil sehr grosse
Ammoniten sehr häufig in dem Griphitenkalk vor,
und finden sich an sehr vielen Punkten. Sie möchten
vielleicht dem Ammonites planulatus vulgaris, Ammonites annulatus, Ammonites natrix und arietis (Schlotheim) angehören; bisweilen ist noch ein Theil der
Schale sichtbar, und immer liegen sie flach auf den
Schichten des Kalksteins oder der Mergel, oft eine
sehr ansehnliche Grösse erreichend.

In den Mergeln und den Eisensteinnieren von
Xocourt finden sich sehr viele Muscheln, als
Mytuliten, Carditen, Ostraciten, Ammonites costatus,
Trigoniten, Belemniten, Turbiniten, Patellen. Besonders reich auch ist die Gegend von Gundershofen,
wo sich Belemniten, Mytuliten, Trigonia costata und
navis, Venuliten u. s. w. in Menge finden.

Sehr selten finden sich in dem Griphitenkalk, unter andern auf dem Telegraphenberge bei Vic, Celliporen, Astroiten, ferner kommen in demselben vor Cycloliten, Mya, Pinna, mehrere Arten von Terebrateln und Stücke von Enkriniten; letztere finden sich zwar an mehreren Punkten, aber doch im Ganzen nicht sehr häufig, dagegen kommen namentlich in den bituminösen Mergeln mehrere Arten von Pentakryniten vor, und ganz besonders schön in der Gegend des Bades Boll*).

Die Belemniten, sowohl der gewöhnliche Belemnites paxillosus, als auch einige andere Arten finden sich in Menge in den bituminösen Schiefern des Griphitenkalkes; ersterer zumal ist diesen Mergeln ganz charakteristisch, in dem eigentlichen Griphitenkalke sind die Belemniten dagegen ausnehmend selten.

In dem eigentlichen Griphitenkalk findet man ungemein häufig, in Lothringen und in Schwaben, oft ziemlich grosse Stücke von verkohltem, zum Theil mit Kalksinter durchdrungenem Holze; man kann dieses Vorkommen ebenfalls als charakteristisch für den Griphitenkalk ansehen.

Aehnliche verkohlte Holzstücke finden sich in den bituminösen Schiefern des Griphitenkalkes nicht; dagegen kommen namentlich bei Boll, bei Nürtingen und an mehreren anderen Orten zwei eigenthümliche Arten von Algaciten in denselben vor. Die eine, Algacites granulatus, ist bei Schlotheim, Nachträge, 1. Abtheilung, Tab. V, Fig. 1, abgebildet. Diese Algaciten erfüllen ganze Schichten; sie sind in eine Mergelmasse verwandelt, die sich durch ihre lichte Farbe von der umgebenden wohl unterscheidet.

In den Blättelerzbildungen der Gegend zwischen Buxweiler und Zinsweiler finden sich Knochenfragmente, Pferdezähne und Reste von denjenigen Versteinerungen, welche bei Gundershofen u. s. w. in den Mergeln des Griphitenkalkes vorkommen.

---

*) Caput medusae atque novum Diluvii universalis monumentum in Agro Würtembergico etc. ab EBERHARDO FRIDERICO HIEMERO. 1724.

Herr v. Schlotheim führt folgende Versteinerungen in seiner Petrefaktenkunde namentlich aus diesen Gegenden auf, welche der Griphitenkalkformation
angehörig seyn dürften:

Belemnites giganteus, p. 45, Würtemberg.
— — paxillosus, p. 46, Gundershofen, Würtemberg.
— — lanceolatus, p. 49, Lothringen, wahrscheinlich
den Thoneisensteinbildungen angehörig.
— — penicillatus, p. 50, Gundershofen.
— — polyforatus, p. 50, desgl.
Ammonites ammonius, p. 63, desgl.
— — serpentinus, p. 64, desgl.
Tellinites gnidius, p. 186, desgl.
— — laevigatus, p. 187, desgl.
— — lucinius, p. 188, desgl.
Donacites trigonius, p. 192, desgl.
— — costatus, p. 193, desgl.
Venulites crenatus, p. 195, desgl.
— — arcarius, p. 195, desgl.
— — proavius, p. 196, desgl.
— — trigonellaris, p. 198, desgl.
Chamites laevis, p. 214, desgl.
Griphites cymbium, p. 289, Tübingen, in einer
Sandsteinschicht.

Memminger *) führt folgende Versteinerungen
aus dem Griphitenkalk an; sie sind nach den von
Schlotheim'schen Benennungen grösstentheils durch
Herrn Professor Schübler bestimmt worden:

Abdrücke von Fischen; sie finden sich zuweilen
in dem bituminösen Mergelschiefer von Boll, Ohmden und Zell, unweit Boll.

Ein krokodillartiges Thier ist vor mehreren Jahren bei Boll in dem bituminösen Mergelschiefer die-

_____

*) MEMMINGER, Beschreibung von Würtemberg, 2. Aufl.,
p. 198 — 202.

ser Gegend gefunden, und wird gegenwärtig in Dresden aufbewahrt; ein ähnliches Exemplar, eben daher, befindet sich auf dem Gymnasium zu Stuttgart, und gehört zu dem Geschlechte der Ichthyosauren. Einzelne Wirbelknochen, Rippenstücke u. s. w. finden sich bei Boll, Ohmden, Reutlingen.

Belemniten finden sich häufig in dem Griphitenkalk (nämlich in den bituminösen Schiefern desselben) am Fusse der schwäbischen Alp.

Belemnites paxillosus ist der gewöhnliche, und findet sich an vielen Punkten.

Belemnites giganteus, bis einen Fuss lang und $1\frac{1}{2}$ — 2 Zoll Durchmesser, seltener bei Wasseralfingen.

Orthoceratiten, selten im Griphitenkalk bei Echterdingen und Zell, unweit Boll, am Eichelberge, bei Heidenheim, Pfullingen, Gmünd, ihre einzelnen, wie eine Schüssel vertieften Zwischenwände zuweilen verkiest. Die Richtigkeit dieser Angabe ist zweifelhaft.

Ammonites arietis, von der Grösse einiger Zolle bis $1\frac{1}{2}$ und 2 Fuss Durchmesser, häufig im Griphitenkalk auf den Fildern, im Schönbuch und an dem Fusse der Alp.

Ammonites amaltheus, annularis und ornatus, in Schwefelkies verkiest, gewöhnlich im bituminösen Mergelschiefer und Griphitenkalk am Fusse der Alp bei Gmünd, Gönningen, Bahlingen, Boll.

Abdrücke von Ammoniten finden sich oft in dem bituminösen Mergelschiefer bei Boll, und in einem gelbrothen Schiefer an der Auerbacher Steige bei Kirchheim.

Nautiliten sind seltener wie die Ammoniten, eine grosse, dem Nautilus pompileus (Lin.) ähnliche Nautilitenart findet sich in dem Griphitenkalk bei Schemberg, Hechingen, Wasseralfingen, und auf den Fildern bei Vaihingen.

Serpuliten, gewöhnlich nicht frei, sondern auf Steinen und anderen Versteinerungen, vorzüglich auf Belemniten und Korallen aufgewachsen.

Serpulites lumbricalis, auf Feuerstein bei Nattheim und auf grossen Belemniten bei Wasseralfingen und Boll.

Serpulites gordialis, auf Belemniten und Korallen in denselben Gegenden.

Strombiten mit mehreren Windungen, im Griphitenkalk des Schönbuches beim Schaichhof.

Turbiniten, ebendaselbst im Griphitenkalk und bei Vaihingen auf den Fildern.

Myaciten, hier und da in dem Griphitenkalk des Schönbuches, der Filder und an dem Fusse der Alp.

Myacites affinis, bei Degerloch und im Schönbuch.

Telliniten, im Griphitenkalk bei Degerloch.

Trigonelliten, namentlich trigonellites pes anseris, im Griphitenkalk zwischen Rosswalden und Ebersbach.

Venuliten, namentlich venulites islandicus, im Griphitenkalk auf den Fildern, bei Degerloch, Walddorf und im Schönbuch.

Buccarditen, im Griphitenkalk auf den Fildern, bei Vaihingen und bei Wasseralfingen.

Arcaciten, im Griphitenkalk der Filder bei Vaihingen.

Pleuronectites discites, im Griphitenkalk bei Degerloch, und auf dem Schönbuch beim Schaichhof.

Chamiten im Griphitenkalk.

Pectiniten, eine grössere Art, im Griphitenkalk.

Terebratulites ostiolatus, im Griphitenkalk bei Degerloch.

Griphites cymbium, in grosser Menge im Griphitenkalk am Fusse der Alp, auf den Fildern und in mehreren der höheren Gegenden Würtembergs. Sie fehlen aber ganz im Jurakalk und rauchgrauen Kalkstein.

Mytulites modiolatus, im Griphitenkalk bei Degerloch.

Pinnites diluvianus, bei Degerloch, Hohenheim, doch selten.

Pentacrinites vulgaris findet sich häufig im Griphitenkalk am Fusse der Alp, zuweilen auf den Fildern bei Degerloch, Echterdingen.

Lithandraciten, in Braunpech und Schieferkohle übergegangenes Holz, oft noch mit deutlicher Holztextur oder halb verkohlt, im Griphitenkalk an mehreren Punkten.

Algaciten, namentlich algacites granulatus, im bituminösen Mergelschiefer bei Boll.

Nach Herrn Stahl [*]) scheint der Griphitenkalk
der Filder andere Versteinerungen zu enthalten, wie
der am Fusse der Alp, welches jedoch nicht wahrscheinlich ist, und noch einer genaueren Untersuchung
bedarf. Derselbe giebt übrigens folgende Versteinerungen aus dieser Formation an.

Aus dem Griphitenkalke der Filder in der Umgegend von Stuttgart:

Belemnites paxillosus.
— clavatus, mit keilförmiger Endspitze.
Ammonites arietis, bis 2½ Fuss Durchmesser.
— colubratus.
Nautilites bidorsatus, bis 1½ Fuss Durchmesser.
Trochilites politus, nur als Steinkern im Griphiten-
kalk am Hasenberg.
Myacites musculoides.
Venulites islandicus.
Chamites punctatus.
— laevis giganteus.
Pleuronectites discites.
Terebratulites ostiolatus.
— rostratus, in der Grösse, wie Tab.
XVI, Fig. 4. c. der Nachträge von Schlot-
heim.
Terebratulites varians, selten.
Griphites cymbium.
Mytulites modiolatus.
Pinnites diluvianus, bis einen Fuss lang und 3 —
4 Zoll breit.
Pentacrinites vulgaris, einzelne Glieder.
— subangularis.
In dem Griphitenkalk an dem Abhange der Alp:
Belemnites paxillosus.
— tenuis, neue, noch problematische Spe-
cies.
Ammonites arietis.
— colubratus.

---

[*]) Uebersicht über die Versteinerungen Würtembergs.

Ammonites radians.

— interruptus, bei Grosseislingen bis jetzt nur gefunden.

Nautilus bidorsatus.

Myacites musculoides.

Donacites trigonellites pes anseris vulgaris, nur bei Rosswalden und Gammelshausen bis jetzt gefunden.

Chamites laevis giganteus.

— — punctatus.

— — lineatus. — Nur ein Exemplar ist bis jetzt bei Grosseislingen gefunden.

Pleuronectites discites.

Terebratulites alatus, selten.

— speciosus, desgleichen.

— intermedius, sehr selten.

— rostratus.

— priscus, selten.

— asper, zweifelhaft.

— vulg. anulatus.

— approximatus, bei Gammelhausen in grosser Menge.

Terebratulites bicanaliculatus.

— bisulfarcinatus.

— squamigerus.

Griphites cymbium.

— suillus, in den untersten Schichten des Griphitenkalkes bei Neuenstadt.

Mytulites socialis. — Nur ein Exemplar soll bei Gammelshausen gefunden worden seyn.

Mytulites modiolatus.

— incertus, selten.

— costatus, selten.

Pentacrinites vulgaris.

— subangularis.

Aus den bituminösen Schiefern des Griphitenkalkes.

Belemnites paxillosus.

— irregularis.

— mucronatus, soll bei Grosseislingen gefunden werden.

Belemnites canaliculatus, in grosser Menge bei Boll,
Metzingen, Grosseislingen u. s. w.
Belemnites tripartitus, selten,
— clavatus.
— lanceolatus, ziemlich häufig.
— terres, neue Species.
— compressus, neue Species.
Ammonites natrix, selten.
— serpentinus, nur als Abdruck bei Boll.
— capellinus (Schlt.) oder Caecilia (Rein,)
auch nur als Abdruck bei Boll.
Ammonites primordialis, mit Kalkspath ausgefüllt
und mit kreideartigem Ueberzug; nur in den
unteren Schichten der Mergel bei Boll, am
Stuifenberge.
Ammonites amaltheus, sehr häufig, aber nur verkiest.
Ammonites amaltheus gibbosus, nur verkiest.
— costatus.
— crenatus (Rein.), nur verkiest, und scheint
eine Varietät des folgenden.
Ammonites anceps (Rein.), selten, verkiest.
— convolutus, zweifelhaft.
— dubius, in schönen Exemplaren.
— tumidus (Rein.), verkiest.
— angulatus, in sehr schönen Exemplaren,
verkiest.
Ammonites capricornus, zweifelhaft.
— hircinus, verkiest, zweifelhaft.
— bifurcatus, verkiest.
— caprinus, nur ein Exemplar, bei Gammelhausen gefunden.
Ammonites varians, desgleichen; beide noch zweifelhaft.
Ammonites striatus, (Schl.), noch zweifelhaft.
— annularis, nicht selten.
— laevis, vielleicht nur Steinkern.
— maeandrus, (Rein.), desgleichen.
— jason, (Rein.), in schönen Exemplaren
verkiest.
Ammonites pustulatus, (Rein.)
— paradoxus, neue Species.

Am-

Ammonites punctatus, desgleichen; ist dem Amm. bifurcatus ähnlich, verkiest.

Ammonites bicostatus, desgleichen, verkiest.

— undulatus, desgleichen, verkiest.

Nautilites aperturatus, nur in einzelnen verkiesten Exemplaren bei Gammelshausen.

Helicites delphinularis, mit kreideartigem Ueberzug bei Boll, aber selten.

Turbinites trochiformis.

— duplicatus, sehr ähnlich dem Turbo duplicatus L.

Myacites mactroides, bei Boll mit weissem kreideartigen Ueberzug.

Venulites flexuosus, neue Species, der Venus flexuosa L. ähnlich, bedarf aber noch näherer Bestimmung.

Arcacites rostratus, neue Species, der Tellina rostrata L. ähnlich; sie findet sich nur verkiest bei Metzingen; es kommen mehrere noch näher zu bestimmende Arten von Arcaciten vor.

Buccardites cardissaeformis, nur einmal bei Jebenhausen gefunden.

Buccardites longirostris und pectinatus, ebenfalls von Jebenhausen, bedürfen aber noch näherer Untersuchung.

Ostracites sessilis.

Terebratulites variabilis, in Menge, aber immer verkiest.

Terebratulites varians, in Menge, meist verkiest.

— vulgaris communis.

— — orbiculatus, Schlotheims Abbildung, Tab. 37, fig. 6, ist die Art, welche im rauchgrauen Kalkstein vorkommt, Fig. 7, 8 und 9 diejenigen, welche sich vorzüglich im Griphitenkalk finden.

Mytulites eduliformis.

Pentacrinites subangularis.

Sehr interessante Untersuchungen hat Herr D. Jäger über die Ichthyosauren oder Proteosauren bekannt gemacht, welche in der Umgegend von Boll in den bituminösen Schiefern des Griphitenkalkes gefun-

II.

[15]

den worden sind[*]). Die Reste von wenigstens drei Individuen, welche Herr Jaeger zu untersuchen Gelegenheit hatte, und wozu auch das bereits erwähnte Exemplar auf dem Gymnasium in Stuttgart gehört, kommen mit denselben Gattungen, welche zuerst in England entdeckt, und Ichthyosaurus, später aber von Everard Home Proteosaurus genannt wurden, ganz überein. Das in Dresden befindliche Exemplar von Boll soll aber, nach brieflichen Mittheilungen des Herrn Cuvier an Herrn Jäger, dem Crocodilus priscus angehören, welches Sömmering aus der Gegend von Monheim beschreibt.

Der Proteosaurus von Boll ähnelt ganz besonders demjenigen, welchen Everard Home: „Philos. transact., 1814, Tab. 19 und 20," beschrieben, und eben daselbst, 1820, Tab. 15, noch näher erläutert hat. Das englische Exemplar ist 17 F. engl. lang, und grösser wie das von Boll; aber einzelne Theile, namentlich Rippen, welche sich in Würtemberg fanden, gehören einem wohl 22 F. engl. langen Exemplare an.

Die englischen Exemplare des Proteosaurus, welche Home, und eben so diejenigen, welche de la Beche in den Geological transact. beschreibt, finden sich sämmtlich in dem Blue lias, welcher ganz mit der schwäbischen Griphitenkalkformation übereinzustimmen scheint. In Frankreich soll Prevost die Ichthyosauren unter ganz ähnlichen Verhältnissen gefunden haben.

Aus den Alaunschiefern von Gaildorf und Oedendorf erhielt Herr Jäger durch Herrn Professor Schübler einen Zahn und ein Stück Hinterhauptbein. Der Zahn scheint einem ungewöhnlich grossen Thiere aus der Familie Monitor angehört zu haben; das Hinterhauptbein aber lies keine Vergleichung mit irgend einer bekannten Art zu. Die kohligen Alaunschiefer, von denen hier die Rede ist, gehören entweder den untersten Schichten der oberen bunten Mergel oder

---

[*] Georg Friedr. Jäger, de Ichthyosauri sive Proteosauri fossilis speciminibus in agro Bollensi in Würtembergia repertis. Stuttg. 1824.

den obersten Schichten des rauchgrauen Kalksteins an.
Auf keinen Fall scheint der Proteosaurus in diesen
Bildungen vorzukommen.

Es geht aus dem Bisherigen hervor, dass die Formation des Griphitenkalks aus zwei Hauptabtheilun-
gen besteht, dem eigentlichen Griphitenkalk und dem
schieferigen bituminösen Mergel. Diese beiden Bildungen sind auf das genaueste mit einander verbunden, und wechseln in häufig wiederholten Lagen mit
einander, doch findet sich der eigentliche Griphitenkalk nur in den unteren Schichten, die bituminösen
Mergel dagegen vorzugsweise in den oberen. Beide
Abtheilungen sind ungemein reich an Versteinerungen;
theils kommen dieselben Versteinerungen in beiden
vor, theils haben jede eigenthümliche Versteinerungen
aufzuweisen.

Die Formation des Griphitenkalks ist den oberen
bunten Mergeln, und meist in horizontalen Schichten
aufgelagert; die Neigung der Schichten ist, lokale
Ausnahmen abgerechnet, immer sehr schwach. Die
angegebene Auflagerung lässt sich an unzählig vielen
Punkten mit grösster Evidenz beobachten. Die Formation der oberen bunten Mergel ist von der des
Griphitenkalks ganz unabhängig; ein eigentlicher Uebergang zwischen beiden Formationen findet auch
nicht statt; da, wo sich beide berühren, kommen in
dem weissen Quarzsandstein häufig ähnliche graue
Kalkschiefer vor, wie in dem Griphitenkalk, aber der
eigentliche Griphitenkalk wird doch nie mit bunten
Mergeln wechselnd angetroffen.

a. Eigentlicher Griphitenkalk.

Der eigentliche Griphitenkalk ist dunkel, bläulich-
grau, schwer zersprengbar, dicht oder meist sehr
deutlich körnig auf dem Bruch, der zugleich splitterig, aber nie muschelig ist. Meist entwickelt er beim
Zerschlagen einen bituminösen Geruch, und ist äus-
serlich mit einer gelben Rinde überzogen. Wegen
seiner Härte, die immer viel bedeutender wie die
des rauchgrauen Kalksteins ist, giebt er einen sehr
guten Chausseestein. Sein spezifisches Gewicht beträgt 2,671 — 2,675.

Er ist deutlich geschichtet, dabei meist ziemlich stark zerklüftet und bildet unregelmässige, nicht grosse Platten oder knollige Stücke. In der Regel erreicht der eigentliche Griphitenkalk 50 bis 100 F. Mächtigkeit.

Fremdartige Fossilien finden sich selten in ihm; bisweilen etwas Kalkspath, einige Sandkörner, etwas eingesprengte Pechkohle, Blende, Schwefelkies und Bleiglanz, letzterer z. B. bei Vaihingen auf den Fildern. Ausserdem finden sich zwischen seinen Schichten immer, wenn auch nur schwache, Lagen bituminöser Mergelschiefer.

Charakteristisch für ihn ist in Pechkohle verwandeltes, mit Kalksinter durchdrungenes Holz, und von Versteinerungen insbesondere die Griphaea arcuata, die Plagiostoma gigantea, die angeführten Ammoniten und Nautiliten.

b. Bituminöse Schiefer des Griphitenkalks.

Die bituminösen Schiefer des Griphitenkalks finden sich meist nur im Hangenden des eigentlichen Kalksteins, und zwar da, wo sich der Griphitenkalk dem Jurakalkstein nähert; sie verschwinden dagegen beinahe gänzlich an denjenigen Stellen, wo der Griphitenkalk sich von dem Jurakalk entfernt, und finden sich daher in nur sehr unbedeutender Mächtigkeit in der Umgegend von Vic und auf den Fildern um Stuttgart. Dagegen erreichen diese Bildungen namentlich in Schwaben, an dem Fusse der Alp eine ganz ungemeine Mächtigkeit; bei Hechingen unter andern von mehr als 500 F., und so fast durchgängig in jenen Gegenden; auch in Lothringen treten diese Mergel in einer nicht unbedeutenden Mächtigkeit auf; sie erreichen aber hier nicht das Niveau wie in Schwaben, auch nicht jene Mächtigkeit und Ausbildung, aber sie folgen auch hier der Kette des Jurakalksteins, dem sie zur Basis dienen.

Der bituminöse Mergelschiefer des Griphitenkalks scheint eine Verbindung von Thon und Kalk mit einer eigenthümlichen kohligen Substanz, einem Erdharz oder Erdöl durchdrungen. Er enthält nach den Untersuchungen des Herrn Professor Schübler 20

— **30** Prozent kohlensauren Kalk, es scheint jedoch dieses Verhältniss vielen Verschiedenheiten unterworfen zu seyn, oft braust er fast gar nicht mehr mit Säuren. Dem Bitumen verdankt dieser Mergel seine Färbung und seinen Geruch, dasselbe lässt sich durch Destillation zum Theil von demselben abscheiden, bisweilen brennt er zwischen glühenden Kohlen mit lebhafter Flamme. Von fremdartigen Beimengungen sind ihm vorzüglich eigenthümlich eine grosse Menge plattgedrückter Nieren von thonigem Sphaerosiderit, zum Theil in Gelbeisenstein verwandelt, und häufige Nieren von Schwefelkies, vorzüglich in einigen Gegenden der Alp. Viele der hier vorkommenden Schwefelquellen mögen diesen Schiefern ihr Entstehen verdanken, wie die von Boll, Reutlingen, Balingen, Dürrwangen, welche sämmtlich in der Richtung dieser Schiefer an dem Fusse der Alp liegen. Ausser dem Schwefel scheinen diese Quellen immer etwas Erdharz zu besitzen, welches auch bei einigen schon chemisch nachgewiesen worden.

In den unteren Schichten des bituminösen Mergelschiefers liegen noch häufig kleine Lager und Nieren von Griphitenkalk, dieselben werden aber nach und nach seltener und verschwinden endlich gänzlich. Es geht aber hieraus hervor, dass beide Gruppen auf das Genaueste mit einander verbunden sind.

Manche Versteinerungen sind beiden Gruppen eigen, wie unter andern die Buccarditen, verschiedene Terebratuliten, andere finden sich ausschliesslich nur im Griphitenkalk, wie die Griphaea arcuata, die Plagiostoma gigantea, Ammonites arietis u. s. w.; andere hingegen scheinen fast ausschliesslich auf die bituminösen Schiefer beschränkt, wie unter andern die Belemniten, und insbesondere der Ammonites amaltheus, meist verkiest oder in den Eisensteinnieren.

Die sogenannte Blättelerzformation in der Gegend von Gundershofen, Reichshofen und Zinzweiler erscheint nicht als selbstständige Bildung, sondern scheint ein regenerirtes Gebirge von jugendlichem Alter, aus der Zerstörung von Griphitenkalkmergel theilweise entstanden; auch tritt dasselbe nur als lokale Bildung auf, eben so wie die Gipsmassen, die sich in dem-

selben finden, und unweit Gundershofen bebaut
werden.

Ueberall, wo der Griphitenkalk und seine Mergel vorkommen, sind dieselben ungemein reich an
Versteinerungen, in keiner Gegend ist Mangel an
denselben. Doch zeichnen sich einige Punkte vorzugsweise durch ihren Reichthum an Versteinerungen
aus, wie die Gegenden von Gundershofen, Bad
Boll in Schwaben und die Gegend zwischen Wasseralfingen und Ellwangen, wo das Gestein so voll
Versteinerungen ist, dass oft kaum das Bindemittel
zu erkennen bleibt.

6. Formation des eisenhaltigen Sandsteins.

Zwischen den bituminösen Schiefern des Griphitenkalkes und dem dichten weissen Jurakalk der
schwäbischen Alp findet sich an mehreren Punkten in
dem Königreiche Würtemberg eine Formation von
gelblich-weissem, feinkörnigem, nicht sehr festem
Sandstein, mit untergeordneten sehr reichen Flötzen
von körnigem Thoneisenstein, auf denen ein ergiebiger Bergbau geführt wird. Diese Formation, welche
in Schwaben unter der Benennung eisenhaltiger Sandstein oder Eisensandstein bekannt ist, scheint sich zunächst den bituminösen Schiefern des Griphitenkalks
anzuschliessen; sie zeigt sich vorzüglich an dem Fusse
der Alp, bei Neuhausen an der Erms, bei Dettingen
unter Urach, bei Boll, Grosseislingen, Wisgoldingen
am Fusse des Stuifenberges, bei Hohenstaufen und
Rechberg, bei Wasseralfingen, Aalen und Lauchheim.
Namentlich in diesen letzteren Gegenden erreichen
die Schichten des Sandsteins eine Mächtigkeit von
wohl mehr als 100 F., und enthalten besonders reichhaltige untergeordnete Lager von etwas sandigkörni-
gem Thoneisenstein, welche bei Aalen und Wasseralfingen bebaut werden. Auch bei Bopfingen, zwischen Aalen und Nördlingen, soll sich dieser Sandstein wieder unter ganz ähnlichen Verhältnissen zunächst unter dem Jurakalkstein finden. Ueberhaupt
scheint diese Bildung längs dem ganzen nordöstlichen
Fusse der schwäbischen Alp unter ähnlichen Verhältnissen, wenn auch häufig kaum nur angedeutet, zu

erscheinen, und namentlich dürfte hierher das schwache Lager von oolithischem Thoneisenstein zu rechnen seyn, dessen bei Beschreibung des Hohenzollern bei Hechingen gedacht worden ist.

Ob noch in anderen Gegenden ausser Schwaben ähnliche Bildungen vorkommen, darüber fehlen zur Zeit noch genügende Beobachtungen. Dass die körnigen Thoneisensteinlager, deren Merian in dem Griphitenkalkmergel der Umgegend von Basel erwähnt, hierher gehören möchten, ist nicht ganz unwahrscheinlich; es sind jedoch diese Lager sehr schwach. Eben so ist es auch zweifelhaft, ob die körnigen Thoneisensteinlager hierher gerechnet werden dürfen, welche bei Villecomte und Bassoeuil in Lothringen in der Nähe des Jurakalks vorkommen. Die Thoneisensteinlager dagegen, welche bei Candern im Rheinthale, und zwischen Metz und Luxemburg bei Moyoeuvre und Hayange bebaut werden, scheinen dem Jurakalk eingelagert, und daher einer jüngeren Bildung angehörig zu seyn.

Die Hauptmasse dieser eisenhaltigen Sandsteinbildung ist ein sehr feinkörniger, meist ganz weisser Sandstein in Handstücken, dem Quadersandstein nicht unähnlich. In der Nähe der Eisensteinlager ist dieser Sandstein von Thon und Eisenoxidhydrat durchdrungen, und nimmt dann gewöhnlich eine röthlich-braune Farbe an. Er wechselt auch häufig mit den bituminösen Mergelschieferlagen des Griphitenkalks, und man sieht beide Bildungen gleichsam in einander übergehen, indem der sonst dunkele Mergel eine lichtere Farbe annimmt, und mit Sandkörnern gemischt wird. In der Gegend von Gemünd soll der Eisensandstein, nach den Beobachtungen des Herrn Dr. Hehl in Stuttgart, oft kugelige Absonderungen zeigen, auf dem Rechberge erscheint er mit rothen Streifen; bei Denkendorf findet er sich mit etwas Eisenstein; am Fussberge bei Metzingen, unweit Urach, ist er roth gefärbt, und befindet sich hier in der Nähe der Trappformation.

Auf der Eisensteingrube bei Aalen beobachtet man nachstehende Schichtenfolge; unter der Dammerde:

6 — 8 F. Mergel, lichtgrau mit Belemniten.
10 — gelblich-grauer fester Sandstein mit Schwefelkies.
3 — bläulich-grauer Mergelschiefer.
1 — körniger, mit Sand gemischter Thoneisenstein, mit sehr vielen Versteinerungen.
4½ — körniger Thoneisenstein, auf dem gebaut wird.
4 — 5 — das Liegende des Flötzes, verhärteter Thon, selten mit etwas Eisenglanz.
15 — Sandstein.
1 — körniger Thoneisenstein.
4½ — Sandstein, mit Nestern von schieferigem Thon.
4 — Mergelschiefer.
5 — 6 — körniger Thoneisenstein.
15 — 18 — Sandstein.
_____
73 — 80 F.

Auf einer anderen Erzförderung dieser Gegenden ist nachstehende Schichtenordnung zu beobachten:

5 F. grauer, wenig verhärteter Mergel.
4½ — weicher ockergelber Sandstein.
1 — körniger Thoneisenstein.
6 — verhärtete Mergel.
4 — körniger Thoneisenstein.
4½ — Sandstein.
1 — der obige graue schieferige Mergel.
6 — körniger Thoneisenstein mit vielen Versteinerungen.
15 — 18 — gelber, sehr weicher Sandstein; dann Letten und Mergel.
_____
47 — 50 F.

Aus diesen beiden Schichtenfolgen geht hervor, dass die in Rede stehenden Bildungen aus abwechselnden Schichten von vorwaltendem Sandstein, schieferigen Mergeln und körnigem Thoneisenstein bestehen, und namentlich scheinen die schieferigen Mergel ganz die des Griphitenkalks zu seyn, wenigstens nach dem Vorkommen der Belemniten zu urtheilen.

Im Allgemeinen bestehen die unteren Schichten dieser Formation aus einem dichten Sandstein, der bei Neuhausen an der Erms und bei Dettingen unter Urach als Baustein, bei Reutlingen und Sondelfingen zum Chausseebau benutzt wird. In diesen Lagen finden sich wenig Versteinerungen. Die oberen Lagen hingegen bestehen mehr aus einem bläulichen oder durch Eisenoxyd röthlich gefärbten Thon, der mit Sandkörnern gemengt ist, und sehr viele schön erhaltene Versteinerungen enthält.

Der körnige Thoneisenstein, welcher in diesen Bildungen vorkommt, bildet sehr regelmässige und aushaltende Flötze, auf denen ein sehr ergiebiger Bergbau betrieben wird. Das Eisenerz besteht aus kleinen röthlich-braunen Körnern, etwa von der Grösse eines Hirsekorns; sie scheinen durch ein braunrothes thoniges Bindemittel mit einander verbunden. Dieses Eisenerz hat einen ganz gelben Strich und ist weich, es ist also ein mit Thon vermischtes Eisenoxidhydrat. Die Eisenerze gehen unmittelbar in den Sandstein über, mit dem sie sich mechanisch mengen; überhaupt mögen alle diese Erze mehr oder weniger Sandkörner enthalten. Sie geben ein namentlich für Gusswaaren taugliches Eisen, und sind nicht strengflüssig. Bisweilen kommen Drusen von Arragonit in diesen Eisenerzen vor, so wie blätteriger Braunspath. Die Erze enthalten etwa 30 — 40 Prozent Eisen.

Diese Formation, und namentlich die Thoneisensteine, sind ungemein reich an Versteinerungen, besonders an Ammoniten, doch auch an anderen Muscheln. Ein Theil dieser Versteinerungen scheint ihnen ausschliesslich eigen, andere hingegen haben sie mit dem bituminösen Schiefer des Griphitenkalkes und mit dem über ihnen liegenden Jurakalk gemein. Memminger *) führt folgende Versteinerungen aus dieser Formation namentlich auf:

Ammonites macrocephalus, im Eisensandstein am Stuifenberg und Gemünd.

Ammonites bifurcatus, im Thoneisenstein bei Wasseralfingen.

*) Memminger, loc. cit.; p. 198 u. f.

234

Telliniten von verschiedenen Arten, im Thoneisenstein sowohl bei Wasseralfingen, als im Griphiten- und Jurakalk.

Arcaciten, sie finden sich sowohl im Griphitenkalk als im körnigen Thoneisenstein, im letzteren namentlich arcacites corbularius.

Pleuronectites laevigatus, im körnigen Thoneisenstein bei Wasseralfingen.

Ostracites crista galli und complicatus, bei Wasseralfingen, und im Jurakalk in mehreren Gegenden der Alp.

Ostracites pectiniformis, im Eisensandstein bei Wasseralfingen und am Stuifenberg bei Gemünd, auch hier und da im Jurakalk.

Belemnites paxillosus, und namentlich Belemnites giganteus, bei Wasseralfingen.

Aus den körnigen Thoneisensteinlagern von Villecomte und Bassoeuil in Lothringen, von denen es jedoch zweifelhaft ist, ob sie dieser Formation angehören, führt Herr v. Schotheim folgende Versteinerungen namentlich an:

Ammonites annulatus von Villecomte, p. 61.
— planulatus von Bassoeuil, p. 59.
— coronatus desgl., p. 68.
— dubius desgl., p. 69.
— bipunctatus desgl., p. 69.
Nautilites aganiticus von Villecomte, p. 83.
Donacites hemicardius von Bassoeuil, p. 194, im Jurakalk.
Ostracites crist. hastellatus von Bassoeuil, p. 243.
Echinites globulatus von Bassoeuil, p. 314, der Jurakalkformation wahrscheinlich angehörig.
Madreporites limbatus von Bassoeuil, wohl ebenfalls dem Jurakalk angehörig, p. 357.

Nach den Beobachtungen des Herrn Bergraths Dr. Hehl in Stuttgart kommt auf der Steige bei Boll, gegen Grübingen hin, ein feinkörniger weisser Eisensandstein vor, mit Muscheln, unter andern Pectiniten. Bei Plochingen finden sich in ihm Ostraciten und mehrere andere Muscheln, so auch Holz. In dem körnigen Thoneisenstein bei Wasseralfingen kommt unter andern auch Gips vor, und in dem dritten Flötz kleine Muscheln, darüber arme Eisensteine, und über diesen soll sich eine besondere Art von Griphiten finden, dem Kalkstein wenig charakteristisch, mit Echiniten, Ostraciten, dann etwas Rogenstein und endlich dichter Jurakalkstein.

In der mehr angeführten Uebersicht der Versteinerungen Würtembergs werden folgende Versteinerungen aus dieser Formation angegeben:

Belemnites paxillosus.

— giganteus, ist oft $1\frac{1}{2}$ bis 2 Fuss lang, bei $1\frac{1}{2}$ — 2 Zoll Durchmesser. Ostracites sessilis, serpulites lumbricalis und gordialis sitzen häufig auf ihm.

Belemnites irregularis.

— canaliculatus, in sehr grosser Menge.

— compressus, neue Species.

Ammonites coronatus S ch l., aber nicht striatus R ein., erreicht einen Durchmesser von 8 — 14 Zoll, bei 3 — 5 Zoll Dicke.

Ammonites macrocephalus, von 2 — 6 Zoll Durchmesser.

Ammonites bifurcatus.

— lineatus, selten.

— ornatus S ch l. oder striatus R ein., nicht häufig; erreicht einen Durchmesser bis 8 Zoll.

Ammonites colubratus, nicht häufig.

— noricus, soll sich am Stuifenberg finden.

Nautilites bidorsatus.

Serpulites lumbricalis.

— gordialis. In dem eisenhaltigen Thonsandstein bei Neuhausen an der Erms kommen auch kleine Wurmröhren vor von der Dicke eines Strohhalms; sie sind sehr zerbrechlich, und ihrer 12 oder 15 gewöhnlich in Form einer Panspfeife an einander gebacken.

Buccinites obsoletus, wahrscheinlich aus dem eisenhaltigen Sandstein.

Trochilites politus, als Steinkern.

— niloticiformis, selten, aber in sehr grossen Exemplaren.

Trochilites limbatus.

Myacites musculoides.

Myacites mactroides.
Donacites trigonuus.
— subtrigonuus.
— costatus.
Arcacites corbularius. — Es scheinen verschiedene
Arten von Arcaciten vorzukommen.
Buccardites hemicardius.
— hemicardüformis.
Chamites laevis.
— transversim striatus Walchs.
Pleuronectites laevigatus.
— discites.
Ostracites pectiniformis, häufig.
— eduliformis, in den oberen Schichten.
— griphaeatus, selten.
— griphoides, sehr selten.
— sessilis.
— isognomonoides, neue Species, ähnlich
der isognomon L.
Ostracites crista galli, nicht selten.
— crista complicatus.
Terebratulites pectunculatus, in grosser Menge zu-
sammengewachsen.
Terebratulites sufflatus, sehr selten.
Griphites cymbium, nicht häufig.
Mytulites modiolatus.
— eduliformis.
Echinites quadernatus, bis jetzt nur ein Exemplar
gefunden.
Echinites coronatus, häufig.
— paradoxus, nicht selten.
Die Formation des Eisensandsteins ist namentlich
auch in den Fürstenthümern Ansbach und Bayreuth
sehr weit verbreitet; sie ruht auch hier auf Griphitenkalk, wird durch Jurakalk bedeckt, und ist auch
in diesen Gegenden besonders reich an Versteinerungen. Herr von Schlotheim führt namentlich folgende Versteinerungen aus diesen Gegenden an, die
jedoch theils dem Griphitenkalk, theils dem Eisensandstein, theils dem Jurakalk angehörig seyn mögen:
Ammonites planulatus, von Bergen, Amberg, den
Streitbergen, p. 59, im Jurakalk.

Ammonites hircinus, von Aschbach bei Amberg, zum Theil verkiest, p. 72, aus Griphitenkalkmergeln.

Ammonites capricornus, von Amberg, aus Griphitenkalk, p. 71.

Ammonites bifurcatus, aus körnigem Thoneisenstein, der Formation des Eisensandsteins angehörig, aus dem Bayreuthischen, p. 73.

Ammonites ornatus, meist verkiest, den Mergeln des Griphitenkalks angehörig, aus dem Bayreuthischen, p. 75.

Ammonites naviculatus, desgleichen, aus dem Bambergischen, p. 77.

Ammonites annulatus, desgleichen, von Thurnau in dem Bayreuthischen, p. 78.

Ammonites costatus, desgleichen, von Thurnau und Aschbach bei Amberg, p. 78.

Ammonites radians, desgleichen, aus dem Bambergschen, p. 78.

Ammonites laevis, von Bergen im Ansbachschen, p. 79.

> Diese sieben letzten Ammonitenarten scheinen sämmtlich den Mergeln des Griphitenkalks angehörig.

Nautilites aperturatus, eisenschüssig, von Bergen im Ansbachschen, p. 83.

Nautilites angulites, eben daher, aus Thoneisenstein, der wohl der Formation des Eisensandsteins oder den Mergeln des Griphitenkalks angehörig seyn möchte, p. 84.

Trochilites granulatus, von Amberg, p. 157.

Trochilites concentricus, von Bergen, p. 158.

Lepadites lineatus, in Hornstein, von Amberg, p. 171.

Lepadites radiatus, desgl., p. 172.

} Wahrscheinlich sämmtlich dem Jurakalk angehörig.

Tellinites sanguinolarius, von Amberg, p. 184.

Buccardites cardissaeformis, von Bergen, p. 209.

} Dem Griphitenkalk oder dessen Mergeln angehörig.

Pectinites priscus, von Amberg, p. 222, dem Gri-
phitenkalk oder dessen Mergeln angehörig.
Tellinites politus, im körnigen Thoneisenstein von
Bergen, p. 187.
Tellinites corbularius, desgleichen, p. 188.
Donacites substrigonius, desgl., p. 193.
Ostracites pectiniformis, desgl., mit körnigem Thon-
eisenstein, im Baireutischen, p. 231.
Pectinites tegulatus, p. 223. Im Hornstein verstei-
— subspinosus, p. 223.) nert, aus dem Ju-
rakalk bei Amberg.
Wahr-
— textorius, von Amberg, p. 229. scheinlich
Ostracites eduliformis, von Amberg, p. aus dem
233. Griphiten-
Ostracites flabellatus, von Stefft, p. 237. kalk oder
dessenMer-
geln.

Ostracites adarius, in Hornstein von
Amberg, p. 236.
Terebratulites subsimilis, desgl., p. 264.
— fentricosus, desgl., von
Grumbach bei Amberg, p. 268.
Terebratulites radiatus, desgl., p. 269.
— loricatus, desgl., p. 270. Sämmtlich
— pectunculoides, desgl., p. dem Jura-
271. kalkstein
Terebratulites pectunculus, von Amberg, angehörig.
p. 272.
Terebratulites bissuffarcinatus, desgl.,
auf Hornstein von Amberg, p. 279.
Terebratulites nucleatus, desgl., p. 281.
— lagenalis, desgleich., von
Schafloch unweit Amberg, p. 284.
Terebratulites vicinalis, von Amberg, p. 281, vielleicht dem Griphitenkalk angehörig.
Griphites gigas, von Paulsdorf bei Amberg, im Griphitenkalk, p. 286.
Griphites spiratus, bei Schwandorf, Frohnberg und
Bodenwehr, in einer trippelartigen Sandstein-
schicht, p. 288. Die Sandsteinschicht ist ungemein eisenschüssig, und scheint ganz der

Formation des Eisensandsteins zu entsprechen.
Es finden sich auch Ueberreste von Pflanzen
darin, als:

Palmacites annulatus, p. 396.

Carpolithes malvaeformis, in 12 Lachter Teufe, p.
422,

Carpolithes secalis, p. 422.

Herr Boué beobachtete ausserdem noch in
diesem Trippellager eine Art von Stigma-
ria (Ad. Brogniart) und eine Variolaria
(Sternberg). Derselbe bemerkt zugleich,
dass jene Carpolithen häufig in Kieselmasse
verwandelt, und sich als lose Körner in
den Hölungen des Gesteins finden.

Echinites coronatus, von Amberg, p.
313, in Kalk- und Hornstein.

Echinites tesselatus, in Hornstein von
Amberg, p. 316.

Echinites orificiatus, desgl., p. 317.

— paradoxus, desgl., p. 318.

Encrinites echinatus, desgl., in Hornstein, p. 331.

Fungites rogosus, im Kalkstein bei Amberg, p. 347.

Spongites pertusus, in Hornstein, Amberg, p. 371.

Alcyonites clavatus, in Kalkstein, Amberg, p. 372.

Alcyonites asterolatus, in Horn- und Kalkstein von Amberg, p. 372.

Alcyonites globatus, im Kalkstein, p. 373.

Alcyonites madreporatus, im älteren (?)
Kalkstein (Griphitenkalk) von Amberg, p. 374.

Scheinen
sämmtlich
dem Jura-
kalk ange-
• hörig.

Theils das Vorkommen der Versteinerungen, theils
die geognostischen Verhältnisse beweisen, dass die
Formation des Eisensandsteins auf der Grenze zwischen den Formationen des Griphitenkalkes und des
Jurakalksteins steht, und gleichsam eine Art von Uebergang zwischen beiden vermittelt. Im Ganzen genommen aber steht sie der Bildung der bituminösen
Mergelschiefer des Griphitenkalks doch noch etwas

näher, wie dem eigentlichen Jurakalk, die Schichten
beider Bildungen scheinen häufig mit einander zu al-
terniren, und in manchen Gegenden ist die Mächtigkeit der Eisensandsteinbildung so gering, dass sie alle
Selbstständigkeit zu verlieren scheint, und in vielen
Gegenden fehlt sie gänzlich; in anderen dagegen, und
namentlich in den nordöstlichen Gegenden der schwäbischen Alp und ihrer Fortsetzung, erreicht sie eine
solche Entwickelung, dass sie wohl als selbstständige
Formation anzusehen seyn möchte.

7. Formation des Jurakalksteins.

Die Formation des Jurakalksteins erscheint in den
zu beschreibenden Gegenden in sehr grosser Verbreitung und unter mannigfaltigen Verhältnissen; da aber
diese Formation mit dem eigentlichen Salzgebirge nur
in sehr indirekter Verbindung steht, auch unsere eigenen Beobachtungen über dieselbe nur wenige Punkte
ihres Vorkommens umfassen, so wird es hinreichend
seyn, hier nur das Wichtigste in Ansehung ihrer Lagerungsverhältnisse und ihres Verhaltens zu den übrigen Bildungen mitzutheilen.

In Lothringen erscheint der Jurakalkstein meist
in oolithischer Gestalt, und bildet einen Höhenzug,
der längs der Mosel und Meurthe, in der Richtung
gegen Nordwesten hinzieht. Eine Eigenthümlichkeit
des Jurakalksteins scheint darin zu bestehen, dass er
meist Gebirgsketten bildet, welche denen der älteren
Gebirge parallel laufen, oder deren Richtung doch
auf irgend eine Art durch jene älteren Gebirge bestimmt wurde. Dies lässt sich auch an dem lothringischen Jurakalkstein beobachten, der erst ziemlich
parallel den Vogesen läuft, dann in das grosse Bassin von Vic einige kleine Zweige ausschickt, doch
nicht so weit in demselben vordringen kann, wie der
Griphitenkalk, dann dem grossen Schiefergebirge sich
nähert, und nun auf einmal seine bisherige fast nördliche Richtung ganz in die gegen Westen ändert, um
ebenfalls wieder diesem Gebirge parallel auf eine ansehnliche Erstreckung hinzuziehen, bis er sich endlich
gegen Laon hin in die jüngeren Bildungen der Kreide
verliert. Gegen Süden zieht dieser Jurakalkstein bis

in

in die ziemlich hoch gelegenen Gegenden von Langers, und scheint sich unmittelbar dem eigentlichen Jura anzuschliessen, über Vesoul und Besançon die Wasserscheide zwischen dem Rhein und der Saône bildend.

Am südlichen Abfalle der Vogesen legt sich der Jurakalk zum Theil unmittelbar auf den rothen Sandstein und das Rothliegende auf, und nur stellenweise tritt hier vielleicht der rauchgraue Kalkstein zwischen beiden hervor; aber im Allgemeinen ist die Gegend zu sehr mit Süsswasserbildungen überdeckt, so dass selbst der Jurakalk häufig nicht sichtbar wird; doch tritt er zwischen Belfort und Basel noch einmal recht charakteristisch hervor.

In dem Rheinthale, unterhalb Basel, zeigt sich der Jurakalkstein an mehreren isolirten Punkten auf beiden Ufern des Flusses, hier ist jeder Busen und jede kleine Bucht im Urgebirge oder rothen Sandstein zu seiner Absetzung benuzt, doch zieht er sich auf dem rechten Ufer nicht viel über Freiburg herab, obwohl auf dem linken Ufer sein nördlichstes Vorkommen an dem Bastberge bei Buxweiler noch viel weiter herabreicht.

In dem Rheinthale, oberhalb Basel, zeigt sich der Jurakalkstein schon in grösserer Verbreitung und mit mehr Zusammenhang. Der eigentliche Jura, welcher parallel den Alpen in nordöstlicher Richtung hinzieht, tritt in den Gegenden von Basel in die Nähe des Schwarzwaldes, und hier genöthigt, seine bisherige Richtung zu verlassen, findet nun gleichsam eine Zersplitterung des eigentlichen Jura statt. Nur unbedeutende Massen dieser Formation ziehen in das Rheinthal unterhalb Basel hinab, obgleich dasselbe beinahe in die Richtung des Jura fällt; die Hauptmassen wenden sich gegen Osten und umgehen den Schwarzwald, andere nicht minder bedeutende Massen haben sich schon früher gegen Nordwesten gewendet, und bilden, die Vogesen umgehend, den vorhin beschriebenen Zug von Langers über Metz, bis Sedan und Maizières.

Die Formation des Jurakalksteins, welche in dem eigentlichen Jura und in der schwäbischen Alp eine

II.   [16]

reren Punkten, namentlich bei **Autry**, tritt auch die Kreide mit grünen Punkten (tuffau chlorité) auf. Zum Strassenbau bedient man sich bei St. Ménehould eines dichten hellgrauen Kalksteins mit vielen in Kalkspath verwandelten Versteinerungen. Man sieht hier viele, sehr feinkörnige, oolithische, lichtgelblich-graue Hausteine, weich, fast zerreiblich, nicht schwer, und Gesteinen, welche auch bei Maizières und Sedan vorkommen, sehr ähnlich; manche enthalten so wie dort eine grosse Menge zerbrochener Muschelschalen. Eine andere Art von Hausteinen von grösserer Festigkeit wird von Vitry le françois bezogen. Zwischen St. Ménehould und Verdun liegt die Glasfabrik Silette in einem tiefen Thale, und bei Etain ist bläulich-grauer Jurakalkstein, eben so bei Burli ist derselbe in horizontalen Bänken geschichtet, und wird in mehreren Steinbrüchen gewonnen; schon der wellenförmige Boden verräth, dass man nunmehr die Kreide verlassen habe.

Bei Garny ist weisslich-grauer oolithischer Kalkstein mit vielen gewundenen Schnecken; gelber, sehr feinkörniger Sandstein mit wenigen Muscheln; dichter und feinkörnig-blätteriger Kalkstein von gelblichgrauer Farbe, etwas porös und mit kleinen Punkten von Eisenocker. Oolithischer Kalkstein von gröberem Korn und hellweisser Farbe kommt bei Gravelot vor. Aus diesem Kalkstein erhielten wir einige Echiniten, einen Spatangus, eine Terebratel, einen Pektiniten, eine Ampullaria und noch einige ganz undeutliche ein- und zweischalige Muscheln.

Im Allgemeinen bildet der Jurakalkstein bei Metz ein weites Plateau, welches sanft gegen Westen abfällt. Dicht bei Metz, auf dem linken Ufer der Mosel, befindet sich der Telegraphenberg St. Cy, welcher etwa das Niveau dieses Plateaus erreicht. Er besteht aus Jurakalkstein, und der grösste Theil seines Abhanges ist mit Weinbergen bedeckt; anstehendes Gestein zeigt sich daher nur auf der äussersten Höhe, in der Nähe des Telegraphen. Es scheint fast horizontal geschichtet, ist aber sehr zerklüftet, und bildet unregelmässige knollenförmige Platten; auf den Kluftflächen liegt sehr viel Kalkspath in Nieren, rhom-

boedrisch kristallisirt. Das Gestein selbst ist etwas
porös, gelblich-grau, theils dicht mergelartig, theils
feinkörnig blätterig, viele Pünktchen von Eisenocker
darin. Ausserdem kommen an dem der Mosel zugekehrten Abhange des Berges in losen Stücken oolithische Massen, bisweilen auch dichte, etwas dunkelgrau
gefärbte Abänderungen von Kalkstein mit Schwefel-
kieswürfeln vor, oft voller Muscheln. Es finden sich
hier Belemniten, Ammoniten, Pektiniten, Ostraciten,
Griphiten, letztere selten und nur in einem dunkelgrauen Kalkstein, der aber doch kein eigentlicher
Griphitenkalk zu seyn scheint. Auf dem nördlichen
Abhange finden sich viele gewundene Schnecken, wie
Turritellen, von ansehnlicher Grösse; auch kommen
deutliche Madreporen, sehr flach gedrückte Trochy-
ten und glatte Terebrateln in diesem Jurakalkstein
vor. Noch findet sich oben, nahe an dem Gipfel des
Berges, ein Gestein von ockergelber Farbe; dasselbe
besteht aus kleinen Parthien eines hellgelblichen Kalkspaths, der wohl Trümmer organischer Ueberreste zu
seyn scheint, dazwischen liegt eine dunkler gefärbte,
ockergelbe, poröse, anscheinend sandige Masse, welche die Zwischenräume ausfüllt.

Das Gestein des Telegraphenberges kann eigentlich noch kein vollständiger Oolith genannt werden,
aber er nähert sich doch schon sehr den oolithischen
Jurakalksteinen, und gehört auf jeden Fall zu den
körnigen Abänderungen dieser Formation. Steininger [*] bemerkt von der Telegraphenhöhe St. Cy bei
Metz, die braune Farbe, welche die obere Hälfte dieses Berges schon aus der Ferne auszeichnet, lasse
schon erwarten, dass der jüngere Flötzkalk, welcher
zwischen Longeville und Metz ansteht, hier von einem
neueren Gestein bedeckt werde. Auf der Höhe dieses Berges sey plattenförmiger Kalkstein, in seinem
Bruche von jüngerem Flötzkalke, der auf dem bunten
und unter dem Quadersandstein liegt, nicht besonders
unterschieden; er enthalte aber viele zweischalige Konchilien und röhrenförmige Versteinerungen, welche

---

[*] STEININGER, Gebirgscharte, p. 57 — 58.

ihn von dem tiefer liegenden Muschelkalk auszuzeichnen scheinen. Aehnliche Kalkplatten kämen bei Dahlheim auf dem Quadersandstein und bei Aspelt in einem Boden vor, der durch Eisenoxyd braun gefärbt ist. Die braune Färbung und der plattenförmige Kalk zögen bei Metz auf den Anhöhen längs der ganzen linken Thalseite hinab.

Auf dem Wege von Metz nach Thionville ist in dem Moselthale, am Fusse der Berge, viel blauer Letten sichtbar, höher hinauf aber Kalkstein. In dem Dorfe Noroy ist unten noch blauer Letten, aber schon am Ausgange desselben Kalkstein anstehend. Er ist dicht, von grauer Farbe, voll kleiner gelblicher Kalkspathpunkte und kleiner Pünktchen von Eisenocker, ganz dem Gestein des Telegraphenberges ähnlich. In demselben liegen deutliche Enkriniten. Noch ganz oben in dem Dorfe findet sich ein schmales, etwa 6 Zoll mächtiges Lager von feinkörnigem Braueisenstein, dem Bohnerz ähnlich; die Körner haben wenig Zusammenhalt, und das Bindemittel ist ein zerreiblicher Ocker; dieses Lager hat sehr bestimmt Kalkstein zum Hangenden und Liegenden. Ueberhaupt ist der ganze Kalkstein sehr eisenschüssig, besonders in seinen oberen Lagen, und schon von weitem zeichnen sich die unbewachsenen steilen Abhänge durch ihre bräunlich-rothe Farbe aus, welche von eisenschüssigen Letten herrührt, der sich auf der Oberfläche und zwischen den Schichten des Kalksteins befindet. Bald finden sich nun auch an dem Berge von Noroy die Gesteine von gelblicher Farbe, welche aus einer Zusammenhäufung von zerbrochenen Muschelschalen bestehen, und die zuweilen auch rogensteinartig werden, doch wahrer Rogenstein findet sich auch an diesem Berge nicht. Höher hinauf finden sich viele Madreporen, Fungiten u. s. w., und auch die bläulich-grauen und weisslich-grauen Kalksteine, feinkörnig, mit einzelnen Kalkspathparthien, kommen vor. Die Schichten liegen beinahe horizontal, und ein Theil des Abhanges ist mit vielem Kalksteinschutt überdeckt. Dieses Gestein scheint hier sehr weit verbreitet, und geht bis über Bronveau hinaus.

Zwischen Bronveau und Moyoeuvre liegen in dem Bois de Jaumont beträchtliche Steinbrüche auf der Höhe des Gebirges. Zunächst unter der Dammerde finden sich plattenförmige Stücke von Kalkstein, etwa 6 F. mächtig, und nur als unregelmässiger Schutt erscheinend, darunter in etwas grösserer Mächtigkeit ein dünngeschichteter Kalkstein, und dann mehrere Fuss mächtige Bänke, welche treffliche Hausteine liefern. Nach Aussage der Arbeiter soll in der Sohle noch nie ein anderes wesentlich verschiedenes Gestein gefunden worden seyn, nur sollen die Bänke etwas härter werden, und sich dann nicht mehr so gut verarbeiten lassen. Aehnliche Steinbrüche werden auch bei Amanvillé, ¼ Stunde von Bronveau betrieben, wo dieselbe Erfahrung gemacht worden ist, auch ist überall, von Bronveau bis in das Bois de Jaumont, ein ähnlicher Kalkstein anstehend, nur mehr zerklüftet, und daher nicht zu Hausteinen brauchbar. Genauer betrachtet scheint dieses Gestein aus einer Menge kleiner, theils runder, theils plattgedrückter Körner zu bestehen, die mit etwas Eisenoxyd überzogen sind, und im Innern ein blätteriges Gefüge zeigen, sie liegen in einer weisslichen, zerreiblichen, etwas porösen Grundmasse, in einigen Schichten befinden sich sehr viele zerbrochene Muschelschalen. Nach Monnet *) soll dasselbe der beste Hau- und Baustein der Gegend seyn.

An dem Abhange des Ormethales, nach Moyoeuvre hin, finden sich keine Hausteine mehr, selbst bei Amalancourt sollen keine mehr vorkommen, es zeigt sich nur der dichte Kalkstein von gelblich-grauer oder sehr lichtbläulich-grauer Farbe, mit vielen kleinen Kalkspathparthien, doch sind jene Hausteinlager, welche den obersten Schichten des Jurakalks anzugehören scheinen, in dieser Gegend sehr verbreitet, und scheinen überhaupt an sehr vielen Punkten dieses Höhenzuges vorzukommen, denn wir haben sie unter andern, oder doch ganz ähnliche Gesteine, in der Ge-

---

*) Monnet, Atlas et description minéralogiques de la France, première partie, p. 141.

gend von Delme und zwischen Maizières und Sedan
gefunden.

Herr Steininger ist geneigt, diese Hausteine
der Bildung des Calcaire grossier beizurechnen, von
der sie jedoch durchaus verschieden sind; derselbe
theilt[*]) folgende Bemerkungen über das Vorkommen
dieser Gesteine mit.

Zu Saulny, zwischen Metz und Amanvillé, sind
bedeutende Brüche, es befinden sich hier die schon
früher beschriebenen plattenförmigen Kalksteine einige
Zoll dick, horizontal, braungrau und sandig, sie werden nie zum Kalkbrennen benutzt. Auf ihnen, unmittelbar unter der Dammerde liegen, 4 — 6 F.
mächtig, zusammengeschwemmte Kalkmassen, wenig
abgerollt und fast ohne Dammerde zwischen sich, sie
bestehen aus weisslich-grauem, sehr reinem Kalk, der
mit dem Uebergangskalke des Schiefergebirges grosse
Aehnlichkeit hat, und zum Kalkbrennen auf den Feldern zusammengerafft wird. Sie enthalten, wie der
Kalk der Eifel, viele Astroiten, Alcyonien und Fungiten. Auf den Höhen von Saulny, nicht weit von
Amanvillé, erreichen die Kalkplatten unter diesen zu-
sammengeschwemmten Kalksteinen eine Mächtigkeit
von 10 — 20 F.; unter ihnen liegt ein 20 — 30 F.
hohes Flötz, aus massigen Felsen bestehend, die nur
sparsam und unregelmässig zerklüftet sind. Das Gestein ist ockergelb, sandig, leicht und klingend, leicht
zersprengbar; seine Hauptmasse ist Kalk, welcher den
feinen Sandkörnern als Bindemittel dient; kleine Kon-
chilienfragmente sind zuweilen eingemengt. Die schönen Brüche von Amanvillé versehen vorzüglich Metz
mit Bausteinen, welche sich sehr zart verarbeiten lassen. Nach Angabe der Arbeiter liegt ein blaues
aschenfarbiges Lettenflötz (cendres bleues), einige Fuss
mächtig, unter dem Gestein; unter dem Letten soll
Konglommerat ebenfalls von geringer Mächtigkeit liegen, und Geschiebe, wie sie die Mosel mit sich führt,
enthalten, in den Brüchen aber werden diese Schichten nicht sichtbar. Aehnliche Verhältnisse, wie bei

---

[*]) STEININGER, Gebirgscharte (1822), p. 58 — 64.

Amanvillé, zeigen sich überall längs der Orne, bis Brieg und Audin le Roman, nur wird das Gestein, welches zu Amanvillé gelb ist, in der Nähe von Brieg und zu Seronville oft kreideweiss, mit Kalkspathblättchen stark durchmengt, und erinnert an die obersten Schichten des Quadersandsteins zu Dalheim bei Luxemburg.

Weiterhin (p. 61) bemerkt Herr Steininger, dass die beschriebene Kalkformation bei Longwy (nordwestlich Metz) mächtiger werde; in dem 400 — 500 F. tiefen Thale bilde der reine versteinerungsreiche Kalk noch immer die oberste zusammengeschwemmte Schicht, darunter in grosser Mächtigkeit die fast horizontalen Platten des sehr sandigen Kalksteins. Aber unter ihnen befinde sich das Gestein von Amanvillé, Brieg und Lénonville nicht mehr, sondern es werde durch Nummulitenkalk (Phacites fossilis Blumenb.) ersetzt, der sehr mächtig und aus einer Zusammenhäufung von meist erbsenrothen rundlichen Kalkspathkörnern bestehe, die durch sinterartigen Kalk zu einem gelben, sehr porösen Gestein verbunden seyen. Bei der Festung Longwy, im Thale von Mont St. Martin, liege sandiger Thoneisenstein und Eisensandstein von dunkelbrauner Farbe in wechselnden Schichten, etwa 200 F. tief unter dem Nummulitenkalke, und unter ihnen trete in dem Thale von Aubange der steife gelblich-graue Boden des Muschelkalks wieder hervor. Der sandige Thoneisenstein und der Eisensandstein bestehe aus sehr kleinen leberbraunen Körnern von dichtem Brauneisenstein, metallisch glänzend, und durch ein helleres sandiges Eisenoxyd verbunden, so dass sie nur schwach zusammenhalten und zerrieben werden könnten, oder, grössere Festigkeit besitzend, einem Sandstein ähnlich würden. Bei Aubange und Messancy decke der Eisensandstein den Muschelkalkboden, welcher in den Thälern hervorstehe, sehr niedrig, in der Nähe von Arlon hingegen trete der Quadersandstein unter dem Eisensande hervor, und selbst bei Luxemburg liege der Eisensand noch auf diesem Sandstein. Uebrigens sey der Boden der ganzen Kalkformation zwischen Metz und Longwy durch Eisenoxyd dunkelbraun ge-

färbt, wodurch man in der Gegend von Metz die
Grenze zwischen dem Calcaire grossier und dem Muschelkalk leicht angeben könne. Bei Aubange und
Messancy sey der Eisensandstein oft in knolligen Platten anstehend, wo dann der versteinerungsreiche Letten, von dem schon die Rede war, ihren Kern als
mehr oder weniger kompakte Masse bilde, die selbst
in einen blauen sandigen Kalk übergehe, oder einen
blauen sandigen Kalkstein ausmache, welcher auch
zwischen Arlon und Luxemburg häufig die Grenze
des Quadersandsteins und des an ihn sich legenden
Kalksteins zu bezeichnen scheine, und selbst bei Luxemburg reich an Versteinerungen auf dem Quadersandstein vorkomme. Nach Herrn Steininger
würde der Letten (Cendres bleues der Steinhauer)
mit dem blauen Sand- und Kalkstein nebst dem Eisensandstein die untersten Schichten bilden, auf ihnen
das Gestein von Amanvillé, und ihm koordinirt der
Nummulitenkalk, endlich der plattenförmige sandige
Kalkstein, und zuletzt das Kalkgerölle folgen. In dem
Brauneisenstein sollen bisweilen Belemniten vorkommen.

Ob diese Eisensteinlager immer unter dem Kalkstein vorkommen, scheint noch nicht ganz wahrscheinlich. In dem Ornethale, wo sich die bedeutenden
Etablissements des Herrn von Wendel befinden,
wird bei Moyoeuvre auf einem ähnlichen Eisensteinlager ein ansehnlicher Bergbau betrieben. Dieses Lager liegt zwar ziemlich tief, kaum 60 F. über der
Bachsohle erhaben, und höher über der Thalsohle soll
sich niemals der Eisenstein finden, doch scheint sowohl im Hangenden als Liegenden desselben, Kalkstein,
meist sehr eisenschüssig, vorzukommen. Aehnliche
Verhältnisse sollen auch bei St. Pancré, unweit Longwy, und zu Hayange statt finden, wo ebenfalls beträchtliche, dem Herrn von Wendel gehörige Etablissements sich befinden. Das Lager wird bisweilen
bis 7 F. mächtig, der Eisenstein ist feinkörnig, die
Körner rund und von sehr geringem Zusammenhalt,
ganz dem Eisenstein von Noroy ähnlich. Der Kalkstein in der Sohle und im Dach dieses Lagers ist
gelblich-braun, sehr eisenschüssig, krystallinischkör-

nig, mit flimmernden Kalkspath- oder Braunspath-blättchen.

Zu Ronveau, östlich von Moyoeuvre, kommen Hausteine vor, denen von Jaumont ähnlich. In dem Ornethale hinab, nach der Mosel zu, sind häufig die dichten grauen Kalksteine, von denen früher schon mehr die Rede war; die Berge haben ein ziemlich gleichförmiges Aussehen, langgedehnte schmale Rükken, kleine Plateaus, die alle in einem Niveau zu liegen scheinen, und steile Thalabhänge. Auch hier kommt in dem Ornethale häufig blauer Thon vor, es bleibt jedoch ungewiss, ob derselbe den Kalkstein unterteuft oder ob er nur eine Anschwemmung der Mosel ist. Bei Ramonville werden aus diesem Thon sehr schöne Ziegel gebrannt.

Im Betreff der allgemeinen Schichtenfolge der Gebirgsmassen zwischen Metz und Thionville scheint es allerdings nicht ganz unwahrscheinlich, dass die blauen Letten den bituminösen Schiefern des Griphitenkalks angehörig seyn dürften. Die Thoneisenstein-lager sind entweder der schwäbischen Eisensandstein-formation entsprechend, welche früher bereits beschrieben worden ist, oder sie finden sich hier in den ganz untersten Schichten des Jurakalks. Dieser Jurakalk ist meist körnig, selbst bisweilen oolithisch, in seinen untersten Schichten auch dicht und von etwas grauer Farbe; die oberen sind sehr körnig und liefern die Hausteine. Der von Herrn Steininger angeführte Nummulitenkalk möchte wohl noch einer näheren Untersuchung bedürfen, in den Handstücken dieses Gesteins wenigstens, welche wir zu sehen Gelegenheit hatten, liessen sich keine Nummuliten erkennen, es schien vielmehr diese Gebirgsart ein oolithisch-körniger Jurakalk zu seyn, den Schichten, aus denen die Hausteine gewonnen werden, nicht unähnlich. Diese Hausteine erscheinen als eine körnig-oolithische Abänderung des Jurakalksteins, welche hier und bis in die Gegend von Metz ziemlich verbreitet seyn dürfte, auf jeden Fall sind sie daher eine viel ältere Bildung, wie der Calcaire grossier, und selbst wie die Craie tuffau von Mastricht, mit der sie wohl einige mineralogische, aber keineswegs eine geognostische Aehnlichkeit haben.

Zur näheren Beschreibung dieser Hausteinbildungen dürfte es nicht unzweckmässig seyn, hier einige Beobachtungen mitzutheilen, welche wir in den Gegenden zwischen Maizières und Sedan einzusammeln Gelegenheit hatten. Hier besteht das rechte Maasufer bei Maizières bereits aus Kalkstein (Calcaire horizontale von Omalius), dessen Schichten, dem grossen Schiefergebirge aufgelagert, zwischen le Theux und Romery sichtbar werden, wo sich bedeutende Steinbrüche auf demselben befinden, dicht auf dem rechten Ufer des Flusses.

Dieser Kalkstein bildet ganz horizontale Schichten, 1 — 2 F. mächtig, durch gleich mächtige Schichten von gelblich-braunem zerreiblichen Sande von einander getrennt; in den Brüchen lassen sich wohl 20 und mehr solcher abwechselnden Schichten zählen. Die Sandsteinbänke selbst sind sehr zerklüftet, die Kluftflächen häufig mit Kalksinter oder kleinen Kalkspathkrystallen überzogen; es werden hierdurch grosse Kalksteinblöcke gebildet. Der Kalkstein selbst ist von bräunlich- oder bläulich-grauer Farbe, splitterigkörnig und so fest, dass er zu Pflastersteinen auf den Chausseen benutzt werden kann. Er ist ganz von schönen Muschelversteinerungen erfüllt, als Ammoniten, Nautiliten, Chamiten, Ostraciten, ganz besonders aber findet sich die Griphaea arcuata in zahlloser Menge in ihm, und charakterisirt ihn als wahren Griphitenkalk, wenn gleich hier die bituminösen Mergel zu fehlen scheinen, die ihm in Schwaben so charakteristisch sind. Dieser Griphitenkalk ruht anscheinend unmittelbar auf dem grossen Schiefergebirge; von rothem Sandstein, rauchgrauem Kalkstein und bunten Mergeln zeigt sich keine Spur.

Bei St. Laurent sollen sich noch ähnliche Steinbrüche befinden, wo Hau- und Bausteine, so wie Thür- und Fensterrahmen aus diesem Kalkstein angefertigt werden. Doch oberhalb Romery, bei Lumes und Manicourt, wird das rechte Maasufer flach. Bei Nouvion, auf dem linken Ufer der Maas, erhebt sich in einer geringen Entfernung vom Flusse ein langgedehnter Höhenzug, etwa 200 — 250 F. hoch oder noch etwas höher, auf demselben befinden sich die bedeutenden Brüche von Don. In dieser Gegend bildet die Maas ein zwar tiefes, aber flaches und breites Thal, die Gegend ist bergig oder doch wenigstens hügelig zu nennen, aber die Abhänge sind sanft und wellenförmig.

Die Steinbrüche von Don liegen unterhalb diesem Orte, gegenüber Nouvion, auf der Höhe des vorhin erwähnten Höhenzugs. Derselbe steigt anfänglich sanft, zuletzt etwas steiler an. Das Gestein in diesen Brüchen besteht aus einem gelblich-braun gefärbten feinkörnigen und zerreiblichen Kalkstein, der in ganz horizontalen, 1 — 4 F. mächtigen Bänken geschichtet ist, die zum Theil viele Muschelversteinerungen, und namentlich auch häufig kleine Korallen enthalten, wenn gleich einige Schichten ganz frei von Versteinerungen zu seyn scheinen. Dieses Gestein ist den vorhin beschriebenen Haussteinen ganz vollkommen ähnlich, und kommt auch in seiner geognostischen Lagerung mit denselben überein, denn es ruht auf ausgezeichneten Griphitenkalk, und scheint hier zu den obersten Schichten der Jurakalkformation zu gehören, die weiterhin, bei Rethel und Vouzières, in Kreide übergeht, zu welchem Uebergange auch dieses Gestein ganz vorzüglich geeignet ist. Auch hier ist dieses Gestein zur Anwendung als Haustein sehr geeignet; es ist weich, erhärtet an der Luft und lässt sich leicht verarbeiten, in dieser Hinsicht dem Gestein von Mastricht sehr ähnlich. Die schöne Maasbrücke bei Givet ist unter andern aus diesem Gestein gebaut, welches sich von dem Griphitenkalk bei Romery sehr bestimmt unterscheidet. Wenn nun gleich dieses Gestein mit dem von Mastricht oder der Craie tuffau grosse Aehnlichkeit hat, so finden doch mehrere Verschiedenheiten statt, und zwar:

a) ist die Farbe etwas dunkler,

b) die kreideartigen Schichten, welche bei Mastricht die Sohle desselben ausmachen, fehlen gänzlich, so wie

c) Schichten oder Nieren von Feuerstein, endlich

d) findet auch in den Versteinerungen einiger Unterschied statt, und namentlich finden sich bei Don keine Echiniten, und nicht die Spatangus, welche bei Mastricht so häufig vorkommen.

Dass übrigens zwischen beiden Gesteinen eine sehr grosse Aehnlichkeit statt finden kann, ist sehr leicht möglich, da dieses hier als die obersten Gebilde des Jurakalks erscheint, und das Gestein von Mastricht den untersten Gliedern der Kreide angehört, Kreide und Jurakalk aber unmittelbar in einander übergehen. Die Gesteine bei Charleville, Don und Sedan sind bereits von Monnet *) beschrieben, auch mehrere Punkte von demselben angegeben, wo Eisenerze in dieser Formation gegraben werden. Diese Eisenerze haben immer mehr oder weniger die Beschaffenheit der Bohnerze.

Von Don über Donchery nach Sedan erhält sich fortwährend dasselbe Gestein, dann tritt wieder Griphitenkalk. auf, der namentlich zwischen Sedan und Givonne, bei Fond de Givonne, recht deutlich zu beobachten ist. Zwischen dem Kalkstein befinden sich häufige Schichten von zerreiblichem Sande, doch nicht so beträchtlich wie bei Romery, der Griphitenkalk ist hier nicht so charakteristisch wie dort, es scheint ein Uebergang in das Gestein von Don statt zu finden. Gleich hinter Givonne sieht man den Griphitenkalk bestimmt auf dem Schiefergebirge ruhen.

Der Jurakalkstein in der Umgegend von Delme ist dem bei Metz und in dem Bois de Jaumont ähnlich. Auf dem Wege von Chateau salins nach Tincry ist Griphitenkalk und bituminöser Mergel. Sie halten an bis gegen Tincry, hinter welchem Dorfe sich ein Höhenzug von Jurakalkstein erhebt. An dem Gehänge dieser Berge liegt zu unterst ein brauner, sandiger, eisenhaltiger Kalkstein, der in ziemlich dünnen, nicht ganz ebenen Schichten sich schon ziemlich hoch an dem Gehänge findet, und den Mergeln des Griphitenkalks aufgelagert ist. Höher über diesen ge-

*) Monnet, Atlas et description mineralogiques de la France etc. Paris 1780. Première partie, p. 106 u. f.

schichteten Kalksteinen liegen im Walde, und fast
schon auf der höchsten Höhe der Berge, eine Menge
bedeutender Steinbrüche, in denen Hausteine aus einem körnig-oolithischen Kalkstein gewonnen werden,
denen im Bois de Jaumont ganz ähnlich. Es ist ein
weisser und weisslich-gelber Kalkstein voll kleiner
Kalkspathkörnchen, gelber kleiner runder Punkte und
und vieler Muschelfragmente. Die Schichten dieses
Gesteins, zunächst unter Tage, sind nicht sehr mächtig und zerklüftet, sie bilden eine unregelmässige
Schuttmasse. Darunter liegen dann mächtige Bänke,
1½ — 5 F. dick, zwischen den einzelnen Bänken
ganz dünne Lagen von einem ähnlichen Gestein, nur
etwas gelblicher gefärbt und von ganz geringem Zusammenhalt. Die Schichten liegen fast horizontal, und
neigen nur ganz schwach h. 6 und h. 9 West oder
Südwest. Dieses Gestein, dem im Bois de Jaumont
ganz ähnlich, nur von etwas lichterer Farbe, enthält
deutliche Enkriniten, Belemniten, Pektiniten, Trigonia costata, kleine gestreifte Chamiten, Perna myti-
loides, Trigonia navis, selbst Krebsscheeren sollen in
demselben vorkommen. Griphiten finden sich nicht
mehr in diesem Oolith, welcher hier als eins von den
tieferen Gliedern des Jurakalks erscheint, den Gri-
phitenmergeln zunächst aufgelagert, eben so, wie dies
bei Don der Fall ist. Deshalb finden sich auch manche Versteinerungen in diesen beiden Formationen
gleichmässig, und beide enthalten sehr viel zerbrochene
Muschelschalen.

Von diesen Brüchen, welche auf einer ansehnlichen Höhe liegen, herabsteigend, trifft man bei Xocourt und Delme wieder die Mergel des Griphitenkalks, über denen sich die Côte de Delme erhebt,
ein hoher, steil ansteigender Berg, ganz dem Mont
St. Cy bei Metz ähnlich. Unten an dem Fusse des
Berges ist der Kalkstein mehr dicht, von lichtgrauer
Farbe, höher hinauf wird das Gestein heller, mehr
körnig oder oolithisch. Von aussen sehen nicht allein alle diese Steine, sondern auch die steilen Abhänge des Berges bräunlich-roth aus, und oben auf
der Höhe (wo ein Signal steht) finden sich unförm-
lich-plattenförmige Kalksteine, gerade so wie bei

Metz; die Schichten dieses Gesteins sind bisweilen steil geneigt. Versteinerungen finden sich in demselben weder schön erhalten noch sehr häufig, doch lassen sich Belemniten, Buccarditen, Myaciten, kleine Chamiten, eine Art von Milleporiten, Pektiniten u. s. w. ohne Mühe erhalten.

Von hier gegen Nancy hin ist anfänglich wieder Mergel des Griphitenkalks, aber bei Bouviers und gegen Agincourt erheben sich mehrere langgezogene steile Bergrücken; namentlich zeichnet sich der hohe Bergrücken aus, auf welchem Amance liegt, weiterhin der kegelförmige Pain au sucre bei Agincourt und mehrere andere.

An dem Fusse dieser Berge ist meistens noch ein lichtgrau gefärbter dichterer Kalkstein, aber höher hinauf wird das Gestein lichter, körniger, und nimmt häufig Eisenockerpunkte auf, es wird zuletzt, mehr nach Nancy zu, ein unvollständiger Oolithenkalk. Zwischen den Klüften und auf der Oberfläche des Gesteins findet sich viel rother eisenschüssiger Thon, und deswegen erscheinen auch die meisten Abhänge der Berge roth gefärbt, wenn gleich im Innern das Gestein oft ganz weiss ist. Mehr nach Nancy hin werden die Massen des Jurakalksteins zusammenhängender, und die Berge erheben sich höher, zumal auf dem linken Ufer der Meurthe.

Hier steigt die Strasse von Nancy nach Toul sogleich bedeutend in die Höhe, und der Jurakalkstein zeigt sich in mancherlei Modifikationen. Zunächst an dem Gehänge gelangt man an die Marmorbrüche des Herrn Maulbon. Hier ist das Gestein etwa 20 F. hoch entblösst; es bricht stellenweise in grossen Platten, die Schichten sind ziemlich dick, aber ihre Oberfläche ist rauh und unförmlich. Das Gestein ist sehr verschiedenartig in seiner Beschaffenheit, ein grosser Theil ist dichter grauer und rother Kalkstein, der auch hin und wieder etwas feinkörnig wird, und manchmal viele Versteinerungen enthält; ausserdem kommen gelbe Adern in ihm vor, die theils aus Thoneisenstein, theils aus eisenhaltigem Kalkstein, theils aus gelbem Eisenocker bestehen. Sehr häufig kommen ovale Stücke von weissem blätterig-körnigen

gen

gen Kalkstein vor, ganz in Kalkspath übergehend; sie
scheinen oft die Räume von Madreporen auszufüllen,
deren eigenthümliche Struktur man noch in ihnen erkennt. Auf den Klüften ist dieser Kalkstein in der
Regel durch Eisenoxyd roth gefärbt, und zeichnet
sich hierdurch schon von weitem aus. An einigen
Punkten, und zumal in der Nähe der Klüfte, wo das
Gestein meist schon etwas aufgelöster und lockerer
ist, wird die Struktur mit einemmale oolithisch, und
die kleinen weissen Körner zeichnen sich scharf von
der rothen Grundmasse aus. Es kommen hier Madreporen, Madrepora monticularia unter andern, Enkriniten, Pektiniten, Terebrateln häufig, so wie Ca-
reophiliten, Plagiostomen u. s. w. vor. In den ersten
Brüchen, dicht an der Strasse, scheinen etwas untere
Schichten zu liegen, es sind die gelben, krystallinisch-
körnigen, blätterigen Abänderungen mit vielen Eisenockerpunkten; die sich aber doch den vorhin beschriebenen nähern.

An demselben Gehänge, rechts der Chaussee,
und zum Theil etwas tiefer wie die vorigen, liegen
in einem langen Zuge die Steinbrüche von Boudon-
villé, aus denen man jetzt gröstentheils nur Pflastersteine für die Chaussee zieht. Man sieht hier dieselben eben beschriebenen Bänke, nur selten so mächtig und schön, auf mächtigen Schichten von feinkörnigem Oolith liegen, von lichtgrauer Farbe mit weissen
Pünktchen. Dieses Verhältniss lässt sich in allen
Steinbrüchen beobachten, welche auf dem rechten
Gehänge eines kleinen Seitenthales liegen, welches
sich gerade nach Nancy hinzieht, und hier noch ziemlich eng ist. Es sind hier sehr bedeutende Steinbruchs-
halden vorhanden.

Gegenüber, auf dem linken Gehänge dieses Thales, befinden sich ebenfalls mehrere Steinbrüche, von
denen aber nur einer im Betriebe ist. Sie zeigen die
oberen Schichten des eben beschriebenen Kalksteins.

Dieser marmorartige Kalkstein scheint ganz analog dem englischen Coral-rag, er bildet eine ausgezeichnete Lage, die hier sehr mächtig ist. Ueber
derselben liegt eine sehr mächtige Bank, wohl 10 F.
dick, von einem grobkörnig-krystallinischen lichtgrau-

IV.   [17]

lich-gelben Kalkstein, mit vielem Kalkspath und Enkriniten, er ist sehr fest und wird zu grossen Hausteinen verarbeitet; streifen- und adernweise ist derselbe dunkler gefärbt, gelblich-braun, und enthält
vielen Eisenocker in kleinen Pünktchen.

Ueber dieser Bank liegen viele Schichten eines
feinkörnigen bläulich-grauen Kalksteins, mit sehr vielen zerbrochenen Muschelschalen, in ihm liegen Adern
und Nieren von einem ganz dichten graulich-gelben
Kalkstein, der fast in Thoneisenstein überzugehen
scheint.

Darauf folgen mehrere Bänke von etwa 1 — 1½
F. Mächtigkeit, sie bestehen aus einem dunkeln gelblich-grauen Gestein, krystallinisch wie die vorher erwähnten Bänke, und darauf Schichten eines grobkörnigen Ooliths, höher hinauf aber sind diese Oolithen-
bänke wieder von dem festen krystallinischen Gestein
bedeckt, und wechseln mit demselben. Auf der äussersten Höhe der Berge bei Nancy scheinen aber auch
Bildungen von Kalktuff und Süsswasserkalk, dem Jurakalkstein aufgelagert, vorzukommen. Es beschreibt
wenigstens Haldat *) einen Kalktuff, welcher sich
auf dem Berge St. Geneviéve, auf dem Bergrücken
hinter Laye-St. Christophe, so wie auf dem Bergrük-
ken findet, der gegen Vandoeuvre, Ludres, Chavigny
und bis an die Mosel hinzieht. Derselbe ist porös,
löcherig, voll hohler Röhren, und mit undeutlichen
Muscheln angefüllt.

In der Gegend von Belfort, namentlich an dem
Berge der Zitadelle, steht ein Kalkstein an, bläulich-
grau, vielleicht schon dem Jurakalk angehörig, vielleicht aber kommt in dieser Gegend auch etwas rauchgrauer Kalkstein vor. Ueber diesem Gestein liegt ein
gelblich-grauer, lichter, oolithischer Kalkstein mit
sehr vielen Enkriniten, und weiterhin kommt dichter
weisser Jurakalkstein sehr ausgezeichnet vor, der jedoch wieder mit oolithischen Schichten zu wechseln
scheint, denn es treten noch vor Perouse Oolithen

*) HALDAT. Description de pierres figurées des environs de
Nancy. Journal de physique, Tome LXXVIII, an 1814, p. 294.

auf, mit ausserordentlich vielen Madreporen und Enkriniten. Hinter Perouse befinden sich Brüche in einem graugelben Kalkstein, der bisweilen oolithisch
wird, und mit Mergeln und Thonschichten wechselt.
Bei Voxmagne ist schon die flache Ebene, in der vor
Danemarie der Kanal de Monsieur durchgeführt wird,
bestimmt, die Rhone mit dem Rhein zu verbinden;
es ist gerade die Stelle des Wassertheilers, welche
durch Schleusen überwunden werden muss. Hier verschwindet das Gestein unter tertiären Bildungen, und
erscheint nur wieder bei Altkirch als weisser, recht
ausgezeichneter oolithischer Jurakalkstein, es ist die
letzte Spur anstehenden Gesteins von hier bis Basel,
denn die ganze übrige Gegend scheint von Molasse
bedeckt.

In der Gegend von Belfort befinden sich Eisenwerke bei Chatenois, südlich die Savoureuse hinab-
wärts und bei Belfort selbst*). Die Erze für letzteres
Werk werden um Belfort gegraben, bei Roppe, Perouse, Andelnau und Chevremont. Es ist Bohnerz,
welches namentlich bei Roppe in Menge vorkommt,
aber in einer Teufe von etwa 70 Meter. Um Chatenois ist ein dichter weisser Jurakalkstein, der häufige
Lager von Bohnerz enthält. Oft sind die Körner
nicht grösser wie Rübsamen, und dann mit vielem
Thon umgeben, finden sich aber an der Oberfläche.
Andere Eisenerze bilden Körner von 4 — 5 Millimeter Durchmesser, und liegen in einem thonigen Eisenerz, in einem armen Eisenocker von gelber und brauner Farbe. Die grösste Menge der Erze endlich findet sich in losen Körnern in Gestalt der Eisenhieren.
Diese beiden letzteren Arten scheinen regelmässige
und ausgedehnte Lager zu bilden, sie sind in der Regel nur durch eine Bank sehr dichten und weissen
Kalksteins getrennt; die letzte Art, die Eisenniere,
bildet immer die unterste Schicht. Alle Schichten sollen gegen Süd einfallen; nach der Menge aller Förderungen scheint die Anzahl der verschiedenen Lager

---

*) Extrait du rapport sur les forges et fourneaux de Belfort
et de Chatenois, par DUHAMEL fils. Journal des mines, No. 37.
p. 67 — 79.

anschnlich; die grösste Teufe, in der man sie bebaut hatte, war vor einigen 20 Jahren etwa 52 Meter.

In dem Rheinthale, auf dem linken Rheinufer unterhalb Basel, erscheint der Jurakalkstein nur an sehr wenigen Punkten, unter andern bei Molsheim und Buxweiler. Auf dem Wege von Savern nach Buxweiler tritt derselbe zuerst bei Imbsheim auf, und liegt hier unmittelbar auf bunten Mergeln; der Griphitenkalk scheint zu fehlen, obgleich er bei Rietheim und Prinzheim vorhanden ist. Der Jurakalkstein bildet hier zwischen Imbsheim und Buxweiler einen ansehnlichen Berg, der Bastberg genannt; es ist ein lichtweisser, ziemlich grobkörniger oolithischer Kalkstein, von dem Fusse bis auf den Gipfel des Berges. Auf dem Gipfel des Berges befinden sich mehrere Steinbrüche, in denen ein oolithischer Kalkstein gewonnen wird, der aus lose auf einander liegenden Kugeln besteht, von der Grösse einer Faust bis zu Fuss Durchmesser. Diese Kugeln bilden eine wohl mehrere Fuss mächtige Schicht, sie sehen von aussen gelblich aus, wegen eines Anflugs von Letten, überhaupt liegt über und zwischen diesen Kugeln eine röthlich-braune eisenschüssige Erde, gerade wie auf der Höhe St. Cy bei Metz oder bei Nancy; auch einzelne Körner von Bohnerz finden sich wohl zwischen den losen Kugeln des Gesteins, und selbst in demselben. Diese kugelig geformten Steine haben mehr Härte wie die aus anstehenden Bänken, sie sind unter der Benennung Pflastersteine bekannt, weil sie zum Pflaster der Strasse angewendet werden. Versteinerungen finden sich öfter in dem oolithischen Kalkstein, als Vermikuliten, Chamiten, Mytuliten, Ostrea crista galli.

Zwischen der Höhe des Bastberges und dem Städtchen Buxweiler, dem oolithischen Kalkstein aufgelagert, findet sich eine interessante Braunkohlenbildung, und darüber eine Formation von Süsswasserkalk, von welchen Bildungen noch weiter unten die Rede seyn wird.

Auch höher im Rheinthale zeigt sich der Jurakalk auf dem linken Rheinufer; nach den Beobachtungen von de Sivry unter andern befindet sich bei Plassen-

zu 20 Lachtern. Dieser Kalkstein, den man wohl, der Menge von Madreporen wegen, Madreporenkalkstein nennen könnte, ist hart, an der Luft beständig, und liegt auf Mergelschichten auf, aber sein Streichen und Fallen ist von dem seiner Unterlage unabhängig, und oft demselben entgegengesetzt, ein sonderbares Verhalten, vielleicht am besten zu erklären, indem man diesen Kalkstein als ein Korallenriff betrachtet. Derselbe bildet mehrere Bergreihen, die ziemlich in Einem Niveau zu liegen scheinen, und von Südost nach Nordwest streichen, während das ältere Flötzgebirge von Nordost nach Südwest gerichtet ist. Die erste dieser Reihen fängt oberhalb Candern, auf der rechten Thalseite am Heisbühl an, kaum 200 Grad vom Urgebirge entfernt; hier neigen sich die Lager dieser Reihe gegen Nord anscheinend gegen den Berg. Eine zweite Reihe ist unterhalb Candern, an der linken Bergwand des Thales, bis nach Hammerstein; ihre Schichten neigen gegen Südwest. Eine dritte Reihe steht gerade gegenüber, auf der rechten Seite des Thales, wo sie den sogenannten Bahlen bei Holzen bildet, mit südlicher Einsenkung. Eine neue Reihe bildet der Tannenkircher Berg, dessen höchster Theil aus diesem Kalkstein besteht. Von da geht der Zug unausgesetzt fort über Hartringen bis Liel, wo er, abgeschnitten durch das Lieler Thal, auf der rechten Seite in der 5ten Reihe wieder weiter streicht, durch den Schliengener Berg gegen Mauchen. Eine andere ganz abgesonderte Parthie dieses Kalksteins liegt am Rhein, und bildet den Bergzug bei Effringen, über Istein bis Kleinenkems, dessen Schichten gegen Norden einschliessen sollen.

Der Eisenstein hat sich ausschliesslich auf der Ablagerung dieses Kalksteins erzeugt. Es ist eine Art Eisenniere, die gern in Brauneisenstein übergeht, nesterweise bricht, theils derb, theils eingesprengt in einer gelben abfärbenden, oft mit Roth und Weiss gemischten Thon- oder Gelberde, theils rein, theils sandig. Die Gelberde wird als Farbe benutzt, eben so wie die weisse Thonerde, welche unter dem Namen Weisserde bekannt ist.

Die Erzniederlage geht öfters zu Tage aus, und
theilt alle Unregelmässigkeiten in der Oberfläche des
Kalksteins. Es schliesst sich diese Bildung, die zusammen 4 — 5 Lachter mächtig ist, mit einer Lage
von rothem und buntem Thon und Bol.

In dieser Eisensteinformation, besonders im weissen sandigen Thon, finden sich Nieren von schönem
Thon- und Bandjaspis, sie enthalten bisweilen Versteinerungen, dem Geschlechte der Seerinden angehörig.

Diese Erzformation wird durch ein grobes Konglommerat bedeckt, aus Kugeln desselben Kalksteins
bestehend, welcher die Sohle ausmacht; darauf folgt
noch eine rothe Thonlage, dann endlich ein ähnliches
feines Konglommerat, eine Breccie, öfters mit Erz
vermengt, deren Theile in grösserer Höhe immer feiner werden, und zuletzt in gemeinen dichten Kalkstein übergehen. Hierbei ist jedoch noch zu bemerken, dass die breccienartigen Konglommerate, welche
sich im Hangenden der Erze finden, immer oolithischer
Natur, oft wahre Oolithe ohne Breccien sind; der
breccienartige Oolith aber enthält auch häufig Stücke
von dichtem Kalkstein, und viel Versteinerungen, so
wenigstens sieht man es bei der Erzförderung bei
Candern, an der Strasse nach Basel, und die höheren
Kalkberge bei Candern, z. B. der Mohrensattel, bestehen ebenfalls auf ihrer Höhe aus Oolith.

Auf dem linken Bergabhange des Kanderthales
erreichen diese hangenden Schichten eine Mächtigkeit
von 15 — 18 Lachter im Bälen-, im Tannenkircher
und im Hertinger Walde. Als Seltenheit zeigt sich
in dem mittleren Konglommerate Erdpech.

Im Schliengener Berge vermehrt sich die beschriebene Erzformation mit einer ausgezeichneten Bohn-
erzniederlage. Hier ist das Niveau niedriger, der
Kalkstein ist nicht so mächtig, und statt der breccienartigen Konglommerate legen sich andere Schichten
an, die zur Bohnerzformation gehören. Diese besteht
aus einem mit Sand vermischten verhärteten Thon,
mehrere Lachter mächtig, darin liegt das Bohnerz am
Ausgehenden nur nesterweise, weiter hinein aber die
Hauptmasse ausmachend. Darüber liegt dann ein har-

ter, rother, sandiger, grober Thon, darüber eine feinere thonige Gebirgsart mit Kalktheilen. Diese Massen über dem Erz sind 20 Lachter mächtig, und werden zuletzt noch vom dichten Kalkstein bedeckt, aber nach der Angabe des Herrn Hüttenfaktors Hug ist dies ebenfalls ein breccienartiger Oolith.

Das Bohnerz ist von der unterliegenden Eisenniere sehr verschieden, und beide Lager sind scharf von einander gesondert. In diesem Bohnerz finden sich die schönen Nieren von Thonsteinjaspis meist in kugeliger Gestalt.

Das spezifische Gewicht der verschiedenen Fossilien beträgt nach der Angabe des Herrn Kümmich:

des Madreporkalksteins 2,690,
— rothen sandigen Thons 2,480,
— rothen Jaspis. 2,546,
— marmorartigen Jaspis. 2,479,
— kugeligen Thoneisensteins oder Bohnerzes 3,421,
der Eisennieren . . . . 4,000.

Nach der Angabe des Herrn Hüttenfaktors Hug ist die Schichtenordnung im Altinger Stollen von oben nach unten folgende:

1) Breccienartiger oolithischer Kalkstein.
2) Rother und weisser sandiger Thon, 4 — 8 Lachter mächtig.
3) Bohnerzlage mit schönem rothen Jaspis, bis 2 Lachter mächtig.
4) Thon, einige Lachter mächtig, mit Bohnerz.
5) Eisenniere, mehr nester- als lagerartig, mit Nieren von weissem Jaspis.
6) Weisser dichter Kalkstein.
7) Weisser, etwas grauer Oolithenkalk.

In der Eisensteinförderung bei Candern fehlen die Schichten No. 2 und 3.

Aus allem diesen scheint daher hervorzugehen, dass die Erzniederlage zwischen dem weissen dichten und dem oberen oolithischen Jurakalkstein eingelagert ist; dieselbe scheint ausserdem mit der bei Gundershofen einige Aehnlichkeit zu haben, denn dort kommen, so wie hier, Jaspisnieren vor, und auf den Erzförderungen um Candern findet sich Gips, eben so

wie bei Gundershofen, nur nicht in so grosser Menge. Die breccienartigen Konglommerate, theils aus
dichtem, theils oolithischem Jurakalk bestehend, haben ein eigenthümliches Ansehen, und ihre Entstehung
ist anfänglich zweifelhaft, aber an mehreren Punkten,
und namentlich in dem Birsthale, lässt sich die Bildung derselben sehr schön beobachten. Hier rollen
täglich häufige Stücke dichten und oolithischen Kalksteins von den Felsen herunter, und bilden grosse
Schuttniederlagen an dem Fusse der Berge. Das Re-
genwasser dringt in diese Schutthaufen ein, und löst
Kalktheile auf, die sich rindenförmig um die losen
Bruchstücke absetzen, und dieselben nach und nach
cementiren; es ist ein Ausblühen von Kalksinter, welches diesen losen Schutt in eine feste Breccie verwandelt, und namentlich scheinen die oolithischen Kalksteine hierzu sehr geeignet. Solche Breccien können
daher eine sehr junge Bildung seyn, denn man sieht
dieselbe noch gegenwärtig vor sich gehen.

In der Umgegend von Basel tritt der Jurakalkstein sogleich in grosser Verbreitung auf, schon selbst
einen Theil des eigentlichen Jura bildend. Die Verhältnisse seines Vorkommens sind durch die vortreffliche Beschreibung des Herrn Merian hinreichend
bekannt*). Nach derselben erscheint ein gelblich-
grauer Oolith als das unterste Glied dieser Formation,
er ruht unmittelbar auf den Mergeln des Griphitenkalks oder auf bunten Mergeln; in dem östlichen
Theile des Kantons Basel lässt sich dieses Verhältniss
sehr bestimmt beobachten, weil hier die Schichten
fast horizontal liegen. Unter demselben befinden sich
meistens die Mergel des Griphitenkalks, selten liegen
bunte Mergel unmittelbar unter ihm, wie bei Füllings-
dorf. Die Mergel des Griphitenkalks, körnigen Eisenstein einschliessend, bilden Einlagerungen in dem
Rogenstein, welches sich mit grosser Bestimmtheit
bei Holzeberg, unweit Ziefen, im Ostergauthal, unterhalb Häfelfingen beobachten lässt; auf der unmittelbaren Berührungsebene nimmt der Mergel nicht sel-

---

*) Merian, Beiträge zur Geognosie, B. I, p. 46.

ten eine körnige Beschaffenheit an, und enthält Rogensteinkörner im Ostergauthal, Zunzgen, zwischen Ormelingen und Hemmiken.

Diese Einlagerung der bunten Mergel in den Rogenstein ist eine sehr interessante Beobachtung; es ist jedoch wahrscheinlich, dass hier unter der Benennung bunte Mergel graue thonige Mergel, denen des Griphitenkalks ähnlich, nicht aber diejenigen meist roth gefärbten bunten Mergel verstanden seyn werden, welche der Formation der oberen bunten Mergel angehören. Uebrigens bemerkt Herr Merian über diesen Wechsel der bunten Mergel und des Rogensteins noch Folgendes *).

Schon in den niederen Gegenden des Kantons Basel, am Meinfelsen, zwischen Muttenz und Pratteln, erscheinen mehrere Rogensteinmassen ganz in charakteristischen bunten Mergeln eingeschlossen. Wollte man dies auch partiellen Einstürzungen zuschreiben, so fällt dies doch im oberen Theile des Kantons weg. Hier lässt sich z. B. bei Bennweil mit grösster Evidenz ein regelmässiger Wechsel von buntem Mergel und Rogenstein beobachten.

Nach demjenigen, was Herr Merian noch an einer anderen Stelle**) über dieses interessante Vorkommen bemerkt, leidet es keinen Zweifel, dass bei Bennweil wirklich die bunten Mergel (Marnes irisées) mit Rogenstein wechseln, oder dass vielmehr bedeutende Rogensteinmassen demselben eingelagert scheinen. Es ist aber in diesen Gegenden die Lagerung der Gebirgsschichten im höchsten Grade zerrüttet (vid. p. 88), und nur daher, in Folge dessen, dürfte hier ein Wechseln zweier Formationen statt finden, die sehr scharf von einander geschieden sind.

Der ältere Oolith zeichnet sich durch seine schmuzzig-graugelbe, ziemlich konstante Farbe von den oberen weisslichen Rogensteinen aus; er besteht aus einer Zusammenhäufung schaliger Kalksteinkörner, im Innern oft noch als Kern das Bruchstück einer Verstei-

---

*) Merian, loc. cit., p. 51.

**) Merian, loc. cit., p. 92 — 95.

ne..ung enthaltend. Bisweilen liegen Lager von dich-
.em Kalkstein in ihm (Diegten), Versteinerungen sind
in dem Rogenstein ungemein häufig; ganze Streifen
und Lagen zerstossener Muschelschalen liegen in ihm.
Aber auch wohl erhaltene glatte Terebrateln*) (Sis-
sacher Fleck), gestreifte Pektunkuliten (St. Jakob,
Muttenz) und Madreporiten (zwischen Schauenburg
und Gempen, Holzeberg bei Ziesen). Auf dem Wartenberg bei Muttenz finden sich mehrere Zoll lange
Strombiten**) in einem dichten Kalkstein der gewöhnlichen Rogensteinfarbe; bei St. Jakob kleine Strombiten, Entrochiten und zweischalige Konchilien***).
     Die Mächtigkeit des älteren Rogensteins ist an
manchen Orten sehr bedeutend. Die Winterhalde bei
Mönchstein, der Siegmund bei Liestall bestehen fast
ganz aus demselben, sie erheben sich wohl 1000 F.
über das Thal, und ihre Schichten sind nicht sehr
geneigt. Der Rogenstein ist sehr zerklüftet und nur
Felsenbildung geeignet.
     Auf diesen älteren Rogenstein folgt zunächst ein
hellgrauer Mergel oder mergeliger Kalk, im Grossen
von ebenem oder flachmuscheligem, im Kleinen von
erdigem Bruch. Er ist reich an Versteinerungen von
Terebrateln, grossen gefurchten Pektiniten, flachen
Ammoniten und Chamiten, zuweilen enthält er Nieren
von Wasserkies.
     Alsdann folgt weit mächtiger, wie jene Mergel,
ein gelblich-weisser Kalkstein von kleinmuscheligem
Bruch. Oft von Kalkspathadern durchsetzt, erhält er
häufig das Ansehen einer Kalksteinbreccie mit Kalk-
spathbindemittel (Istein, zwischen Hofstetten und der
Klus, Gempen, Hobel). Oft nimmt derselbe oolithische Struktur an, und erscheint als ein dichter weisslich-gelber Rogenstein, meistens noch von muscheli-

---

*) Bruckner. — Merkwürdigkeiten der Landschaft Basel
Tab. 15, Fig. 3, 4.

**) Bruckner, loc. cit., Tab. 1, Fig. h und i.

***) Bruckner, loco citato, Tab. 1, Fig. k und m, Tab
3, Fig. a.

gem Bruch. Diese und der dichte Kalkstein wechseln häufig mit einander (Angenstein, Arlesheim, Grellingen).

Dieser helle jüngere Jurakalk ist reich an Versteinerungen, als Terebrateln, Strombiten, Pektiniten. In besonderer Menge erscheinen aber Echiniten, Fungiten, Madreporen und andere Zoophiten. Man kann das Gestein wohl einen Korallenfels nennen.

Die Bänke dieses Kalksteins sind meist von sehr ansehnlicher Mächtigkeit, und bilden steile Felsenwände, häufiger noch wie der ältere Rogenstein.

Ausser dem oben erwähnten Mergel, welcher den älteren oolithischen Jurakalk von dem dichten Jurakalk und dem jüngeren Oolith scheidet, befinden sich auch Mergellager in jenen dichten Kalksteinen; es gehören hierher unter andern die mit Ueberresten von Fungiten, Entrochiten, Echiniten und Schalthieren ganz erfüllten Mergel zwischen Hofstetten und Pfeffingen, zwischen Dornach und Hobel u. s. w. Bei Dornach sind viele Versteinerungen in Hornstein verwandelt.

Hiernach lassen sich in dem Juragebirge des Kantons Basel drei Hauptgruppen unterscheiden.

   a) Der ältere oolithische Kalkstein von gelblichgrauer Farbe.

   b) Schichten von hellgrauem Mergel und Mergelkalkstein, und

   c) dichter hellgelblich - weisser Kalkstein mit hellgelblich-weissem Oolith.

Diese drei Gruppen übrigens sind in der Natur nicht sehr scharf gesondert, das Gestein der einen Gruppe findet sich häufig in einer anderen; die Modifikationen sind mannigfaltig, und scheinen häufig nicht lagerartig einzutreten, denn dasselbe Lager zeigt oft in kurzen Entfernungen sehr verschiedene Charaktere. Der Schichtenbau erscheint unter den mannigfaltigsten und kühnsten Formen, gewaltsame Kräfte scheinen auf denselben gewirkt zu haben, und eine vielleicht statt findende Gesetzmässigkeit in dieser Lagerung ist bis jetzt noch nicht nachgewiesen worden.

In dem Rheinthale oberhalb Basel erscheint der Jurakalkstein zunächst bei Reckingen auf der Höhe,

und bildet eine steil abfallende Felsenwand, die auf
Mergeln ruht. Die Felsenwände bei Reckingen, oben
auf dem Berge, zeigen sich bei Rümekon bereits in
der Thalsohle, und beweisen, dass diese Kalksteinschichten, welche aus dichtem weissen Jurakalk bestehen, gegen Osten hin einsinken.

Zwischen Kaiserstuhl und Hohenthengen ist dichter weisser Jurakalkstein, der Felsen bildet, gegen
Osten einfällt und bis über Herden nach Eglisau geht.
Bei Herden wird Bohnerz in demselben gegraben.
Bei Eglisau hohe Geröllablagerung zunächst dem Rhein,
und darin sehr verengtes Bette dieses Flusses, ringsum hohe Berge von dichtem weissen Jurakalk. Darauf legt sich in dem breiter werdenden Rheinthale,
zwischen Eglisau und Bast, noch mehr aber weiterhin gegen Lotstädten Molasse an, ein gelblich-grüner
Sandstein, horizontale Bänke bildend. Aber der
dichte weisse Jurakalk tritt bald wieder auf bei Laufen, bei Neuhaus und am Rheinfall selbst, der ein
Durchbruch einer solchen Kalksteinkette ist. Die Felsen im Rheinfall sind dichter weisser Jurakalk, in
dem sich sehr schöne grosse gestreifte Terebrateln
finden; überhaupt ist der Jurakalkstein dieser Gegend
reich an Versteinerungen; besonders zeichnet sich in
dieser Hinsicht der Randenberg aus, an dem namentlich viele Echiniten gefunden werden[+]. Der Weg
von dem Rheinfall nach Schaffhausen auf dem rechten Rheinufer führt immer noch über ähnlichen Jurakalk, auf dem linken Ufer ist derselbe schon mehr
bedeckt. Die Schichten neigen häufig gegen Süden,
aber östlich von Schaffhausen nimmt die Bedeckung
der Molasse überhand.

Herr Keferstein beobachtete merkwürdige Konglommeratschichten in dem Jurakalk der Gegend von
Schaffhausen[**]. Dieselben bestehen aus Geschieben
von Alpenkalkstein, durch ein Cement von Jurakalk
verbunden, und wechsellagern mit reinem dichten Ju-

[+] Storr, Alpenreise vom Jahr 1781, Th. 1, p. 29.

[**] Teutschland, geognostisch-geologisch dargestellt von Ki-
ferstein, B. I, p. 357.

rakalk. Auch Bohnerzschichten sind hier dem Jurakalk aufgelagert; schon Herr Ebel bemerkt, dass in
der Schweiz die Molasse sich in der Regel nicht unmittelbar auf den Jurakalk lege, sondern dass zwischen beiden sich Schichten von Eisenerz finden.
Nach Herrn Keferstein liegt auf dem Zeughause
zu Schaffhausen eine Eisenbohne aus dortiger Gegend,
3568 Pfund schwer. Das Bohnerz, welches auf der
Kriegerthaler Hütte im Hügau verschmolzen wird, und
ebenfalls den obersten Bildungen des Jurakalks angehört, besteht, nach einer Analyse von Klaproth, in
100 Theilen aus *):

Eisenoxyd . .	53,0
Kieselerde . .	23,0
Alaunerde . .	6,5
Manganoxyd .	1,0
Wasser . . .	14,50
	98

Zwischen Taingen und Schleitheim befinden sich
zwei Ketten von Jurakalkstein, die Reith genannt, sie
hängen mit dem hohen Randen und so mit der Alp
zusammen, und erreichen schon eine ansehnliche Höhe. Es ist ebenfalls dichter weisser Jurakalk. Bei
Lohn, etwas den Berg aufwärts, liegen mehrere Brüche, hier sind die horizontalen Bänke dieses Kalksteins durch dünne Schichten grünlich-gelber Mergel
getrennt. Es finden sich häufig Versteinerungen, unter andern Terebrateln. Zwischen Lohn und Büttenhatt
wird Bohnerz gegraben; das Erz liegt sehr nahe unter Tage, es scheint auf dem Jurakalkstein und in
Klüften desselben vorzukommen, ohne festes Gestein
im Hangenden. Zwischen Mechrishausen und Beggingen ist die grösste Höhe der Reith, hier finden
sich in dem dichten Jurakalk viele Korallen, Madreporen, Ammoniten, schöne Vermikuliten und mehrere
Bivalven. Der Abhang gegen Beggingen ist ziemlich
steil und hoch, etwa auf dem letzten Viertel dessel-

*) KLAPROTH, Beiträge zur chemischen Kenntniss der Mi-
neralkörper, B. IV, p. 126.

ben treten die bituminösen Schiefer des Griphitenkalks unter dem einförmig-dichten weissen Jurakalk hervor.

Es verdient noch besonders hervorgehoben zu werden, dass, während in dem eigentlichen Jura die Schichtenneigung des Jurakalksteins immer ungemein steil ist, derselbe in dem Rheinthal, oberhalb Basel, sogleich eine sehr flache Lagerung annimmt, und dieselbe auch in der schwäbischen Alp beibehält. Diese Beobachtung, welche auch durch Tschocke und Ebel *) bestätigt wird, ist nicht allein für den Schichtenbau des Jura, sondern auch namentlich für die Bildung des Rheinthales sehr interessant, und beweist, dass hier wenigstens keine gewaltsame Verrückung der Kalksteinschichten stattgefunden hat. Steil geneigte Bänke von Jurakalkstein zeigen sich allein nur in der Umgegend von Basel; wie weit aber die flache Neigung, welche diese Gebirgsart sonst überall auf dem linken Rheinufer zeigt, sich in das Innere des Landes erstreckt, darüber fehlen bis jetzt noch hinreichende Beobachtungen.

Waldshuth gegenüber vereinigt sich die Aar mit dem Rhein, und führt dergestalt diesem Flusse den grössten Theil aller Alpengewässer zwischen dem Genfer- und Bodensee zu. Die Limmat, Reuss und Aar, welche sich unterhalb Brugg vereinigen, durchbrechen hier die Jurakette unter merkwürdigen Verhältnissen in einer fast genau querschlägigen Richtung; sie haben ein tiefes Thal in diese Bergkette eingeschnitten, durch welches vielleicht in früheren Zeiten selbst auch der Rhein seinen Abfluss nahm **). Das Aarthal, dessen Charakter von dem des Rheinthales durchaus verschieden ist, scheint zu Aufschlüssen über den inneren Bau des Juragebirges in diesen Gegenden ungemein geeignet.

Der

*) Tschocke, sur la formation du Jura dans l'Argovie etc. Bibliotheque universelle etc., Tome XX, an 1822, pag. 204.
Ebel, über den Bau der Erde in den Alpengebirgen, B. II, pag. 122.

**) Ebel, loc. cit., B. II, p. 101.

Der Jurakalkstein, welcher in der schwäbischen Alp mit so bedeutender Mächtigkeit auftritt, unterscheidet sich von dem in Lothringen und in dem eigentlichen Jura vorzüglich dadurch, dass ihm die oolithischen Schichten fast gänzlich fehlen, denn dieselben sind eigentlich schon bei Reckingen und Kaiserstuhl verschwunden. Dieser Jurakalk der Alp ist daher ein sehr einförmiges Gestein. Seine Farbe ist in der Regel sehr licht, meist ganz weiss oder lichtgelblich-grau. Er ist ganz dicht, bisweilen etwas erdig und mergelig, und sogar abfärbend, im Bruch flachmuschelig, splitterig, an scharfen Kanten durchscheinend. Der lichtweiss gefärbte Jurakalk besteht fast nur aus kohlensaurem Kalk, oft kaum nur mit einer Spur von Thon, Eisenoxyd oder Talkerde. In anderen Varietäten nimmt er aber wohl 20 — 24 Prozent Thonerde oder andere fremdartige Beimischungen auf. Nach den Untersuchungen des Herrn Professor Schübler ist das spezifische Gewicht des reinen Jurakalks 2,68, das der thonhaltigen Abänderungen aber 2.65 — 2,62. Die festeren Abänderungen des Jurakalks nehmen gute Politur an, haben bisweilen auch einige bunte Schattirungen, und werden dann als Marmor benutzt. Solche marmorartige Kalksteine kommen unter andern vor, bei Neresheim dendritisch und stellenweise ins Rosenrothe übergehend, bei Kloster Beil, bei Bissingen und Ochsenwang an der Tek, bei Hattenhofen schwärzlich-grau, bei Bättingen roth und bandartig gestreift. Auf dem Heuberge bei Kolbingen findet sich der Jurakalk in dünnen, 1 — 4 Zoll dikken und 2 — 4 F. langen Platten; sie sind unter dem Namen der Kolbinger Platten bekannt, und werden zur Belegung der Hausfluren und auch zur Litographie benutzt. Sie sind den Pappenheimer Steinen ähnlich, nur weniger rein und gross.

In den Höhlen und Zerklüftungen des Jurakalks findet sich Kalkspath sehr häufig und oft in grossen Blöcken, bei Neresheim unter andern von honiggelber Farbe, wo er zu allerlei Kunstarbeiten benutzt wird. Stänglich, sehr rein und von wenig gelber Farbe kommt er bei Königsborn und Heidenheim vor, und bedeckt häufig ganze Strecken des Jurakalks.

II.
[18]

Kalksinter und schöne Stalaktiten finden sich vorzüglich häufig in den vielen Höhlen der schwäbischen Alp.

Sehr selten nimmt der Jurakalk der schwäbischen
Alp eine oolithische Natur an, unter andern bei Neresheim und Ehrenfels; er besteht hier aus kleinen
Körnern von der Grösse einer Hirse. Bei Söfflingen,
unweit Ulm, und bei Rangenweiler ist ein ganz krei-
deartiges Gestein dem Jurakalk aufgelagert.

Der dichte Jurakalk ist sehr reich an Versteinerungen, vorzüglich Ammoniten, Nautiliten, Belemniten, Ostraciten, Terebratuliten, Echiniten u. s. w.
In seinen obersten Schichten findet man auch bisweilen Korallen und Fische.   Memminger giebt folgende Versteinerungen namentlich aus dem schwäbischen Jurakalkstein an:

Ammonites annullatus und Planulatus nodosus, beide
    sehr häufig.
Ammonites coronatus und costulatus, selten bei
    Wasseralfingen und Gemünd im Jurakalk.
Telliniten in verschiedenen Arten.
Donaciten, namentlich Donacites trigonius, an dem
    Stuifenberg bei Gemünd.
Chamiten, einige Arten bei Nattheim.
Ostracites crista galli und complicatus, bei Wasser-
    alfingen und in mehreren Gegenden der Alp.
Ostracites pectiniformis, in mehreren Gegenden
    der Alp.
Ostracites eduliformis, am Fusse der Alp am Stui-
    fenberge.
Terebratulites giganteus, bei Nattheim.
    —   lacunosus, häufig im Jurakalk.
    —   dissimilis, seltener in dieser Forma-
    tion.
Echiniten, oft noch mit gut erhaltener Schale und
    einzelnen Stacheln, im Jurakalk, gewöhnlich in
    Kalzedon oder Feuerstein verwandelt.
Echinites coronatus (in mehreren höheren Gegen-
    —   globulatus) den der Alp, bei Genkingen,
                                Lichtenstein.
    —   ellipticus, seltener bei Heidenheim.

Encrinites mespiliformis, in den Gegenden von
Giengen und Heidenheim auf Jurakalk.
Korallen, sie finden sich sämmtlich in den höheren
Schichten des Jurakalks, bei Nattheim in
Bohnerzgruben in Kalzedon versteinert, und
nur selten in anderen Gegenden der Alp als
Fungites infundibuliformis, Schwammkoralle dort
und auf der Alp.
Hyppurites radiatus, vorzüglich schön bei Natt-
heim.

Madreporites maeandrinus
— truncatus
— cavernosus
— lilatus. } bei Nattheim.
— astroites
Tubiporites stalactiticus
Alcyonites manatus

In der mehr angeführten Uebersicht der Versteinerungen Würtembergs werden die Versteinerungen
in dem dichten Jurakalk von denen in den obersten
Schichten getrennt, und folgende Versteinerungen,
sämmtlich der rauhen Alp angehörig, angegeben:

Versteinerungen im dichten Jurakalk.

Ammonites planulatus, in seinen drei Varietäten,
vulgaris, nodosus und comprimatus.
Ammonites annulatus, mit den Unterarten colubrinus, vulgaris, anguinus und colubrinus major.
Ammonites costatus, zuweilen.
— inflatus (Rein.).
— convolutus, noch zweifelhaft.
— comprimatus, nicht sehr häufig.
— costulatus.
— papyraceus, erfordert noch nähere Untersuchung.
Ammonites depressus, desgleichen.
— maeandrus (Rein.).
— refractus (Rein.), verkiest.
— dentatus (Rein.).
— striolaris (Rein.).
— ellipticus (Rein.), verkiest.

Ammonites abruptus, neue Species, hat einige Aehnlichkeit mit Amm. planulatus (Schl.).

Terebratulites dissimilis.

— helveticus.

— lacunosus, häufig.

— vulgaris communis, häufig.

— — latus, häufig.

— — planitiatus, von der im älteren Kalkstein etwas verschieden.

Terebratulites elongatus, selten.

— giganteus, gehört mehr den oberen Schichten an.

Terebratulites bicanaliculatus, nicht selten.

Fungites infundibuliformis, häufig.

— patellatus, seltener als die vorige Art.

— pileatus, selten.

— deformis, noch näher zu untersuchen.

— testudinarius, bis jetzt nur selten gefunden.

Versteinerungen in den obersten Schichten des Jurakalksteins.

Serpulites lumbricalis.

— gordialis.

— umbilicatus, bedarf noch näherer Untersuchung.

Helicites sylvestrinus ⎫ sämmtlich der Bildung von

— globositicus ⎬ Süsswasserkalk im Stuben-

— trochiformis ⎭ thal angehörig. Die Letztere ist neue Species.

Neritites grossus, neue Species, ähnlich Ner. grossa (L.).

Neritites cancellatus, neue Species.

Bullacites ficoides, noch genauer zu untersuchen.

Trochilites laevis.

— telescopüformis, in Feuerstein. Es kommen mehrere Arten von Trochiten vor.

Turbinites terebratus.

— duplicatus.

— angulatus, selten.

Lepadites plicatus, zweifelhaft.

Aroacites lineatus, ganz ähnlich der Arca pilosa (L.).

Chamites jurensis.

Chamites punctatus.

— laevis,

Pectinites reticulatus, selten.

Ostracites pectiniformis, häufig.

— crista hastellatus, stellenweise häufig.

Terebratulites dissimilis.

— lacunosus, sehr häufig.

— tegulatus, bei Heidenheim.

— trigonellus, selten.

— pectunculus.

— vulgaris latus,

— — orbiculatus.

— — planitiatus.

— giganteus, bei Heidenheim, Nattheim.

Griphites gigas, bei Heidenheim oft $\frac{1}{2}$ — $\frac{3}{4}$ F. lang.

Echinites scutatus major, selten.

— corculum, zweifelhaft.

— coronatus, häufig.

— variolatus, selten.

— ellipticus, bisweilen.

— orificiatus.

— vulgaris, in Kalzedon versteinert.

— pustulosus, in kleinen zierlichen Exemplaren.

Echinites mamillatus, hat sich bis jetzt nur ein Stachel gefunden.

Hippurites turbinatus, nur bei Heidenheim.

— radiatus, in Feuerstein bei Heidenheim und Nattheim.

Hippurites rotula, noch zweifelhaft.

Madreporites truncatus

— maeandrus	finden sich sämmtlich nur in den obersten Schichten des Jurakalks, bei Heidenheim in quarzigen Hornstein verwandelt. Die beiden letzteren Arten bedürfen noch genauerer Bestimmung.
— exesus	
— muricatus	
— cavernosus	
— filatus	
— astroites	
— favosus	
— poriferus	
— hippurinus	
— limbatus	

Milleporites celleporatus } bei Heidenheim, bedürfen
— cornigerus } aber noch genauerer Bestimmung.
Tubiporites subulatus } in Hornstein bei Heiden-
— stalactiticus } heim.
Spongites favus, von Heidenheim.
— alcyonatus.
— ficiformis, kommt überein mit Spongia
ficiformis (Lamouroux).
Spongites clavarioides, mit der bei Lamouroux,
Tab. 84, Fig. 8, 9, 10, übereinkommend.
Alcyonites manatus.
— clavatus.
— costatus, hat einige Aehnlichkeit mit Hal-
lirhoa costata (Lamouroux).
Alcyonites mamillosus (Lamouroux Tab. 79, Fig.
2 — 4).

Auch auf der schwäbischen Alp finden sich Nie-
derlagen von Thoneisenstein und Bohnerz, und zwar
dem Jurakalk aufgelagert oder auch in Klüften desselben, nur scheint kein anstehender Kalkstein über diesen Lagern mehr vorhanden. So befindet sich ein 1
— 2 F. mächtiges Flötz von körnigem Thoneisenstein
bei Gossheim und Wehingen, unweit dem Harraser
Hochofen muldenförmig dem Jurakalkstein aufgelagert,
die Erze sind nicht so reich, wie bei Wasseralfingen,
und enthalten nur etwa 20 Prozent Eisenniere, wird
auf und in Klüften des Jurakalksteins bei Dornhan
und Fluorn gewonnen, und ist dort unter dem Namen Grunderz bekannt. Bohnerz findet sich an sehr
vielen Punkten auf der Alp, namentlich auf dem
Herdtfeld bei Michelfeld, wo es in stehenden Stöcken
vorzukommen scheint, bei Nattheim und Oggerhau-
sen, auf dem Heuberge und dem ihm gleichlaufenden
Hardtberge, wo die Erze in Sand liegen; ferner von
brauner Farbe und in unregelmässigen Einsenkungen
bei Ebingen und Trochtelfingen, gemeinschaftlich mit
Graubraunsteinerz; bei Neuhausen ob Ek, und zwar
scheint hier wieder das Bohnerz in stehenden Stöcken
vorzukommen, dem Vorkommen bei Nattheim, Og-
gerhausen und Michelfeld ähnlich, von gelbem Lehm

umgeben, ferner bei Willmandingen und Thalheim,
wo vorzügliches Bohnerz gegraben wird, endlich bei
Wurmlingen, Nendingen, Mühlheim, Kolbingen u. s. w.

Nach der vorstehenden Beschreibung ist der Jurakalkstein der schwäbischen Alp ein sehr einförmiges Gestein, meist nur ein dichter weisser Kalkstein.
Mannigfaltigere Verhältnisse zeigt aber diese Gebirgsart im ferneren Fortstreichen der Kette, zwischen
Donauwörth und Nördlingen, durch das ganze Eich-
städtische fort, bis zwischen Berlingries und Kellheim.
Hier bemerkt man nach Herrn v. Buch *), zumal
auf dem Wege von Weissenburg nach Eichstädt, und
in dem steilen, etwa 200 F. tiefen Thale der Altmühl,
nachstehende Schichtenfolge.

a) Zu unterst, als die liegende Gebirgsmasse, einen
sehr feinkörnigen braunen oder grauen Sandstein, ohne Zweifel derselben Bildung angehörig, welche in Würtemberg unter der Benennung Eisensandstein bekannt ist. Darauf folgt

b) dichter, gräulich-weisser Jurakalkstein von split-
terigem Bruch, und Bänke von ansehnlicher
Mächtigkeit bildend; er enthält fast überall den
Ammonites planulatus (Schl.).

c) Auf diesen Kalkstein legt sich eine mächtige
Masse von ausgezeichnetem Dolomit, grosse
senkrecht zerklüftete Felsen bildend, und ohne
regelmässige Schichtung. Endlich

d) als oberstes Glied der ganzen Bildung ist dem
Dolomit der Kalkschiefer aufgelagert, welcher
durch seine Fischabdrücke und durch die An-

---

*) von Buch, Ueber die Lagerungsverhältnisse der Kalk-
schichten mit Fischabdrücken, und über den Dolomit im Fran-
kenlande. Ein Schreiben an Herrn A. Brogniart, Journal de
Physique, XCV, 258. Uebersetzt in Leonhards Taschenbuch,
Jahr 1824, pag. 242 — 244.

wendung zur Lithographie so bekannt geworden ist.

Diese Schichtenfolge, welche in jenen Gegenden
allgemein ist, scheint in der schwäbischen Alp nicht
vorhanden, vielmehr scheinen hier der Dolomit und
Kalkschiefer gänzlich zu fehlen*); ob an dem Heuberge bei Kolbingen vielleicht etwas. Aehnliches vorkomme, verdiente indessen einer näheren Untersuchung.

Wenn man die Menge von Versteinerungen sieht,
welche den Jurakalkstein erfüllen, namentlich die un-
glaubliche Menge von Madreporen und Zoophiten,
welche dieses Gestein nach allen Richtungen durchziehen, und oft nur erst durch die Verwitterung etwas in die Augen fallend werden, so kann man sich
kaum des Gedankens erwehren, diese grosse, mehrere Hundert Stunden ausgedehnte Gebirgsmasse möge
vielleicht ein Gebäude jener Korallen seyn. Diese
Ansicht gewinnt auch immer mehr Wahrscheinlichkeit
durch die eigenthümlichen Lagerungsverhätnisse dieses
Kalksteins, namentlich durch die Abhängigkeit seiner
Richtung von dem älteren Gebirge, selbst wenn dieses viele Stunden entfernt ist, durch den Parallelismus
seiner Bergketten, durch die eigenthümliche Natur
der Querthäler, welche dieses Gestein im Jura so wie
in der Alp zu durchsetzen pflegen, überhaupt möchte
man sagen, durch den ganzen äusseren Habitus der
Formation. Denn auch die steilen, fast senkrechten
Felsenwände, die spitzen isolirten Berge, welche auf
dem nordwestlichen Abfalle der Alp so gewöhnlich
sind, und das isolirte, nur auf einzelne Punkte be-
schränkte Vorkommen dieser Formation in dem Rheinthale deutet hierauf hin. Der dichte, namentlich der
mit Korallen durchwebte Kalkstein zeigt nur unvoll-
kommene, oft gar keine Schichtung, mehr dagegen
die oolithischen Gesteine. In der schwäbischen Alp
daher ist nur selten deutliche Schichtung zu beobach-

---

*) von Buch, loc. cit.; pag. 255.

ten, aushaltend und regelmässig pflegt dieselbe wohl nicht zu seyn. Man bemerkt nur, dass der Griphitenkalk und dessen Mergel, welche dem Jurakalk zur Basis dienen, eine Art von Sattel bilden, so dass die Sattellinie, wie bereits früher angegeben worden, in eine Linie fällt, welche von dem Blauen, über den Belchen und Feldberg, bis zum hohen Bussen bei Riedlingen gezogen werden kann. Dieses Verhalten ist einigermassen in dem Profile No IX ausgedrückt, wo der Sattelpunkt sich etwa in der Gegend von Dürrheim befindet. In Lothringen ist die Lagerung des Jurakalks ungemein flach, das Gestein geht allmälig in Kreide über, und die Bildung des Jurakalks scheint über weite Flächen erfolgt zu seyn. Dies aber scheint nicht in Schwaben der Fall, hier ist die Gebirgsart in ihrer Bauart weit mehr einem Korallenriffe ähnlich, und nicht nach Art gewöhnlicher Flötzgebirge gebildet.

Auf den Profilen No. I, No. VII und No. IX z. B. ist das Fallen bei dem für Länge und Höhe angenommenen Maasstabe der Natur möglichst proportionell, und eher zu stark als zu schwach gezeichnet, aber demungeachtet verliert der Jurakalkstein auf dem Profil No. I, vom Hohenranden bis gegen die Klingsteinporphire des Högau, alle Masse, dasselbe geschieht von Schleitheim bis Schaffhausen auf dem Profile No. VII, und zwischen Schleitheim und Eglisau auf dem Profile No. IX. Es folgt hieraus, dass der Jurakalkstein nicht unter die Molasse setzt, oder doch nur unbedeutend; dass derselbe keine gewöhnliche Flötzschicht bildet, sondern wie ein Damm den bituminösen Schiefern des Griphitenkalks aufliegt, wie der Bau von Zoophiten auf dieser Basis gebildet. Aus diesem Verhalten wird es erklärlich, warum in dem Bohrloche von Eglisau kein Jurakalkstein gefunden worden ist, obgleich derselbe doch ringsum in hohen Felsen ansteht. Selbst die Griphitenmergel sollen in diesem Bohrloche fehlen, und sind entweder weggewaschen oder nie hier vorhanden gewesen, wie der Jurakalkstein, denn wenn gleich der Jurakalk und diese Mergel zweien sehr bestimmt verschiedenen For-

mationen angehören möchten, so scheinen doch dieselben Umstände, welche den Anbau der Korallen
begünstigten, auch für die Bildung der Mergel vortheilhaft gewesen zu seyn, oder umgekehrt vielmehr,
eine Basis bituminöser Mergel begünstigte den Anbau
der Korallen; denn ausnehmend häufig sieht man den
Jurakalk auf bituminösen Mergeln des Griphitenkalks
ruhen.

Uebersicht

der in Schwaben und Lothringen angestellten
Salzversuche und der vorhandenen Mineral-
und Salzquellen.

———

I. Versuche auf Steinsalz und reiche Soole.

Aus der bisherigen Beschreibung geht hervor, dass
in Schwaben, Lothringen und den angrenzenden Gegenden vorzüglich drei Formationen reich an Spuren
von Steinsalz und Salzquellen sind, nämlich die Formation des rothen Schieferlettens zwischen dem rothen Sandstein und dem rauchgrauen Kalkstein; der
rauchgraue Kalkstein selbst mit seiner Gipseinlagerung,
und endlich die Formation der bunten Mergel über
dem rauchgrauen Kalkstein. Von diesen scheinen
vorzugsweise die beiden letzteren Bildungen reich an
Salzquellen und Steinsalz zu seyn, auch haben sich
die angestellten Versucharbeiten vorzüglich auf diese
beiden Formationen beschränkt. Zur besseren Uebersicht ist die Zusammenstellung der erhaltenen Resultate bis hierher verschoben, nachdem vorher das allgemeine Verhalten der salzführenden Formationen
entwickelt worden.

Die Bohrversuche bei Candern wurden im Dezember 1819 innerhalb der Frischhütte, ganz in der
Nähe des primitiven Gebirges, angestellt. An den
Gehängen desselben gehen in kurzen Entfernungen
der rauchgraue Kalkstein, der Gips, der Griphiten-

kalk und der oolithische Jurakalk zu Tage; alle Schichten fallen steil, unter Winkeln von 60 — 70 Grad, gegen Südwest. Nach den Angaben des Herrn Faktors Huc sind folgende Schichten durchbohrt worden:

1) Blaue Mergel und Griphitenkalk bis . 100 F.
2) Bunte Mergel bis . . . . 200 —
3) Dichter grauer Kalkstein, bunter Thon, violblauer Kalkstein, Stinkstein bis . . 400 —
4) Schwarzer Thon; abwechselnd mit blauem Schieferthon und Gips, bis. . 500 —
5) Hauptgipslager bis. . . . . . . 630 —

In dieser Teufe wurde rauchgrauer Kalkstein erreicht, und der Versuch eingestellt, ohne Soole erhalten zu haben.

Nach Herrn von Langsdorf*) wurden hingegen folgende Schichten durchsunken:

1) Geschiebe von Granit und Sand . . 16 F.
2) Blauer schieferiger Mergel . . . . 24 —
3) Blauer Griphitenkalk . . . . . . 47 —
4) Rother Letten. . . . . 4 —
5) Gelber Letten. . . . . 25 —
6) Weissgrauer dichter Kalkstein mit Flötzen verhärteten Mergels . . . 118 —
7) Röthlich-weisser Kalkstein mit Spathadern. . . . . 12 —
8) Bunter Schieferletten . . . . . . 30 —
9) Zäher, lichter, violblauer Kalk. . . 10 —
10) Braunrother Thon mit Gips. . . . 8 —
11) Harter lichtblauer Kalk . . . . . 7 —
12) Harter gelbgrauer Stinkstein. . . . 48 —
13) Gips . . . . 11 —
14) Gips mit grauem und rothem Thon . 30 —
15) Desgleichen . . . . 170 —

Summa 560 F.

Im Allgemeinen stimmen beide Angaben überein, welche in badenschen Fussen = 3 Dezimeter gemacht sind.

---

*) Leichtfassliche Anleitung zur Salzwerkskunde, p. 343 — 344.

Es geht aus diesen Versuchen hervor, dass bei Candern zwar die dem rauchgrauen Kalkstein einge- lagerte Gipsformation vorkommt, deren Spuren sich auch bis Sulzburg verfolgen lassen, dass dieselbe hier aber kein Steinsalz enthält, wahrscheinlich, weil sie keinen Raum hatte sich zu mulden.

Bei Eglisau werden noch gegenwärtig (1823) Bohrversuche durch den Herrn Hofrath Glenk an- gestellt. Das erste Bohrloch wurde auf dem linken Rheinufer angesetzt. Der Hauptgrund, welcher für die Wahl dieses Punktes entschieden hat, scheint der Umstand gewesen zu seyn, dass Eglisau der tiefste Punkt des Kantons Zürich ist. Bis dicht an Eglisau zieht sich der Kalkstein des Jura, alsdann legt sich auf denselben Molasse *). Das erste Bohrloch wurde in dieser Molasse angesetzt, und auf eine Tiefe von mehr als 600 würtembergische Fuss niedergebracht, unter der Molasse erhielt man, nach der Angabe des Herrn von Langsdorf, einen Kalkstein, welcher für Jurakalk gehalten wurde; auch sollen etwas sal- zige Wasser erbohrt worden seyn. Die Bohrarbeit wurde indessen wegen des beständigen Nachfallens zu beschwerlich, und musste eingestellt werden.

Nach mündlichen Mittheilungen des Herrn Glenk aber, und nach dem Original-Bohrregister wurde hier in Molasse bis auf eine schmale braunrothe Eisenerz- lage gebohrt . . . . 214 F. — Z. W.

Die Molasse dauerte fort bis . 505 — 8 — —

Darauf kamen bunte Mergel, die oft sandig wurden, und häufig sich nicht ganz bestimmt von der Molasse unterscheiden liessen; in denselben unbedeutende Trümmer von Fasergips. Gebohrt wurde in diesem Gebirge bis . . . . . 719 — 8 — —

Man setzte sich darauf auf das rechte Rheinufer, unmittelbar an den Rhein, unterhalb der Brücke von Eglisau. Hier ist noch ganz in der Nähe des Bohr-

---

*) Ueber die Bohrversuche bei Eglisau finden sich einige Nach- richten in Langsdorf loc. cit., p. 339, und in der Züricher Zeitung No. 60, den 17. November 1821.

loches Jurakalk anstehend; das Bohrloch selbst aber
ist ebenfalls in Molasse angesetzt, die Bohrarbeit jedoch noch nicht beendigt.

Die Molasse, obgleich ganz in der Nähe des Jurakalks, ist doch ausnehmend mächtig; ersterer muss
daher steil in die Tiefe niedersetzen, und dies scheint
auch an anderen Punkten eine Eigenthümlichkeit des
Jurakalks zu seyn. Die Molasse setzt der Bohrarbeit
grosse Schwierigkeiten entgegen; ist dieselbe wirklich
durchsunken, so muss noch der Jurakalk, im Fall
derselbe nicht fehlt, durchteuft werden, dann der
Griphitenkalk, und nun erst darf man das salzführende
Gebirge erwarten. Es scheint daher auf diesem Punkte
wenig Hoffnung eines glücklichen Erfolges. Die Hängebank des Bohrloches liegt 1020 F. über dem Meer.
Nach den letzten Nachrichten, welche Herr Hofrath
Glenk die Güte hatte, uns über die Bohrarbeiten in
Eglisau mitzutheilen (März 1824), waren bei 640 F.
Teufe ganz dieselben bunten Mergel erreicht, wie in
Vic, ohne vorher eine Spur von Jurakalk oder Gri-
phitenkalk zu finden; beide scheinen daher hier zu
fehlen, und der Jurakalk muss steil in die Tiefe abfallen.

An einem anderen Punkte der Schweiz, bei
Schleitheim, unfern dem Wutachthale im Kanton
Schaffhausen, sind im Jahre 1824 durch den Herrn
Hofrath Glenk ebenfalls Bohrversuche auf Steinsalz
angefangen worden. Das Thal von Schleitheim ist
bis in die obere Abtheilung des rauchgrauen Kalksteins
einige 80 bis 100 F. tief eingeschnitten. Die Hängebank des Bohrloches besteht aus diesem Kalkstein,
dessen Schichten sanft Südost einfallen. Sie liegt etwa 1400 F. über dem Meer. Westlich vom Bohrloche kaum $\frac{1}{4}$ Stunde entfernt, auf dem Wege nach
Stühlingen, geht die Gipseinlagerung des rauchgrauen
Kalksteins in dem Wutachthale zu Tage, und zeigt
bisweilen Spuren von Glaubersalz; geognostisch scheint
daher dieser Punkt so vortheilhaft gelegen wie nur
möglich. Nach den letzten schriftlichen Nachrichten,
welche der Herr Hofrath Glenk die Güte hatte, uns
mitzutheilen, hat man mit diesem Bohrloche durchsunken, bis zum 13 Februar 1824:

1) Die obere Abtheilung des rauchgrauen
Kalksteins, bis auf die Gipseinlagerung, mit . . . . 212 F.
2) In dieser Gipseinlagerung darauf gebohrt bis . . . . 405⅓ —

Dieselbe wechselte bisweilen mit Stinkkalk, und
war noch immer nicht durchsunken, aber man hatte
auch noch keine Spur, weder von Steinsalz noch von
Soole erhalten. Der fernere Verlauf wird zeigen, ob
auch an diesem Punkte die Gipseinlagerung kein Salz
enthält, obgleich alle geognostischen Verhältnisse berechtigen, einen glücklichen Erfolg zu hoffen, und
namentlich die Gipseinlagerung, welche hier so sehr
viel tiefer liegt als in Dürrheim, eine so bedeutende
Mächtigkeit erreicht.

Zeitungsnachrichten zufolge ist das Bohrloch von
Schleitheim im Herbst 1824 eingestellt worden, nachdem, ohne eine Spur von Steinsalz zu finden, endlich
der rothe Sandstein erreicht war; ob vorher noch
Kalkstein angetroffen wurde, ist nicht angegeben.
Dieser unglückliche Erfolg der Schleitheimer Bohrarbeit ist ein neuer Beweis von der Unsicherheit, der
die Versuche auf Steinsalz und Salzquellen ausgesetzt
sind, und welche durch die grösste Behutsamkeit nicht
entfernt werden kann. Das Bohrloch von Schleitheim
war nach den gegenwärtigen Kenntnissen von der
Lagerung des Steinsalzes in jeder Hinsicht passend
gewählt, auch wurde die Steinsalz führende Einlagerung des rauchgrauen Kalksteins wirklich angetroffen.
Aber ob dieselbe in dem geringen Umfange, welchen
ein Bohrloch untersucht, taub oder salzführend seyn
werde, hängt lediglich vom Zufall ab, Es dürfte jedoch hieraus der Schluss zu ziehen seyn, dass Salzversuche selbst in dem noch so günstig scheinenden
Salzgebirge, welches nicht wirklich Salzquellen aufzuweisen hat, stets sehr misslich bleiben, indem nicht
leicht ein Salzkörper so dem Zugang der Gewässer
verschlossen seyn wird, dass nicht etwas Steinsalz aufgelöst würde. Aber selbst in diesem Falle bleibt der
Erfolg anzustellender Salzversuche noch immer sehr
misslich; denn wenn nicht der Salzkörper eine sehr

grosse Fläche einnimmt, so ist es immer ein blosser Zufall, denselben mit dem Bohrer aufzufinden.

Die Saline Dürrheim liegt auf einer hohen, flach nach Donaueschingen abfallenden Gebirgsebene, 2153 F. über dem Meer (nach von Langsdorf liegt das oberste Schachtgevier des Bohrloches No. 1 2146 F. über dem Meer), etwa $1\frac{1}{2}$ Stunden von Villingen. Dicht bei diesem Orte gegen Westen geht der rothe Sandstein zu Tage, doch liegt Villingen auf rauchgrauem Kalkstein, der sich bis nach Dürrheim zieht, und östlich von hier, nach der Alp zu, von bunten Mergeln bedeckt wird. Die Saline Dürrheim liegt auf rauchgrauem Kalkstein, der kaum von bunten Mergeln bedeckt ist, aber wenige Schritte von der Saline befinden sich schon Brüche auf oberen Gips der bunten Mergel; diese bilden ganz nahe bei der Saline einen kleinen Höhenzug, auf dem sich auch sogleich Griphitenkalk einfindet. Die Ebene von Dürrheim nach Donaueschingen ist zum grössten Theil mit Wiesen- und Torfgrund bedeckt.

Dem Bergrath Selb gebührt das Verdienst, auf diesen Punkt zuerst aufmerksam gemacht, und Bohrversuche daselbst in Vorschlag gebracht zu haben*). Es sind 4 Bohrlöcher daselbst mit dem glücklichsten Erfolge niedergebracht worden, von denen es hinreichend seyn wird, die Resultate von dreien derselben anzugeben, so wie sie die Original-Bohrregister enthalten, welche der Salineninspektor, Herr von Althaus, die Güte hatte uns mitzutheilen. Die Maasse sind in Pariser Fussen angegeben.

Bohrloch No. 1.

Fuss.	Zoll.	
18	$1\frac{1}{4}$	fester Kalkstein.
18	$3\frac{1}{4}$	blauer Thon.
18	$\frac{1}{4}$	fester Kalkstein.
19	$11\frac{1}{4}$	Thon, 3 Zoll Kalkstein.
21	$5\frac{1}{4}$	Thon, etwas Kalkstein. 23

*) Selb, geognostische Verhältnisse der Gegend von Dürrheim, Karlsruhe 1822.

v. Langsdorf, loc. cit., p. 357 — 379.

Pr. Walchner, Uebersicht der geognostischen Verhältnisse in den Umgebungen von Dürrheim etc. Freyburg 1824.

Fuss.	Zoll.	
23	11¼	Thon.
26	6¼	Gips mit Schwefelkies?
29	2¾	Thon.
32	2¼	Thon, 10 Zoll Gips.
34	8	fester Gips mit Thon?
37	8	desgleichen.
40	8	fester Kalkstein.
46	4	Kluft, wo die Wasser ablaufen.
47	10	fester Kalkstein.
112	3,	— 1 Fuss 6 Zoll blauer Thon.
120	3	blauer Thon.
126	11½	— 10 Zoll blauer Thon.
127	4¾	— 9 Zoll Thon.
135	3¾	— 1½ Zoll Thon.
136	3¾	— 1 Zoll blauer Thon.
144	¼	— 2½ Zoll blauer Thon.
146	4¼	— 1½ Zoll blauer Thon.
147	8¾	— 1 Zoll blauer Thon.
148	7¼	— 1½ Zoll rother Thon.
150	10¾	— 2½ Zoll blauer Thon.
152	3	— 3 Zoll blauer Thon.
158	5¼	— 1 Zoll blauer Thon.
176	6½	— 2 Zoll blauer Thon.
177	7	— 2 Zoll blauer Thon.
182	6	— 1 Zoll blauer Thon.
186	1¼	Kalkstein mit Thon.
189	8	— 1 Zoll blauer Thon.
191	11½	— 2 Zoll blauer Thon.
202	11½	Kalkstein mit vielem Thon.
213	10½	Kalkstein mit wenig Thon.
218	11	sehr fester Kalkstein.
232	2¾	— 1½ Zoll blauer Thon.
235	7¾	— 1½ Zoll blauer Thon.
236	2¾	— 2 Zoll blauer Thon.
261	11½	Thon und Kalkstein.
262	3¾	sehr fester Kalkstein.
263	8¾	— 2 Zoll Thon.
278	8	Kalkstein mit Schieferthon.
281	9	Gips mit Drusen.

Obere Abtheilung des rauchgrauen Kalksteins, 241 F. mächtig.

II.

[19]

Fuss.	Zoll.	
283	7¾	Schieferthon.
285	2¾	Gips mit Drusen, 6 Zoll Thon.
286	7¾	Schieferthon mit Gips.
288	9¼	sehr fester Kalkstein.
296	10½	Thon mit Gips.
299	7	sehr fester Kalkstein.
301	11	Stinkkalk.
307	9	Thon mit Gips.
309	3	fester Stinkkalk.
312	2	Stinkkalk.
314	6	Stinkkalk mit Gips.
315	6	fester Kalkstein.
318	3	sehr fester grauer Quarz.
318	11	sehr fester Thon.
325	¼	fester Stinkkalk mit Gipsdrusen.
326	4	fester grauer Gips.
329	9½	fester Stinkkalk.
·330	3	desgleichen mit Gips.
372	¼	Thon, der gesalzen ist.
372	2½	Salzthon.
377	7½	Salzthon, Stinkkalk und Gips.
382	6¼	Gips mit Salz.
389	9½	Thon.
392	5½	Salz mit Thon und Gips.
414	7½	Stinkkalk mit Gips.
415	1½	Salzthon mit Gips.
417	—	festes Salz.
431	10	blauer Thon und Gips.
483	4	Salz, bisweilen Gips.
451	11	grauer Thon mit Gips.
452	5	fester Kalkstein.

{ 10 F. Salz, erstes Flötz (bei 382, 389, 392)

{ 2tes Salzlager, 37 F. mächtig. (bei 415–452)

Anmerkung. Die Angaben von Gips bei 26,
32, 34 F. sollen nach den Bemerkungen des
Herrn von Althaus falsch seyn, in dieser
Gegend soll vielmehr der bituminöse Kalk-
schiefer mit Schwefelkies und Braunkohle vor-
kommen, auf jeden Fall aber scheint dieses
Gebirge bis 37 F. 8 Zoll der oberen bunten
Mergelformation anzugehören.

Bohrloch No. 2.

Fuss. Zoll.

14 11¼ fester Kalkmergel.
19 5¼ blauer Thon.
28 8½ schwarzer kohliger Schiefer, 3 Zoll Kohle.
38 10½ Kalkstein und Thon.
43 5 fester Kalkstein.
274 8 Kalkstein, fest oder mild, bisweilen kleine Thonlager.

} Obere bunte Mergel.

} Obere Abtheilung des rauchgrauen Kalkst.

279 11 Stinkkalk mit Gips.
289 3 reiner Fasergips und dichter Gips.
291 3 fester Stinkkalk.
301 5 dichter Gips.
312 — Stinkkalk mit Gips.
312 6½ hornsteinartiger Quarz.
322 3 Stinkkalk mit Gips.
366 8 meist dichter Gips, bisweilen Stinkkalk und Thon.

} Gipseinlagerung.

367 1 festes Steinsalz mit etwas Salzthon, erstes Salzflötz, 13 Fuss 6 Zoll mächtig.
380 7 Stinkkalk mit Salz und Thon.
408 1 Salzthon.
424 1 festes Salz von 408 F. 10 Z. — 423 F. 5 Zoll.
442 7 Thon und Gips mit zwoi kleinen Salzflözen, bei 426 F. und 439 F.
442 10 fester Kalk.

Anmerkung.

bei 346 F. 8 Z. 2prozentige Soole.
350 — 2 — 4 —
353 — 2 — 6 —
370 — 5 — 14 —
373 — 1½ — 23 —

Bohrloch No. 4.

Fuss. Zoll.

15 5 Dammerde.
20 5 Kalkstein.

} Obere bunte Mergel.

Fuss. Zoll.

25	—	Kohlenschiefer mit Schwefelkies ⎫ Obere bun-
38	—	Schiefer und Kalk. ⎬ te Mergel.

280 2 Kalkstein, mit Schiefer und Thon wechselnd. Obere Abtheilung des rauchgrauen
Kalksteins.

281 2 Stinkkalk mit Thon. und Gips.

283 — fester Gips, mit Kalk und
Stinkstein wechselnd. Gipsein-
324 1½ grauer hornsteinartiger Quarz. lagerung.
380 3 Gips, mit Stinkkalk und Salzthon wechselnd.

381 8 Steinsalz, 11 F. 10 Zoll mächtig.   Erstes
Salzlager.

419 8 Gips, mit Stinkkalk und Salzthon wechselnd, bei 405 F. eine Hornsteinlage.

420 3 festes Steinsalz, 16 Fuss 2 Zoll mächtig.
Zweites Salzlager.

436 5 fester Gips.

437 8 festes Steinsalz. Drittes Salzlager.

453 1 im Steinsalz eingestellt.

Aus diesen drei. Bohrregistern ergiebt sich folgendes allgemeine Resultat.

1) Die Mächtigkeit der. oberen bunten Mergel beträgt im

Bohrloch No. 1 . 37 F. 8 Z.
No. 2 . 38 — 10½ —
No. 4 . 38 — — —

Im Mittel 38 F. 2 Z.

Es sind hier jedoch nur die untersten Glieder
dieser Formation durchbohrt, welche häufig mit
Kalkstein wechseln.

2) Die Mächtigkeit der oberen Abtheilung des
rauchgrauen Kalksteins beträgt in dem

Bohrloch No. 1 . 241 F. — Z.
No. 2 . 235 — 10 —
No. 4 . 242 — 2 —

Im Mittel 239⅔ F.

3) Die Mächtigkeit der Gipseinlagerung, soweit
solche im Hangenden des Steinsalzes, beträgt im

```
Bohrloch No. 1  .  103 F. 10 Z.
        No. 2  .   92 —  5 —
        No. 4  .  100 — 11 —
     Im Mittel   99 F.
```

4) Die Teufe, in welcher das erste Steinsalz gefunden wurde, beträgt in dem

```
Bohrloch No. 1  .  382 F.  6 Z.
        No. 2  .  367 —  1 —
        No. 4  .  381 —  1 —
     Im Mittel   376 F. 11 Z.
```

Da nun die Hängebank des Bohrloches No. 1 2146 F. über dem Meer
liegt, so befindet sich das Steinsalz von
Dürrheim über dem Meer in einer Höhe von   1769 F.

Die Gipseinlagerung aber befindet sich
in einer Höhe über dem Meer von . . .   1868 —

In Schleitheim hingegen liegt der Anfang der Gipseinlagerung nur über dem
Meer. . . . . 1188 —

In derselben ist bereits (Febr. 1824) . 193½ —
ohne eine Spur von Steinsalz gebohrt, welches allerdings eine sehr auffallende Erscheinung ist.

In Schwenningen wurden seit dem Frühjahre
1822 unter Leitung des Herrn von Alberti Bohrversuche angestellt*), und zwar bei Mühlhausen, ½
Stunden östlich von Schwenningen, in einer Höhe
von etwa 2174 F., und in den Hulben, ¼ Stunde
südlich Schwenningen, 50 F. über den Quellen des
Neckars und 2200 F. über dem Meer.

Schwenningen liegt etwa eine Stunde nördlich
von Dürrheim, und die geognostischen Verhältnisse
der Gegend sind ganz dieselben, nur mit dem Unterschiede, dass bei Schwenningen die obere bunte
Mergelformation etwas mächtiger aufgelagert ist. Bei
Trossingen, unweit Schwenningen, soll vor dem 30-

---

*) LANGSDORF loco citato, p. 361 und p. XIX.
STURM. Versuch einer Beschreibung von Schwenningen in
der Baar. Tübingen 1823.

jährigen Kriege eine Saline betrieben worden seyn.
Die Bohrlöcher haben folgende Resultate geliefert.

Bohrloch zwischen Schwenningen und Dürrheim.

bis 120 F. obere bunte Mergel mit Gips, und in
den untersten Schichten mit Schieferkohle.

— 207 — Kalksteine, häufig porös.

— 301 — grauer Kalkstein mit Mergelschiefer, häufig bituminös.

— 386 — gelber Kalkmergel, bald mehr, bald minder rein und fest, sehr kieselig, mit
Gipsnieren, bei 377 F. mit vielem Gips
und Schwefelkies.

— 469 — dasselbe Gebirge mit Gips, bituminösem
Thon und Stinkstein, bei 396 F. eine
Feuersteinlage.

— 509 — Salzthon mit 1prozentiger Soole.

— 538 — Gips mit Stinkstein und blauem Anhydrit.

— 556 — Thon und Gips, gesalzen, dann 8 Zoll
fester Gips.

— 557 — Steinsalz, welches bis 579 F. anhält, fast
ganz rein.

Bohrloch bei Mühlhausen.

bis 166 F. abwechselnde Schichten der oberen bunten Mergelformation mit Gips, dieselbe
geht aber noch etwas tiefer nieder, denn
das Schieferkohlenflötz wurde erst etwas
später durchbohrt.

— 290 — Kalkstein, häufig porös, bei 232 F. ein
gelber Kalkstein mit zarten goldgelben
Flimmern, welche nach einer Untersuchung in Karlsruhe wirklich Gold gewesen seyn sollen, was aber doch sehr unwahrscheinlich ist.

bei 433 — stellte sich Stinkstein und Gips ein, darauf folgte Mergel.

— 486 — wurde unter diesem Mergel eine Höhle
3 F. tief erbohrt, auf deren Sohle ein
4 Zoll mächtiges Feuersteinflötz liegt.

bei 490 F. wurde der eigentliche Gipsstock erbohrt, der mit Thon und Stinkstein wechselte, und in seinen unteren Lagen viel blauen Anhydrit enthält.

— 534 — wurde der Thon gesalzen.

— 584 — glaubte man dem Salzlager nahe zu seyn, es musste aber

— 587 — das Bohrloch wegen eines Gestängebruches und wegen Nachrollen des Gebirges eingestellt werden.

Die Maasse sind württembergische Fusse, welche sich zu den Pariser verhalten wie 360 : 317.

Es geht aus diesen Angaben hervor, dass in dem Bohrloche zwischen Schwenningen und Dürrheim beträgt:

1) die Mächtigkeit der oberen bunten Mergel 120 F. W. = ... 106 F. Par.

2) die Mächtigkeit der oberen Abtheilung des rauchgrauen Kalksteins etwa 266 F. W. = ... 235 — —

3) die Mächtigkeit der Gipseinlagerung über dem Steinsalz 171 F. W. = 150 — —

4) die Teufe, in welcher das Steinsalz erreicht wurde, 557 F. W. = 491 — —

Im Allgemeinen stimmen die Schichten in diesem Bohrloche mit denen der Dürrheimer wohl überein, nur scheint hier die Mächtigkeit der Gipseinlagerung grösser zu seyn. Da die Hängebank dieses Bohrloches etwa 2200 F. über dem Meere liegt, so befindet sich hier das Steinsalz über dem Meer . . 1709 F., liegt also 60 F. tiefer, wie in Dürrheim, welches zum Theil davon herrührt, dass die Schichten sanft gegen Nordost neigen.

Sowohl die Schwenninger als die Dürrheimer Bohrlöcher geben sehr reiche und sehr reine Soole von 23 — 25 Prozent. Nach einer Analyse des Hofmedikus Dr. Kölreuter in Karlsruhe enthält die Dürrheimer Soole in 100 Loth

Kochsalz . . . . . . 25 Lth. 1 Qutch. — Gr.
Gips und schwefelsaure
  Kalkerde . . . 37¼ Gr.
Salzsaure Kalkerde 32 —
  — Bittererde 3½ — — — 1 — 20 —
Kohlensaures Ei-
  senoxyd . . . . 3½ —
Extraktivstoff . . . 2½ —
                                    25 Lth. 2 Qutch. 20 Gr.

Schwäbisch Hall, schon seit sehr langer Zeit
durch eine Saline bekannt, auf der eine schwache
Soole verarbeitet wurde, liegt auf dem rechten Ufer
des Kocher in einem Thale, welches wohl gegen 200
F. tief in dem rauchgrauen Kalkstein eingeschnitten
seyn mag, in einer Höhe von 804 F. über dem Meer.
Ist das Kocherthal erstiegen, so beginnt eine Ebene,
die nur ganz schwach mit oberen bunten Mergeln bedeckt ist, aber südwestlich von Hall erhebt sich ein
ansehnlicher Höhenzug bunter Mergel mit Gipseinlagerungen, derselbe beginnt mit dem Einkorn und dem
Adelberge, zweien Bergen, die sich 609 F. über den
Spiegel des Kocher und 1399 F. über den des Meeres erheben.

Bei schwäbisch Hall sind vier Bohrlöcher niedergebracht worden, alle in dem Thale des Kocher, und
nur einige Fuss über dem Spiegel dieses Flusses. Von
diesen liegt das eine bei der neuen Mühle, etwa 1½
bis 2 Stunden das Kocherthal aufwärts, auf dem linken Ufer. Ein anderes liegt zwischen Hall und Steinbach, unterhalb Comburg, und etwa ¾ Stunden unterhalb dem ersteren Bohrloche, auf dem rechten
Ufer des Flusses. Ein drittes Bohrloch liegt diesem
gegenüber, auf dem linken Ufer des Flusses, und das
vierte endlich liegt unterhalb Hall, am Rippberge,
auf dem linken Kocherufer, dicht bei dem unteren
grossen Gradirhause. Von diesen vier Bohrlöchern
verdient das zweite, unterhalb Comburg, keiner näheren Berücksichtigung. Es sind daher hier folgende
drei Bohrlöcher zu beschreiben.

1) Bohrloch bei der neuen Mühle.⎫   Alle drei auf
2) — — Steinbach.   ⎬ dem linken Ufer
3) — am Rippberge. ⎭ des Kocher.

Von diesen Bohrlöchern liegt das bei der neuen Mühle 130 F. Würt. = 114½ F. Par. über dem Salinenhof in Hall. Das bei Steinbach wird etwa 70 F. über jenen Standpunkt liegen, und das am Rippberge befindet sich ziemlich in gleicher Höhe mit dem Salinenhofe. Die Höhe dieser 3 Bohrlöcher über dem Meer beträgt daher resp. 918 F., 874 F. und 804 F. Mit diesen Bohrlöchern sind folgende Schichten durchsunken worden.

1. Bohrloch im süssen Brunnen am Rippberge.

bis 32 F. 5 Z. aufgeschwemmter Sand mit Kalkstein, und unten mit Kalksteinbänken.

— 40 — 7 — weisser und grauer fester Gips mit Mergel.

— 63 — 6 — desgleichen, und ist meist in einer seigeren Kluft gebohrt, die mit Thon ausgefüllt war.

— 356 — 10 — Gips und Thon und mergeliger Thon mit einander wechselnd, der Gips meist dicht, grauweiss. ⎱ Gipseinlagerung, 380 F. 10 Zoll mächtig.

— 413 — 3 — immer noch Gips, aber häufig rother Thon, zum Theil mit Schwefelkies dazwischen, ferner auch Lagen von theils rothem, theils grauem Sandstein, ferner von grauem, grünlich und bunt gefärbten Thon.

Kochsalz . . . . . . 25 Lth. 1 Q
Gips und schwefelsaure
Kalkerde . . . 37½ Gr.
Salzsaure Kalkerde 32 —
— Bittererde 3½ —
Kohlensaures Ei-
senoxyd . . . . 3¼ —
Extraktivstoff . . . 2¼ —

25 Ltl

Schwäbisch Hall, schon seit
durch eine Saline bekannt, auf
Soole verarbeitet wurde, liegt a
des Kocher in einem Thale, w
F. tief in dem rauchgrauen K
seyn mag, in einer Höhe von
Ist das Kocherthal erstiegen,
die nur ganz schwach mit ob
deckt ist, aber südwestlich
ansehnlicher Höhenzug bun
gerungen, derselbe beginnt
Adelberge, zweien Bergen
Spiegel des Kocher und f
res erheben.

Bei schwäbisch Hall
gebracht worden, alle in
nur einige Fuss über de
diesen liegt das eine be
bis 2 Stunden das Koc
ken Ufer. Ein anderes
bach, unterhalb Comb
terhalb dem ersteren
Ufer des Flusses. b
gegenüber, auf dem
vierte endlich liegt b
auf dem linken Koc
grossen Gradirhause.
verdient das zweite.
heren Berücksichtigo
drei Bohrlöcher zu i

stein. Das Bohrloch wird noch fortgesetzt.

3. Bohrloch bei der neuen Mühle.

bis 200 F. — Z. etwa fester rauchgrauer Kalkstein
in mannigfaltigen Varietäten, mit
kleinen Lagen von Schieferthon
und mit Versteinerungen, bei 144
F. etwas Erdpech.

— 331 — 8 — abwechselnd weisser und grauer
dichter Gips, mit Salzthon und
Schieferthon wechselnd, bisweilen
späthig.

— 358 — — — erstes Steinsalzlager, 26 F. 4 Z.
mächtig, meist ganz rein, und
nur bisweilen mit Gips und Salzthon wechselnd.

— 407 — 4 — fester Gips und Salzthon, bisweilen mit Steinsalz imprägnirt. Das
Bohrloch ist nicht weiter fortgesetzt.

Die Bohrregister sind nicht genau genug geführt,
um über die Mächtigkeiten der verschiedenen Haupt-
schichten gewiss zu seyn; namentlich ist in den Re-
gistern häufig Gips angegeben, wo doch höchst wahrscheinlich Kalkstein vorkommt. So namentlich sind
in den ersten 200 F. des Bohrloches bei der neuen
Mühle häufig Gipslagen angegeben; nun aber ist ganz
nahe bei diesem Bohrloche ein Schacht abzuteufen
angefangen, welcher (Oktober 1823) bereits 177 F.
tief war, und den wir befuhren, auch die Gebirgs-
suite aus diesem Schachte untersuchten. Aber sowohl
in der Sammlung als in dem Schachte war nicht eine
Spur von Gips zu sehen, obgleich derselbe sich nach
der Angabe des Salineninspektors, Herrn von Osten,
schon bereits in der Nähe des Gipslagers befinden
sollte.

Es geht übrigens aus den angegebenen Resultaten
hervor, dass das Hauptgipslager unter der Hängebank
des Bohrloches am Rippberge erbohrt wurde.

1) In dem Rippberger Bohrloche 32 F. 5 Z. W.
2) — — Steinbacher — 21 — — — —

3) In dem Neuemühler Bohrloche 86 F. W.
indessen sind, wie bereits bemerkt worden, diese Angaben nicht ganz zuverlässig. Nach den Angaben des
Herrn Salineninspektors von Osten soll das Hauptgipslager sich gegen Norden allmälig bis fast zu Tage
ausheben, wie dies auch das Rippberger Bohrloch beweist, es ist aber hier ohne Salzgehalt. Dieses Gipslager ist dem rauchgrauen Kalkstein eingelagert, und
seine Mächtigkeit scheint namentlich in den beiden
ersten Bohrlöchern auf Unkosten der unteren Abtheilung des rauchgrauen Kalksteins zu gross angegeben.
Das rothe Gebirge in der Tiefe der beiden ersteren
Bohrlöcher scheint die Formation der rothen Schiefer
über dem rothen Sandstein zu seyn, welche auch hier,
so wie an den Ufern der Saar und Mosel, etwas gips-
haltig ist. Herr von Osten bemerkt von diesem
Gebirge, dass es in dem Steinbacher Bohrloche 49
würtemberger Fuss tiefer läge, wie in dem Rippberger, was freilich aus den Bohrregistern nicht hervorgeht, doch scheint diese Angabe wohl ihre Richtigkeit
zu haben.

Merkwürdig ist es, dass das Bohrloch bei der
neuen Mühle fast durchaus keine Wasserzuflüsse hätte, dergestalt, dass während des Bohrens Wasser
nachgegossen werden musste, und gegenwärtig, wo
man aus diesem Bohrloche Soole hebt, werden die
süssen Wasser des Kocher in dasselbe hineingepumpt,
dieselben verwandeln sich fast augenblicklich, wahrscheinlich in Folge der hohen Drucksäule, in ganz gesättigte
Soole, und werden als solche wieder aus dem Bohrloch gehoben, wärend mit dem Einpumpen der süssen Wasser gleichzeitig fortgefahren wird.

Dieser Umstand, dass hier das Salzgebirge gleichsam ganz geschlossen erscheint, hat auch die würtembergische Bergbaudirection bewogen, an diesem Punkte
mit einem Schachte bis auf das Salzlager niederzuge-
hen. Der Schacht ist, wie bereits angegeben, 177
würtemb. F. tief, und hat fast gar keine Wasserzu-
gänge, man erwartet täglich (Oktober 1823) das Gipslager zu erreichen.

Das Steinsalzlager an der neuen Mühle liegt nu
603 Paris. F. über dem Meere, also ausserordentlich

viel tiefer, wie das von Schwenningen und Dürrheim.

Niederhall liegt ebenfalls in dem Kocherthale, einige Stunden unterhalb schwäbisch Hall, und etwa $\frac{1}{4}$
Stunden unterhalb Ingelfingen, wo in der Sohle des
Kocherthales der rothe Sandstein zu Tage ausgeht.
Unmittelbar bei Niederhall befindet sich eine kleine
Saline, bei welcher von Herrn G e o r g G l e n k schon
vom Jahre 1781 — 1806 die ersten tiefen Versuchsarbeiten auf Steinsalz unternommen wurden*). Der ab-
geteufte Versuchschacht, welcher unter Wasser steht,
dient gegenwärtig als Soolschacht, in denselben ist eine
Pumpe über 400 F. tief gestellt, durch welche eine
schwache Soole von $2\frac{1}{2}$ — 3 Prozent gehoben wird.

Auch hier besteht das ganze tief eingeschnittene
Kocherthal nur aus rauchgrauem Kalkstein, und zwar
lassen sich hier beide Abtheilungen desselben, die
obere und untere, auf das Bestimmteste beobachten,
denn etwa 100 F. über der Saline Niederhall befindet
sich die Gipseinlagerung zu Tage ausgehend, und ist
durch Steinbruchsarbeit aufgeschlossen. Dieselbe liegt
hier so hoch, weil das Liegende, der rothe Sandstein,
einen Sattel bildet, und in so grosser Nähe bei Ingelfingen zu Tage ausgeht. Man kann hier beobachten, wie die Kalksteinschichten von diesem Sattel gegen Westen abfallen, denn in dem Ziegelstollen, dem
Schlosse Weisbach gegenüber, unterhalb Niederhall,
liegt die Gipseinlagerung sehr bedeutend tiefer. Auch
sieht man hier, dass die obere und untere Abtheilung
des rauchgrauen Kalksteins die grösste Aehnlichkeit
haben, in den meisten Fällen ohne die Gipseinlagerung nicht wohl zu unterscheiden sind, dieselben Versteinerungen enthalten, und mithin nur einer Formation angehören.

Die angestellten Versuchsarbeiten haben in Schachtabteufen, Querschlagbetrieb und Bohrarbeit bestanden,
dieselben haben folgende Resultate geliefert, die wir
eines Theils der mündlichen Mittheilung des Herrn
G l é n k Sohn, desjenigen, welcher diese Arbeiten unternahm, theils den Angaben eines Steigers verdan-

*) v. L A N G S D O R F F, loc. cit., p. 379 — 380.

ken, welcher diese Arbeiten fast während ihres ganzen Verlaufes leitete.

Die Versuche wurden mit Abteufung eines Schachtes eröffnet, dessen Hängebank nur wenige Fuss über dem Spiegel des Kocher, und etwa 620 Par. F. über dem Meere liegen mag; er steht auf dem rechten Ufer des Flusses, und man hat folgende Schichten durchsunken:

1) Die untere Abtheilung des rauchgrauen
   Kalksteins, mächtig . . . . 180 F.
   Dieser Kalkstein ist meist schieferig,
   mit vielem grauen Mergel wechselnd.
   Bei 30 F. Teufe wurden die wilden
   Wasser abgefangen, und in 130 F. und
   180 F. Teufe erhielt man $\frac{1}{2}$- und 1prozentige Soole, aber nur sehr schwache
   Quellen.

2) Unter diesem Kalkstein wurde ein rother, schieferiger und sandiger Thon
   gefunden, und mit dem Schachte bis
   auf eine Teufe von 420 F. verfolgt,
   wobei man abwechselnd auch auf weisse Sandsteinbänke stiess, und auf eine
   rothe, 21 F. mächtige Thonlage, welche die rothen Sandsteinschichten gangartig durchsetzen soll (?). Darauf wurde
   aus dem Schachte ein Querschlag angesetzt, und gegen Süden 1500 F., gegen Norden 1000 F. fortgesetzt. Man
   sprang darauf von dem Schachte 60
   F. gegen Norden, und setzte das fernere Abteufen fort. In demselben
   wurde das bisherige Gebirge noch 100
   F. tief verfolgt, und darin Schwitzwasser von 4 Prozent, dann von 12 und
   14 Prozent erhalten, aber in äusserst
   geringer Menge. Die Teufe, bis zu
   welcher dieses Gebirge anhielt, betrug
   also . . . . 520 —

3) Unter diesem rothen Sandstein erhielt
   man einen ganz weissen Sandstein, bald
   feiner, bald rauher. Dieser grobkör-

nige weisse Sandstein findet sich auch
wirklich noch auf der Halde ziemlich
häufig, und scheint oft keinen grossen
Zusammenhalt besessen zu haben.   In
diesem Sandstein wurde das Abteufen
noch 40 F. fortgesetzt. Die ganze Teufe desselben betrug nun 560 F.   Darauf wurde nun noch 300 F. tief gebohrt, immer in dem weissen oder auch
etwas grauen quarzigen Sandstein. Man
will in diesem Bohrloche Schwitzwasser
von 19 Prozent erhalten haben.   Zuletzt wurde das Gebirge grau, als wenn
Gips hätte kommen wollen, nach Angabe des Steigers.   Die ganze Teufe,
bis zu der man niederkam, betrug daher . . . . 860 F.

Die angegebenen Maasse sind Nürnberger Werk-
schuhe, und werden ungefähr mit den von Herrn
von Langsdorf angegebenen stimmen. Das Hauptresultat dieser Versucharbeiten scheint zu seyn,   dass
hier unter dem rauchgrauen Kalkstein die Formation
der unteren rothen Schiefer, vielleicht sogar mit etwas Gips, und dann die rothe Sandsteinformation auftreten. Der weisse Sandstein gehört gewiss dieser rothen Sandsteinformation an, und wird auch an anderen Punkten häufig in derselben gefunden.   Die angebliche Hoffnung auf Gips in der Tiefe des Bohrloches möchte wohl Täuschung seyn.   Wenn auch in
anderen Gegenden noch eine Gipsformation unter
diesem Sandstein vorkommt, so darf man sich doch
weder in Schwaben, noch in Elsass und Lothringen
grosse Hoffnung auf dieselbe machen, denn das Liegende der rothen Sandsteinformation ist an so vielen
Punkten bekannt, und noch nie eine Spur von Gips
unter demselben gefunden worden.

Keferstein *) berichtet, dass mit den Versuchsarbeiten bei Weissbach, oder richtiger Niederhall, folgende Schichten durchsunken worden sind:

---

*) Keferstein, Teutschland geognostisch - geologisch dar-
gestellt, B. III, H. I, p. 57.

Rolliges Gebirge . . . . 50 F.
Dichter Kalkstein . . . . 170 —
Gips mit Letten . . . . 6 —
Röthlicher, feinkörniger, mergeliger, san-
   diger Kalk, unter dem ein Kupfer-
   schieferflötz gefunden seyn soll . . . 164 —
Rother feinkörniger Sand, der zuweilen
   Eisenglanz und Schwerspathtrümmer
   führte . . . . 430 —

                 Summa 820 F.

Diese Angaben dürften indessen weniger richtig seyn wie die obigen, und namentlich das vermeintliche Kupferschieferflötz beruht gewiss auf einer Täuschung.

Dass auch in dem sogenannten Ziegelstollen unter der Soole des Gipsbruches der rothe Sandstein aufgefunden, ist bereits früher angegeben worden. Man hat nämlich unter der Sohle dieses Stollens theils durchteuft, theils durchbohrt:

1) Gips und Thon. . . . . 35 F.
2) Untere Abtheilung des rauchgrauen
   Kalksteins . . . . 220 —
3) Rothes Thongebirge, dann Sandstein . 195 —

         Ganze Teufe 450 F.

Zuletzt will man eine 5prozentige Soole erhalten haben.

In der Umgegend von Wimpfen sind nach und nach durch die angestellten Bohrversuche folgende 4 neue Salinen entstanden:

1) Die königlich würtembergische Saline Friedrichshall auf dem rechten Ufer des Neckar, zwischen dem Einflusse des Kocher und der Jaxt in den Neckar.

2) Die gewerkschaftliche Saline Ludwigshall, unmittelbar bei Wimpfen im Thal, auf darmstädtischem Gebiete, nahe bei der vorigen Saline, und auf dem linken Ufer des Neckars

3) die gewerkschaftliche Saline Clemenshall, bei Offenau, auf dem rechten Ufer der Jaxt, und

                             4) die

4) die grossherzoglich badensche Ludwigssaline bei Rappenau.

In dem Jahre 1804 ereignete sich bei Möckmühl unweit Wimpfen ein Erdfall, und lenkte die erste Aufmerksamkeit auf diese Gegenden. In dem Jahre 1812 bemerkte der Hofrath von Langsdorf in einer Gipsgrube (der bunten oberen Mergelformation angehörig) eine Spur von Steinsalz oder Glaubersalz, und machte dem verstorbenen Könige von Würtemberg davon Anzeige, welches die Veranlassung wurde, im August 1812 das Bohrloch No. 1 der Saline Friedrichshall anzusetzen; am 1. September 1815 ward in demselben 7 — 8löthige Soole, im Februar 1816 eine sehr reiche Soole, und sehr bald darauf, in einer Tiefe von 498 F. würtemb., das erste Steinsalzlager erreicht. Dem Herrn von Langsdorf gebührt daher das Verdienst, die erste Veranlassung zu dieser und allen nachfolgenden Entdeckungen von Steinsalz in Schwaben gegeben zu haben, denn erst durch den glücklichen Erfolg der Wimpfener Versuche ermuntert, wurden später bei Dürrheim, Schwenningen und schwäbisch Hall die bereits beschriebenen Versucharbeiten unternommen [*]).

Man hat in diesen Gegenden wohl gegen vierzig Bohrlöcher niedergebracht, welche zum Theil durch Herrn von Langsdorf beschrieben worden sind [**]).

---

[*]) MEMMINGER, würtembergische Jahrbücher, 3ter und 4ter Jahrgang, 1821, p. 300 — 322.

[**]) v. LANGSDORF, loco citato, p. 255 — 272, p. 352 — 357. Ausserdem haben über die Gegend von Wimpfen geschrieben: MEYER, Bemerkungen auf Reisen durch Thüringen und Franken. Berlin und Stettin, 1818.

KEFERSTEIN, Teutschland geognostisch-geologisch dargestellt, B. II, H. 2, B. III, H. 1.

M. ESCHER DE LA LINTH, Consideration sur la constitution geognostique du sol entre le Jura et les Alpes, et sur l'entreprise, fait pour y trouver du sel. Bibliotheque universelle des sciences, belles lettres et arts, T. 19, Janvier 1822, à Genève.

KLEINSCHROD, in dem Anhange seiner Uebersetzung des Memoire sur le sel gemme de Cordonne par CORDIER, in LEONHARDS Taschenbuch, B. XV (1821), p. 49.

DE CHARPENTIER, Notice sur la position geognostique du terrain salifère des environs de Wimpfen sur le Neckar, sur les

Es wird hinreichen, in dem Nachfolgenden nur einige der wichtigsten zu erwähnen, wobei vorläufig zu bemerken ist, dass in dem Neckarthale überall der rauchgraue Kalkstein zu Tage ausgeht, der nur an den höheren Punkten von den oberen bunten Mergeln bedeckt wird. Dieser Kalkstein wird gegen Nordwesten, das Neckarthal abwärts, bei Diedesheim von dem rothen Sandstein verdrängt, nach dieser Richtung hin steigen auch alle Schichten zu Tage, wie sich dies aus folgenden 5 Bohrlöchern ergiebt, welche in einer Richtung von Südost nach Nordwest liegen. Diese Bohrlöcher sind:

1) Bohrloch No. 1 der Saline Friedrichshall,
2) Bohrloch No. 2 auf dem Domainenacker zunächst bei Wimpfen, von dem ersteren etwa 3000 F. entfernt,
3) Bohrloch No. 1 bei der Mühle zu Wimpfen, am Berg, von den vorigen 6000 F. entfernt, nach den Angaben des Herrn von Langsdorf von dem Bohrloche sub No. 1 9840 würt. F. entfernt (Langsdorf, p. 258),
4) Bohrloch im oberen Gradirhausbrunnen bei Offenau, von dem vorigen 6000 F. entfernt,
5) Bohrloch im Badebrunnen bei Offenau, von dem vorigen 3000 F. entfernt,

dergestalt, dass das Bohrloch sub No. 5 von dem sub No. 1 etwa 18000 F. gegen Nordwest gelegen seyn mag; nach Herrn von Langsdorf hingegen beträgt diese Entfernung etwa 21100 F. (p. 264). Diese 5 Bohrlöcher liegen ziemlich in einerlei Niveau, nämlich etwa 495 F. über dem Meeresspiegel; die durchteuften Schichten waren in würtemberger Fussen, nach den Angaben des Herrn Bergrath von Bilfinger:

Im Bohrloch sub No. 1.

bis 360 F. rauchgrauer Kalkstein mit einigen Mergelflötzen, dann Gips.

— 406 — 8prozent. Soole in Gips und Thon.

sondages, qu'on a exécutés depuis 1817, et sur les salines qu'on y a établies. Annales des mines, Tom. VIII, 2. livrais., 1823, p. 269 — 292.

bis 440 F: 5prozent. Soole.
— 472 — Gips mit Salzthon, der gesalzen ist und
12prozent. Soole giebt.
— 498 — erstes Steinsalzflötz.
— 508 — Salzthon mit vielem Steinsalz;
— 524 — zweites Steinsalzflötz.

Bohrloch sub No. 2.

im rauchgrauen Kalkstein angesetzt:
bis 155 F. weisser Kalkmergel.
— 181 — Stinkstein.
— 191 — Thon und Kalkflötze.
— 220 — Kalkstein und weisse Kalkmergel.
— 259 — Stinkstein.
— 275 — Kluft im Gebirge.
— 276 — gelblicher Thon mit etwas Gips.
— 296 — bläulicher Thon.
— 303 — Kalkstein.
— 305 — Thon und Gips, Anfang des Gipslagers.
— 312 — Gips mit Thon und Letten; 1prozent.
Soole.
— 341 — Gips, 1½ Prozent Soole.
— 350 — fester Gips mit 2prozent. Soole.
— 370 — Gips mit 4prozent. Soole.

Bohrloch sub No. 3.

— 252 — fester und mergeliger Kalkstein.
— 262 — weisser Kalkmergel.
— 265 — Stinkstein.
— 272 — Kalkstein.
— 273 — Anfang des Gipslagers.
— 424 — Gips und Thon, der etwas gesalzen.
— 443 — sehr fester Gips.
— 448 — Steinsalzflötz, in dem
— 471 — gebohrt wurde.

Bohrloch sub No. 4.

im Kalkstein gebohrt bis
211 F. Anfang des Gipslagers.
385 — Gips mit etwas eingesprengtem Steinsalz.
436 — im Gips, der bis 13 Prozent Soole gab.

452⅔ F. Gips mit nicht nachhaltiger 19prozentiger Soole.

im Kalkstein bis

113 F., wo etwas Schieferthon vorkommt.
115 — eine Kluft mit ¼prozentiger Soole, die bis zu Tage stieg.
163¼ — Kalkstein.
191 — Anfang des Gipses.
623 — noch immer Gips und Thon, aus dem bis 16prozentige Soole, doch ohne Steinsalz.

Eine Vergleichung der Resultate dieser Bohrlöcher ergiebt, dass auf Pariser Fuss reduzirt die Gipseinlagerung unter der Hängebank der 5 Bohrlöcher anfing, und in einer Höhe über dem Meere lag bei dem Bohrloch:

No.	Unter der Hängebank.	Ueber dem Meer.
1	. . . 317 F.	. . . . . 178 F.
2	. . . 270 —	. . . . . 225 —
3	. . . 240 —	. . . . . 255 —
4	. . . 186 —	. . . . . 309 —
5	. . . 168 —	. . . . . 327 —

Die Gipseinlagerung ist daher von dem Bohrloche sub No. 1 bis zu dem sub No. 5, bei einer horizontalen Entfernung von etwa ⅔ Meilen, um 149 F. gestiegen, und zwar in der Richtung gegen Nordwesten oder gegen den rothen Sandstein.

Hiermit stimmt auch das Verhalten des Steinsalzflötzes überein, dieses ist bei dem Bohrloch No. 1 am mächtigsten, in dem Bohrloche sub No. 2 ist dasselbe mit Gewissheit zu erwarten, auch in dem Bohrloche sub No. 3 ist dasselbe noch vorhanden; in dem sub No. 4 finden sich nur noch Spuren desselben, und in dem Bohrloche sub No. 5 sind auch diese verschwunden.

Namentlich liegt das erste Steinsalzlager in dem Bohrloche sub No. 1 . 57 F.
— — — 3 . 101 —
über dem Niveau des Meeres.

Das Ansteigen der Gipseinlagerung gegen Nordwest geht auch noch aus zwei anderen Bohrlöchern
hervor, welche durch den Herrn v. Langsdorf ohne
Erfolg bei Neckarmühlbach und Hasmersheim niedergebracht wurden. Nach Angabe des Aufsehers, welcher diese Versuche leitete, liegt in dem Bohrloche
bei Neckarmühlbach der Gips unter dem Niveau des
Neckars etwa . . . . 30 F.
seine Mächtigkeit beträgt. . . . . 87 —
und unter demselben wurde noch im Kalkstein gebohrt . . . . 25 —
Die ganze Tiefe des Bohrloches beträgt
etwa würtemberger Fuss. . . . . 160.

Herr v. Langsdorf (p. 269) bemerkt von diesem Bohrloche, dass hier der Gips etwa 90 F. unter
der Bohrscheere des vorhin sub No. 3 aufgeführten
Bohrlochs liege, unter welcher man dort den Gips in
273 F. Teufe erbohrte. Der Gips stiege daher vom
Wimpfener Bohrloche bis zum Mühlbacher etwa 183
F., und die horizontale Entfernung beider Bohrlöcher
betrüge etwa 20000 F.
Das Bohrloch von Hasmersheim liegt am Hüner-
berge, auf dem linken Neckarufer, dicht bei einem
Gipsbruche. Der Gips erhebt sich hier schon 20 F.
über dem Neckarspiegel, das Bohrloch ist in diesem
Gips angesetzt, man fand in demselben
Gips . . . . 40 F.
Kalkstein . . . . 250 F. oder 296 —
Rothes Thon- und Sandgebirge . . . . 150 —
Ganze Teufe 450 F. oder 486 F.

Nachdem in dem Kalkstein 25 F. abgebohrt war,
wurde eine 8prozentige Soole erhalten, die noch gegenwärtig aus dem Bohrloche hervorquillt und in den
Neckar abfliesst.
Herr von Langsdorf (p. 271) bemerkt bei
Gelegenheit des Steinbruches am Hünerberge, dass
der Gips von Mühlbach bis zu dieser Grube, auf einer Entfernung von etwa 4000 Fuss noch 20 — 24
ansteige, dass mithin das Ansteigen des Gipslagers
von dem 1sten Jaxtfelder Bohrloche (das sub No. 1

aufgeführte) bis zu dem Mühlbacher, bei einer Entfernung von 24000 F., etwa 300 F. betrage.

Das Ansteigen des steinsalzführenden Gipslagers gegen Nordwest wird hiernach keinem Zweifel mehr unterworfen seyn, und eben so auch ist es gewiss, dass gegen das Ausgehende hin nach und nach die Mächtigkeit und der Salzgehalt desselben abnimmt. Je mehr sich die Gipseinlagerung dem Tage nähert, desto mehr nimmt sie an Mächtigkeit ab, und es kann als eine ziemlich allgemein bestätigte Thatsache angesehen werden, dass dieselbe, das Ausgehende in tiefeingeschnittenen Thälern abgerechnet, selten, und fast nie ein natürliches Ausgehendes hat. Am Tage sichtbar, wird dieselbe nur in den tief eingeschnittenen Thälern der Flüsse, so z. B. überall in dem oberen Theile des Neckarthales; aber zwischen dem Neckarthale und zwischen dem Schwarzwalde, oder zwischen Dürrheim und Villingen, ist dieselbe bis jetzt noch nicht ausgehend gefunden worden, und wahrscheinlich erreicht sie hier auch den Tag nicht, dasselbe ist auch in den Gegenden zwischen Wimpfen und Diedesheim der Fall, hier sieht man den Gips nur am Hünerberge anstehen, nahe über der Sohle des Nekkars, und weiter in dem Thale hinunter findet er sich nicht mehr. Die obere und untere Abtheilung des rauchgrauen Kalksteins fallen hier in eine zusammen, so ähnlich, dass sie kaum, und in Handstücken fast nie zu unterscheiden sind.

Dass unter der Gipseinlagerung noch einmal eine Abtheilung des rauchgrauen Kalksteins vorhanden sey, geht namentlich auch aus einem Bohrversuche hervor, den Herr. v. Langsdorf oberhalb Heinsheim, Offenau gegenüber, etwa 6000 Fuss von dem sub 3 aufgeführten Wimpfener Bohrloche, unternahm (von Langsdorf, p. 270). Mit diesem Bohrloche wurden folgende Schichten durchbohrt:

bis 218 F. Kalkstein, zuweilen mit Thon wechselnd, schon bei 200 F. schwache Soole.

— 380 — wurde die Gipseinlagerung durchbohrt, oft mit blauem Thon wechselnd, und meist noch etwas mit Schwefelsäure brausend. Hierauf wurde bis zu

402 F. in höchst festen, minder dunkeln Kalkstein gebohrt, und da nun schon das Liegende der Salzbildung erreicht worden, das Bohrloch eingestellt. Später wurde dies Bohrloch von den Bauern in Heinsheim weiter fortgesetzt, und in dem bisherigen Kalkstein bis etwa

700 — gebohrt, worauf ein bräunlich-rother Thon erhalten wurde, in dem man noch mehrere Monate niederbohrte, jedoch ohne Soole oder anderes Gebirge zu erhalten. Die Maasse sind würtemberger Fuss.

Es geht aus diesem Bohrversuche hervor, dass unter der Gipseinlagerung noch eine mächtige Masse von rauchgrauem Kalkstein, der sogenannte Wellenkalk, befindlich ist, von dem schon früher, bei Beschreibung des rauchgrauen Kalksteins, umständlich die Rede war; unter diesem Wellenkalk liegt die Formation rother Schieferletten, welche ebenfalls früher anhangsweise bei der Formation des rothen Sandsteins näher beschrieben worden, ist. Steinsalz wurde in diesem Bohrloche nicht mehr erhalten, weil dasselbe schon zu nahe am Ausgehenden befindlich ist.

Dasselbe Verhalten wird auch noch durch einen andern Bohrversuch des Herrn von Langsdorf bei dem Dorfe Stein bestätigt (Langsdorf, loc. cit., p. 352 — 354). Dieses Bohrloch liegt von dem sub No. 1 aufgeführten etwa 28000 F. gegen Nordost, und etwa 85 würt. F. höher. Bis

268 F. wurde meist rauchgrauer Kalkstein, zuweilen mit schwärzlich-blauem Mergel wechselnd, durchsunken; bei 150 F. fand sich Hornstein. Bis

487 — wurde in dem Gips gebohrt, welcher häufig mit Thon oder Stinkstein wechselte. Bei 307, 310, 374, 449 und 470 F. schwache Soole. Der Gips wurde immer kalkhaltiger, und ging zuletzt in Kalkstein über, in dem bis

510 — gebohrt wurde; in demselben zeigte sich von 504 bis 506 F. noch schwache Gipsspur, doch befand man sich schon allem

Anschein nach in dem Liegenden der Gipseinlagerung.

Auch dieser Versuch war daher ganz ohne Erfolg gemacht worden; ob man sich auch hier schon
zu sehr dem Ausgehenden genähert hatte, ist zwar
nicht mit Gewissheit zu entscheiden, aber doch nicht
wahrscheinlich. Es scheint vielmehr daraus hervorzugehen, dass die Gipseinlagerung das Steinsalz nicht
in regelmässigen Lagern, sondern nur in grossen Nestern enthält, und dass mithin grosse Strecken taub
seyn können.

Auf der Saline Friedrichshall sind überhaupt 6
Bohrlöcher abgeteuft worden, von denen das Bohrloch
No. 2 bei einer Teufe von 310 F. würtemb. einge-
stellt werden musste*). Es würde überflüssig seyn,
die Register aller dieser Bohrlöcher mitzutheilen, die
Hauptresultate aber sind folgende:

1) Der Kalkstein wurde durchsunken in dem
   Bohrloch

No. 1 bei	.	360 F. W.	
— 2 —	.	— — —	
— 3 —	. .	— — —	
— 4 —	.	336 — —	
— 5 —	.	331 — —	
— 6 —	.	327 — —	

Im Mittel 338½ F. W. == 298 F. Paris.

2) Das erste Steinsalzlager wurde erreicht in dem
   Bohrloche

No. 1 bei	.	498 F.	
— 2 —	.	— — —	
— 3 —	.	512 —	
— 4 —	.	510 —	
— 5 —	.	506 —	
— 6 —	.	497 —	

Im Mittel 504½ F. W. == 445 F. Par.

---

*) Tab. VII der zu dem oft citirten v. LANGSDORF'schen
Werke gehörigen Kupfer ist eine kleine Zeichnung des Neckarthales bei Wimpfen mitgetheilt, aus welcher die Lage der verschiedenen Bohrlöcher ungefähr beurtheilt werden kann. Auf derselben sind jedoch nur 6 Bohrlöcher angegeben.

Da nun diese Bohrlöcher alle ziemlich in einem gleichen Niveau von 495 F. über dem Meer liegen, so liegt also auf der Saline Friedrichshall das oberste Steinsalzflötz über dem Meer 495 — 445 = 50 F., hebt sich aber von hier aus gegen Nordwesten ansehnlich in die Höhe.

In dem Bohrloche

No. 1 wurde 26 F. W.
— 3 — 28 — — ,
— 4 — 40 — —
— 5 — 47 — —
— 6 — 34 — —

in derbem Steinsalz abgebohrt, an keinem Punkte aber das Steinsalzgebirge durchsunken.

Aus obigen Bohrlöchern wird eine reiche, fast gesättigte Soole emporgehoben. Die Soole aus dem Bohrloch No. 1 hat nach den Untersuchungen des Herrn Leibmedikus Jäger in Stuttgart ein spezifisches Gewicht von 1,2009 bei 15 Grad R., und enthält an fremdartigen Bestandtheilen:

kohlensaure Kalkerde,
kohlensaures Eisen,
schwefelsaure Kalkerde,
— Talkerde,
freie Salzsäure.

Alle diese fremdartigen Bestandtheile zusammen betragen noch nicht ⅛ Prozent von dem Salzgehalt der Soole. Nach einer genaueren Angabe von eben demselben enthält die Soole von Friedrichshall in 100 Loth*):

1) etwas kohlensaures Gas,
2) kohlensauren Kalk . . . . . . 2,9 Gran,
3) kohlensauren Eisenoxyd mit Kiesel 0,39 —
4) kohlensaure Bittererde. . . . . 0,15 —
5) salzsaure Kalkerde . . . . . . 10,56 —
6) — Bittererde. . . . . . 7,2 —
7) Gips. . . . . . . 2 Qutch. 17,28 —
8) Kochsalz . . 25 Lth. 2 — 20,64 —
9) Wasser. . . 73 — 3 — 0,88 —

---

*) MEMMINGER, Beschreibung von Würtemberg, 2te Auflage, p. 223.

Die Saline Ludwigshall bei Wimpfen hat überhaupt 8 Bohrlöcher, von denen jedoch zwei, welche
der Saline Friedrichshall gerade gegenüber liegen,
ganz verlassen und verschüttet sind. Von den andern
liegen No. 1, 4 und 8 nahe bei einander oberhalb
der Saline, nahe bei Wimpfen am Berg, in einer
kleinen Schlucht, sie werden durch ein Wasserrad
betrieben. No. 1 ist das Fundbohrloch und No. 8
das letzte, welches zwar schon ganz fertig ist, in dem
sich aber noch keine Pumpe befindet. No. 1 steht
von No. 4 um 24 F., und No. 4 von No. 8 um 30
F. entfernt. Die Bohrlöcher No. 6 und 7 stehen in
der Nähe des grossen Siedehauses, 24 F. von einander entfernt.

, Diese Bohrlöcher haben das Steinsalz erreicht in
einer Teufe:

No. 1 (bereits aufgeführt sub No. 3) . 448 F. W.
   in Steinsalz gebohrt . . 23 F.
No. 4 . . . . 448 — —
   in Steinsalz gebohrt . . 24 —
No. 5 . . . . 480 — —
   in Steinsalz gebohrt . . 30 —
No. 6 |
No. 7 | . . . . 450 — —
   in Steinsalz gebohrt . . 50 —
No. 8 . . . . 448 — —
   in Steinsalz gebohrt . . 24 —

Auf der Saline Clemenshall bei Offenau, welche
ehemals teutschherrlich war, ist schon in dem Jahre
1806 ein tiefes Bohrloch abgeteuft worden, aber ohne
günstigen Erfolg.

Dieses Bohrloch wurde bei dem unteren Gradirhausbrunnen, nahe bei der Saline Clemenshall, und
in nord - nordwestlicher Richtung von den jetzt ge-
glückten Bohrlöchern angesetzt.

Ueber die Mächtigkeit des durchbohrten oberen
Kalksteins waren keine Nachrichten vorhanden, nach
den Angaben des Herrn Salineninspektors Amsler
indessen will man bei einer Teufe von . 686 F. W.
das rothe Thon- und Sandsteingebirge erreicht haben.
Aus dem höchst unvollständigen Bohrregister erhellt
durchaus nicht, ob der Gips wirklich bis zu dieser

Teufe reicht, oder ob zwischen dem Gips und dem rothen Gebirge noch Kalkstein vorhanden war.

Das Bohrloch ist überhaupt 700 F. 7 Z. tief, und hat man in demselben eine 27prozentige Soole erhalten, welche aber durchaus nicht nachhaltig war. Herr Bergrath von Bilfinger glaubt, dass man in diesem Bohrloche den Gips in einer Teufe von 231 F. W. erreicht habe. Dieses Bohrloch ist wahrscheinlich dasselbe, welches Herr von Langsdorf (Tab. VII, sub η) dargestellt hat. Nach dieser Zeichnung hat dieses Bohrloch nachstehende Schichten durchsunken:

1) Kalkstein, Schieferthon und Letten   215 F. W.
2) Gips, meist dicht, mit bituminösem
   Thon, selten Stinkkalk, und schmalen Salztrümmern . . . . . .   365 — —
3) Kalkstein mit Schieferthon . . .   62 — —
4) Rother Thon . . . .   20 — —
5) Rother Thon, sehr sandig werdend   25 — —
                                    _____
                                    687 F. W.

Die pag. 266 gegebene Beschreibung stimmt mit dieser Zeichnung im Allgemeinen überein. Hier bemerkt Herr v. Langsdorf, dass dieses Bohrloch im Jahre 1806 angefangen und 452⅔ F. niedergebracht, im Jahre 1818 aber weiter fortgesetzt, und überhaupt bis auf 700 und einige Fuss W. vertieft worden sey, wo man dann unter dem Gips Kalkstein, und unter diesem rothen Thon erhalten habe. Die Originalbohrtabelle ist, wie bereits angegeben, im höchsten Grade unvollkommen geführt, und kaum zu errathen, was für Gesteine eigentlich gemeint seyn mögen. Das Hauptresultat scheint aber doch seine Richtigkeit zu haben, nämlich, dass unter der Gipseinlagerung Kalkstein, und dann der rothe Sandstein getroffen wurde, aber höchst wahrscheinlich ist die Mächtigkeit dieses unteren Kalksteins viel zu gering angegeben.

Die Resultate des Bohrloches im Badebrunnen sind bereits sub No. 5 mitgetheilt.

Bohrloch No. 1 a. Dieses Bohrloch liegt an dem neuen Kunstgraben, der Saline Ludwigshall gegenüber.

In demselben erhielt man:

bis **283** F. W. Kalkstein, dann Gipsgebirge,
— **452** — — die erste Soole, welche bei
481 — — bereits 9½ Prozent hielt,
— **497** — — Soole von 25½ Prozent,
— **505** — — wurde das Steinsalzlager erreicht,
und das Bohrloch im Salzgebirge und
Steinsalz bei
527 — 4 Z. eingestellt.

Bohrloch No. 1 b liegt von dem vorigen 50
F. entfernt, und wird gemeinschaftlich mit No. 1 a
durch ein zwischen beide gehängtes Kunstrad betrieben; es ist 516 F. 9 Z. tief, und hat dieselben Aufschlüsse, wie No. 1 a gegeben.

Bohrloch No. 2 liegt vom Bohrloche No. 1 a
800 F. entfernt, höher an dem Kunstgraben hinauf.
In diesem Bohrloche hat man kein Steinsalz gefunden,
sondern bis

340 F. — Z. W. Kalkstein, dann zeigte sich ein
kalksteinhaltiger Gips und schwache Soole.

370 — — — — Gips mit vielen Letten.
514 — 5 — — immer das vorige Gebirge, doch
brauste der Schmandt mit Säuren,
dabei 7 — 8prozentige Soole.

634 — — — — wurde dieses Bohrloch eingestellt,
ohne eine Spur von Steinsalz oder
reichhaltige Soole erhalten zu haben.

Durch dieses Bohrloch glaubt man die Breite des
Steinsalzkörpers bei Offenau bestimmen zu können,
indem es im unteren Gradirhausbrunnen gegen Nord-Nordwest und in No. 2 gegen Süd-Südost nicht getroffen worden ist. Von den Friedrichshaller Bohrlöchern würde das No. 6 der süd-südöstlichen Grenzlinie am nächsten liegen, es sind jedoch die bis jetzt gemachten Aufschlüsse noch nicht hinreichend, um hierüber mit Sicherheit zu urtheilen; auf jeden Fall aber ist das Resultat dieser Bohrlöcher sehr merkwürdig, und beweist, dass selbst ganz in der Nähe von sehr reichen Steinsalzniederlagen taube Mittel vorkommen können.

Bohrloch No. 3. Dasselbe liegt nicht gar weit unterhalb dem Bohrloch No. 1, am Kunstgraben; in diesem Bohrloche wurde bei

469 F. 5 Z. W. das Steinsalz getroffen, und darin bis

510 — — — — gebohrt, ohne es durchsunken zu haben.

Neben demselben soll noch ein zweites Bohrloch niedergebracht werden, um es gemeinschaftlich mit diesem, so wie No. 1 a und b, zu betreiben.

Die Ludwigssaline bei Rappenau gehört der badenschen Regierung; sie liegt ¼ Stunde vom Neckar und ¾ Stunden von Wimpfen auf dem Plateau des rauchgrauen Kalksteins, und ist gegenwärtig im Bau begriffen. Sie hat ein vollendetes Bohrloch, mit dem man durchsunken hat in Pariser Maass:

35 F. obere bunte Mergel,
198 — rauchgrauen Kalkstein,
300 — Gips mit Thon,
21 — Steinsalz.

554 F. ganze Teufe.

Ein zweites Bohrloch steht nur 20 F. von diesem entfernt in demselben Bohrhause; es ist gegenwärtig (Oktober 1823) 475 F. tief, und steht in Gips.

Ein drittes Bohrloch, mit den beiden vorigen in gleicher Linie, und von No. 2 100 F. entfernt, hat gegenwärtig erst eine geringe Teufe.

Bei Horreberg, zwischen Wiesloch und Sinzheim, waren schon im Jahre 1797 Bohrversuche, angeblich auf Steinkohlen angestellt worden. Mit dem Bohrloche hatte man bis

157 F. abwechselnde Schichten von schieferigem Sandstein, braunem, schwarzem und blauem Schiefer, zum Theil mit Kräuterabdrücken, einige Kalksteinschichten, graue Letten u. s. w. durchsunken, und dann Gips erreicht, welcher in dem Bohrloche bis zu

209 — anhielt, wo dann der Versuch eingestellt wurde.

Die durchsunkenen Schichten gehörten vielleicht der oberen bunten Mergelformation an; jedoch lässt

es sich aus den Angaben nicht mit Bestimmtheit ent-
nehmen. Der aufgefundene Gips veranlasste indessen Herrn von Langsdorf, hier einen neuen Versuch zu wagen, der aber schon bei einer Teufe von
80 F. eingestellt werden müsste *).

Herr von Langsdorf setzte darauf in dem
Bayerthal, nicht weit von hier, ein neues Bohrloch
an, welches aber, nachdem es, ohne die Teufe des
Bohrschachtes zu rechnen, 384 F. W. niedergebracht
worden, wegen des nachfallenden ungünstigen Gebirges eingestellt werden musste. Man hatte weder
Kalkstein noch Gips durchsunken, sondern nur Bänke
von blauem, blätterigem, brüchigem und etwas mer-
geligem Thon, die Gebirgsart, welche über Tage befindlich, ist aber nicht näher angegeben.

Die Hauptresultate, welche durch die Bohrarbeiten bei Wimpfen erhalten wurden, dürften daher in
der Kürze Folgende seyn:

1) Das Steinsalz liegt in einer Gips- und Thonbil-
dung, welche von rauchgrauem Kalkstein bedeckt wird; dieses beweisen alle Bohrlücher
ohne Ausnahme.

2) Unter der Gips-, Thon- und Steinsalzbildung
tritt wiederum Kalkstein auf; dies beweisen die
Bohrarbeiten bei Heinzheim und Stein, so wie
das Bohrloch am unteren Gradirhausbrunnen bei
Offenau.

3) Unter diesem unteren Kalkstein tritt die Formation des rothen Sandsteins und seiner Mergel
auf, welches ebenfalls die sub 2 angeführten
Bohrlöcher beweisen.

4) Die Gips- und Steinsalzbildung hebt sich gegen
Nordwesten mit abnehmender Mächtigkeit, und
allmälig taub werdend, zu Tage. Dies beweist
die zuerst beschriebene Folge von 5 Bohrlöchern.

5) Der oder die Salzkörper scheinen nicht gleichförmig in der Gipsbildung vertheilt, sondern einen bestimmten Strich zu bilden, oder, was
wahrscheinlicher ist, häufige taube Mittel zwi-

*) von Langsdorf, loc. cit., p. 348 — 352.

schen sich zu lassen. Hierauf scheinen die
Bohrlöcher No. 2 und 3 der Saline Ludwigshall
und die Bohrlöcher im unteren Gradirhausbrunnen, so wie No. 2 der Saline Offenau, ferner
die bei Stein, Heinzheim u. s. w. hinzudeuten.

In der Umgegend von Vic stehen, wie dies bereits früher beschrieben worden ist, nur die oberen
bunten Mergel an, und in diesen sind daher auch alle
Bohrlöcher von Tage nieder angesetzt worden.

Ausser dem Salzschacht Becquey bei Vic, mit
dem bereits das 9te Salzflötz erreicht worden ist, und
dessen Schichtenfolge schon an einem anderen Orte
(p. 146) beschrieben wurde, sind folgende Bohrversuche angestellt:

1) Bohrloch bei dem Salzschacht bei Vic,
2)   —   — Maizières,
3)   —   — Rozières,
4)   —   — Mulcey,
5)   —   — Auboudange,
6)   —   — Petoncourt.

In allen diesen Bohrlöchern, mit Ausnahme von
No. 2, ist das Steinsalz erreicht, und durch gerade
Linien verbunden, auf einer Oberfläche von pp. 8
Quadratmeilen verbreitet gefunden. Nach den von
Herrn Voltz gegebenen Nachrichten sind in diesen
Bohrlöchern folgende Schichten durchsunken*):

1. Bohrloch bei dem Salzschacht bei Vic.

1) Rother thonig. Sandstein ∤ bunt. Sandst. ∤   9,87 m.
2) Grauer Sandstein   ∤ von Voltz ∤   4,14 —
3) Schieferiger Kalkmergel mit Salzthon,   0,11 —
4) theils schieferige, theils dichte, theils
   zerreibliche (Asche von Voltz) feuer-
   feste Mergel, blassgrau, aschgrau,
   schwarzgrau, mit weissem Quarz, theils

Latus 14,12 m.

---

*) Notices géognostiques sur les environs de Vic. Annales des
mines, T. 8. Livraison 2. Jahrg. 1823.
   D'Aubuisson de Voisins, in seinem Traité de Géogno-
sie, Tome II, p. 400, erwähnt der Gegend von Vic nur mit wenigen Worten.

Transport   14,12 ᵐ·

in kleinen zerreiblichen Nestern, theils in mikroskopischen Krystallen als Auskleidung kleiner Drusenhöhlen. Die unteren Mergel enthalten Gips in 0,05 — 0,15 ᵐ· mächtigen Lagern. Zwischen den Mergelbänken wurden 2 Schichten Salzthon gefunden, theils blass-, theils dunkelgrau, 1,2 und 0,22 ᵐ· mächtig. . . . . 12,03 —

5) Rother Salzthon.	2,39 —
6) Grauer Salzthon	2,11 —
7) Rother Salzthon.	2,03 —
8) Salzthon mit wenig weissem und etwas grauem Thongips	10,64 —
9) Salzthon, zum Theil schmutzigroth mit wenig Gips	10,47 —

                                                  53,79 ᵐ·

Alle nachfolgende Bänke waren mehr oder weniger gesalzen.

10) Kalk und grauer Salzthon	3,03 —
11) Rother Salzthon mit wenig Gips . .	2,86 —
12) Grauer Salzthon mit Nestern von Steinsalz, und mit Gips und etwas Anhydrit	5,19 —

                                                  64,87 ᵐ·

13) 1stes Steinsalzlager, ziemlich rein.	3,64 —
14) Salzthon und Gips.	1,75 —
15) 2tes Steinsalzflötz	3,25 —
16) Grauer thoniger Gips.	1,43 —
17) Drittes Steinsalzflötz	14,03 —
18) Grauer thoniger Gips.	1,47 —
19) Viertes Steinsalzflötz. . . .	3,01 —
20) Grauer thoniger Gips.	4,39 —
21) Fünftes Steinsalzflötz. . . .	7,16 —

                       Ganze Teufe 105,00 ᵐ·

2. Bohr-

2. Bohrloch bei Maizières.

Dieses Bohrloch, auf dem Wege von Dieuze nach Blamont, steht der Kette der Vogesen am nächsten, und liegt zwischen den Dörfern Maizières und Bourdonnaie, auf der Strasse von Nancy nach Strasburg.

Bei Lezay, unweit Bourdonnaie, befindet sich eine Salzquelle von $12\frac{1}{2}$ Prozent, die aber nicht benutzt wird.

Das Gebirge um Maizières ist dem um Vic ähnlich, aber die Schichten unter dem feinkörnigen Thonsandstein steigen hier schon zu Tage.

Man hat mit dem Bohrloch folgende Lagen durchsunken:

1) Schwarze, graue, rothe thonige Mergel, weissen und grauen Gips, bis 2 m. mächtig, der Mergel bisweilen etwas gesalzen . . . . 66.00 m.
2) Salzthon. . . . . 1,41 —
3) Gegen 8 schwache Schichten von Kalkstein im Salzthon, nie bis 1 m. mächtig, bis . . . . 87 —
4) Eine schwarze Quarzlage bei. . . . 100 —
5) Schwach gesalzene Mergelgebirge bis. 121 —
6) Mergelgebirge, ganz ohne Salzgehalt, bis. . . . . 130 —

In dieser Teufe befand sich das Bohrloch am 19. August 1823, und wurde noch fortgesetzt. Es scheint jedoch wenig Hoffnung vorhanden, hier Steinsalz zu erhalten. Kalkstein ist in diesem Bohrloche fast gar nicht getroffen worden, weil derselbe sich auch der Regel nach nur in den höheren Schichten findet.

Die Hängebank des Bohrloches liegt in einer Höhe von etwa. . . . . 775 F. P.

3. Bohrloch bei Rozières.

Dieses Bohrloch ist das südlichste, welches in den Gegenden von Vic niedergebracht worden ist, die Gebirgsarten sind dieselben wie bei Vic, man sieht auf den Höhen neben dem Bohrloch den weissen quarzigen Sandstein, und an den Ufern der Meurthe,

II.

[21]

in kleinen zerreiblichen Nestern, thei
in mikroskopischen Krystallen als A
kleidung kleiner Drusenhöhlen.
unteren Mergel enthalten Gip
0,05 — 0.15 m. mächtigen L
Zwischen den Mergelbänken v
2 Schichten Salzthon gefunde
blass-, theils dunkelgrau,
0,22 m. mächtig. . . .

5) Rother Salzthon. . . .
6) Grauer Salzthon . . .
7) Rother Salzthon. . .
8) Salzthon mit wenig weiss
was grauem Thongips
9) Salzthon, zum Theil schm
wenig Gips . . .

                             ~30 —
                             0.81 —
                             0.75 —
                             1.61 —
                             3.47 —

Alle nachfolgende Bänl
oder weniger gesalzen.
10) Kalk und grauer Sa
11) Rother Salzthon mi
12) Grauer Salzthon
Steinsalz, und mi
Anhydrit . . .   Sandstein 30.53 —
          ganze Teufe 110,97

13) 1stes Steins
rein. . . .
14) Salzthon und (
15) 2tes Steinsa
16) Grauer thonig
17) Drittes Ste
18) Grauer thon
19) Viertes St
20) Grauer thor
21) Fünftes S

Folgende Schichten sind

. . . .	51,42 ᵐ·
rein	
., mit	
.alkstein	
. . . .	9,28 —
other Mer-	
. . . .	1,33 —
ger, wie das	
. . . .	8,67 —
.ips mit Salzthon	0,67 —
.lzlager, mit	
.em Kalkstein, Gips	
gemischt	12,33 —
.alzthon, braune Mer-	
. . . .	1,33 —
insalzlager, mehr und	
. . . .	2,33 —
.ai 1822 hatte man noch	
. Mergel und Salz vermischt,	
.ken	2.33 —
Ganze Teufe	89,69 ᵐ·

den beiden anderen Bohrversuchen waren
nrregister zu erhalten.
ist zu bedauern, dass die resp. Höhe der vier
.oeaen Bohrlöcher nicht genau bekannt ist.
.)ie Hängebank des Bohrloches bei Vic,
.ie die des Salzschachtes Becquey, mag
a . . . . 600 F.
.er dem Meere liegen.
Der Salinenhof in Dieuze liegt 619 F.
über dem Meer; für das Bohrloch bei Mulcey würde aus beiden Höhen etwa das Mit-

ein wenig östlich der Stadt, wo das Bohrloch angesetzt worden, tritt das Salzgebirge zu Tage. Vor Al-
ters war hier eine Soolquelle von schwachem Gehalt.
Folgende Schichten sind mit dem Bohrloche
durchsunken worden:

1) Graue und rothe Mergel, mit vielen
weissen Gipsnieren und Lagen, 0,33
— 1,33 m· mächtig, Massen von Thon
und Gips und eine graue Gipsbank,
4,83 m· mächtig, 8 Bänke von Kalkmergel, 0,16 — 2,28 m· mächtig, in
einer Teufe von Tage bis zu 63 m·;
2 Bänke von Salzthon in 59,3 und
61,70 m· Teufe, mit einer Mächtigkeit
von 0,22 und 0,53 m· Ueberhaupt . 68.50 m·
2) Erstes Steinsalzlager. . . . . 5.30 —
3) Grauer Gips und Mergel. . . . . 0.81 —
4) Zweites Steinsalzlager. . . . 0.75 —
5) Dichter grauer Gips . . . . . . 1,61 —
6) Drittes Steinsalzlager . . . . 3,47 —
7) Graue, grüne, braune, rothe Mergel,
mit vielen grauen Gipsbänken von
3,30 — 5,00 m· Mächtigkeit, mehrere
kleine Bänke von Salzthon und eine
Bank von grauem körnigen Sandstein   30.53 —

Ganze Teufe 110,97 m·

4. Bohrloch von Mulcey.

Dieses Bohrloch steht der Mühle von Mulcey gegenüber, an der Strasse nach Dieuze, 1½ Stunde westlich dieser Stadt, nur wenig über den Ufern der
Seille. Die Hügel, welche sich nördlich dem Bohrloche mit sanftem Ansteigen erheben, zeigen nach
und nach feinkörnigen thonigen Sandstein, gelblich
von Farbe (bunter Sandstein von Voltz), Kalkmergel, bunte Mergel mit Gips und Kalkmergel, weissen
quarzigen Sandstein, und zum Beschluss Griphitenkalk, der sich von hier aus nicht weiter mehr gegen
Osten verbreitet. Kurz es ist hier ganz die Schichtenfolge wie am Telegraphenberge, und das Bohrloch
ist schon im Salzgebirge, d. h. unter dem feinkörni-

gen Thonsandstein angesetzt. Folgende Schichten sind mit diesem Bohrloche durchsunken:

1) Graue, rothe, grüne Mergel, mit häufigen Massen von weissem, grauem und von Thongips, bis zu 3,67 m. Mächtigkeit; zwei Bänke von grauem Mergelkalkstein, in einer Teufe von 15 und 33 m., von 1,70 m., und die zweite von sehr unbedeutender Mächtigkeit. Ueberhaupt . . . . 51,42 m.

2) Erstes Steinsalzlager, theils rein und weiss, theils roth und grau, mit grauen Mergeln, Gips und Kalkstein gemischt . . . . 9,28 —

3) Grauer und weisser Gips, rother Mergel und Salzthon. . . . . . . 1,33 —

4) Zweites Steinsalzlager, wie das erste. . . . . 8,67 —

5) Weisser und grauer Gips mit Salzthon 0,67 —

6) Drittes Steinsalzlager, mit schwarzem, körnigem Kalkstein, Gips und etwas Quarz gemischt . . . . 12,33 —

7) Erdiger Gips, Salzthon, braune Mergel . . . . 1,33 —

8) Viertes Steinsalzlager, mehr und weniger rein . . . . 2,33 —

9) Den 6. Mai 1822 hatte man noch Gips, mit Mergel und Salz vermischt, durchsunken . . . . 2,33 —

Ganze Teufe 89,69 m.

Von den beiden anderen Bohrversuchen waren keine Bohrregister zu erhalten.

Es ist zu bedauern, dass die resp. Höhe der vier angegebenen Bohrlöcher nicht genau bekannt ist.

Die Hängebank des Bohrloches bei Vic, so wie die des Salzschachtes Becquey, mag etwa . . . . 600 F. über dem Meere liegen.

Der Salinenhof in Dieuze liegt 619 F. über dem Meer; für das Bohrloch bei Mulcey würde aus beiden Höhen etwa das Mit-

ʌel zu nehmen seyn, und seine Höhe daher
betragen . . . . 610 F.
Die Höhe des Bohrloches von Maizières
kann angenommen werden zu etwa . . . 775 —
Die Höhe des Bohrloches von Rozières
ist schwieriger auszumitteln. Das Bohrloch
von Vic liegt über Metz (welches 456 F. über
dem Meere liegt) 44 F., es kann aber das
Gefälle der Meurthe von Rozières bis Metz
wenigstens doppelt so gross angenommen
werden, wie das der Seille von Vic bis
Metz, und hiernach würde sich die Höhe
des Bohrloches von Rozières ergeben zu etwa 644 —
Nun wurde das erste Steinsalzlager gefunden:
1) In dem Salzschachte bei Vic, in einer
Teufe von 66,7 $^{m.}$ = ... 206 F.
2) In dem Bohrloche von Rozières, in einer Teufe von 68,5 $^{m.}$ = ... 211 —
3) In dem Bohrloche von Mulcey, in einer Teufe von 51,4 $^{m.}$ = ... 158 —
Hiernach würde daher der Anfang des Steinsalzes in einer Höhe über dem Meere liegen:
1) bei Vic von . . . 394 F.
2) bei Rozières von . 433 —
3) bei Mulcey von. . 452 —
Hieraus geht daher hervor, dass bei Vic das
Steinsalz am tiefsten liegt, bei Mulcey aber am höchsten; überhaupt, dass dasselbe eine Mulde bildet, welche derjenigen konform ist, welche über Tage der
rauchgraue Kalkstein andeutet. Das erhaltene Resultat kann dem Wesentlichen nach als richtig betrachtet werden, wenn auch die berechneten Niveaus in
der Wirklichkeit etwas anders ausfallen sollten.
Vergleicht man die 4 mitgetheilten Bohrregister
unter einander, so ergiebt sich, dass das Bohrloch
und der Salzschacht von Vic, welche in feinkörnigem
Thonsandstein angesetzt wurden, verhältnissmässig in
einer der obersten Schichten der bunten Mergelformation angesetzt worden sind, alle anderen Bohrlöcher nämlich stehen in Schichten, die schon unter
dieser liegen. Das Bohrloch von Maizières, welches
schon 400 F. tief ist, dessen Tiefstes sich daher nur

375 F. über dem Meere befindet, ohne Steinsalz erreicht zu haben, verspricht sehr wenig Erfolg; da nach dieser Richtung hin die Mulde sich aushebt, so hätte das Steinsalz schon längst erreicht seyn müssen, wenn solches hier wirklich vorhanden wäre, um so mehr, da man in oberen Teufen Spuren von Salz getroffen haben will.

Das Bohrloch von Rozières hat eine Tiefe von . . . . 341 F. erreicht, sein Tiefstes steht daher nur . . 303 — über dem Meer, und mit demselben scheinen die Steinsalzbänke auch wirklich schon ganz durchsunken zu seyn.

In keinem der angegebenen Bohrlöcher hat man feste Lagen des rauchgrauen Kalksteins durchsunken, sondern nur Thon, Gips und Mergel; es ist daher höchst wahrscheinlich, dass der rauchgraue Kalkstein erst tiefer komme, das lothringer Steinsalzgebirge mithin über demselben gelagert seyn werde.

Der Salzschacht bei Vic ist 18 Meter von dem Bohrloche entfernt. In demselben fand man zunächst über dem Gips einen rothen Thon, dann eine graue wasserführende Lettenlage, in der schöne Selenitkrystalle liegen. Die Salzbänke sind, wie man schon jetzt weis, vielen Unregelmässigkeiten unterworfen, und in ihrer Mächtigkeit sehr veränderlich. So ist die erste Salzlage

im Bohrloche mächtig . . . . 3,64 m.
im Schachte. . . . . 2,9 —
in 14 m. Entfernung nach einer anderen
  Richtung . . . . 1,5 —

Das Zwischenmittel zwischen der ersten und zweiten Salzlage beträgt ungefähr 1 — $1\frac{1}{2}$ m.

Die zweite Steinsalzlage ist mächtig:
  im Bohrloche. . . 3,25 m.
  im Schachte . . 2,6 —

auf der entgegengesetzten Seite erweitert sie sich wieder. Das Zwischenmittel beträgt etwa $1\frac{1}{2}$ m.

Die dritte Salzschicht ist mächtig:
  im Bohrloche . 14,03 m.
  im Schachte . . 14,3 —

Die Sohle dieser Lage steigt gegen West h. 4,5 mit etwa 8 Grad in die Höhe. Das Zwischenmittel beträgt etwa $1\frac{1}{4}$ m.

Die vierte Salzschicht ist mächtig:

im Bohrloche . . . . 3,01 m.
im Schachte (August 1823) noch nicht ganz durchsunken, doch wenigstens eben so mächtig (vergleiche p. 151).

Die erste und vierte Salzlage liefern ziemlich reines Steinsalz von etwas grünlich-grauer Farbe, oder selbst ganz weisses Krystallsalz. Nach einer von Berthier vorgenommenen Analyse*) war das Steinsalz von Vic ganz rein, bis auf eine Spur von Gips; dies ist jedoch nicht immer der Fall, denn wenn auch meist reiner wie das englische und das von Wielitzka, pflegt es doch bisweilen etwas mit Thontheilen gemengt zu seyn. Das auf den lothringer Salinen fabrizirte Salz dagegen bestand in 100 Theilen aus

salzsaurem Natron . . 97,45
schwefelsaurer Magnesia 2,30
Gips 0,25
_____
100,00

enthielt mithin beinahe $\frac{1}{36}$ fremdartiger Bestandtheile.

Diese Angaben stimmen jedoch nicht ganz mit den Analysen von Matthieu de Dombaste überein**). Nach demselben besteht

	Das am gewöhnlichsten dort vorkommende graue Steinsalz in 100 Theilen.	Das Kochsalz von Château-Salins in 100 Theilen.
Salzsaures Natron . .	95,65	97,05
Salzsaure Talkerde . .	—	0,45
Latus	95,65	97,50

*) Cordier, notice sur la mine de sel gemme, qui a été récemment découverte à Vic. Annales des mines, T. IV, 1819, pag. 497.
**) Matthieu de Dombaste, Examen du sel gemme provenant d'une mine découverte près de Vic, arrondissement de Château-Salins. — Annales de Chimie et de Physique, Tome XII, 1819, p. 48 — 58.

	Transport	95,65	97,50
Schwefelsaure Kalkerde		1,05	1,50
Thonige Erde	. . .	2,25	
Salzsaure Kalkerde	. eine Spur.		eine Spur.
Verlust	. . . .	1,05	1,00
		100,00	100,00

Nach den neuesten Angaben*) werden vier Arten von verkäuflichem Steinsalz auf der Grube von Vic unterschieden. Nämlich weisses, hellgraues, graues und rothes Steinsalz.

Das weisse Steinsalz ist theils auserlesenes, theils von gewöhnlich weisser Farbe. Das erstere, sel blanc choisi, ist absolut rein, das andere, sel blanc commun, enthält nur 0,007 fremder Theile.

Das halbgraue Steinsalz, sel demi-gris, enthält nur 0,022 fremder Theile.

Das graue Salz, sel gris, ist aschgrau, riecht ein wenig bituminös, wenn es zerstossen wird, und enthält 0,04 — 0,05 fremder Theile.

Das rothe Salz, sel rouge, gewöhnlich faserig, durchscheinend, mehr oder weniger gefärbt, enthält nur 0,001 — 0,002 Eisenoxyd, mit etwas Thon gemischt.

Alle vier Arten können als völlig wasserfrei betrachtet werden, denn die drei ersten verlieren bei der Calcination höchstens 0,01 ihres Gewichts, die vierte Art aber nichts.

Die fremdartigen Bestandtheile, deren Menge in den in den Handel kommenden Stücken höchstens 0,05 beträgt, bestehen aus bituminösem Thon, Eisenoxyd, schwefelsaurem Kalk, Soda und Talkerde.

Die zweite Salzlage im Schachte Becquey ist weniger rein, es liegen nicht allein mehrere Thonstreifen in horizontalen Streifen darin, sondern auch der grösste Theil ist unrein und mit Thon durchdrungen. In einer Strecke, welche auf diesem Lager im Liegenden getrieben ist, bemerkt man viel von einer fast ziegelrothen Substanz, die nesterweise dem Steinsalz

---

*) Notice etc. par D'ARCET.

eingesprengt ist, sie findet sich mehr oder weniger in allen Schichten, namentlich auch in der 6ten, und wird ungern gesehen, weil sie das Salz verunreinigt. Im Feuer soll sie zu einer Schlacke schmelzen, und scheint mit demjenigen Fossil ganz überein zu kommen, welches sich in den Salzgruben von Ischel findet, von Herrn Hofrath Stromeyer Polyhalit genannt worden ist, und nach seiner Untersuchung[*]) besteht aus

schwefelsaurem Kali		27,6347
wasserhaltigem schwefelsauren Kalk. . .		28,4580
wasserfreiem — — . . .		22,2184
— — Talk. . .		20,0347
— — Eisenoxydid		0,2927
salzsaurem Natron.		0,1910
salzsaurer Talkerde		0,0100
Eisenoxyd		0,1920
		99,0315

Der Gips, welcher sich mit dem Steinsalz findet, ist meist dicht; häufig kommt hier ein dichter, bläulich-grauer Anhydrit vor. Stellenweise ist das Salz bituminös, und der Salzthon hat oft eine ganz schwarze Farbe. Vegetabilische oder animalische Ueberreste sind bis jetzt in dem Salzgebirge noch nicht aufgefunden worden.

Aus den vorstehenden Zusammenstellungen geht hervor, dass das Steinsalz an den verschiedenen Punkten in Schwaben und Lothringen in einer Höhe über dem Meer gefunden wurde:

bei Dürrheim in	1769 F.
— Schwenningen	1709 —
— Sulz (Anfang der Hallerde) . . .	1320 —
— schwäbisch Hall (bei der neuen Mühle)	603 —
— Mulcey	452 —
— Rozières.	433 —

*) Stromeyer's Untersuchungen über die Mischung der Mineralkörper, B. I, p. 144.

John, chemische Zerlegung eines neuen fossilen Salzes des Bloedits und des Polyhaliths, in dessen chemischen Schriften, B. VI, p. 240 — 247.

bei Vic . . . . 394 F.
— Ludwigshall bei Wimpfen. . . . . 101 —
— Friedrichshall daselbst . . . . . . 50 —

Man sieht hieraus, welche ausserordentliche Unterschiede in dem Niveau des Vorkommens selbst in nahe gelegenen Gegenden stattfinden können. Unterschiede, die doch auf die Ablagerung selbst keinen grossen Einfluss ausgeübt zu haben scheinen.

II. Uebersicht der Salz- und Mineralquellen.

A. Salzquellen.

Die Anzahl der Salzquellen in den beschriebenen Gegenden ist so bedeutend, dass eine vollständige Aufzählung derselben kaum möglich seyn dürfte; die uns bekannt gewordenen sind folgende:

Aus der Formation der unteren bunten Mergel entspringen in dem Saar-, Mosel- und Sauerthale mehrere Salzquellen von geringem Gehalt. Benützt wird nur die Quelle von Rülchingen bei Saargemünd, welche etwa 1½ Prozent Kochsalz enthält[*). Sie entspringt in einem 24 F. tiefen Schachte, und besitzt bei einem 12 F. hohen Wasserstande eine Temperatur von 9 Grad R.

In dem Saarthale, bei Fremersdorf, oberhalb Mertzig, und etwas weiter unten, bei Mettloch und Dreisbach, entspringen einige unbenutzte schwache Salzquellen, eben so in dem Sauerthale, oberhalb Wasserbillig.

In dem Moselthale befindet sich bei Nittel eine der Quantität nach ziemlich starke Salzquelle, eine andere etwas unterhalb Remich und eine dritte bei Igel. Nach Monnets Angaben[**) entspringt unweit Sierk,

---

*) LOYSEL, Observations sur les salines les mines d'Asphalte et les manufactures du Département du Bas-Rhin etc. — Saline du pays dit de la Layen près de Sarguemines. Journal des mines, No. 13, p. 31 — 33.

**) MONNET, Atlas et description minéralogiques de la France. 1. Partie, p. 146.

unterhalb dem Dorfe Oppach, eine Quelle, welche
Kochsalz und Bittersalz enthält, und auf dem entgegengesetzten Ufer befindet sich noch eine andere,
aber viel schwächere Quelle. Diese Gegend ist interessant, weil hier eine sehr quarzige Grauwakke in
der Thalsohle sichtbar wird.

Auf dem östlichen Abfalle der Hardt und der
Vogesen befinden sich einige zum Theil benutzte Salzquellen, die zwar aus dem Flötzgebirge zu entspringen scheinen, aber von denen die Gebirgsschichten
nicht bekannt sind, aus denen sie ihren Ursprung
nehmen dürften. Hierher gehören unter andern die
Salinen Philippshalle und Dürkheim, deren Schächte
im rothen Sandstein abgeteuft sind*). Die Soole soll
der von Kreuznach sehr ähnlich seyn, nur 1 Prozent
Salz, sehr wenig erdige Salze und eine Spur von Bitumen, aber keine Spur von schwefelsauren Salzen
enthalten. Bonnard glaubt, dass sie unter dem rothen Sandstein aus demselben Porphirterrain, wie die
Kreuznacher Quellen, entsprängen; da aber dieser
Porphir ziemlich weit entfernt ist, so scheint diese
Meinung wenig wahrscheinlich.

Ferner gehört hierher die Saline von Sulz, bei
Weissenburg, drei Stunden von Haguenau**). Ihre
Soole enthält nur $1\frac{1}{2}$ — $2\frac{1}{2}$ Prozent, und scheint aus
Schichten über dem rothen Sandstein zu kommen;
der rauchgraue Kalkstein wenigstens ist in der Nähe.

Nach den Angaben des Graf Laizer entspringt
auch in der Nähe von Lohsan eine mit Erdöl ge-
schwängerte salzhaltige Quelle, welche zunächst aus
tertiärem Gebirge hervortritt.

In dem Bann von Diemeringen befinden sich zwei
Salzquellen von $1\frac{1}{2}$ — 3 Prozent Gehalt, ausserdem
enthalten beide noch etwas Gips. Sie werden nicht

---

*) DE BONNARD, Notice géognostique sur la partie occiden-
tale du Palatinat. Annales des Mines, Tome IV, 1821, p. 525.

**) LOYSEL, loc. cit., p. 33.
DE DIETRICH, Description des Gites etc. 4. partie, p. 315.
GRAEFFENAUER, Essai d'une minéralogie économie tech-
nique des Départements du Haut- et Bas-Rhin. Strasbourg 1806,
pag. 26.

benutzt, und scheinen ebenfalls aus Schichten über dem rothen Sandstein zu entspringen. Das Dorf Sulzern in dem Münsterthale soll ebenfalls einer Salzquelle seinen Namen verdanken*). Auch bei Rixheim, $2\frac{1}{2}$ Stunde von Illfurth, soll eine Quelle von schwachem Salzgehalt befindlich seyn.

Bei Sulzbach, im Thale St. Grégoire, drei Stunden von Colmar, befindet sich eine alkalisch-salinische Quelle, ein anderer Brunnen in ihrer Nähe heisst das Schwefelbrünnlein, und ein dritter das Badbrünnlein**). Die Temperatur der ersten Quelle ist 8 Grad R. Nach einer Analyse des Herrn Bartholdy in Colmar enthält sie in 48 Unzen:

kohlensaures Gas 56 Kubikzoll oder	36 Gran.
salzsaures Natron	6 —
kohlensaure Soda	30 —
schwefelsaure Soda	10 —
kohlensauren Kalk.	5 —
kohlensaure Magnesia	4 —
Kieselerde	$1\frac{1}{2}$ —
	$92\frac{1}{2}$ Gran.

Das Schwefelbrünnlein soll seinen Namen mit Unrecht führen, und keine Spur von Schwefel enthalten.

In dem Thale des Rothbaches, bei Sulzmatt, zwischen Gebweiler und Ruffach, entspringen an dem Fusse des Heidelberges mehrere mineralische Quellen, als das Sauerwasser, das Schwefelwasser, das Kupferwasser, das Purgirwasser. Diese Wasser sollen in ihrer Mischung mit denen von Sulzbach nahe übereinkommen***).

Die bis jetzt genannten Quellen sind von so geringem Gehalt, dass sie kaum den Namen von Salzquellen verdienen. Desto ausgezeichneter dagegen tre-

---

*) GRAEFFENAUER, loc. cit., p. 26 — 27.

**) DE DIETRICH, loc. cit., p. 136.

BARTHOLDY, Analyse de l'eau minérale acidule de Sulzbach près de Colmar. Journal de Physique, Tome IV, an VI, pag. 16 — 20.

***) DE DIETRICH, loc. cit., p. 132.

ten dieselben in Lothringen in der Formation
der oberen bunten Mergel hervor; von der grossen Anzahl der hier befindlichen Salzquellen sind folgende namentlich anzufiihren.

Der Salzbrunnen, ein 30 F. tiefer Brunnen, liegt
bei Saaralb, dicht an der Saar*). Er ist seit mehreren Jahren verschüttet, es sollen sich aber 2 Quellen
von $2\frac{1}{2}$ und 5 Prozent in ihm befunden haben. Die
Sohle des Brunnens ist bunter Mergel und Gips.

Auch auf einer kleinen Insel in der Saar, an der
Grenze des Bannes von Herbitzheim, ist eine schwache Salzquelle, der Salzbrunnen genannt. Sie wird
nicht benutzt, und ist vielleicht einerlei mit der vorher genannten Quelle**).

Von der grossen Anzahl der lothringischen Salzquellen werden gegenwärtig nur die von Dieuze und
Chateau salins benutzt; die Quelle von Moyenvic ist
unbenutzt, denn die Saline Moyenvic erhält ihre Soole
von Dieuze. Diese drei durch Quantität und Qualität
ausgezeichnete Salzquellen entspringen in dem Mittel-
punkte des grossen Mergelbassins, und ganz in ihrer
Nähe, nur 300 F. unter Tage, sind die reichen Steinsalzflötze entdeckt worden, aus denen sie ihren Ursprung nehmen.

Nach den Angaben von Loysel und Nicolas***)
beträgt die Temperatur und der Gehalt dieser Quellen:

	Wärme der Quellen im Grunde d. Soole n. Salzschachtes.	Löthig-keit der Soole	Gehalt an festen Be-standtheilen in 100 Pfund Soole.			
			Prozen-ten.	Pf.	Onc.	Gros.	Grains.
Quelle v.Dieuze	$+10\frac{1}{4}$ °R.	16	16	—	—	34
Chateau-Salins	$+10\frac{1}{2}$ °R.	13—14	14	—	—	10
Moyenvic ..	$+11\frac{2}{3}$ °R.	13	12	14	3	34

---

*) GILLET, Observations sur la source de muriate de soude
de Salzbrunn. Journal des mines, No. 13, p. 39 — 42.

**) GRAEFFENAUER, loc. cit., p. 26.

***) LOYSEL, loc. cit., J. d. m., No. 13, p. 1 — 31.
NICOLAS, Mémoire sur les salines nationales des départe-
ments de la Meurthe, du Jura, du Doubs et du Mont-Blanc. Im
Auszuge in den Annales de Chimie, T. XX, an 1796, p. 78—188.

Nach der Analyse von Matthieu de Dombaste *) enthält die Soole aus dem Salzschachte von
Chateau-Salins in einem Kilogramm:

salzsaures Natron. . . 132,17 Gramm.
salzsaure Magnesia . . 4,61 —
schwefelsauren Kalk. . 5,63 —
schwefelsaure Magnesia 3,99 —
kohlensauren Kalk . . 0,25 —

146,65 Gramm.

und ausserdem noch freie Kohlensäure, deren Menge
aber nicht bestimmt wurde. Die Quantität von Gips,
welche diese Soole enthält, ist viel beträchtlicher wie
diejenige, welche reines Wasser aufzulösen vermag;
es muss daher der Salzgehalt die Auflösung des Gipses befördern.

Ausser den genannten drei Salzquellen sind in
diesen Gegenden noch mehr als 100 andere bekannt,
welche früher zum Theil auch benutzt wurden, bis
die societé de l'Est das ausschliessliche Recht der Fa-
brication des Siedesalzes pachtete. Von diesen Quellen können namentlich angeführt werden die von Rozières aux salines, Lezay unweit Bourdonnaie, Mar-
sal, Salone, Morhange u. s. w.**).

Bei Saulnot, auf dem südlichen Abfalle der Vogesen, zwischen Lure und Belfort, befindet sich eine
ziemlich starke Salzquelle und eine kleine Saline. Es
scheinen hier ganz dieselben Formationen wie bei Vic
aufzutreten, und daher mag diese Salzquelle auch vielleicht einen ähnlichen Ursprung haben wie jene; auch
findet sich hier eine Gipseinlagerung in den bunten
Mergeln, welche Spuren von Salz zeigen soll.

Unter den Salzquellen des linken Rheinufers verdient noch besonders eine Quelle hervorgehoben zu

*) MATTHIEU DE DOMBASTE, Examen du sel gemme pro-
venant d'une mine découverte près de Vic, arrondissement de
Château-Salins. — Annales de Chimie et de Physique, Tome
XII, 1819, p. 56.

**) DE DIETRICH, Description des Gîtes de minerai de la
Lorraine méridionale, p. 14.
VALLERIUS Lotharingiae, p. 96.
DURIVAL, Description de la Lorraine, Tome II, p. 102.

werden, welche bei Butz, im Frickthal, unweit Laufenburg entspringt. Sie soll aus Kalksteinschichten mit vieler Gewalt zum Vorschein treten, und ziemlich viel Salz enthalten. Nicht weit von hier liegen die Orte Ober- und Niedersulz, und alle Formationen vom rothen Sandstein bis zum Jurakalk sind hier vorhanden. Von Butz über Eiken und Mumpf finden sich häufige Gipsspuren, und nach einer ungefähren Berechnung soll die Quelle von Butz jährlich 6000 Zentner Salz in den Rhein werfen*).

Auf dem rechten Rheinufer ist die Anzahl der aus dem Flötzgebirge hervortretenden Salzquellen ebenfalls sehr bedeutend.

Unweit Bruchsal, bei Ubstadt, befindet sich eine kleine Saline. Die sehr arme Salzquelle soll aus rauchgrauem Kalkstein entspringen; neuerdings angestellte Bohrversuche haben kein erwünschtes Resultat gegeben**).

An dem westlichen Fusse des Schwarzwaldes sind mehrere schwache Salzquellen bekannt, unter andern bei Sulz, südlich Lahr, und bei Sulzburg. Bei letzterem Orte ist ein Punkt, die Salzmatte genannt, wo sich ehemals ein Wasser befand, welches in einem Maas 1½ Quentchen Salz enthalten haben soll***). Bei Grunern, unfern Staufen, ist eine Schwefelquelle, und auch eine salzhaltige Quelle soll in der Nähe seyn****).

Dass bei Trossingen, unweit Schwenningen, ehemals eine kleine Saline gewesen seyn soll, ist bereits bemerkt worden. Ausserdem befinden sich in dem Königreiche Würtemberg noch viele andere Salzquellen. Im Murrthale, bei Murrhardt, westlich Gaildorf, entspringt wahrscheinlich aus rauchgrauem Kalkstein

---

*) Tschocke, sur la formation du Jura dans l'Argovie etc. Bibliotheque universelle, Tome XX, au 1822, p. 211 und 218.

**) v. Langsdorf, leichtfassliche Anleitung zur Salzwerkskunde. Heidelberg 1824, p. 333.

***) Erhardt, Magazin von und für Baden, 1. Band, 1802, p. 323 u. 344.

****) Beyer, Beiträge zur Bergbaukunde, p. 44.

oder oberen bunten Mergeln eine Salzquelle, auf deren Verbesserung in früheren Zeiten viele Kosten vergeblich verwendet wurden; nicht weit von hier liegt Sulzbach, wo ebenfalls Salzquellen vorhanden seyn sollen, so wie bei Gerabronn, auf der rechten Seite der Jaxt, unweit Langenburg.

Schon seit langer Zeit werden die Salzquellen von Sulz am Neckar benutzt. Sie haben einen Gehalt von $\frac{1}{2}$ — $3\frac{1}{4}$ Prozent. Ihre Temperatur soll regelmässig mit der Tiefe zunehmen. Die oberen Quellen zeigen + $9\frac{1}{2}$ ° R., die tieferen stark 10 ° R. und die tiefsten, 350 F. unter der Erdoberfläche, 13 ° R. In Friedrichshall soll eine ähnliche Zunahme der Temperatur von 8 — 11 ° bemerkt werden[*].

Die Soole, welche ehemals in schwäbisch Hall versotten wurde, ist 5 — $5\frac{1}{2}$löthig; gegenwärtig wird dieselbe nicht mehr benutzt[**].

Die Saline Weissbach oder vielmehr Niedernhall verarbeitet nur eine schwache, kaum 2prozentige Soole, die wohl aus der Gipseinlagerung des rauchgrauen Kalksteins entspringen dürfte.

Die bis jetzt beschriebenen Salzquellen entspringen sämmtlich aus Flötzgebirgsschichten über dem rothen (oder bunten) Sandstein. Von allen diesen Quellen ist es sehr wahrscheinlich, dass sie einer der drei beschriebenen Steinsalzbildungen ihre Entstehung verdanken, von vielen ist es sogar ganz gewiss. Diese Quellen enthalten ausser dem Kochsalz etwas Gips und einige leicht auflösliche Salze, meistens auch etwas Kohlensäure aber nur in sehr geringer Menge. Sie sind sämmtlich kalt, doch ist in der Regel ihre Temperatur 1 — 2 Grad über der mittleren Tempe-

---

[*] MEMMINGER, Beschreibung von Würtemberg, 2. Aufl. pag. 223.

[**] Die besten Nachrichten über die Salinen Würtembergs finden sich in

MEMMINGERS Beschreibung von Würtemberg, 2. Aufl.
— würtembergische Jahrbücher.

Auch in

KEFERSTEINS geognostisch-geologischer Zeitschrift, B. III, H. 1. befinden sich einige hierher gehörige Nachrichten.

ratur des Bodens, aus dem sie entquellen*), wenn
anders den sehr mangelhaften Angaben einiges Zu-
trauen geschenkt werden darf.

Es treten aber auch in den beschriebenen Gegenden Salzquellen, theils aus dem rothen Sandstein
selbst, theils aus noch älteren Bildungen hervor. Diese
Salzquellen scheinen einem anderen System anzugehören,
bis jetzt ist noch keine Steinsalzbildung nachgewiesen;
welche ihnen ihr Daseyn hätte geben mögen. Zu
dieser Art von Salzquellen sind folgende zu zählen:

Die Quellen Karls- und Guthleuthshausbrunnen
der unbedeutenden Saline Mosbach, unweit Neckar-
elz. Sie sollen aus rothem Sandstein entspringen; zur
Verbesserung der äusserst schwachen Soole wurde
neuerdings 375 F. tief gebohrt, wodurch 7grädige
Soole erhalten seyn soll**); dies Vorgeben mag aber
wohl nur Täuschung gewesen seyn, denn der Betrieb
der Saline, der immer sehr unbedeutend war, soll
ganz eingestellt seyn. Nach Demian***) sollen hier
jährlich 4000 Zentner Salz fabrizirt werden, welche
Angabe aber viel zu gross seyn dürfte.

Ebenfalls aus rothem Sandstein sollen die Quellen
der Saline Kissingen, im Thale der fränkischen Saa-
le****), entspringen. Die stärkste dieser Quellen tritt
aus einem 81 F. tiefen Schachte und Bohrloche mit
kochendem Geräusch hervor, sie hat eine Temperatur von $16\frac{1}{2}°$ R., 100 Kubikzoll Wasser entwickeln
50 Kubikzoll Kohlensäure, und nach Liebleins Analyse enthält 1 Pfund à 16 Unzen dieses Wassers:

salz-

---

*) Nach Herrn Professor Merian beträgt die mittlere Tempe-
ratur der Quellen in Basel $9\frac{1}{2}$ Grad R.
Abhandlung über die Wärme der Erde. Basel 1823, p. 10.

**) v. Langsdorf, loc. cit., p. 347.

***) Demian, geographische Darstellung der teutschen Rhein-
lande nach dem Bestande vom 1. Aug. 1820, p. 401.

****) Keferstein, Teutschland geognostisch-geologisch dar-
gestellt, B. III, H. I, p. 122 — 126.
Wetzler, Beschreibung der Gesundbrunnen Wipfeld, Kissingen etc. Mainz 1821.
Spindler, Beschreibung der Heilquellen von Bocklet. Würzburg 1818.

salzsaures Natron . . . . **136 Gr.**
schwefelsaures Natron. . . . . . . 10 —
salzsaure Magnesia . . . . 21½ —
schwefelsaure Magnesia . . . . . 3 —
kohlensaure Kalkerde und Magnesia . 18⅓ —
schwefelsaure Kalkerde . . . . . 10 —
kohlensaures Eisen . . . . 3½ —

In der Nähe entspringen noch mehrere ganz ähnliche Quellen von etwas geringerem Gehalt, die zum Baden benutzt werden.

Ebenfalls in dieser Gegend liegen die Quellen von Neustadt, Heustern, Hollstadt und die besuchten Mineralquellen von Bocklet, alle von ganz ähnlicher Zusammensetzung.

Die Quellen der kleinen Saline Orb, unweit Saalmünster, sollen ebenfalls aus rothem Sandstein entspringen*).

Die Saline Soden liegt zwischen Kronenburg und Höchst; in der Nähe der Salzbrunnen befinden sich Mineralquellen von 14 — 16 Grad R., welche zum Baden benutzt werden.

Bei Homburg vor der Höhe wurde ehemals eine Saline betrieben. Die Quellen waren 3 — 3½grädig, und haben eine Temperatur von 10½ — 11° R.**).

In der Wetterau, östlich von Butzbach, liegt die unbedeutende Saline Hergern, deren Soole eine Temperatur von 12 Grad R. besitzt. In der Nähe bei Münzenberg kommen, so wie bei Rokenberg, ebenfalls schwache Salzquellen vor. Die Soole der Saline Wisselsheim hat eine Temperatur von 10⅖ Grad R.

Nahe bei dem Städtchen Nidda liegt die Saline Salzhausen, welche eine Soole von 1¾₀ Löthigkeit verarbeitet***), deren Temperatur 14 — 16 Grad R. betragen soll.

---

*) KEFERSTEIN, loc. cit., B. III, H. 1, p. 126.
BEHLEN, Beschreibung des Spessarts, p. 172.

**) KEFERSTEIN, loc. cit. B. II, H. III, p. 502.
KLIPSTEIN, mineralogischer Briefwechsel, 1781; B. II, pag. 288.
LANGSDORF, Anleitung zur Salzwerkskunde. Altenburg 1784, p. 468.

***) KEFERSTEIN, loc. cit., B. II, H. III, p. 500.

II.   [22]

Die Quellen der Saline Büdingen treten aus rothem Sandstein hervor, es soll hier ein 200 F. tiefer Schacht abgeteuft worden seyn[*]), neuerdings war Herr Hofrath Glenk mit Bohrversuchen daselbst beschäftigt, welche Resultate dieselben gegeben, ist aber nicht bekannt geworden.

Nach Herrn Keferstein[**]) sollen schwache unbenutzte Salzquellen an dem Usaflüsschen bei Friedberg, in der Oberhärger Gemarkung im Amte Niederweissel, bei Traishorhof im Amte Utphe, in der Gemarkung Nonnenroth im Amte Hungen, und an noch einigen anderen Punkten entspringen.

Zu den merkwürdigsten Salinen der Wetterau gehört Nauheim in der Nähe von Hanau. Es sind in neuerer Zeit drei Bohrversuche zur Verbesserung der Soole angestellt worden. Der erste (angefangen Sept. 1822, fortgesetzt bis Anfang 1823) erreichte eine Tiefe von 60 F. Von oben nach unten wurden folgende Schichten gefunden:

1) Dammerde	1 F.	— Z.
2) Dammerde mit Kieseln vermengt	11 —	— —
3) Grobes Kieselgerölle	3 —	— —
4) Verstürzte Steinmassen eines alten Schachts	4 —	— —
5) Feiner Kiessand mit $1\frac{1}{2}$ Zoll grossen Kieseln und flüssigem Letten	5 —	— —
6) Gelber Sand und Letten . . .	1 —	— —
7) Feine Kiesel mit gelbem Letten	5 —	6 —
8) Gelbe grobe Kiesel von $1\frac{1}{2}$ bis 2 Zoll Grösse.	3 —	— —
9) Feine Kiesel mit grösseren gemengt	4 —	— —
10) Kleine gelbe Kiesel.	1 —	3 —
11) Grobe Kiesel	— —	7 —
12) Gelblich-weisser Triebsand . .	1 —	10 —
13) Gelber Letten mit Grand und Kieseln	8 —	— —
	Latus 49 F.	2 Z.

[*]) v. Langsdorf, loc. cit., p. 347.

[**]) Keferstein, loc. cit., B. II, H. III, p. 502.

Transport 49 F. 2 Z.
14) Blauer Letten . . . . 2 — — —
15) Triebsand . . . . — — 6 —

Bei dieser Tiefe von . . . . . 51 F. 8 Z.
ward die Soole erreicht. Der Bohrversuch führte darauf
16) durch rolliges Gebirge aus Stük-
    ken von rothem Sandstein und
    verhärtetem gelben Thon. . . 4 — 8 —

17) Hierauf bei. . . . . 56 F. 4 Z.
    zuerst festes Gebirge aus Sand-
    steinstücken und Quarzgeschie-
    ben, mit eisenschüssigem Binde-
    mittel . . . . 3 — 4 —
18) Dann gelber Grand mit wenig
    Letten . . . . 1 — — —

Summa 60 F. 8 Z.

Bei dieser Tiefe zeigte die Soole eine Temperatur von 21 — 22 Grad R., und einen Gehalt von 3
Prozent.

2ter Bohrversuch (Febr. 1823).

Die Soole hatte sich in der obigen Teufe auf $3\frac{1}{2}$
Prozent Gehalt und auf 25 Grad R. erhöht. Bei ei-
ner Teufe von 80 F. war der Gehalt der Soole $3\frac{4}{10}$
Prozent, ihre Temperatur 25 Grad R.

3ter Bohrversuch (angefangen Febr. 1823, bis Juli
1824 auf 330 F. Teufe bereits fortgesetzt).

1) Bis zu 80 F. Teufe wurden ähnliche Schichten,
    wie bereits angegeben, durchsunken.
2) Von 80 — 180 F. verschiedene näher zu be-
    stimmende (wohl meist Thon und Mergel)
    Schichten.
3) Von 180 — 206 Uebergang zum Sandstein.
4) Von 206 — 232 Sandstein, 26 F. mächtig.
5) Von 232 — 330 Schieferthon.

Die früher bekannte Temperatur der Nauheimer
Salzquellen war 18 — 20 Grad R., gegenwärtig beträgt dieselbe bis 25 Grad R. Der frühere Gehalt

der Quellen war $2\frac{4}{10}$ — $3\frac{1}{2}$ Loth[*]). Der gegenwärtige steigt nicht über $3\frac{4}{10}$ Prozent, und das Bohren hat daher keine Verbesserung der Soole bewirkt; es hat aber die Quantität der Soole ansehnlich vermehrt. Die Ausflüsse des ersten Bohrloches betragen in 24 Stunden 36000 Kubikfuss Wasser, die der beiden anderen sind minder bedeutend. Die Quelle des ersten Bohrloches bricht mit Gewalt hervor, und die Entwickelung der Kohlensäure ist sehr stark, sie führt Kiesel von ansehnlicher Grösse mit herauf, soll aber intermittirend seyn. Der Sinter der Gradirhäuser besteht grüsstentheils aus kohlensaurem Kalk, mit beträchtlichem Gehalt von Kieselerde.

Aus den angestellten Bohrversuchen scheint hervorzugehen, dass in der Tiefe das Grauwakkengebirge erreicht wurde, welches sich nicht weit von hier zu Tage erhebt, aber am Fusse des Taunus von mächtigen Geröllablagerungen bedeckt ist. Steinsalzlager können nicht in der Nähe vermuthet werden. Alle diese Quellen der Wetterau gehören mehr den Mineral- als den Soolquellen an; ihre Temperatur ist ansehnlich, alle entwickeln eine beträchtliche Menge von Kohlensäure; sie bilden den Uebergang zu den Sauerquellen, welche im Taunus und auf dem Hundsrück so häufig auftreten.

Soolquellen eigenthümlicher Art, und ebenfalls mehr in die Klasse eigentlicher Mineralquellen gehörig, sind diejenigen, welche aus dem rothen quarzhaltigen Porphir der Gegend von Kreuznach entspringen. Es sind hier folgende Soolquellen vorhanden[**]):

1) Saline Münster am Stein.

a) Hauptbrunnen. Ein 20 F. tiefer Schacht und 180 F. tiefes Bohrloch darin im Porphir. Die Soole hält 1 — $1\frac{1}{4}$ Prozent, sinkt aber bei anhaltend trockener Witterung bis auf $\frac{1}{8}$

---

[*] KEFERSTEIN, loc. cit., B. II, H. III, p. 492.
KLIPSTEIN, mineralogischer Briefwechsel, B. II, p. 290.

[**] ERMANN, über die aus Beobachtung der Quellen sich ergebende Temperatur des Bodens in der Gegend von Berlin. In den Abhandlungen der physikalischen Klasse der königl. Akademie der Wissenschaften in Berlin, in den Jahren 1818—1819, p. 396—402.

Prozent. Temperatur der Quelle im Winter 21 Grad R., ziemlich konstant; im Sommer soll sie auf 18 Grad R. herabfallen.

b) Nebenbrunnen. 21 F. tiefer Brunnen mit $\frac{3}{4}$prozentiger Soole, die am Ausflusse eine unveränderliche Temperatur von 13 Grad R. besitzt.

c) Neuer Brunnen. 22 F. tief, $\frac{3}{4}$ — 1$\frac{1}{4}$prozentige Soole, am Ausflusse unveränderliche Temperatur von 10 Grad R.

2) Saline Theodorshall.

a) Hauptbrunnen. 25 F. tiefer Schacht, darin 2 Bohrlöcher, 150 und 160 F. tief. 1 — 1$\frac{1}{4}$prozentige Soole. Temperatur 15 — 19 Grad R.

b) Brunnen No. 1. 20 F. tiefer Schacht, darin 110 F. tiefes Bohrloch. Gehalt 1 — 1$\frac{1}{4}$ Prozent. Temperatur 5 — 11 Grad R.

c) Brunnen No. 2. Gleiche Tiefe und Gehalt wie No. 1. Temperatur 12 — 17 Grad R.

d) Brunnen No. 3. 20 F. tiefer Schacht, darin ein 60 F. tiefes Bohrloch. Gehalt 1$\frac{1}{2}$ — 1$\frac{3}{4}$ Prozent. Temperatur 8 — 12 Grad R.

e) Brunnen No. 4. 20 F. tiefer Schacht, darin ein 190 F. tiefes Bohrloch. Gehalt 1$\frac{1}{4}$ — 1$\frac{1}{2}$ Prozent. Temperatur 9 — 12 Grad R.

f) Brunnen No. 5. 14 F. tief. Gehalt 1$\frac{1}{2}$ Prozent. Temperatur 8 — 15 Grad R.

g) Brunnen No. 6. 14 F. tief. Gehalt 1$\frac{1}{4}$ Prozent. Temperatur 11 — 15 Grad R.

h) Brunnen No. 7. 20 F. tiefer Brunnen, darin 60 F. tiefes Bohrloch. Gehalt 1$\frac{1}{4}$ — 1$\frac{1}{2}$ Prozent. Temperatur 7 — 12 Grad R.

i) Brunnen No. 8. 23 F. tief. Gehalt 1$\frac{1}{4}$ — 1$\frac{1}{2}$ Prozent. Temperatur 11 — 17 Grad R.

k) Karlshaller Brunnen. 72 F. tiefer Schacht. Gehalt 1$\frac{1}{4}$ — 1$\frac{1}{2}$ Prozent. Temperatur 9 — 15 Grad R.

In dem Porphirgebirge dieser Gegend befinden sich noch mehrere nicht benutzte Salzquellen, deren Gehalt und Temperatur aber nicht bekannt ist. Aus den vorstehenden Angaben geht hervor, dass der Ge-

halt dieser Salzquellen noch nicht 2 Prozent erreicht.
Die Temperatur derselben, unmittelbar da gemes-
sen, wo sie zu Tage treten, ist wenigstens 16 —
20 Grad R., und bedeutend höher, wie die gewöhnliche mittlere Erdwärme, welche in dieser Gegend
nicht über 10 — 11 Grad R. betragen dürfte. Die
grosse Verschiedenheit in den Temperaturangaben
dürfte wahrscheinlich dadurch entstanden seyn, dass
die Beobachtungen nicht ganz unter einerlei Umständen angestellt wurden.

Auch in dem Pfälzisch-Saarbrückschen Steinkohlengebirge sind an einigen Punkten schwache Salzquellen bekannt, so namentlich bei Diedelkopf unweit Cusel[*]), bei Hausweiler unweit Grumbach, in
der Nähe von Lauterecken, und bei St. Julien in der
Nähe von Kirweiler, im Kanton Cusel[**]), auf denen
sogar Versuche unternommen seyn sollen, und bei
Sulzbach, unweit Saarbrücken[***]).

Doch noch in weit älteren Gebirgsformationen
sollen Salzquellen zum Vorschein treten. So unter
andern in dem grossen Schiefergebirge bei Broden-
bach an der Mosel, 4 Stunden südlich von Koblenz[****]), bei Sulzig unweit Boppard, und bei Hö-
feld unweit Burweiler[†]). Auch die schwache Salzquelle bei Draisbach, unweit Merzig, entspringt nach
der Angabe des Herrn Oberbergrath Nöggerath
aus dem Schiefergebirge. Sogar in dem Gneuss- und
Granitgebirge des Schwarzwaldes, oberhalb Wildschap-
pach, erwähnt Selb des Vorkommens einer schwachen Salzquelle[††]), und in den Vogesen, bei Lauter-
rupt, unweit St. Diez, liegt ein Dorf, Salifontaine

---

*) NOEGOERATH, Rheinland-Westphalen, B. I, p. 259.

**) Annuaire du Département de la Sarre pour l'an 1810,
pag. 89.

***) STEININGERS Studien, p. 153.

****) CALMELET, Journal des Mines, No. 146.

†) BONNARD, Notice géognostique sur la partie occidentale
du Palatinat. Annales des Mines, Tome VI. p. 526.

††) SELB, Beschreibung des Kinziger Thales in den Denkschriften der Naturforscher und Aerzte Schwabens, p. 399.

genannt, dessen Namen ebenfalls eine Salzquelle andeutet *). Diese Salzquellen sind jedoch sämmtlich so schwach, dass sie kaum diesen Namen verdienen, und weit richtiger zu den Mineralquellen zu zählen seyn möchten, mit denen sie meistens auch gemeinschaftlich vorkommen.

B. Mineralquellen.

Die Anzahl der Mineralquellen in den zu beschreibenden Gegenden ist so gross, dass eine vollständige Uebersicht derselben kaum möglich seyn dürfte. Fast keine Gegend und keine Gebirgsformation leidet Mangel an denselben, und manche dieser Quellen stehen wegen ihrer Heilkräfte in sehr grossem Rufe.

In dem Schiefergebirge des Hundsrücken und auf dem linken Ufer der Mosel entspringen eine grosse Anzahl von Mineralquellen, sämmtlich in die Klasse der eisenhaltigen Säuerlinge gehörig. Am bekanntesten sind die warmen Quellen des Bades Bertrich, unweit Lützerath, auf dem linken Ufer der Mosel **); ihre Temperatur beträgt 27 — 30 Grad R., und ausser einer reichlichen Menge von Kohlensäure enthalten sie Kalk, Talkerde und Natron; es sind die einzigen warmen Quellen dieser Gegend.

Westlich von hier, bei Wittlich, entspringen kalte Säuerquellen, und an mehreren Punkten der Umgegend, unter andern bei Meisburg. Dreis, Erlenbach; die meisten treten aus Grauwakke, einige sogar aus rothem Sandstein hervor. Bei Hetzerath, unweit Erlenbach, an dem Gehänge des Meilenwaldes, liegt der Wallerborn ***), eine Kohlensäureentwickelung,

---

*) DE DIETRICH, Description des Gites de minerai de la Lorraine méridionale, p. 84.

**) Dr. HARTUNG, kurze Beschreibung des Bädeortes Bertrich. Koblenz 1811.
MASSON, Notice historique et description des bains de Bertrich. Koblenz 1817.
Journal des Mines, No. 149. p. 325.
STEININGER, geognostische Studien, p. 37.

***) Journal für Chemie und Physik von SCHWEIGGER, XIII, 1.

ganz der des Brudeldreises zwischen Pelm und Gerolstein in der Eifel ähnlich. An der Mosel, oberhalb Trier, befinden sich mehrere Sauerquellen bei
Riol, Thron, Kesten, die beiden letzten ein Paar
Stunden unterhalb Berncastel. In der Nähe von Trier
entspringen Sauerquellen aus dem Schiefergebirge bei
St. Mathias und Casel, und wahrscheinlich an noch
mehreren Orten. Auf dem Hochwalde sind ebenfalls
mehrere Sauerquellen bekannt bei Hermeskeil, Ra-
scheid, Malborn, Geisfeld, Schöneberg, zwischen
Hüttgeswasen und Birkenfeld, bei Hambach und Wil-
zenberg, und wahrscheinlich noch an sehr vielen anderen Punkten.

Alle diese Quellen zeigen in ihrem Vorkommen
die grösste Uebereinstimmung, und sind denjenigen,
welche die vulkanischen Erscheinungen der Eifel begleiten, oder den zahlreichen Sauerquellen des Taunus ganz ähnlich. Manche dieser Quellen enthalten
sehr viel Kalk, den sie als Tuff absetzen, fast alle
sind mehr oder weniger eisenhaltig.

In dem Sauerthale, bei Echternach und Rahlingen, setzen die Quellwasser ebenfalls eine ausserordentliche Menge von Kalksinter ab; sie treten aus
rauchgrauem Kalkstein hervor, und dürften etwas
Kohlensäure enthalten. Aehnliche inkrustirende Quellen sind in diesem Kalkgebirge überhaupt häufig.

Das jüngere Flötzgebirge des Elsasses ist reich
an mineralischen Quellen, meist in die Klasse der eisenhaltigen Säuerlinge gehörig. Hierher gehören die
Wasser von Avenheim, drei Stunden von Strasburg,
welche aus Süsswasserbildungen hervor zu treten scheinen. Aehnliche Quellen sind bei Wasslonne. In dem
Dorfe Niederbronn sind zwei mineralische Quellen,
deren Temperatur $13\frac{1}{2}$ Grad R. Nach einer Analyse
des Dr. Gerard enthält dieses Wasser in einem
Pfunde:

salzsaures Natron . .	$33\frac{3}{4}$	Gran.
salzsauren Kalk , . .	8	—
salzsaure Magnesia . .	$1\frac{1}{2}$	—
kohlensauren Kalk . .	1	—
Latus	$44\frac{1}{4}$	Gran.

	Transport	$44\frac{1}{4}$ Gran.
kohlensaure Magnesia.		$\frac{1}{2}$ —
schwefelsauren Kalk .		$\frac{1}{4}$ —
kohlensaures Eisen ⎫		
Thonerde ⎬ .		$\frac{1}{8}$ —
Kieselerde ⎭		
	Summa	$45\frac{5}{24}$ Gran.

Die Quellen von Sulz oder Sulzbad, 4 Stunden von Strasburg, enthalten kohlensaures Natron, Gips, Eisen und etwas Bitumen. Bei Reichshofen und Gundershofen ist eine Quelle, welche Schwefelsäure, salzsaures Natron und etwas Bitumen enthält.

Bei Holz oder Holzbad, unweit Benfeld, 6 Stunden von Strasburg, befindet sich eine Quelle, welche schwefelsaures Natron, salzsaures Natron, Salpeter (?), Kalk, Kieselerde und eine Spur von Steinöl enthält.

In dem Thale von St. Ulric, bei Barr, 6 Stunden von Strasburg, ist eine Quelle, welche Kohlensäure, Eisen und eine fette Erde enthält.

Bei Chatenoy (Kestenholz), 9 Stunden südwestlich von Strasburg, unweit Schlettstadt, befindet sich eine Quelle, welche schwefelsaures und salzsaures Natron, Kalk und Kieselerde enthält; die sämmtlichen festen Bestandtheile betragen etwa 1,6 Prozent.

Bei Wattweiler, eine Stunde von St. Amarin, sind zwei Quellen, welche kohlensaures und salzsaures Natron, Gips und Eisen enthalten.

Bei Bühl, etwa eine Stunde von Gebweiler, sind zwei Mineralquellen unweit St. Gangolf bekannt.

Schwefelwasserstoffhaltige Quellen sind bei Landau innerhalb der Fortifikationen, in dem Bienwald unweit Lauterburg, bei Küttolsheim, drei Stunden von Strasburg, bei Aschbach, im Thale von Hunzbach, unfern Altkirch, und bei Blotzheim, unweit Hunzbach. Auch bei Flexburg, unmittelbar neben einem Gipsbruch, ist eine ziemlich starke Schwefelquelle.

Quellen von Steinöl sind unweit Altkirch bei Hirzbach, Walsbronn an der Horn, 3 Meilen nord-

ostlich von Bitche*), bei Lampertsloch u. s. w. Sie
entspringen sämmtlich aus Molasse.

Unweit Blamont, bei Domèvre, in der Richtung
nach St. Martin, ist eine Mineralquelle**), desgleichen
an dem Berge Mousson, unweit Pont-à-Mousson;
die Quelle St. Thibaut in Nancy ist eisenhaltig***).

Die nachfolgenden Quellen dürften grösstentheils
aus primitivem Gebirge entspringen; sie unterscheiden
sich wesentlich von den bisher beschriebenen Mineralquellen, welche sämmtlich dem Flötz- oder dem
rheinischen Schiefergebirge angehörten.

Die Heilquellen von Plombières stehen schon seit
langer Zeit in grossem Ruf. Nach einer Analyse von
Vauquelin****) enthält ein Pfund dieses Wassers:

kohlensaure Soda . . . . $1\frac{1}{12}$ Gran.
schwefelsaure Soda. . . . . $1\frac{1}{5}$ —
salzsaure Soda . . . . $\frac{1}{4}$ —
Kieselerde . . . . $\frac{2}{3}$ —
kohlensauren Kalk . . . . $\frac{1}{4}$ —
eine animalische, der Gelatina ähnliche
 Substanz . . . . $\frac{11}{24}$ —

Die Temperatur der Quellen beträgt 32 — 56 Grad.

Südlich von Plombières befinden sich die mineralischen Wasser von Luxeuil, welche einen schwärzlichen Niederschlag geben, der nach einer Analyse
von Braconnot †) besteht aus:

Quarzsand . . . . 1,00 Gramm
Baryt . . . . 0,09 —
Eisenoxyd . . . . 0,13 —

---

*) DE DIETRICH, Description des Gites de minérai de la
Lorraine méridionale, p. 254.
  VALLERIUS, Lotharingiae, p. 100.

**) DE DIETRICH, loc. cit., p. 13.
  VALLERIUS, Lotharingiae, p. 96.

***) DE DIETRICH, loc. cit., p. 17 und 1.

****) VAUQUELIN, Analyse des eaux de Plombières. Anna-
les de chimie, Tome 39, au IX, p. 160 — 176.

†) Examen d'un sédiment des eaux de Luxeuil par BRACON-
NOT. Annales de Chimie et de Physique, XVIII, an 1821, p. 221.
  Untersucht sind diese Wasser von VAUQUELIN. — Journal
universel des sciences médicales. Sept. 1814.

Manganoxyd . . . . 0,70 Gramm
Ulmine (bituminöse vegetabilische Sub-
    stanz). . . . . 0,08 —

Die Quellen von Luxeuil werfen bisweilen kleine
Stückchen von Braunstein und Baryt aus. Schon seit
langer Zeit werden sie zum Baden benutzt; ihre Temperatur beträgt in den verschiedenen Quellen 26 —
46 Grad*).

Südöstlich von Remiremont, in dem Ban von
Dommartin, entspringt eine warme Quelle, welche
der von Plombières ähnlich ist. Ehe man nach Roche gelangt, in dem Gehölz von Rupt, ist ein eisenhaltiges Wasser**).

Berühmte Mineralwasser, denen von Plombières
ähnlich, entspringen bei Bain, und haben diesem Orte
den Namen gegeben***).

Bei Bussang, in dem Ban von Ronchamps, befinden sich ebenfalls mineralische Wasser****).

Südwestlich von St. Diez, an dem Fusse des Berges St. Martin, entspringen zwei Mineralquellen, welche Eisen und Kohlensäure enthalten, und nach
Schwefelleber riechen. Drei Stunden nordöstlich von
St. Diez liegen die mineralischen Quellen St. Goul-
bert †).

Bei Contrexeville, 3 Stunden nordwestlich von
Darnay, befinden sich Mineralquellen von einigem
Ruf ††).

---

*) BOUILLON, LAGRANGE, Essai sur les eaux minérales.
Paris 1811.

**)   130.
***) } DE DIETRICH, loc. cit., p. { 134.
****)   194.
DURIVAL, Description de la Lorraine, Tome II, p. 222.

†) DE DIETRICH, loc. cit., p. 107.

††) —   —   —   — 26.

Die vorstehenden Nachrichten über die Mineralquellen von
Lothringen und dem Elsass sind grösstentheils aus den angeführten Schriften von VON DIETRICH und GRAEFFENAUER (pag.
323 — 351) entnommen. In denselben ist noch folgende ältere
Literatur über die Mineralquellen des Elsass angegeben.

Zu denjenigen Mineralquellen des rechten Rheinufers, welche aus dem primitiven Gebirge hervortreten, sind folgende zu rechnen.

1. Ueber die Wasser von Sulzbach.

MELIUS, Beschreibung der Quellen von Sulzbach. Freyburg 1616.

SCHENKIUS, Beschreibung der heilsamen Quellen von Sulzbach. Basel 1617.

SCHERB, kurze Nachricht über die Mineralquellen von Sulzbach, in dem Thale von St. Grégoire im Elsass. Colmar 1683.

HAUSMANN, Acidularum Sulzbacensium historia et analysis.
Argent. 1764.

GUERIN, Dissert. de fontibus medicatis Alsatiae. Arg. 1769.

BELTZ, Description historique et médicale des eaux minérales de Soulzbach. Colmar 1789.

2. Ueber die Wasser von Sulzmatt.

SCHENKIUS, Beschreibung einer mineralischen Sauerquelle
bei Sulzmatt. Basel 1617.

GUERIN, Dissert. cit.

MEGLIN, Analyse des eaux minérales de Soulzmatt en Hau-
te-Alsace. Strasb. 1779.

3. Ueber die Wasser von Niederbronn.

ROESLIN, von der Lage der Vogesen, den Mineralien, den
mineralischen Wassern und den Bestandtheilen, die man darin findet, besonders von der Mineralquelle von Niederbronn. Strasburg 1595.

REYHING, kurze Beschreibung des Niederbronner Mineral-
wassers. Strasb. 1662.

REISEL, Beschreibung des Bades von Niederbronn. 1664.

LEUCHSENRING, Dissertatio de fonte medicato Niederbron-
nensi. Argent. 1753.

GUERIN, Dissert. cit.

GÉRARD, Traité analytique et médical des eaux minérales
salines de Niederbronn. Strasb. 1787.

4. Ueber die Wasser von Wattweiller.

BACHER, genaue Nachricht von den mineralischen Wassern
von Wattweiller. Basel 1741.

MOREL, Analyse des eaux minérales de Wattweiller. Colmar 1765.

GUERIN, Dissert. cit.

5. Ueber die Wasser von Sulz.

ETSCHENREUTER, über die Natur, die Tugenden und Wirkungen der Bäder von Sulz. Strasb. 1571.

JOH. SCHURER, Dissert. de balneo Sulzensi. Argent. 1726.

GUERIN, Dissert. cit.

Die berühmten Heilquellen von Baden-Baden*);
sie entspringen aus einem gneussartigen Gestein, und
die Temperatur der Hauptquelle beträgt 54 Grad R.
Nach Salzers Analyse (1809) enthält 1 Pfund a 16
Unzen dieses Wassers:

kohlensaure Kalkerde .	1,57	Gran
salzsaure Kalkerde. . .	1,57	—
salzsaure Soda	17,06	—
salzsaure Bittererde . .	0,52	—
schwefelsaure Kalkerde .	2,64	—
kohlensaures Eisen . .	0,12	—
	24,02	Gran

Kohlensäure . 0,49 Kubikzoll.

Das Hub- und Erlenbad, ersteres zwischen Bühl
und Achern, unterhalb Windeck gelegen, sind ebenfalls warme Quellen, die aus dem primitiven Gebirge
entspringen. Die Hubquellen enthalten $\frac{1}{6}$, die Erlen-
badquellen $\frac{1}{4}$ Prozent Kochsalz**).

In der Nähe von Baden-Baden, bei dem Dorfe
Fesslau, soll eine Quelle seyn, welche viel Stickgas
entwickelt***), eine Angabe, welche aber noch näherer Bestätigung verdienen dürfte.

---

6. Ueber die Wasser von St. Ulrich.

Vollmar, kurze Beschreibung der neuerdings in dem Thale
von St. Ulrich bei Barr entdeckten Mineralquellen. Strasb. 1773.

7. Ueber die Wasser von Holzbad.

Kratz, Dissertatio sistens historiam fontis Holzensis. Argent. 1754,
Guerin, Dissert. cit.

8. Ueber die Wasser von Kestenholz.

Kuerschner, Dissertatio de fonte medicato Castenacensi.
Argent. 1760.
Guerin, Dissert. cit.

*) Kluber, Beschreibung von Baden bei Rastadt. Tübin-
gen 1810.
Schreiber, Gemälde von Baden und seiner Umgebungen.
Heidelberg 1811.

**) v. Langsdorff loc. cit., p. 333.

***) Marsigli Landriani, Mémoire sur une source près
du village de Fesslau, dans le voisinage de Baden en Allemagne,

Bei dem Städtchen Zell, auf der rechten Seite des Kinzigthales, ist eine Mineralquelle, das Kleebad genannt*). Bei dem Dorfe Prinzbach, in der Standesherrschaft Hohengeroldsegg, ist ebenfalls eine Heilquelle**), so wie nördlich von Emmendingen das Kimhlder Bad ***).

, Die warmen Quellen bei Badenweiler entspringen aus einem porphirartigen Gebirge, und dürften denen von Baden-Baden ähnlich seyn. Die Temperatur der Hauptquelle beträgt 20½ Grad R.

An dem östlichen Ende des Sulzburger Thales liegt ein Gesundbrunnen, der aus Porphir entspringen soll. Das Wasser ist klar, geschmacklos und setzt nichts ab****). Nach Demian hat diese Quelle eine Temperatur von 12 Grad R., und wird häufig besucht†).

Bei Oberschaffhausen, in dem Kaiserstuhl, befindet sich eine mineralische Quelle, welche zum Baden benutzt wird; sie setzt Eisenocker ab und entwickelt viele Kohlensäure.

Zwischen Freudenstadt und Oppenau liegen die fünf Mineralquellen des Kniebis, Antogast, Griesbach, Petersthal, das welsche Bad bei Bastenbach und Rippoldsau. Diese fünf Quellen sind von ganz ähnlicher Beschaffenheit††). Die Quelle von Rippoldsau ist am

---

d'on il sort une grande quantité de gaz azote. — Journal de Physique, Tome LXXXIV. An 1817, p. 468. Auszug aus Giornale di Fisica etc., Tomo IX, p. 115.

*) Demian, geographisch-statistische Darstellung der teutschen Rheinlande nach dem Bestande vom 1. Aug. 1820, p. 547.

**) Vollständiges Handbuch der Erdbeschreibung von Gaspari, Hassel, Cannabich und Gutsmuths, 1. Abth., B. V, 1819, p. 61.

***) Gaspari etc., loc. cit., p. 72.

****) Beyer, Beiträge zur Bergbaukunde, p. 49.

†) Demian, loc. cit., p. 577.

††) Boeckmann, physikalische Beschreibung der Gesundbrunnen und Bäder Griesbach, Petersthal und Antogast. Karlsruhe 1810.

Klaproth, Analyse der Rippoldsauer Quelle. — Beiträge zur chemischen Kenntniss der Mineralkörper. B. IV, p. 388.

reichsten an festen Stoffen, und nach Klaproths und Sulzers Analysen in einem Pfunde Civilgewicht zusammengesetzt aus:

	Nach Klaproth.	Sulzer.
kohlensaures Gas	41,5 C. Z.	22,7 C. Z
kohlensaure Kalkerde. . .	10,12 Gran	8,8 Gran
kohlensaures Natron . . .	0,25 —	— —
schwefelsaures Natron . .	11,62 —	10,0 —
salzsaures Natron	0,62 —	0,3 —
schwefelsauren Kalk . .	— —	0,7 —
Kieselerde	0,38 —	— —
kohlensaures Eisen . .	0,25 —	0,3 —
kohlensaure Talkerde . .	0,25 —	— —
	23,49 Gran	20,1 Gran

Die Temperatur dieser Quellen beträgt:

Rippoldsauer Quelle.	. —	Grad R.
Griesbacher Quelle . .	7,9	— —
Petersthaler Trinkquelle	8,0	— —
— Laxirquelle . .	8,3	— —
— Schwefelquelle.	10,0	— —
Antogast	7,0	— —

Der Hauptbestandtheil aller dieser Quellen ist das Glaubersalz, welches namentlich in der Rippoldsauer Quelle in so reichlicher Menge vorkommt, dass es nach den Angaben von Selb[*]) durch Gradirung gewonnen wurde.

In dem Grossherzogthum Baden sind mehr als 33 mineralische Quellen bekannt, und zum Theil in dem Kolb'schen Lexikon beschrieben[**]).

Von den Quellen des Kniebis gegen Norden, in dem Enzthale, liegt das Wildbad[***]), dessen Quellen ebenfalls aus primitivem Gebirge hervortreten. Ihre Temperatur ist 28 — 29 Grad R., und nach Stau-

---

[*]) Selb, Beschreibung des Kinziger Thales in den Denkschriften der Aerzte und Naturforscher Schwabens, B. I, pag. 399 — 400.

[**]) Kolb, historisch-statistisch-topographisches Lexikon vom Grossherzogthum Baden. 1813 — 1816.

[***]) Memminger, Beschreibung von Würtemberg, 2te Auflage, p. 221.

denmeyers Untersuchung vom Jahre 1812 enthält
1 Pfund à 16 Unzen dieses Wassers:

kohlensaure Soda . . . 0,468 Gran
kohlensaure Kalkerde. . 0,187 —
salzsaures Natrum. . . 0,187 —
schwefelsaure Soda . . 0,031 —
schwefelsaure Kalkerde . 0,125 —
kohlensaures Eisen . . eine Spur.

0,998 Gran

Zugleich stossen die Wildbader Quellen viel Luft
aus, welche aus 88 Stickluft, 7 Sauerstoff und 5 Kohlensäure dem Volumen nach bestehen.

In dem Thale der Nagold, östlich von Wildbad,
befinden sich die Quellen von Liebenzell, und etwas
weiter unten die von Kapfenhardt; sie entspringen
aus primitivem Gebirge, und ihre Temperatur beträgt,
die der ersteren 17½, die der letzteren 19 Grad R.

Die Deinacher oder Teinacher Trinkquellen liegen etwas oberhalb Calw, in einem kleinen Seitenthale der Nagold. Die Quellen sind kalt, die herrschende Gebirgsart ist rother Sandstein, aber Urgebirge dürfte in der Nähe seyn.

Von denjenigen Mineralquellen, welche aus primitivem Gebirge hervortreten, ist in dem Odenwalde
noch das Bad Fürstenlager bei Auerbach zu erwähnen.
Die Quelle entspringt in dem Rossbacher Thale, am
Fusse des Rothberges, aus Granit; es scheint ein eisenhaltiger Sauerling mit einigen alkalischen Salzen
verbunden; das Wasser ist kalt*).

Die Menge mineralischer Quellen, welche aus
dem jüngeren Flötzgebirge entspringen, ist zumal in
dem Königreich Würtemberg ausserordentlich gross,
doch auch das Grossherzogthum Baden hat keinen
Mangel an solchen. In der Erdbeschreibung von
Gaspari werden folgende hierher gehörige Quellen
angegeben**).

Bei

---

*) Demian, loc. cit., p. 358.
**) Vollständiges Handbuch der neuesten Erdbeschreibung von
Gaspari, Hassel, Cannabich und Gutsmuths, 1. Ab-
theilung, B. V. Weimar 1819.

Bei Neudenau an der Jaxt eine Heilquelle für kranke
  Pferde (p. 102).
Bei Wiesloch, südlich von Heidelberg, eine wenig
  besuchte, aus rauchgrauem Kalkstein entsprin-
  gende Quelle (p. 106).
Bei Beiertheim an der Alb, unweit Karlsruhe (p. 46).
Das Bad und die Heilquelle in Rastadt (p. 48).
Das Bad und die Heilquelle bei Langensteinbach,
  zwischen Neuenburg und Karlsruhe (p. 48).
Die Quelle beim Weyerschloss, ¼ Meile von Em-
  mendingen (p. 69).
Die Quelle und das Bad in Freyburg (p. 67).
Das Bad in Riedlingen, unweit Candern (p. 72).
Die Mineralquelle bei Maulburg an der Wiese, un-
  terhalb Schopfheim (p. 76).
Das Nellabad bei Stockach (p. 90).

In dem Kanton Basel entspringen die Quellen
des Bubendörfer Bades bei Liesthal aus oberen bunten Mergeln.

Ebenfalls aus bunten Mergeln entspringen die etwas schwefelhaltigen Quellen von Schwenningen; bei
der neuen Mühle soll eine reichhaltige Schwefelquelle
und ein Bad gewesen seyn, und bei Herrenespel befindet sich eine sehr übel riechende Mineralquelle *).
Fast alle dortigen Quellen sind etwas mineralisch.
Nach Sturm **) enthalten diese Quellen, ausser freiem
Schwefelwasserstoffgas, kohlensauern Kalk, Gips, Bittersalz. Alle festen Bestandtheile betragen 3 — 21
Gran auf das Pfund.

Zwischen Freudenstadt und Dornstädten befindet
sich ein Gesundbrunnen, das Lauterbad genannt, in
der Nähe von Dietersweiler; nicht weit davon liegt
noch eine mineralische Quelle, der Lumpenbrunnen
genannt. Beide entspringen aus rothem Sandstein und
sind kalt ***).

---

*) Rоsslaа, Beiträge zur Naturgeschichte des Herzogthums
Würtemberg. Tübingen 1788. H. I, p. 41.

**) Sturm, Versuch einer Beschreibung von Schwenningen
in der Baar. 1823. p. 29 — 33.

***) Rоsslaа, loc. cit., H. I, p. 167.

II.

Längs dem Fusse der rauhen Alp entspringen aus den bituminösen Schiefern des Griphitenkalks häufige Schwefelquellen, und auf der Alp selbst sind an einigen Punkten Sauerquellen vorhanden. Vorzüglich reich an Schwefelquellen ist die Gegend von Bahlingen; sie liegen besonders oberhalb dieser Stadt in dem Thale der Eyach. Rösler führt folgende Quellen namentlich an[*]: In Dürrwangen, im Hofe des Pfarrhauses, eine stark nach Schwefelwasserstoff riechende Quelle. Bei Frommern ein Eisenwasser, dem Eger und Pyrmonter Wasser ähnlich. Bei Hesselwangen viele Schwefelquellen; fast alle Brunnen in Bahlingen sind schwefelhaltig. Etwa 400 Schritt von dem oberen Thore der Stadt liegt der Schwefelbrunnen[**]. Aehnliche Schwefelquellen befinden sich bei Reutlingen[***] und bei Owen im Lauterthale, oberhalb Kirchheim. In den bituminösen Schiefern bei Bahlingen sind nach Storr sehr viele Schwefelkiesnieren enthalten[****].

Die Bahlinger Quelle enthält, nach einer Analyse von Ofterdinger, (1802), und die Reutlinger, nach einer Analyse von Knaus (1818), in einem Pfunde à 16 Unzen[†]:

	Bahlinger.	Reutlinger.
Kohlensäure und Schwefel-		
wasserstoff	4 K.Z.	0,31 K.Z.
Stickluft	—	0,47 —
kohlensaures Natron . . .	—	0,36 Gran
kohlensaurer Kalk . . .	0.5 Gran	0,44 —
kohlensaure Magnesia . .	6.62 —	1,23 —
Latus	7,12	2,03

---

[*] Rösler, loc. cit., H. I, p. 181 — 183.

[**] Disp. med. inaug. de fontibus soteriis sulphureis Reutlingensi atque Bahlingensi. Prof. A. Camerario. —Resp. B. C. De-Verney. Tubingiae 1736.

[***] Gesammelte Nachrichten von den vortrefflichen Gesundbrunnen etc. bei Reutlingen, von Fr. Gmelin. Reutlingen. 8. 1761.
Rösler, l. c., H. II, p. 103.

[****] Storr, Alpenreise vom Jahr 1781. Th. I, p. 14.

[†] Memminger, loc. cit., p. 220.

	Transport	7.12 Gran	2.03 Gran
salzsaures Natrum		0.33 —	0.25 —
Kieselerde		0.33 —	0.6 —
hydrothionsaures Natrum .		—	0,11 —
Steinöl.		eine Spur.	
		7,78	2,99

Bei Sondelfingen, zwischen Reutlingen und Mezzingen, ist eine nach faulen Eiern riechende Quelle, welche der Reutlinger ähnlich seyn soll*).

Bei Kleinengstein auf der Alp, oberhalb Pfullingen, befindet sich ein Sauerbrunnen. In dem Thale der Flitz befinden sich mehrere Sauerbrunnen, welche grösstentheils aus den Mergeln des Griphitenkalks entspringen, und daher auch wohl schwefelhaltig seyn dürften. Memminger erwähnt namentlich der Sauerbrunnen von Göppingen, Jebenhausen, Röthelbad bei Geislingen, Ueberkingen und Ditzenbach. Die Temperatur der Göppinger Quelle beträgt 8,7 Grad R., die der Ueberkinger 12 Grad R.

Nach einer Analyse von Kielmeyer (1786) besteht die Göppinger, und nach der Untersuchung von Knaus (1821) die Ueberkinger Quelle in einem Pfunde à 16 Unzen aus:

	Göppinger.	Ueberkinger.
Kohlensäure	19,7 K. Z.	22 K. Z.
Schwefelwasserstoff. . .	—	eine Spur.
kohlensaures Natrum . .	3.57 Gran	— Gran
kohlensaure Kalkerde. .	7.533 —	0.68 —
kohlensaure Bittererde .	10,6 —	0.46 —
salzsaures Natron . . .	—	2.74 —
salzsaure Kalkerde . . .	—	1.03 —
salzsaure Bittererde . .	—	0.57 —
schwefelsaures Natron. .	—	1.03 —
schwefelsaure Bittererde .	—	0.46 —
kohlensaures Eisen. . .	0.142 —	0.23 —
	21,845	7,20

Zu den berühmtesten Schwefelquellen des Königreichs Würtemberg gehören die Quellen von Boll

---

*) Rozelli, loc. cit., H. II, p. 151.

oberhalb Kirchheim *), welche am Fusse der Alp aus Mergeln des Griphitenkalks entspringen.

Im Brenzthale bei Giengen, zwischen Gundelfingen und Heidenheim, liegt das Wildbad, dessen Quelle vielleicht schon aus Molasse entspringt. Das Jordanbad bei Biberach dürfte ebenfalls aus Molasse entspringen. Beide werden wenig besucht.

Ungemein reich sind die Neckargegenden, von Rothweil an bis unterhalb Canstadt, an Sauerquellen, die darin mit einander überein kommen, dass alle viel Kohlensäure entwickeln, Eisenocker absetzen und meist auch etwas salzhaltig zu seyn pflegen. Diese ausserordentlich starke Kohlensäureentwickelung in Bildungen, die nur zum rauchgrauen Kalkstein und den oberen bunten Mergeln gehören, ist höchst merkwürdig, besonders seitdem Herr Professor Hoffmann gezeigt hat, dass auch in den Wesergegenden ganz ähnliche Erscheinungen statt finden, wo sie mit merkwürdigen geognostischen Lagerungsverhältnissen in Verbindung stehen.

Zu den näher bekannten Sauerquellen dieser Gegenden gehören folgende:

Der Jungbrunnen bei Rothweil, welcher wahrscheinlich aus oberen bunten Mergeln entspringt.

Bei Bergfelden, südwestlich von Sulz, war ehemals ein Bad **); in dieser Gegend sind bunte Mergel.

Bei Imnau, im Thale der Eyach, befinden sich sehr bekannte Sauerquellen, welche aus rauchgrauem Kalkstein entspringen ***); ihre Temperatur beträgt 9 Grad R. Von den 5 Quellen, welche Klaproth

---

*) JOHANN BAUCHIN, Ein neu Badbuch von der Wunderbaren Kraft und Wirkung des Wunderbronnen zu Boll. 1602.

**) ROESLER, loc. cit., H. I, p. 67.

***) Beschreibung des Sauerbrunnen zu Imnau, darinnen von der Beschaffenheit des Ortes, der Quelle selbst, des Wassers mineralischem Halt, Nutzen und rechten Gebrauch gehandelt wird, durch SAMUEL CASPAR, med. Doct. zu Sulz. Ulm 1733. ROESLER, loc. cit., H. I, p. 183.
KLAPROTH, Beiträge zur chemischen Kenntniss der Mineralkörper. B. II, p. 321. B. I (1792), p. 333.
MEMMINGER, loc. cit., p. 220.

untersuchte, enthielt die reichste in 100 Kubikzollen
(der K. Z. an körperlichem Inhalt gleich 200 Gran
destillirten Wassers) folgende Bestandtheile:

Bittersalz	6,0 Gran
Kochsalz	0,3 —
salzsaure Talkerde	0,2 —
kohlensaure Kalkerde	31,0 —
kohlensaures Eisen	1,5 —
Kieselerde	1,0 —
Harzstoff	0,3 —
	40,3 Gran
Kohlensäure	112 K. Z.

Zwischen Imnau und Horb, bei Mühringen, ist
ebenfalls eine eisenhaltige Sauerquelle*), die wahrscheinlich aus rauchgrauem Kalkstein entspringen
dürfte.

Bei Glatt, am Einflusse der Glatt in den Neckar,
unterhalb Sulz, soll eine schwefel- und alaunhaltige
Quelle befindlich seyn**).

Bei Bieringen, Börstingen und Sulzau, zwischen
Horb und Rothenburg am Neckar, sind ziemlich
starke Sauerbrunnen***). Auch finden hier an manchen Punkten Entwickelungen von freier Kohlensäure
aus dem Boden statt. In dem angeführten Werke
des D. Caspar wird pag. 23 solches bemerkt, und
namentlich zwischen Bieringen und Obernau eine in die
Erde niedergehende Kluft angegeben, aus der sich
Kohlensäure entwickeln soll.

Bei Niedernau, ebenfalls am Neckar, oberhalb
Rothenburg, sind mehrere Sauerbrunnen, die zum
Trinken und Baden benutzt werden****): sie ent-
springen aus rauchgrauem Kalkstein so wie die vori-

*) ROESLER, loc. cit., I, p. 183.
**) GASPARI, loc. cit., 1. Abth., B. V, p. 693.
***) ROESLER, loc. cit., I, p. 205.
D. ZELLER, Resp. GAERTNER, Diss. de Thermis fermis
et Zellensibus. Tubingiae 1729.
****) D. RUD. JAC. CAMERARIUS, Diss. de Acidulis Nie-
dernowensibus. Tub. 1710.

gen. Memminger *) theilt Analysen von drei Quellen mit, im Wesentlichen stimmen die Bestandtheile mit denen der Quellen von Imnau überein. Die Temperatur dieser drei Quellen beträgt 10, 10¼ und 11 Grad R. Ebenfalls ähnliche Quellen liegen auf der anderen Seite des Neckars bei Obernau **).

Bei Gresbach, unweit Derendingen bei Tübingen, ist eine unbenutzte Sauerquelle ***). In dieser Gegend ist überall rauchgrauer Kalkstein. In dem Butzerthale, ¾ Stunden von Müssingen, nach Hechingen zu ****), und bei Mittelstadt am Neckar, unterhalb Tübingen †), sind Sauerquellen; auf der Strasse von Tübingen nach Hechingen, ganz nahe bei Tübingen, liegt das Blaisibad ††), welches namentlich etwas kochsalzhaltig zu seyn scheint.

In einem Keller bei Benzingen unweit Herrenberg ist eine Quelle, der Salzbrunnen genannt; sie soll viele erdige, aber keine salzige Theile enthalten †††).

In der Umgegend von Stuttgart ist die Anzahl der Sauerquellen sehr gross, nur allein in dem Thale von Stuttgart bis Canstadt steigt die Zahl derselben nahe bis Hundert ††††). Am bekanntesten sind: das Hirschbad bei Stuttgart, die Quellen im Badegarten

---

*) MEMMINGER, loc. cit., p. 220.

**) ROESLER, loc. cit., H. I, p. 205.

***) Ders., loc. cit., H. I, p. 233.
Phykalisch-öconom. Realzeitung. 1756. No. 21, p. 737—746.

****) ROESLER, loc. cit., H. I, p. 235.

†) Ders., loc. cit., H. II, p. 151.

††) D. SAM. HAFENREFFER, Disp. physico-medica de Blasiana aquis salubribus. Tub. 1629.
Disp. inaug. de balneo Blasiano. Praes. D. Rud. JAC. GAMERER. Resp. J. F. ENGEL. Tub. 1718.
D. HAFENREFFER, Scatebra St. Blasii. 8. 1652.
ROESLER, loc. cit., H. I, p. 231.

†††) Ders., loc. cit., H. II, p. 29.

††††) MEMMINGER, würtembergische Jahrbücher, 3. u. 4. Jahrgang. 1821. Die Sauerbrunnen zu Canstadt und Ditzenbach, pag. 334 — 343.

ınd am Sulzerain bei Canstadt, die Quelle bei Berg.
Die grösste Menge fester Bestandtheile enthält die
Quelle am Sulzerain. Nach einer Analyse von Mor-
ıtadt (1822) enthält dieselbe in einem Pfunde:

Kohlensäure	23,3	K. Z.
kohlensauren Kalk . .	7,142	Gran
kohlensaure Bittererde .	0,142	—
salzsaures Natrum . .	19,500	—
salzsauren Kalk . . .	0,142	—
salzsaure Bittererde .	0,050	—
schwefelsaures Natrum .	7,750	—
schwefelsauren Kalk . .	11,200	—
schwefelsaure Bittererde.	2,125	—
kohlensaures Eisen . .	0,142	—
	48,193	Gran

Alle Quellen dieser Gegend sind in qualitativer
Hinsicht einander ähnlich; alle enthalten Kohlensäure,
Eisen und mehr oder weniger Kochsalz. Memminger*) theilt von mehreren dieser Quellen Analysen
mit; ihr Gehalt an Kochsalz in einem Pfunde, so wie
ihre Temperatur ist nach diesen Angaben:

	Gehalt an Kochsalz.	Temperatur.
1) Quelle auf den Meie-reiwiesen nahe beim Bad, alte Quelle . .	1,0 Gran	10,5 Grad R.
2) Neue Quelle im Hofe der ehemaligen Meie-rei	2,0 —	11,5 — —
3) Quelle bei dem Moos-haus in den Anlagen bei Stuttgart. . . .	7,3 —	12,5 — —
4) Zöllerische Quelle bei Canstadt	15 —	16 — —
5) Quelle im Badegarten daselbst	16 —	16 — —
6) Quelle bei Berg . .	19 —	15,2 — —

---

*) MEMMINGER, Beschreibung von Würtemberg, 2. Auflage,
pag. 220.

7) Quelle am Sulzerain,
unweit Canstadt . . 19,5 Gran 15 Grad R.
Bei Neustadt, unweit Waiblingen, ist eine ähnliche Sauerquelle, deren Temperatur 11 Grad R. beträgt, und von der Memminger ebenfalls eine Analyse mittheilt; sie, so wie alle die vorigen Mineralquellen, möchte zunächst aus oberen bunten Mergeln entspringen, aber der rauchgraue Kalkstein liegt an allen diesen Punkten gewiss nicht tief.

Bei Kornwestheim, zwischen Stuttgart und Ludwigsburg, erwähnt Memminger einer Schwefelquelle; vielleicht entspringt dieselbe aus rauchgrauem Kalkstein.

Bei Riethenau, nördlich Backnang, ist ein wenig besuchtes Bad; die Quellen entspringen in oberen bunten Mergeln. Bei Rossfeld, unweit Krailsheim, ist ebenfalls ein Gesundbrunnen, der aus bunten Mergeln entspringt, desgleichen die Quellen des Teusser Bades bei Löwenstein. Bei Roixheim (wahrscheinlich Roigheim nördlich Möckmühl) wird von Memminger eine Schwefelquelle angegeben; wahrscheinlich entspringt dieselbe aus rauchgrauem Kalkstein.

Auf dem Odenwalde sind ausser der bereits angeführten Quelle bei Auerbach keine Mineralquellen von einiger Bedeutung bekannt. Desto häufiger dagegen treten dieselben wieder auf dem rechten Mainufer hervor, und schliessen sich an die bereits früher beschriebenen Salzquellen dieser Gegenden unmittelbar an. Der Taunus ist vorzüglich reich an Mineralquellen, und namentlich die Gegend zwischen dem Rhein, der Lahn und dem Schwarz-, Embs- und Würsbach, von denen der Erstere unterhalb Höchst in den Main, die beiden Letzteren oberhalb Limburg in die Lahn fallen. Alle in diesem Raume befindlichen Quellen entspringen aus Grauwakkengebirge; obgleich dieselben grösstentheils ausserhalb der zu beschreibenden Gegend liegen, dürfte es doch nicht ohne Interesse seyn, die bekanntesten in der Kürze anzugeben *).

---

*) Die meisten der im Nachfolgenden angegebenen Mineralquellen sind theils in DAMIANS geographischer Darstellung der

In dem Lahnthale selbst befinden sich die Mineralquellen bei Oberlahnstein, Bad Ems auf dem rechten Lahnufer, bei Dausenau, oder vielmehr zwischen hier und Misselberg, bei Scheuern, Berg Nassau bei Nassau, Geilenau auf dem rechten Lahnufer, und Fachingen unterhalb Dietz.

Südlich von Braubach, Mittelspei gegenüber, in der Nähe des Rheins, liegt der Dinkholder Mineralbrunnen, dessen Wasser bitter und eisenhaltig ist.

In dem Sauerthale, welches sich etwas oberhalb Lorch mit dem Wisperthale vereinigt, befinden sich drei eisenhaltige Sauerquellen in der Nähe des Dorfes Sauerthal, am Fusse des Sauerberges. Nicht weit von hier, etwas westlich, bei Wolmerscheid, ist ebenfalls ein Säuerling.

Reich an Mineralquellen ist das Thal des Mühlbaches, welches sich unterhalb Nassau mit der Lahn vereinigt, namentlich die Gegend von Nasstädten. Hier liegt die Mineralquelle von Marienfels, Nasstädten, Münchenroth, und von Nasstädten etwas gegen Osten die beiden Quellen von Buch, die Quelle bei Grebenroth und zwischen Holzhausen und Rottert.

Besonders reich an Mineralquellen ist die Umgegend von Schlangenbad. Hier liegen die Bäder von Schlangenbad selbst, deren Temperatur 22 Grad R. ist, ferner die Mineralquellen bei Fischbach, Springen, Ramscheid.

Das Thal der Aarde ist ebenfalls reich an Mineralquellen. In dem Münzbachthale liegen die kalten Trink- und Badequellen von Langenschwalbach. Weiter unten, südlich von Katzenellenbogen, ebenfalls in einem Seitenthale, die Quellen von Dörsdorf und bei Katzenellenbogen; in dem Hauptthale die Quellen bei Rückershausen und Schiesheim; in einem kleinen Seitenthale die Quellen von Burgschwalbach, und noch weiter unten, im Hauptthale, die Quelle zwischen Berlach und Niederneisen.

---

teutschen Rheinlande aufgeführt, theils auf der Situationscharte von den Rhein-, Main- und Lahngegenden von U l m e n (Darmstadt 1822) angezeigt.

Endlich in dem Thale des Embsbaches liegen die Quellen von Ober- und Niederselters. Die letztere, welche die berühmteste ist, hat eine Temperatur von 13 — 14 Grad R., und enthält vorzüglich viel kohlensaures Natron.

An dem südlichen Fusse des Taunus liegen die heissen Quellen von Wiesbaden. Der Brodelbrunnen, die wärmste dieser Quellen, hat eine Temperatur von 52 Grad R., und der Salzgehalt dieser Quellen ist nicht unbedeutend *).

Bei Eltwille am Rhein befindet sich eine Mineralquelle; zwischen Weilbach und Flürsheim, auf dem Wege von Frankfurt nach Mainz, ist eine Schwefelquelle. Unterhalb Frankfurt, auf dem rechten Ufer des Mains, liegt der Grindbrunnen, auf Ulrichs Charte ebenfalls als eine Schwefelquelle angegeben; überhaupt sollen sich noch mehrere Schwefelquellen in dieser Gegend befinden.

Bei Diedenbergen, unweit Weilbach, bei Kronberg, Homburg, zwischen Rodheim und Rossbach, zwischen Ober- und Niederrossbach, bei Burg Friedeberg, Alfauerbach, Schwalheim und Steinfurth sind Mineralquellen, die, so wie die bereits früher beschriebenen Salzquellen, sämmtlich dem Fusse des Taunus folgen. Das Schwalheimer Wasser, welches früher von Gärtner, später von Wurtzer **) untersucht wurde, hat nach der Angabe des Letzteren eine Temperatur von $8\frac{1}{2}$ Grad R., und enthält in einem Pfunde à 16 Unzen (Nürnberger Med. Gew.):

salzsaure Bittererde .	0.965 Gran
salzsauren Kalk . . .	0.582 —
salzsaures Natron . .	9,778 —
schwefelsaures Kali .	0,571 —
kohlensauren Kalk. .	4,254 —
kohlensaure Bittererde	0,776 —

Latus 16,926 Gran

*) EBHARDT, Geschichte und Beschreibung der Stadt Wiesbaden. Giessen 1817.

**) D. GAERTNER, in CRELLS Beiträgen zur Erweiterung der Chemie. B. I, p. 83 (1786).

WURZER, die Heilquelle zu Schwalheim etc. Leipzig 1821.

$$
\begin{array}{lr}
& \text{Transport } 16{,}926 \text{ Gran} \\
\text{Eisenoxyd} \ . \ . \ . \ . & 0{,}191 \ -\!- \\
\text{Thonerde.} \ . \ . \ . \ . & 0{,}054 \ -\!- \\
\text{Kieselerde} \ . \ . \ . \ . & 0{,}089 \ -\!- \\
\hline
& 17{,}260
\end{array}
$$

$$
\begin{array}{lr}
\text{Kohlensäure.} \ . & 37{,}555 \text{ K. Z.} \\
\text{Stickgas} \ . \ . & 0{,}367 \ -\!- \\
\text{Sauerstoffgas} \ . & 0{,}122 \ -\!- \\
\hline
& 38{,}044
\end{array}
$$

Die Quelle zwischen Ober- und Niederrossbach und die des Friedeberger Burgberges haben eine Temperatur von 10 Grad R.

Wilhelmsbad bei Hanau ist ein schwacher Säuerling, dessen Temperatur 10½ Grad R. beträgt, und der zum Baden und Trinken benutzt wird. In dem Thale der Nidda liegen die Mineralquellen von Vilbel, Grosskarben und Okarben. Die beiden Letzteren sind starke eisenhaltige Säuerlinge, deren Temperatur 11 und 12 Grad R. beträgt. Diese und noch viele andere Mineralquellen der Wetterau kommen mit den Salzquellen dieser Gegenden, deren bereits früher erwähnt worden ist, ihrem Wesen nach überein, und sind dagegen von den Mineralquellen des rauchgrauen Kalksteins und der oberen bunten Mergel wesentlich verschieden, dürften sich aber mehr den Sauerquellen des Schiefergebirges anschliessen.

Die Temperatur der Mineral- und Salzquellen pflegt in der Regel bedeutend höher zu seyn, wie die mittlere Erdwärme der Gegend, wo sie entspringen, und dies ist ohne Zweifel eine Folge der chemischen Prozesse, denen sie ihre Entstehung verdanken. Warme Quellen sind jedoch nur auf das Ur- und Uebergangsgebirge beschränkt, und hiervon dürften die warmen Quellen der Wetterau keine Ausnahme machen.

Die Mineralquellen des primitiven Gebirges sind von denen des Uebergangsgebirges meist dadurch wesentlich verschieden, dass sie nur wenig freie Kohlensäure, wenig Kochsalz, dagegen aber kohlensaure und schwefelsaure Alkalien enthalten.

Die Mineralquellen des Uebergangsgebirges enthalten viel Kohlensäure, viel Eisen, und kohlensaure, schwefelsaure und salzsaure Alkalien und Erden; noch nie ist Steinsalz in ihrer Nähe gefunden worden. Die Mineralquellen des eigentlichen Flötzgebirges sind dreierlei Art. Eigentliche Salzquellen, die aus Steinsalz führenden Gebirgsschichten ihren Ursprung nehmen, und wenn auch keine regelmässigen Steinsalzflötze, doch die Gegenwart des Steinsalzgebirges mit Gewissheit vermuthen lassen. Säuerlinge, die, ausser einer reichlichen Menge freier Kohlensäure, kohlensaure, schwefelsaure und salzsaure Salze, meist auch etwas Eisen zu enthalten pflegen. Ihre salzigen Bestandtheile dürften wahrscheinlich auch aus dem Salzgebirge herrühren, aber die Kohlensäureentwickelung scheint noch andere chemische Zersetzungen anzudeuten, als eine blosse Auflösung salziger Theile; solche Quellen werden daher nur als indirekte Anzeigen des Steinsalzgebirges zu betrachten seyn. Die dritte Klasse mineralischer Quellen endlich sind die Schwefelwasser, welche theils aus rauchgrauem Kalkstein, theils aus den obern und unteren bunten Mergeln, theils auch aus dem Griphitenkalk, und namentlich den Mergeln desselben entspringen. Die Quellen, welche aus Griphitenkalk und dessen Mergeln entspringen, verdanken wahrscheinlich einer Zersezzung von Schwefelkiesen ihre Entstehung. Diejenigen, welche aus den anderen Gebirgsschichten entspringen, scheinen immer aus Gipsmassen ihren Ursprung zu nehmen, welche vielleicht gediegenen Schwefel eingesprengt enthalten mögen.

Dritter Abschnitt.

Das tertiäre und das Trappgebirge. — Allgemeine Uebersicht der beschriebenen Flötzgebirgs-formationen.

I. Tertiäre Bildungen in der Umgegend von Mainz, Kreuznach und Weinheim.

In den beschriebenen Gegenden, und namentlich in dem breiten Rheinthale, treten tertiäre Bildungen mancherlei Art auf. Eine kurze Uebersicht derselben dürfte hinreichen, weil diese Gebilde mit dem Flötzgebirge nur in sehr geringer Verbindung stehen.

In dem flachen Rheinthale bei Mainz, Kreuznach, Weinheim, Odernheim u. s. w. kommen tertiäre Bildungen in ansehnlicher Verbreitung vor[*]. Dieselben scheinen drei Hauptgruppen zu bilden. In der ersten herrschen Sand und Sandsteinbildungen mit Ueberresten von Meerschnecken vor; in der zweiten ein tertiärer Kalkstein, ebenfalls mit Ueberresten von Meerbewohnern, und in der dritten findet sich ein Kalkstein, welcher mit Ueberresten von Land- und Süsswasserschnecken zugleich Muscheln enthält, die ehemals in dem Wasser salziger Seen oder Sümpfe lebten. Diese drei Gruppen scheinen ihrem Alter nach etwa in der angegebenen Ordnung auf einander zu folgen, doch namentlich die beiden Letzteren sind keineswegs scharf von einander getrennt. In Anse-

---

[*] von LEONHARD, Charakteristik der Felsarten. Heidelberg 1824. II. Abth., p. 369.

hung ihrer allgemeinen Verbreitung zeigt sich die erste Gruppe vorzüglich an dem Saume des Schiefer-, Trapp - und Steinkohlengebirges; in etwas weiterer Entfernung folgt die zweite Gruppe, verbreitet sich aber über das ganze Rheinthal, und die dritte Gruppe zeigt sich eigentlich nur auf den Hügeln, ganz zunächst dem Flusse.

1. Tertiäre Sand - und Sandsteinbildung.

Die Verbreitung dieser Bildungen ist nicht ganz unbedeutend. Dieselben zeigen sich unter andern unterhalb Kirchheim-Bolanden in dem Thale der Wiese, und ziehen von hier gegen Orbis hin, wo sie von dem tertiären Kalkstein bedeckt werden, aber doch noch bei Mauchenheim, Weinheim, Alzey an mehreren Punkten dem Trappgebirge aufgelagert hervortreten. Stets an der Grenze des Trapp - und Porphirgebirges treten dieselben auf bei Flonheim, bei Wendesheim im Thal der Wiese, zwischen Mörsfeld und Steinbockenheim, bei Wonsheim, Wölstein, Baimburg, Laubersheim, Volxheim, Nackenheim und bis gegen Kreuznach. Ferner zeigen sich dieselben bei Weinsheim, östlich Waldbockelheim, zwischen Argenschwang, Kloster Sponheim und Quellenberg, bei Rochsheim, zwischen Schweppenhausen und Winzenheim, endlich zwischen Waldlaubersheim und Langenlonsheim, so wie an einem kleinen Punkte nördlich von Bingert.

Ueber die Lagerung und die mineralogische Beschaffenheit dieser Bildungen an den verschiedenen Punkten ihres Vorkommens ist Folgendes zu bemerken [*]:

Oberhalb Oberwiesen, in dem Thale der Wiese, auf dem rechten Ufer wird ein Werk- und Quadersteinbruch auf solchen Sandstein betrieben. Er ist in mächtigen Bänken geschichtet, und fällt h. 3 mit 25 Grad Südwest. Die Farbe ist lichtgelblich-weiss; er besteht aus feinen wasserhellen Quarzkörnern, und

---

[*] NOEGGERATH, das Gebirge Rheinland-Westphalen, B. I, p. 187 — 197 und 212 — 234.

Versteinerungen zeigen sich nicht in ihm. Dieser
Sandstein zieht gegen Orbis hin, wo er von tertiärem
Kalkstein bedeckt wird.

Bei Alzey, auf der nach Erbesbudesheim führenden Strasse, liegt auf dem Trappgebirge ein konglom-
meratartiges Sandgebilde, bestehend aus grauen oder
wasserhellen kristallinischen Quarzkörnern, kleinen
Geschieben von Thonsteinporphir mit eingewachse-
nen Quarzkörnern, verwittert und von grauer Farbe,
endlich aus Geschieben von schwarzem grünsteinarti-
gen Trapp, oft von ansehnlicher Grösse. Ueberhaupt
giebt die Natur dieser Geschiebe, welche theils mehrere Zoll Durchmesser erreichen, meist jedoch nur
als ein feiner Grand erscheinen, hinreichend zu erkennen, dass diese Sandbildung grösstentheils hier
nur aus zerstörten benachbarten Trappgebirgen besteht. Bisweilen scheint ein kalkiges Bindemittel diese
Geschiebe zu verbinden, dann aber liegen sie auch
wieder ganz lose da, und gewöhnlich wechseln feste
und lose Lagen mit einander ab. Dieser Gruss ist
deutlich geschichtet in Bänken von 2 — 3 Fuss Mächtigkeit, meist südöstlich mit 15 Grad fallend, und
als ein schmaler Saum längs dem Rande des Gebirges
hinziehend.

In diesem Konglommerate finden sich häufig Knochenversteinerungen, bis $1\frac{1}{2}$ Fuss lang und 2 Zoll im
Durchmesser, in eine braune, hellglänzende thonige
Masse verwandelt, welche sehr zerbrechlich ist. Von
gewöhnlichen Knochen unterscheiden sie sich durch
den Mangel einer Knochenröhre, Steininger hält dieselben mit Unrecht nicht für Knochenfragmente, sondern
für aufgelöste Bruchstücke grosser Muscheln[*]). Ausserdem kommmen auch einige Schalen der Riesenauster und einige andere Konchilien hier vor. Nach
Herrn Steininger kommen in diesen Sand- und
Sandsteinbildungen, nordöstlich von Weinheim, viele
wohl erhaltene Seekonchilien, nebst Glossopedern und
eine weisse kleine Helix, aber keine einzige Fluss-
schnecke vor; die Austerschalen sind zerbrochen und
zerfressen, haben aber ein frisches Ansehen.

---

*) Steininger, Gebirgscharte, p. 71, 72.

Von Orbis bis gegen Alzey zieht sich ein Thal,
auf dessen rechter Seite tertiärer Kalkstein, auf der
linken hingegen Trapp befindlich ist. Ganz ähnliche
Sandgebilde, wie die von Alzey, legen sich hier bei
Offenheim, Weinsheim und gegen Mauchenheim hin
auf den östlichen Abhang des Trappgebirges. Es ist
ein feiner, eisenschüssiger, loser Quarzsand, theils
mehrere Fuss mächtig, theils nur ganz dünn über das
Trappgebirge hingestreut, bisweilen etwas zusammen-
gebacken, geschichtet, und schwach gegen Südost geneigt. Seine Ausdehnung in die Breite ist unbedeutend, desto weiter aber lässt er sich in seiner Län-
genausdehnung verfolgen. Auf der rechten Thalseite
ist nur tertiärer Kalkstein und keine Spur von Sand.
Dieses Sandgebilde zeichnet sich in den Gegenden
von Weinsheim und Offenheim durch eine Menge
kalzinirter Muschelschalen aus. Ueber dem losen
Sande liegt hin und wieder eine bis $1\frac{1}{2}$ F. mächtige
feste Gesteinlage, fast nur aus Schalen der Riesenauster gebildet.

Bei dem Dorfe Dannenfels kommt auf dem nordöstlichen Fusse des Donnersberges, dem Trappgebirge
aufgelagert, eine Sandsteinbildung vor, der von Oberwiesen sehr ähnlich; ihre Verbreitung ist nur sehr gering, und ganz in der Nähe tritt auch der rothe Sandstein auf.

In dem Thale zwischen Niederwendesheim und
Mörsfeld finden sich hierher gehörige Sand- und
Sandsteinbildungen dem Trappgebirge aufgelagert.
Es ist ein feiner weisser Sandstein, aus hellen Quarzkörnern bestehend, mit etwas thonigem Bindemittel
und vielen hellen Glimmerschüppchen. Er ist dünn
geschichtet; es werden grosse Platten aus ihm gebrochen; die Schichten fallen h. 10 Südost mit 10 Grad.

Bei der Brücke, welche unfern Wendelsheim
über den Wiesbach führt, findet sich auf dem linken
Ufer ein gelblich-weisser Sandstein, welcher h. $5\frac{1}{2}$
mit 20 Grad gegen Westen fällt. Dieser Sandstein
zieht bis gegen Flonheim hin; er zeigt sich nur auf
dem linken Ufer des Wiesbaches, der Trapp nur auf
dem rechten; in der Nähe des Trapps ist er deutlich
geschichtet. Gegen Norden verbreitet er sich bis
Ufen-

Ufenhofen, Ekelsheim und Wonsheim, und bildet eine flache, gegen Norden abfallende Niederung, sich nach und nach in losen Sand von weisser oder gelblich - weisser Farbe auflösend. In dem festen Sandstein finden sich keine Muschelfragmente, häufig aber in dem losen Sande, ganz denen von Alzey ähnlich.

In der Nähe von Flonheim findet sich ein Sandstein, von dem bei Wendelsheim etwas verschieden. Er ist in mehrere Fuss dicken Schichten gelagert, und zieht sich längs dem Saume des Trappgebirges als ein schmaler Streifen etwa eine Viertelstunde weit hin. Versteinerungen kommen nicht in ihm vor; es werden zwei grosse Steinbrüche auf demselben betrieben, in denen er sich sowohl in seinem Korn als auch in seiner Festigkeit sehr verschiedenartig zeigt. Herr Steininger*), und ebenfalls auch Herr Burkhard, halten dieses Gestein für Kohlensandstein, und nicht für tertiären Sandstein.

Zwischen Nackenheim und Volxheim, etwa in der Mitte, findet sich auf einer von dem Porphirgebirge etwas abgelegenen Vorhügel ein loser Sand mit vielen kalzinirten Muschelschalen, denen von Weinsheim und Alzey ähnlich. Auch bei Laubersheim findet sich viel gelblicher loser Sand, aber ohne Muschelfragmente, dieselben kommen aber auf der Höhe des Neubaimburger Schlossberges, und zwischen hier und Wölstein in ähnlichem Sande vor, der sich ebenfalls auch bei Sieversheim und Wonsheim zeigt. Sonst ist hier ein grosser Theil der Gegend mit mächtigen Dammerdeschichten bedeckt. Die Sandsteinbildungen bei Volxheim und Neubaimburg zeichnen sich durch die Menge von kalzinirten Muschelschalen aus, welche in ihnen vorkommen. An letzterem Orte und bei Wölstein besteht die oberste Lage des Sandes aus einer festen 2 — 3 Fuss mächtigen Schicht, dem Kalktuff ähnlich und fast ganz aus Schalen der Riesenauster gebildet. Bei der Wölsteiner Mühle besteht der Sand aus kleinen abgerundeten Porphirbrocken, lose zusammengehäuft und nur die oberste Schicht etwas

---

*) Steininger, Gebirgscharte, p. 73.

II.

verhärtet. Auch in diesem Gestein sollen knochen- oder zahnähnliche Petrefakten vorkommen.

An dem Kuhberge unweit Nackenheim findet sich tertiärer Sandstein, zum Theil als ein sehr festes quarziges Gestein in Blöcken, oder in grösseren anstehenden Felsen von grauer Farbe; bisweilen auch Versteinerungen in demselben, und in dem Sandstein Brokken von verwittertem Porphir. Ein ähnliches Gestein findet sich auch auf dem linken Ufer der Nahe, an dem nördlichen Abhange der Hardt.

Der tertiäre Sandstein in der Gegend von Windesheim und Hilbersheim, welcher ebenfalls eine Menge Petrefakten enthält, ist theils dem rothen Sandstein, theils denjenigen Konglommeratbildungen aufgelagert, welche in der Nähe der Trappformation dieser Gegenden so häufig vorkommen.

Das Niveau, welches diese Sandsteinbildungen erreichen, richtet sich lediglich nach der Fläche, der sie aufgelagert sind, und ist in so fern nicht selbstständig zu nennen, weil schon an sich diese Bildungen sehr lokal sind. Es erreichen übrigens diese Bildungen eine Höhe von

bei Alzey	. . . .	743	Fuss über dem Meer
Weinsheim	. . .	692	
Offenheim	. . .	704	
Dannenfels	. . .	1133	
Flonheim	. . .	747	
am Kuhberge	. . .	586	
bei Windesheim	. . .	664	

Von dem Sandstein bei Flonheim ist es wahrscheinlich, dass er nicht hierher gehört, und auch von dem Sandstein bei Dannenfels müssen erst genauere Beobachtungen entscheiden, ob er diesen Bildungen beigerechnet werden kann. Diese beiden Punkte abgerechnet, ergiebt sich etwa das mittlere Niveau dieser Sandsteinbildung zu 680, und wenigstens um einige Hundert Fuss niedriger, wie die nächsten benachbarten Trappgebirge. Ueber den Spiegel des Rheins erheben sich diese Bildungen etwa 480 Fuss, und in Maximo etwa 550 Fuss.

2. Tertiäre Kalksteinbildung mit Ueberresten von Meerkonchilien und Süsswasser- und Landschnecken.

Den eben beschriebenen Sand- und Sandsteinbildungen ist ein tertiärer Kalkstein aufgelagert, welcher in die zwei bereits schon genannten Gruppen abgetheilt werden kann, die aber keineswegs scharf von einander geschieden sind. Dieser tertiäre Kalkstein zeigt sich nach den Beobachtungen von Steininger*) zuerst in der Gegend von Landau, namentlich bei Ilbesheim, von wo aus er sich in einem schmalen Zuge längs dem Fusse der rothen Sandsteingebirge bis gegen den Donnersberg hinzieht, und nun an Breite zunehmend sich über die ganze linke Seite des Rheinthales verbreitet.

Bei Grünstadt werden mehrere Brüche auf solchen Kalkstein betrieben**), er kommt aber nicht eigentlich anstehend, sondern nur in Blöcken und Knauern vor, und ist dem rothen Sandstein aufgelagert, was sich vorzüglich bei Heidesheim beobachten lässt, wo er in Klippen ansteht. Von hier aus zeigt sich dieser Kalkstein beständig bei Lautersheim, Rübenbüdesheim, Marnheim, Gauersheim, Ilbesheim, Freimersheim. Weiter nördlich, bei Orbis, scheint dieser Kalkstein den vorhin beschriebenen Sandgebilden aufgelagert. Die rechte Seite des Thales zwischen Orbis, Mauchenheim und Weinsheim besteht ganz aus diesem Kalkstein, welcher hier dem Trapp unmittelbar aufgelagert scheint, ohne zwischenliegende Sandbildung. Dieselbe Kalksteinbildung zeigt sich bei Alzey, Heimersheim, Bermersheim, Lohnsheim, Arnheim, Bockelheim, Wölstein u. s. w.; von dem Trappgebirge und der demselben aufgelagerten Sandbildung ist der Kalkstein meist durch eine breite, mit Lehm und Dammerde ausgefüllte Niederung getrennt; erst bei Wölstein, Bockelheim und Arnheim erhebt er sich in flachen Hügeln, und nur bei Alzey und Heimersheim scheint er sich unmittelbar an das Trapp-

---

*) Steininger, Gebirgscharte, p. 65.

**) Noeggrath, Rheinland - Westphalen, B. I, pag. 176, 193, 196, 217.

gebirge zu legen. Dagegen verbreitet er sich nun von hier aus durch das ganze Rheinthal, er bildet den Petersberg bei Odernheim, und zeigt sich bei Oppenheim, Mainz, Niederingelheim u. s. w. Von Mainz bis Kempten geht er nicht bis unmittelbar an den Fluss, sondern der Rhein hat sich hier ein etwa eine halbe Stunde breites Thal gebildet, welches nur mit Gerölle ausgefüllt ist. Bei Genzingen und Kreuznach ist alles mit mächtigen Dammerdelagen überdeckt, dergestallt, dass sich hier die Grenzen des Kalksteins nicht genau bestimmen lassen. Die Kalksteinschichten, in denen die Land- und Süsswasserschnecken vorwalten, finden sich vorzüglich bei Weisenau, Mainz und Neuingelheim; jedoch bemerkt Herr Steininger, dass dieselben Paludinen, welche bei Weisenau vorkommen, sich auch bei Kirchheim-Bolanden finden, und dass überall Meer-, Land- und Flussschnekken gemischt vorkommen*).

In mineralogischer Hinsicht erscheint dieser Kalkstein von schmutziggelben Farben; er ist dicht und erdig, bisweilen tuffartig oder ein Konglommerat älterer Kalkgeschiebe, so namentlich zeigt er sich bei Ilbesheim, unweit Landau, und bei Neustadt. Die schroffen Kalksteinfelsen bei Heidesheim, unweit Grünstadt, sind unregelmässig zerklüftet, voller Drusen und Höhlungen, und die Farbe des Gesteins ist dunkelgräulich-blau.

Das Niveau, welches dieser Kalkstein einnimmt, ist sehr verschiedenartig, und beträgt:

bei Grünstadt	690 F.
zwischen Grünstadt und Freimersheim an mehreren Punkten	900 –
auf dem Petersberge bei Odernheim . .	879 –
bei Arnheim	686 –
Bockelheim	693 –
Bossenheim	659 –

Man wird daher dasselbe im Durchnitt wohl zu 750 Fuss oder zu 550 Fuss über den Rheinspiegel bei Mainz annehmen können, und also etwa 70 Fuss hö-

---

*) Steininger, Gebirgscharte, p. 69.

ıer, wie das Niveau der Sandbildung; gegen Mainz
ınd Ingelheim hin nimmt aber das Niveau des Kalk-
.teins bedeutend ab.

Vorzüglich interessant wird dieser Kalkstein durch
lie Mischung von Meer-, Land- und Flussschnecken,
welche sich in demselben findet, und welche zuerst
/on Faujas de St. Fond und Ferussac beobach-
:et wurde*). Die Beobachtungen, welche Brog-
ı i a r t hierüber mittheilt, sind kürzlich folgende **):

In den Bildungen des tertiären Kalksteins der
Umgegenden von Mainz und Alzey lassen sich zwei
Hauptgruppen unterscheiden. Die erste Gruppe besteht aus sehr harten, dichten, bisweilen etwas körnigen, sehr mit Quarzsand gemengten Kalksteinschichten, von schwarzgrauer oder röthlich-brauner Farbe,
in die Farbe blasser Ziegelsteine übergehend, und
dann weniger dicht und ohne alle krystallinische Parthien. In diesen Gesteinen finden sich eine Menge
Trümmer trappartiger und basaltischer Gesteine, und
kalzinirte Schalen von Meerschnecken ebenfalls in
grosser Menge. Von letzteren haben der Trochus
und der Turbo ihren Perlemutterglanz und ihre Farben erhalten, die anderen, zerreiblich, unterscheiden
sich durch ihre weisse Farbe leicht von der dunkeln
Hauptmasse. Es sind sämmtlich Meermuscheln, von
denen Brogniart aus der Gegend von Weinsheim
bei Alzey folgende bestimmte:

Trochus excavatus (Schloth.).
      —   pseudozizyphus (Schloth.).
Ampullaria crassatina (Lam.).
Conus.
Murex.
Cancellaria (?).
Fusus (?)
Cerithium cinctum (Lam.).

---

*) DAUDEBART DE FERUSSAC, Mémoire géologique sur
les terrains formés sous l'eau douce par les débris fossiles des mol-
lusques vivants sur la terre ou dans l'eau non-salée. Paris 1814.

**) ALEXANDRE BROGNIART, Mémoire sur les terrains
de sédiment supérieurs calcaréo-trappéens du Vicentin etc. Paris
1823. Pag. 33 — 39.

Cerithium margaritaceum (? Brocchi).
— plicatum (Lam.).
Patella.
Ostrea ponderosa (Schloth.).
Pectunculus pulvinatus (? Lam.)
— angusti custatus (Lam.).
Mytilus faujasii (A. Br.).
Cardium.
Cytherea (?) nitidula (?).

Die zweite Gruppe ist aus reinen kalkigen Schichten zusammengesetzt, und zeigt sich vorzüglich bei Niederingelheim und südlich und westlich von Mainz. Der Hügel von Weisenau besteht zum Theil aus derselben. Von den untersten sichtbaren Schichten zu den obersten emporsteigend, bemerkt man folgende Hauptfolge:

1) Ein lichtgelblicher, sehr dichter und fester Grobkalk, mit vielen kleinen Paludinen (Buhmen von Faujas).
2) Eine ähnliche Schicht, aber mit wenig Paludinen, einigen kleinen Ampularien und sehr vielen Mytilus brardii.
3) Sehr dichter, fester, gelblich-grauer Kalkstein, fast nur Cerithen (Cerithium cinctum?) enthaltend.
4) Ein dem vorigen ähnlicher Kalkstein mit Kalkspathpunkten, die drei bisher genannten Schneckenarten gemeinschaftlich enthaltend, von denen jedoch die Paludinen vorherrschen.
5) Ein kalkhaltiger Sand, Lucinen und Moules enthaltend.
6) Eine Kalksteinschicht ohne Versteinerungen.
7) Schicht von festem Grobkalk mit Cerithen und Heliciten.
8) Mehrere Schichten kalkiger und sandiger Mergel.
9) Kalkstein von rauher Textur, aber fest und fast ganz von Paludinen zusammengesetzt, denen der Schicht No. 1 gleich.
10) Nach einigen Schichten ohne Interesse eine Bank dichten grauen Kalksteins mit Paludinen und Heliciten. Darauf

11) eine Schicht blassgelblich-grauen, sehr dichten Kalksteins mit Spathpunkten, wie No. 4, in derselben finden sich Paludinen, Mytilus brardii und auch einige Heliciten.

12) Grobkalk von schmutzig-gelblicher Farbe, mit Sand gemischt, und ganz erfüllt mit zweischaligen Muscheln, als Cythereen, Venus oder Cyrenen und Paludinen.

13) Gelblich-weisser Grobkalk, sehr zerreiblich, fast ganz mit Fragmenten kleiner Paludinen erfüllt.

Endlich ganz zu oberst liegt eine Schicht mergeligen Sandes, und in derselben noch viele kleine Paludinen.

In dem Hügel bei Weisenau finden sich daher nur wenig Arten von Schnecken; die Heliciten und die Meermuscheln sind selten; aber die Trennung der drei herrschenden Schneckenarten des Mytilus brardii, der Cerithen, und vorzüglich der Paludinen in drei verschiedene Schichten, dann ihre Mischung, und endlich die Wiederholung von Schichten, fast ganz aus Paludinen gebildet, bleibt eine sehr merkwürdige Erscheinung.

Zwischen Weisenau und Mainz finden sich, noch fast an der Oberfläche des Bodens, die Paludinen mit Neriten gemischt, welche ihre Farbe beibehalten haben. Es folgt dann eine dünne Schicht von dichtem und festem Grobkalk, einem grauen oolithischen Gestein ähnlich, aber durchaus bestehend aus der Cypris faba, welche durch ein kalkiges Bindemittel zusammengekittet ist, ganz dem Gestein von Vichy ähnlich*).

Bei Laubenheim, in einem dem vorigen ähnlichen Kalkstein, sieht man bald in einer Schicht, bald in verschiedene Schichten vertheilt, Paludinen, Heliciten, Cerithen (Cerithium plicatum und margaritaceum) und Mytilus brardii, in anderen den Mytilus faujasii mit Paludinen gemischt. Hier ist daher ein offenbares

---

*) Déscription géologique des environs de Paris par MM. Cuvier et Brogniart. Édition de 1822. P. 301.

Gemenge von Meerschnecken mit Fluss- und Landschnecken; selten aber ist ein solches Gemenge gleichförmig, immer pflegt die eine oder die andere Art
vorzuwalten.

Die mit Trapp gemischten Kalksteine von Weinheim enthalten nur Meerschnecken; die Kalksteine
der Gegend von Mainz, ohne Beimischung von Trapp-
geschieben, enthalten einige Landschnecken, in grosser Menge solche Schnecken, welche in salzigen Süm-
pfen leben, und nur wenig eigentliche Meerschnek-
ken, nämlich zwei Arten Cerithen, zwei Arten Moules, sämmtlich Bewohner des Meergestades und eine
Schnecke von ungewissem Geschlecht.

Die trapphaltigen Kalkgebilde von Weinheim haben nach Herrn Brogniart mit ähnlichen Bildungen
im Vicentinischen grosse Aehnlichkeit, und die zuerst
beschriebenen Sandgebilde möchten sich diesen trapphaltigen Kalkgebilden wohl zunächst anschliessen. Die
Kalksteinbildungen in der Gegend von Mainz werden
von ihm als eine Meerbildung betrachtet, analog dem
terrain de sédiment supérieur marin, vielleicht entsprechend den Bildungen vor der Pariser Gipsformation. Dieser Meerbildung wurden Sumpf- und Landschnecken von den benachbarten Gestaden zugeführt,
und scheint das Lager der Cypris faba, welches sich
in den obersten Schichten findet, darauf hinzudeuten,
dass dieser Zustand so lange dauerte, bis das Meer
gänzlich zurückgezogen oder der Boden hinreichend
erhöht, den Sumpfschnecken sich anzusiedeln er-
laubte.

Aehnliche Bildungen, wie auf dem linken Rheinufer, kommen ebenfalls auf dem rechten Rhein- und
Mainufer vor. De Luc, welcher diese Kalksteinbildungen bei Monbach, Weisenau, zwischen Noken-
heim und Nierstein, und bis Oppenheim hin beobachtete, fand dieselben auch wieder auf dem Friedber-
ger Wartberge, auf dem Sachsenhäuser Wartberge
bei Frankfurt, und auf dem Bergrücken, welcher von
Bergen gegen Hanau zieht*). Auch Herr von Leon-

*) De Luc, Lettres physiques et morales. Tome IV, pag.
368 u. f.

hard hat einige Nachrichten über diese Bildungen mitgetheilt*), welche ausserdem noch in der Gegend von Darmstadt und Laubenheim (?) an der Bergstrasse vorkommen mögen. Herr von Schlotheim **) führt folgende Versteinerungen aus diesen Gegenden an, von denen jedoch nicht immer zu ersehen ist, ob sie den Sandsteinbildungen oder dem Kalkstein angehören. Die in dem Süsswasserkalk von Buxweiler vorkommenden Versteinerungen, welche Herr von Schlotheim namentlich angiebt, sind in dem nachfolgenden Verzeichniss Kürze halber zugleich mit aufgenommen.

Serpulites muricinus, p. 98, von Alzey im neueren Sandstein.

Helicites silvestrinus, p. 99, von Buxweiler in Süsswasserkalk, auch aus der Gegend von Basel.

Helicites agricolus, p. 100, von Buxweiler.

—   pseudoammonius, p. 101, desgl.

—   glabratus, p. 104, Weinsheim bei Alzey in Sandstein.

Helicites globositicus, p 105, Kanton Baden Gundershofen.

Helicites ampullacius, p. 106, Weinsheim bei Alzey in Sandstein.

Helicites viviparoides, p. 106, Buxweiler.

—   gregarius, p. 108, aus der Gegend von Mainz, dem Mühlberge bei Frankfurt, Weinsheim und Buxweiler.

Helicites paludinarius, p. 108, desgl.

—   buccinatiformis, p. 109, von Buxweiler.

—   cylindricus, p. 109, desgl.

Patellites peltatus, p. 115, Alzey aus Sandstein.

—   calyptraeformis, p. 115, desgl.

—   fissuratus, p. 116, Weinsheim aus Sandstein.

Cypraeacites influatus, p. 118, desgl.

---

*) v. LEONHARD, Beschreibung der Gegend von Hanau. Mineralogisches Taschenbuch. Jahrgang I.

**) v. SCHLOTHEIM, die Petrefaktenkunde auf ihrem gegenwärtigen Standpunkte.

Bullacites cylindricus, p. 120, desgl.
Volutites helicinus, p. 123, Buxweiler.
— nodosus, p. 124, Weinsheim aus Sandstein.
— marginellus, p. 124, Weinsheim.
Conilites stromboideus, p. 126, desgl. aus Sandstein.
— subsimilis, p. 126, desgl.
Buccinites scalatus, p. 132, Mainz.
— decussatus, p. 132, Weinsheim aus Sandstein.
Muricites striatuliformis, p. 137, desgl.
— substriatus, p. 138, desgl.
— hispidulus, p. 139, desgl.
— elegans, p. 141, desgl.
— pyrastriformis, p. 142, desgl.
— aciculatiformis, p. 143, desgl.
— torrilosiformis, p. 146, Buxweiler.
— granulatus, p. 151, Weinsheim und Laubenheim an der Bergstrasse aus Sandstein.
Muricites incrustatus, p. 151, desgl.
— costellatus, p. 152, desgl.
— mammillatus, p. 152, Mainz.
Trochilites depressus, p. 159, Weinsheim im Sandstein.
Trochilites pentagonatus, p. 160, desgl.
— pseudozizyphinus, p. 160, desgl.
Turbinites cingulatus, p. 164, desgl.
— laevissimus, p. 168, desgl.
Myacites affinis, p. 177, desgl.
Arcacites pectunculatus, p. 202, desgl.
— venericardeus, p. 203, desgl.
— orbiculatus, p. 204, desgl.
— circularis, p. 205, desgl.
Ostracites fossula, p. 234, desgl.
Mytulites pernatus, p. 295, Mainz und Laubenheim an der Bergstrasse.
Mytulites neritoideus, p. 296, Mainz in Kalkstein.
Hyppurites renovatus, p. 354, Alzey in Sandstein.

II. Der Bastberg bei Buxweiler.

Eine der interessantesten tertiären Bildungen ist an dem Bastberge bei Buxweiler dem oolithischen Ju-

rakalk aufgelagert. Sie besteht aus einer Braunkohlenformation und einer Formation von Süsswasserkalk *).
An dem östlichen Fusse des ziemlich frei stehenden, von Süden nach Norden etwas lang gezogenen
Bastberges sieht man den Griphitenkalk und dessen
Mergel zu Tage ausgehen; dieselben werden von oolithischem Jurakalk bedeckt, welcher selbst noch die
äusserste Spitze des ziemlich hohen Bastberges bildet.
Von derselben zieht mit abnehmendem Niveau ein
Bergrücken bis in die Stadt Buxweiler hinunter; den
grössten Theil dieses Bergrückens bildet eine Formation von Süsswasserkalk, welche nebst der darunter
liegenden Braunkohlenformation muldenförmig dem
oolithischen Jurakalk aufgelagert ist. Die Schichten
dieser Bildungen haben in Folge jener Lagerung ebenfalls eine muldenförmige Gestalt; sie bilden ein Bassin, dessen Längenerstreckung von Ost nach West
gerichtet ist, und welches sich mit sanftem Ansteigen
gegen Süden und Norden aushebt. Die Folge der
Schichten ist, vom Hangenden in das Liegende oder
von Tage nieder gerechnet, die nachstehende:

1. Süsswasserkalkstein.

Dieser Kalkstein, dicht, lichtgelblich-weiss, bisweilen ganz weiss und kreideartig, bildet die oberste
Schicht. Die Mächtigkeit dieses Kalksteins ist sehr

---

*) Die nachfolgende Beschreibung ist theils nach eigenen Beob-
achtungen, vorzüglich aber nach einem ungedruckten Aufsatz des
Herrn V o l t z :
   Notice sur la formation de lignite et de calcaire d'eau douce du
      Bastberg à Bouxwiller,
entworfen, welchen derselbe uns mitzutheilen die Güte hatte. Von
anderweitiger Literatur ist anzuführen:
T i m o l e o n C a l m e l e t, description de la mine de lignite vi-
      triolique et alumineux du mont Bastberg et de l'usine de
      vitriol et d'alun de Bouxwiller; Bas-Rhin. Journal des mi-
      nes, No. 220, an 1815.
C u v i e r, Recherches sur les Ossemens fossiles, Tome II, 1.
      Partie, p. 195 (édition de 1822), und darin abgedruckt Let-
      tre de M. H a m m e r à M. C u v i e r sur le gisement des
      os de Bastberg, welcher Brief auch aufgenommen ist in die
      Annales du museum d'histoire naturelle, Tome 6, p. 356.
v. D i e t r i c h, gites de minérai, 4. partie, p. 289, erwähnt
      dieser Gegend nur ganz beiläufig.

verschieden, scheint aber stellenweise bis 60 F. zu
betragen, namentlich gegen die Höhe des Berges.
Bisweilen ist das Gestein in Bänken von 2 — 6 F.
Mächtigkeit geschichtet, doch in der Regel bemerkt
man keine Schichtung. Es hat eine Menge kleiner
Höhlen, und wird von vielen kleinen Sprüngen durchsetzt; oft scheint es, und bis auf beträchtliche Teufe
unter Tage, nur aus aufeinander gehäuften Blöcken
jeder Grösse zu bestehen. In seinen oberen Schichten ist das Gestein weniger dicht und fest wie tiefer,
es ist hier oft kreideartig oder umschliesst vielmehr
kleine kreideartige Massen; in der Tiefe dagegen ist
es sehr fest, aber nie finden sich Quarz oder Feuersteinnieren darin.

Dieser Kalkstein, von den Arbeitern wilder Kalkstein genannt, im Gegensatz des oolithischen Jurakalks, welcher zahmer genannt wird, umschliesst eine
unendliche Menge organischer Ueberreste, theils von
Landthieren, als die Knochen des Ophiodon, eines
dem Tapir ähnlichen Thiergeschlechts, und die Muscheln, dem Geschlechte Helix Bulimus und Cyclostoma angehörig, theils von Thieren, die in stehenden
süssen Wassern leben, als die Gehäuse von Lymneen,
Planorben und Paludinen. Aber Fluss- und Meermuscheln und Ueberreste von Pflanzen finden sich nicht
in diesem Kalkstein. Die Muscheln sind in den oberen Schichten häufiger wie in den unteren, die Knochen von Landthieren befinden sich immer in einem
sehr zerbrochenen Zustande, sie finden sich zwar
ebenfalls in allen Schichten, doch in den oberen mehr
als in den unteren. Die Muscheln dagegen sind in
einem kalzinirten, sehr wohl erhaltenen Zustande; der
Kern ist in der Regel verschwunden. Die Muscheln,
welche man in diesem Kalkstein findet, sind folgende:
Helix nitida antiqua, sehr gewöhnlich in diesem
 Kalkstein, der Helix nitida des Draparnaud,
 Pl. 8, Fig. 23, 24, 25 sehr ähnlich, aber etwas grösser. Diese Schnecke lebt noch häufig
 im Elsass, wo sie sehr gemein ist.
Helix hispida antiqua, weniger häufig wie die vorige, und kleiner wie die Helix hispida des

Draparnaud', Pl. 7, Fig. 20. Auch diese
Schnecke lebt häufig im Elsass.

Helix rotundata antiqua, findet sich selten, hat aber
viele Aehnlichkeit mit der Helix rotundata des
Draparnaud, Pl. 7, Fig. 4, 5, 6, welche
in Elsass und ganz Frankreich sehr gewöhnlich ist.

Bulimus, häufig genug in diesem Kalkstein, hat einige Aehnlichkeit mit Bulimus lubricus des Draparnaud, Pl. 4, Fig. 29, aber ist viel kleiner.

Bulimus gregarius ist der Helicites gregarius von
Schlotheim, welchen derselbe zum Geschlecht
Paludina des Lamark rechnet. Dieser Buli-
mus ist diejenige Schnecke, welche sich am
Bastberge am meisten findet.

Eine andere Art von Bulimus ist sehr viel seltener.

Cyclostoma, weder selten noch häufig, vielleicht ist
es auch noch ein Bulimus, denn immer findet
sich diese Schnecke ohne Deckel.

Zwei Arten von Lymneen.

Planorbis, sehr häufig in diesem Kalkstein; ist der
Helicites pseudoammonius von Schlotheim.
Sie hat sehr grosse Aehnlichkeit mit einer Pla-
norbenart, die sich, wiewohl selten, noch jetzt
im Elsass findet, die aber nicht mit der Planorbis cornea, Draparnaud, Pl. 1, Fig. 42,
43, 44, zu verwechseln ist.

Noch eine andere Art von Planorben.

Paludina viviparoides, ist der Helicites viviparoides
von Schlotheim, nicht selten in diesem Kalkstein, sie gleicht nur wenig der Paludina vivi-
para, welche im Elsass in stehenden Gewässern so gewöhnlich ist. Die Deckel zu dieser
Schnecke haben sich noch nicht gefunden.

Ausser dieser Schnecke findet man noch einige
andere Bulimen- und Lymneenarten, immer aber sind
die beiden Landschnecken Helix nitida und rotundata
bei weitem die zahlreichsten, und die Reste von
Schnecken aus stehenden süssen Gewässern sind ihrer
Anzahl nach ungleich geringer.

2. Weisser Thon.

Unmittelbar unter diesem Süsswasserkalk kommt eine 8 — 12 F. mächtige Schicht von einem weisslichen, etwas fettigen Thon; in demselben finden sich keine Spuren organischer Ueberreste.

3. Grüner Thon und Mergel.

Die Masse dieses Thons besteht aus mehreren Schichten, theils mehr thonig, theils mehr schieferig. Fast alle diese Schichten enthalten Planorben, Lymneen und Cyclostomen in einem kalzinirten Zustande, so dass der Kern der Schnecken verschwunden ist.

Die Planorben sind sehr häufig, so auch noch die Lymneen, aber die Cyclostomen finden sich sehr selten; nie finden sich hier aber Landschnecken oder Knochen. In diesem Thon kommen einzelne Eisensteinnieren vor. Die Mächtigkeit dieser Schicht beträgt 4 — 12 F. In einem Schachte sah man No. 2 und 3 in schwachen Streifen mit No. 1 wechseln.

4. Mulm.

Unter dem grünen Thon und Mergel findet sich unmittelbar ein trockener, staubartiger Mergel von grauer, brauner oder schwarzer Farbe, Mulm genannt, und etwa 1 F. mächtig; derselbe bedeckt unmittelbar die Braunkohlen, in ihm finden sich keine organischen Ueberreste.

5. Braunkohlenflötz.

Unter dem Mulm liegt ein Flötz von Braunkohlen, 3 — 6 F. mächtig, mit Einschluss der nachfolgenden Lage. In der Mitte des Bassins und auf dem gegen Norden sich aushebenden Muldenflügel ist dieses Flötz mächtiger wie auf dem Südflügel. Ueberall an seinem Ausgehenden verliert das Flötz seine Mächtigkeit, und ist nur noch als schmaler Streifen vorhanden, fast nur aus schwarzem Schiefer bestehend. Die zwei vorhergehenden, und eben so die beiden nachfolgenden Schichten verhalten sich auf ähnliche Weise.

In dieser Braunkohle haben sich bis jetzt noch keine animalischen Ueberreste gefunden. Der obere Theil der Braunkohle ist fest, nicht schieferig, und enthält keine fremdartigen Substanzen; er wird die Dachkohle genannt, ihre Mächtigkeit beträgt etwa 1 F., und sie ist brennbarer wie die unteren Schichten. Darunter liegt eine Schicht von etwas schieferiger Braunkohle, viele Schwefelkiesnieren enthaltend, die oft noch Holztextur zeigen, sie ist 2 — 4 F. mächtig. Darunter liegt eine unreine, sehr zerreibliche Braunkohle.

Auf dem Nordflügel wird das Braunkohlenlager mächtiger, weil die gleich nachfolgende Schicht hier viel kohlige Theile aufnimmt, und sich mit dem Braunkohlenlager vereinigt; man findet aber darin weder Schwefelkiesnieren noch Spuren animalischer oder vegetabilischer Ueberreste, überhaupt zeigt die eigentliche Braunkohle die letzteren nie, die angeführten Schwefelkiesnieren abgerechnet. Nach einer Analyse der Herren Hecht und Branthôme*) besteht die Kohle von Buxweiler in 1000 Gran aus:

Oel.	174	Gran
ammoniakalisches Wasser	144	—
Kohle	196	—
Kieselerde	132	—
Thonerde.	100	—
Gips	24	—
Eisenoxydul	6	—
Manganoxydul	5,4	—
Schwefel	184,7	—
	966,1	

Gasarten in Kubikzollen 440.

6. Thon von brauner oder schwarzer Farbe.

In dem Liegenden des Braunkohlenflötzes findet sich ein weicher bräunlich - schwarzer Thon oder Schieferthon, etwa 1½ F. mächtig, der auf dem Nordflügel zu wahrer Braunkohle wird, die dann unmittelbar auf der nachfolgenden Schicht ruht.

*) Journal des mines, Vol. 28, p. 363 — 378.
Karsten, Archiv, B. VII, H. 2, p. 508.

7. Thon von weisslicher Farbe.

Diese besteht aus einem weisslichen oder bläulich-
grauen Thon, trocken, und leicht in Wasser auflös-
lich, 9 — 15 F. mächtig. In dem südlichen Theile
des Bassins ist dieser Thon weisslich, in dem nördlichen bläulich-grau, und enthält daselbst kleine Pflanzenstengel, zum Theil in Schwefelkies verändert.

8. Röthlicher Thon.

Darauf folgt eine etwa 6 F. mächtige Bank eines
trockenen weisslichen Thons, mit grossen röthlich-
gelben Parthien, derselbe enthält viele, mit einer
schwarzen Rinde überzogene Quarzkörner.

Diese sowohl wie die vorige Schicht haben durchaus keine Ueberreste von Schnecken oder andere
animalische Reste. Sie scheinen jedoch derselben
Süsswasserbildung anzugehören, wie die oberen Schichten, da ihre Lagerung diesen konform, und gänzlich
abweichend ist von der des oolithischen Jurakalksteins,
auf dem sie unmittelbar ruhen.

In der Umgegend von Buxweiler zeigen sich noch
einige Spuren von Braunkohle bei Dossenheim, Wein-
burg, Ingweiler, Mennehof und Uttweiler, so auch
zwischen Buxweiler und Neuweiler.

Westlich vom Bastberge, nach dem hohen Gebirge des rothen Sandsteins hin, treten die oberen
bunten Mergel auf, die ziemlich steil unter dem Bastberge einfallen sollen, in denselben will man mittelst
eines Bohrloches ein 2 Zoll mächtiges Kohlenflötz aufgefunden haben.

Es geht aus der bisherigen Beschreibung hervor,
dass die Süsswasserformationen des Bastberges ein
kleines Bassin im Jurakalkstein ausfüllen. Die Spitze
des Bastberges liegt über Strasburg. . . . 510 F.,
und Buxweiler über eben diesem Standpunkt 229 —
Man kann daher annehmen, dass sich diese Süsswasserbildungen in einer Höhe von etwa 400 F. über
Strasburg, oder von 600 F. über Mannheim befinden,
eine gewiss sehr ansehnliche Höhe für so jugendliche
Bildungen in einem so breiten und flachen Thale. Die

Die allgemeine Schichtenfolge dieser Bildungen
ist nach dem Bisherigen von dem Hangenden in das
Liegende:

1) Kalkstein, mit Landschnecken und
   Schnecken aus stehenden süssen Gewässern . . . . 60 F.
2) Weisser Thon ohne organische Ueberreste. . . . . 8 — 12 —
3) Grüner Thon und Mergel, mit Schnek-
   ken aus stehenden süssen Gewässern 4 — 12 —
4) Mulm ohne organische Ueberreste . . 3 —
5) Braunkohle . . . . 4 — 6 —
   a) Dachkohle. . . . . . 1 F.
   b) Braunkohle mit Schwefel-
      kies. . . . . . 2 — 4 —
   c) Erdige Kohle . . . . 1 —
6) Bräunlich-schwarzer Thon . . . . . 1½—
   auf dem Nordflügel zu der Abtheilung
   5 gehörig.
7) Thon, weisslich- oder bläulich-grau auf
   dem Nordflügel, und dann mit Pflanzenstengeln. . . . . 9 — 15 —
8) Weisser Thon mit rothen Flecken . . 6 —
   No. 4 — 8 ohne animalische Ueberreste.

Ganze Mächtigkeit 95½ — 115½ F.

Es geht hieraus hervor, dass diese Schichten zusammen eine recht ansehnliche Mächtigkeit erreichen;
dass in den untersten Schichten sich nur vegetabilische
Ueberreste einfinden; dass darauf die Vegetabilien
verschwinden, und nun Reste von solchen Schnecken
auftreten, die nur in stehenden süssen Gewässern leben; dass endlich sich diese Reste mit denen solcher
Schnecken mischen, die auf dem Lande leben, und
dass zuletzt diese ganz die Oberhand gewinnen. Hieraus scheint zu folgen, dass diese ganze Bildung der
Süsswasserformation angehört, dass aber das Becken,
in dem dieselbe erfolgte, nach und nach austrocknete,
sich in einen Sumpf verwandelte, geeignet, Süsswasserschnecken zu ernähren, und dass sich nachher, bei
immer mehr zunehmender Abtrocknung, die Landschnecken einfanden, je mehr die Abtrocknung zu-

II.

[25]

nahm, und das Bassin weniger geeignet wurde, Wasserschnecken zu ernähren. Immer aber bleibt das hohe Niveau dieser Bildung auf einer hervorragenden Masse des Jurakalksteins eine interessante Erscheinung, einen Beweis liefernd, dass das Rheinthal vor nicht so ganz entlegenen Zeiten ein grosser und tiefer See gewesen seyn müsse.

III. Braunkohlen - und Asphaltbildung von Lampertsloch und Lobsan.

Andere Bildungen von Süsswasserkalk zeigen sich unweit Hagenau, auf dem Wege von Weissenburg nach Strasburg, denen von Buxweiler ähnlich. Sie bedecken bei Dauendorf einen ockerigen Braneisenstein, welcher ehemals bebaut wurde, aber nach und nach in einen grauen kieseligen Thon überging. Der Graf v. Laizer *) bemerkt von diesen Bildungen, dass sich zu oberst Süsswasserkalk, von Braunkohlen begleitet, darunter bituminöser Sand, dem von Lobsan und Lampertsloch ähnlich, und unter diesem ein Eisenstein finde, welcher Süsswassermuscheln umschliesst. Ein ähnlicher bituminöser Sand soll bei Schäffelsheim, südlich von Hagenau, vorkommen, und Süsswasserkalk bei Klembach, aus welchem der Fischbach seinen Ursprung nimmt.

Bei Frankenweiler und Artsheim, unweit Landau, kommt unter Süsswasserkalk ein der Molasse ähnlicher Sandstein vor.

Eine Bildung, ähnlich der Braunkohlenformation von Buxweiler, und der Molasse aufgelagert, oder dieser sogar noch angehörig, scheint die Braunkohlen- und Bergtheerformation von Lampertsloch und Lobsan zu seyn, die sich unter ähnlichen Verhältnissen auch höher im Rheinthale, bei Altkirch, findet.

Zwischen Werd und Weissenburg erstreckt sich ein Gebirge von rothem Sandstein, der Wörthberg oder Liebfrauenberg genannt, welcher noch eine an-

---

*) Graf v. Laizer, Schreiben desselben vom 15. Nov. 1820 in Leonhards mineralogischem Taschenbuche für 1822, II. Abth., p. 617.

sehnliche Höhe erreicht. An dem südöstlichen Fusse dieses Gebirges finden sich die in Rede stehenden Bildungen. Nach Graf Laizer soll an dem südlichen Abhange, in dem Grunde eines Schachtes, auf der Gemarkung von Lampertsloch, eine etwas salzige Quelle entspringen, die mit Erdöl geschwängert ist. Es scheint dies in der Nähe von Bechelbrunn zu seyn, wo schon seit langer Zeit das Erdöl gewonnen wird.

Die Braunkohlengrube von Lampertsloch oder Lobsan liegt bei Marienbrunn (Merenbrunn), am Fusse der rothen Sandsteinberge; sie gehört dem Herrn Dournay in Strasburg, und beschäftigt sich mit zwei ganz verschiedenen Gegenständen der Gewinnung. Der erste ist ein Braunkohlenflötz, in mehreren parallelen Streifen einem Mergelkalkstein eingelagert; der zweite, 20 F. davon, ein im Liegenden befindliches Sandflötz, ganz mit Bergtheer oder Asphalt (Bitume malthe) durchdrungen, und Pechsand genannt. Aus diesem Bitumen wird künstliches Bergpech (Goudron minerale) und Mastix bereitet, eine Art Pech, und wasserdichter Kitt, unter diesem Namen seit einiger Zeit im Handel bekannt.

Alle Schichten in der Grube fallen nach Angabe des Steigers h. $3\frac{1}{2}$ Nordost ausnehmend sanft. Das Braunkohlenflötz und die zwischenliegenden Mergelschichten sind ziemlich fest, der Abbau daher leicht, auf dem Pechsande dagegen ist wegen des stattfindenden Druckes der Abbau beschwerlich. Ausserdem wird noch ein brauner, sehr mit Bergöl durchdrungener Kalkmergel in dem Hangenden des Braunkohlenflötzes gewonnen, der vorzugsweise zur Bereitung des Mastix dient.

In einem kürzlich nieder gestossenen Bohrloche ist nachstehende Schichtenfolge getroffen:

1) Dammerde mit Thon . . . . 2 F. 6 Z.
2) Schmutziggelber Thon . . . . 1 — $3\frac{1}{2}$ —
3) Röthlicher Thon, Bruchstücke von
Kalk enthaltend . . . . . . — — $11\frac{1}{2}$ —
4) Thon mit weissem Kalk; diese
Lage ist durch einen gelben Thon-

Latus 4 F. 9 Z.

	Transport	4 F.	9 Z.
	streifen, Gipskrystalle enthaltend, getheilt	2 —	8¼ —
5)	Sandiger Thon	— —	2 —
6)	Weisser Thon mit einer kleinen rothen Zwischenschicht . . .	2 —	— —
7)	Blauer Thon mit Gipskrystallen	— —	11 —
8)	Sand mit Gipskrystallen . . .	1 —	4½ —
9)	Lichtblauer Thon mit röthlichem Sand	1 —	7 —
10)	Blauer Thon mit verkohlten Pflanzen.	— —	10 —
11)	Desgleichen mit Gips und Kalkspath.	2 —	6¼ —
12)	Blauer Thon mit Gipskrystallen	1 —	8 —
13)	Blauer Thon mit verkohltem Holz	1 —	2 —
14)	Harter Thon von schöner blauer Farbe mit Pflanzenabdrücken .	— —	4 —
15)	Blauer, sehr sandiger Thon . .	2 —	7½ —
16)	Sand mit wenig Bitumen . . .	— —	2 —
17)	Bläulicher, sehr sandiger Thon.	— —	10 —
18)	Kalkstein, etwas bituminös . .	3 —	8¼ —
19)	Braunkohle.	— —	6 —
20)	Kalkstein	— —	8¼ —
21)	Schöner blauer Thon	— —	7 —
22)	Gelblicher Thon.	— —	10 —
23)	Gebänderter Kalkstein. . . .	3 —	1 —
24)	Desgl., härter wie No. 23 . .	1 —	4½ —
25)	Braunkohle.	— —	5 —
26)	Kalkstein	2 —	6 —
27)	Blauer Thon	— —	7 —
28)	Kalkstein	— —	10 —
29)	Blauer Thon	1 —	9 —
30)	Bituminöser Sand	1 —	5½ —
	Summa 43 F.		

Die Schichten No. 18 — 29 gehören der Braunkohlenbildung an: aus denselben geht hervor, wie häufig die Braunkohlen mit mergeligen Kalksteinen wechseln.

Nach mündlicher Angabe des Steigers findet nachstehende allgemeine Schichtenfolge statt:

1) Dammerde . . . . 2 F.
2) Gelber Leimen. . . . . 10 —
3) Grauer eisenschüssiger Thon . . . . 2 —
4) Schwarzer fettiger Thon . . . . . 12 —
5) Bläulicher Thon mit Schwefelkies . . 28 —
6) Gelblich-grauer, schieferiger, zerreiblicher Kalkmergel, mit Knollen von dichtem splitterigen Kalkstein, der sehr bituminös ist, in beiden finden sich Lymneen und Planorben, so wie in verschiedenen Streifen 4 — 5 F. Braunkohle . . . . 22 —
und mehrere unbauwürdige Streifen
nicht gerechnet.
7) Blauer Thon . . . . 3 —
8) Fester Sandstein (ist Kalkstein), grobkörnig. . . . . 4 —
9) Pechsand. . . . . 3 —
10) Sand, dem vorigen sehr ähnlich . . . 5 —
11) Magerer Sand . . . . 2 —
12) Grobkörniger Sandstein (nach genauerer Untersuchung Kalkstein) mit Spuren von Kohle.

Summa 93 F.

Die Schichtenfolge von No. 7 an ist nach einem
Bohrloch angegeben, welches gegenwärtig (1823) aus
dem Liegenden des Braunkohlenflötzes nieder gestossen wird, um Kohlen zu suchen. Die oberen Schichten sind durch Schächte bekannt, so wie die ungefähr angegebene Mächtigkeit derselben.

Nach einem anderen Bohrloche, welches näher
dem Gebirge steht, scheinen hier die Schichten allmälig an Mächtigkeit abzunehmen.

Die Kohle ist in der Regel fester als gewöhnliche
Braunkohle, und bildet einen Uebergang in Pechkohle, auch finden sich Massen darin, welche der Holz-
kohle nicht unähnlich sind, und eben so kommt auch
der faserige Anthracit in viereckigen Parthien vor.
Dünne elastische Fäden, Leonhards Naddkohle,
nach A. Brogniart die Fiebern von Palmbäumen,
kommt hier vor; auch kleine Stücke von Bernstein

haben sich gefunden. Von beiden werden schöne Exemplare in dem Museum zu Strasburg aufbewahrt.

Eigenthümlich ist der häufige Wechsel von Braunkohle und Kalkmergel, erstere bildet oft viele, kaum 1 — 2 Zoll dicke Streifen in demselben. Der mergelartige Kalkstein wird bisweilen konglommeratartig, und bildet eine Breccie, die jedoch keinen grossen Zusammenhalt besitzt.

Unter den Braunkohlen und dem Kalkmergel liegt sandiger Kalk mit Pflanzenstengeln, Heliciten und Planorben. Graf Laizer, oder vielmehr Herr Voltz bemerkt, dass sich unter diesen sehr deutlich Helix nemoralis erkennen lasse, von welcher Species die analogen Thiere noch gegenwärtig im Lande leben. Der Pechsand besteht aus losen weissen Quarzkörnern, dem Flusssande ähnlich. Dieser Sand ist mit zähem Bergtheer durchdrungen, und lässt sich in Kugeln ballen, bisweilen finden sich kleine Stücke von Pechkohle in ihm. Er wird in grossen eisernen Kesseln mit Wasser gekocht, und der sich bildende unreine Schaum abgenommen; das Bergtheer schwimmt oben als flüssiges Oel, und die Sandkörner fallen zu Boden.

In den Schichten No. 2 — 5, welche aus Thon und verhärteten Mergeln bestehen, hat Herr Voltz verschiedene Meerschnecken, als Nucula, Turitella u. s. w., aufgefunden; er glaubt daher diese Bildungen dem Meerwasser angehörig, etwa dem Calcaire grossier oder der London clay entsprechend. Die unteren Schichten hingegen sind Süsswasserbildungen, vielleicht dem Argilé plastique und der schweizer Molasse angehörig. Auf der Scheidung jener oberen Thonmergelschichten und der Braunkohlenbildung ist die Kinnlade einer neuen Art von Anthracotherium gefunden worden[*]).

---

[*]) Voltz, in Leonhards Zeitschrift für Mineralogie. Jahrgang 1825, April, p. 355.
Eine Abbildung des Kiefers ist im Cuvier, „sur les ossemens fossiles.“ T. IV, Tab. 39.

Calmelet*) theilt über die Lagerungsverhältnisse der eben beschriebenen Braunkohlenformation
folgende Nachrichten mit.

Auf der Grube von Lobsan befinden sich mehrere Braunkohlenschichten, von denen die beiden
mächtigsten bebaut werden. Die oberste, deren Masse
dicht und gleichförmig, ist $0,1 - 0,15$ m., die unterste ist $0,4$ m. mächtig, aber mit fremdartigen Stoffen gemengt. Jede dieser Schichten ist noch von vielen anderen, aber bei weitem schwächeren Lagen begleitet, die Neigung der Schichten ist Nordost unter
einem sehr schwachen Winkel.

Diese Braunkohlenschichten sind durch sandige,
grau – und gelblich-weisse Kalksteinbänke von verschiedener Mächtigkeit getrennt. Sie sind porös und
von erdigem Ansehen, zähe, aber nicht hart, und,
so wie der Thon, den Eindruck des Hammers annehmend. Sie besitzen einen eigenthümlich bituminösen Geruch, und enthalten unzählige Trümmer von
Flussmuscheln, mit Brocken von Kohle, und selten
einige Pflanzenstengel.

Dasselbe Gestein bildet auch das Dach der Braunkohlen, die unmittelbare Sohle hingegen ist dichter
graugelber Kalkstein, im Bruche muschelig. In dem
Dachgesteine finden sich Pflanzenreste und Reste von
Thieren; es giebt einen guten Kalk. Darüber liegen
Lagen von Thon, blau, grau und braun, und dazwischen unter andern eine bis 4 F. mächtige Thonschicht, mit Schwefelkies erfüllt.

Kleine Sprünge und Verwerfungen heben oder
senken die übrigens höchst regelmässig gelagerten
Schichten.

Unter der Braunkohleubildung, etwa 5,2 Meter,
liegen in einem grauen, sandigen, nicht bituminösen
Kalkstein von mittlerer Festigkeit zwei Bänke von
Quarzsand, schwarz, und leicht zusammen geklebt
durch die Malthe oder das Bergtheer. Diese Schichten sind $0,24 - 0,25$ m. mächtig, und werden durch

---

*) TIMOLEON CALMELET, Description de la mine de lig-
nite de Lobsan, arrondissement de Wissembourg, dep. du Bas-
Rhin. Journal des mines, No. 221, Jahrg. 1815, p. 369 — 378.

eine 1 ᵐ· mächtige Kalksteinschicht getrennt, dem Gestein im Hangenden und Liegenden ähnlich. 2,6 ᵐ· unter diesen soll noch eine ähnliche Schicht liegen, 2 ᵐ· mächtig, was jedoch nicht ganz wahrscheinlich ist.

Nach Herrn Hecht und Branthôme*) besteht die Kohle von Lobsan in 1000 Gran aus:,

Oel	48 Gran
ammoniakalisches Wasser	228 —
Kohle	274 —
Kieselerde.	80 —
Thonerde.	16 —
Gips	14 —
Eisenoxydül	114 —
Manganoxydül	15 —
Schwefel	179 —
	968

Gasarten in Kubikzollen 268.

In der Umgegend von Lobsan zeigen sich mehrere Ausgehende von Pechsand, unter andern bei der Mühle zu Siebenbrunnen und Walkmühl, bei Berlenbach, Drachenbrunn u. s. w. Die Schichten von Lobsan scheinen aber alle unter diesen gelegen.

Bei Prechtelbrunn oder Pechelbrunn (Pechbrunnen), zwischen Lampertsloch und Merkweiler, liegt noch eine andere bedeutende Asphaltgrube, dem Herrn Lepelt zugehörig. Hier zeigen sich nur wenige schwache Streifen von Braunkohle, der Pechsand dagegen ist hier viel reicher und reiner, und das Bergöl in einem viel flüssigeren Zustande. Es wird, wie zu Lobsan, mit Wasser ausgekocht und zu Wagenschmiere benutzt. Die Pechsandlage wird in einer Teufe von 150 — 180 F. erreicht, die Neigung der Schichten scheint gegen Südost. Nahe bei Oberkuzzenhausen, auf dem Wege nach Sulz, zeigt sich über Tage das Ausgehende des Pechsandes; er liegt in einem sandigen mergelartigen Thone, und enthält sehr viel Bergpech.

---

*) Journal des mines, Vol. 28, p. 363 — 378.
Karsten, Archiv, B. VII, H. 2, p. 508.

Auch in dem Departement des Oberrheins, bei
Hirzbach, ein wenig südlich von Altkirch, zu beiden
Seiten des Oelbaches, desgleichen bei Laferette, sind
Spuren einer ähnlichen Bildung gefunden. Braunkoh-
len finden sich bei Illfurth unweit Altkirch, an dem
Fusse des Berges Letelle, an dem Rokenberge, eine
Viertelstunde südlich Altkirch u. s. w.*).

Nach de Sivry ist der Boden zwischen Altkirch
und Belfort meist von mergelartiger Beschaffenheit.
Bei dem Dorfe Soppe, einige Stunden nordwestlich
Altkirch, fand derselbe eine grosse Menge mannigfaltiger Geschiebe primitiver Gesteine. Nach Herrn
Voltz kommen zwischen Soppe le haut, Altkirch,
Basel und Mühlhausen ganz ähnliche Süsswasserbildungen vor, wie bei Lampertsloch und Buxweiler. Zwischen Altkirch und Mühlhausen ist Süsswasserkalk,
welcher Spuren von Braunkohle enthält; viel Molasse
kommt hier vor mit Sandschichten, welche von Pe-
troleum durchdrungen sind, wie bei Hirzbach und an
einigen anderen Punkten. Gegen die Vogesen hin
lehnen sich diese Gebirgsmassen an das Uebergangsgebirge, und endigen mit grossen Massen von Nagelfluhe. Bei Cernay, unweit Than, zieht sich dieses
tertiäre Gebirge enger zusammen, und erstreckt sich
als schmale Bande längs den Vogesen bis über Has-
stadt, nordöstlich dieser Stadt noch kleine Hügel bildend, und erst in den Ebenen von Colmar sich ver-
lierend. Gegen Süden wird das tertiäre Gebirge überall von oolithischem und oberen dichtem Jurakalk be-

---

*) DE DIETRICH, Déscription des gites de minerai etc. 3.
partie, p. 15 — 18.

Einige unvollständige Nachrichten über die Asphalt - und
Braunkohlenwerke finden sich in:

GRAEFFENAUER, Minéralogie alsacienne etc., p. 116 — 147,
und in:

VOLCK, vom Hanauischen Erdbalsam. 1625;

HOXEL, historia balsami mineralis Alsatia seu petrolei vallis
Santi Lamperti. Argent. 1734;

SPIELMANN, Mémoire sur le bitume de Lampertsloch, inseré
parmi oeux de l'academie de Berlin, T. 14, p. 105.

DE DIETRICH, loco citato, 4. partie, p. 301 — 315, theilt
manche, jedoch meist historische Nachrichten über den Betrieb jener Asphaltgruben mit.

grenzt, dem Kalkstein mit Eisenerzen von Liehl bei
Candern, im Kanton Basel und Solothurn, ähnlich.
Dieser Kalkstein schliesst sich innig an die Bohnerzformation von Roppe, Bessoncourt, Chevremont, südöstlich von Belfort, an. Es ist dieselbe Bildung, wie
die des oberen oolithischen Jurakalks, welche bei Lu-
celle, südlich von Altkirch, auf dem linken Ufer der
Ill wieder vorkommt.

~ In dem Thale von Sulzmatt liegt ein kleines De-
pot von Nagelfluhe neben dem rauchgrauen Kalkstein
bei St. Gangolf; sie enthält die Trümmer eines benachbarten Ganges von Brauneisenstein, bedeutend
genug, um für den Hochofen von Binschweiller (im
Thurnthale) bebaut zu werden. Noch ist zu bemerken, dass die Berge von rothem Sandstein zwischen
Gebweiler und Pfaffenheim sehr hoch sind, und dass
hinter denselben der rauchgraue Kalkstein bei Winz-
felden ein wenig erhabenes Plateau bildet.

IV. Anschwemmungen von Löss.

Zu den jüngsten tertiären Bildungen des Rheinthales gehören mächtige Anschwemmungen von feinem, fast staubartigem, immer etwas kalkhaltigem,
hellgelblich-grauem Lehm. Er findet sich an vielen
Punkten auf beiden Seiten des Thales, die ersten flachen Hügel zunächst dem Rheine bildend*). So bildet dieser Löss (wie er in der Landessprache genannt
wird) unter andern bei Luttenbach, unweit Mühlhausen, einen nach Norden laufenden Hügelzug, der sich
zwar in den Ebenen von Colmar verliert, aber weiter nördlich wieder erscheint, immer näher dem
Rhein, wie die Molasse oder der Süsswasserkalk.
Längs dem Molsheimer Kanal, unweit Strasburg, bildet er einen kleinen Höhenzug, der sich 602 F. über
das Meer, oder über Strasburg 154 F. erhebt, und
mehr als 200 F. pflegt sich diese Bildung nie über
den Spiegel des Rheins zu erheben. Aehnliche Bil-

---

*) v. LEONHARD, Charakteristik der Felsarten, III. Abth.,
p. 722 — 724, hat eine Beschreibung dieser im Rheinthal ziemlich
weit verbreiteten Gebirgsmasse gegeben.

dungen, in der Landessprache bisweilen auch Schnek-
kenhäuselboden genannt, kommen nach Beyer*) bei
Nonnenweiher, Nieder- und Oberschopfheim, Fries-
senheim, Mahlberg und bis Kenzingen vor. Dieselben Ablagerungen von Löss finden sich in grosser
Mächtigkeit rings um den Kaiserstuhl, wo sie von
v. Dietrich für vulkanische Asche angesehen
wurden.

Nach v. Leonhards Angaben findet sich Löss
bei Oppenheim, den dortigen Grobkalk bedeckend,
zwischen Neustadt an der Hardt und Bingen sehr
weit verbreitet, in der Gegend von Heidelberg am
sogenannten Haarslass, bei Handschuhsheim, bei Weinheim an der Bergstrasse, am Abhang vieler Vorberge
von Wiesloch bis Bruchsal, und bis in die Gegend
von Freyburg; hier jedoch nicht sowohl ein zusammenhängendes Gebirge bildend, sondern nur in den
kleinen Nebenthälern abgesetzt, welche sich in das
Rheinthal öffnen.

Ferner zeigt sich der Löss in ansehnlicher Verbreitung in dem grossen Becken von Neuwied und
Andernach, in der Gegend von Niedermendig u. s.
w., wo er unter dem Namen Briz oder Brizreif bekannt, und von Herrn Steininger **) beschrieben
worden ist. Der Löss erscheint meist als die oberste
und jüngste Gebirgsschicht, unmittelbar in die Dammerde übergehend, nur in der Gegend von Andernach
wird er bisweilen von Bimsteinkonglommerat bedeckt.

In dem Löss kommen häufig knollige Konkretio-
nen von gelblich - grauem, thonigem oder erdigem
dichten Kalkstein vor, sie liegen einzeln zerstreut oder
bilden an einander gereihete Lagen, ½ — 1 F. mächtig. Diese Kalksteinnieren sind im Inneren zerklüftet, auf ähnliche Art, wie nasse Thonkugeln, welche
austrocknen; bisweilen enthalten sie einen losen Kern.
Auch finden sich einzelne Flussgeschiebe in diesen
Anschwemmungen, welche jünger wie selbst der Süss-

---

*) Beyer, Beiträge zur Bergbaukunde, p. 26.

**) Steininger, neue Beiträge zur Geschichte der rheini-
schen Vulkane, p. 51.

wasserkalk seyn dürften. Die chemische Zusammensetzung des Löss ist verschieden, der der Heidelberger Gegenden besteht gewöhnlich aus 2 Theilen
Thon, ½ Theil kohlensauren Kalk und ½ Theil quarzigen und glimmerigen Sand.

Von organischen Ueberresten kommt in dem
Löss eine kleine weisse gewundene Schnecke häufig
vor, welche noch gegenwärtig in diesen Gegenden
in grosser Menge lebt. Sie befindet sich in einem
nur wenig kalzinirten, fast noch unversehrten Zustande; ihr Vorkommen ist nicht zufällig, denn sie findet
sich in zu grosser Menge in ansehnlicher Teufe unter
Tage, und selbst in den dichten Kalksteinkonkre-
tionen.

Nach v. Leonhard enthält der Löss versteinerte
und kalzinirte Konchilien, von denen jedoch viele nur
von Tage her in seine Masse geflösst worden; als ihm
mehr eigenthümlich wurden bisher nur einige Helix-
und Lymnaeusarten beobachtet, die grösseren unter
andern bei Oppenheim am Galgenberge, die kleineren bei Weinheim unfern Alzey, am Haarlass und
bei Neckargemünd. An dem Schlossberge bei Oppenheim unter andern soll eine über dem Löss liegende, mit Kalkgeröllen untermengte Schicht neuerer
Entstehung einige Arten von Bulimus und Helix umschliessen, welche noch lebend in dieser Gegend gefunden werden.

Zähne vom Mammuth und andere Knochen sind
bei Weinheim an der Bergstrasse im Löss gefunden
worden, und werden auf der Universitätssammlung in
Heidelberg aufbewahrt.

In dem Löss der Umgegend von Andernach fand
Steininger Helix pomatia, nemoralis, hortensis,
striata, pulchella und crystallina, Lymnaeus pereger
und ovatus, und Pupa edentula.

Die Schneckenschalen befinden sich sämmtlich in
einem nur kalzinirten, sehr wohl erhaltenen Zustande, und zeigen zum Theil noch ihre natürlichen
Farben.

Die Mächtigkeit der Lössschichten lässt sich nicht
wohl ausmitteln, stellenweise beträgt dieselbe gewiss
mehr als 200 F.

Es ist bereits angegeben, dass diese Ablagerungen sich nicht mehr als 200 F. über den Rhein erheben; hiervon macht jedoch die Umgegend des Kaiserstuhls eine Ausnahme. In der Nähe dieses kleinen Trappgebirges sind häufige Ablagerungen von Löss, die in der Ebene sich ebenfalls nicht über 200 F. erheben. Aber alle Abhänge des Kaiserstuhls sind ebenfalls mit Löss bedeckt; Hohlwege, 40 — 60 F. tief, sind in denselben eingeschnitten, die Schichten haben eine ansehnliche Neigung, dem Abhange des Berges entsprechend, und jeder Regen führt grosse Massen von Löss den tieferen Punkten zu. Auf dem östlichen Abhange der neun Linden erreicht diese Lössbedekkung eine Höhe von 1206 F., und da der Spiegel des Rheins bei Sponek 542 F. beträgt, so erhebt sie sich hier 664 F. über den Fluss. Man hat diesen Löss wohl als vulkanische Asche beschrieben, aber es ist eine der neuesten tertiären Bildungen, entstanden, wie schon das Rheinthal aufgehört hatte, ein See zu seyn. Offenbar ist der Löss hier nicht in seinem ursprünglichen Niveau, sonst müssten viele andere Punkte in der Nähe des Kaiserstuhls von demselben bedeckt seyn, die sich nur 200 — 300 F. über den Rhein erheben. Das hervortretende Trappgebirge muss die Masse des Löss mit emporgehoben und stellenweise durchbrochen haben, und das Trappgebirge des Kaiserstuhls ist daher eine jüngere Bildung, wie die jüngste tertiäre Formation dieser Gegenden.

Auch in der Umgegend von Basel zeigen sich Lössablagerungen häufig*), und es ist hier Gelegenheit, an mehreren Punkten die liegenden Schichten zu beobachten. Zu oberst ist der Löss dem bisher beschriebenen ähnlich, in grösserer Tiefe nimmt er eine mehr sandige Beschaffenheit an; die Ablagerungen erhalten mehr Festigkeit, und schliessen Knollen von Kalkstein ein (Holee oberhalb Binningen), welche oft sandsteinartig werden, wenn die Ablagerungen sandig sind. Tiefer zeigen sich unregelmässige Sandsteinschichten, und

---

*) MERIAN, Beiträge, p. 121.— 124.

Nieren darin, mit zerreiblicher Mondmilch angefüllt
(Bottmingen oberhalb Fischingen), noch tiefer liegen
feste schöne Sandsteinschichten, zum Theil in dünnen schieferigen Platten (Terweiler), oft aber auch
in mächtigen regelmässigen Bänken (Brücke bei Dornach, Bottmingen, Fischingen).

Dieser Sandstein hat in oberen Lagen eine
schmutziggelblich - graue Farbe, tiefer eine hellgraue,
er ist gleichförmig feinkörnig, selten grobkörnig (Efringen), und enthält viele Glimmerschüppchen, sein
Bindemittel ist immer kalkig. Bisweilen zeigt er gelbe
und braune Flecken (Fischingen), aus der Verwitterung von Wasserkiespunkten entstanden. Von organischen Ueberresten fand Herr Merian nur eine kleine
Bivalve in diesem Sandstein.

Hinter Efringen liegt ein hierher gehöriger grobkörniger Sandstein unmittelbar auf dem Jurakalk.
Bei Binzen und Fischingen hingegen scheint der Süsswasserkalk die untersten Lagen einzunehmen, und
der Sandstein über demselben befindlich.

Hieraus folgert Herr Merian, dass die Bildung
der beschriebenen Gesteine während eines langen
Zeitraums vor sich gegangen, dass die untersten festen Sandsteinschichten vielleicht gleichzeitig mit dem
Süsswasserkalk, oder unmittelbar nach demselben abgesetzt, hingegen die oberen, gewöhnliche Landschnek-
ken enthaltenden Lehmlager weit später entstanden
seyen, dass aber der allmälige Uebergang der untersten Schichten in die obersten beweise, wie beide das
Resultat einer ruhigen, lange Zeit dauernden Ablagerung gewesen.

V. Süsswasserbildungen in der Umgegend von Basel und Schaffhausen.

In der Umgegend von Basel sind Bildungen von
Süsswasserkalk an mehreren Punkten[*]), sie bestehen
aus Mergel und Mergelkalkstein, meist von eigenthümlich bituminösem Geruch. Dies Gestein ist oft

---

[*] Merian, loco citato, p. 116 — 120.

porös, oft sind es leere Räume, die von Versteinerungen herrühren, die theils in Menge auftreten,
theils gänzlich fehlen.

Eine bedeutende Niederlage dieser Art bildet die
Höhe des Dillinger Berges bei Weil und Oetlingen,
die sich 600 F. über den Rheinspiegel bei Basel erhebt. Das Gestein ist schmutzig- oder gelblich-grauer
Mergelkalk von flachmuscheligem Bruch, der in gelblich-grauen, sogar in schwarzen marmorartigen Kalkstein übergeht. Stellenweise enthält er viele Lymneen
und Planorben. Die Schichten dieses Gesteins liegen
auf dem Berge horizontal, sind gegen Westen abgeschnitten, setzen aber gegen Osten fort, wohin sie
allmälig einfallen; diese Neigung ist stellenweise sehr
beträchtlich, bei dem Dorfe Dillingen unter andern
gegen 50 Grad.

Aehnlicher Süsswasserkalk findet sich dem Dillinger Berge gegenüber, auf der linken Seite des Can-
derthales, am Fusse des von Binzen nach Egringen
ziehenden Berges.

Andere Ablagerungen von Süsswasserkalk kommen in dem Jura vor. Bei Conweil unter andern,
auf der über dem Ergolzthale sich erhebenden Ro-
gensteinebene, finden sich bläulich- und schmutzig-
graue Mergelarten, welche viele Heliciten, Lymneen,
Planorben u. s. w. enthalten. Es kommt sogar ein
kleines Steinkohlenflötz darin vor; oft ist die Holztextur noch recht sichtbar, und auf den Schichten
der Kohle liegen viele kleine Planorben. Ein ähnliches Vorkommen ist bei Kilchberg, hier findet sich
unter andern eine grosse Mya, der Mya margaritifera
sehr ähnlich, in Nieren eines festen kieselhaltigen
Gesteins, welches hier sehr häufig ist. Ausserdem finden sich Süsswasserbildungen bei Diegten und Bennweil, und beim Hummel oberhalb Waldenburg, an
letzterem Orte in bedeutender Höhe.

Bei Wihe, nördlich von Schaffhausen, ist Süsswasserkalk muldenförmig dem Jurakalk aufgelagert.

VI. Molasse in den Gegenden zwischen dem Rhein, der Donau und der Iller.

Die Molasse, welche in der Schweiz das breite Thal zwischen den Alpen und dem Jura grösstentheils ausfüllt[*]), setzt auch auf das rechte Rheinufer über, und erfüllt alle Gegenden zwischen dem Rhein, der Donau und Iller. Bei Eglisau legt sie sich an den Jurakalk, zwischen Rafts und Lotstädten ist ein gelblich-grauer Sandstein in horizontalen Bänken, dieser Formation angehörig. Der Jurakalk zeigt sich bei Schaffhausen zum letztenmal in dem Rheinthal, welches von hier bis über den Bodensee hinaus nur in Molasse liegt. Recht ausgezeichnet ist dieselbe bei Stein und Oehningen, bei Stekborn, Roschach, zwischen Abhausen und Friedrichshafen, bei Zegenweiler, Horgenzell bei Waldkönigsegg, im Saulgau und an vielen anderen Punkten. In dem unteren Theile des Rheinthales, zwischen Eglisau und Basel, zeigt sich die Molasse nur an einzelnen Punkten, und niemals in ansehnlicher Verbreitung. Nach Rengger [**]) kommt sie vor in der flachen Mündung des Wutachthales bei Waldshuth, an der Mündung des Steinenthales, an dem südlichen Abhange des Calvariberges bei Waldshuth u. s. w. Von Waldshuth bis Laufenburg besteht ein grosser Theil des eigentlichen Flussthales, namentlich die Gegend von Doggern, aus solchen Bildungen, so wie gleichzeitig aus zusammengekitteten Flussgeschieben, von denen weiter unten die Rede seyn wird. Auf dem linken Rheinufer, zwischen Koblenz und Laufenburg, bildet die Molasse ziemlich ausgedehnte Thalflächen bei Full und Etzgen, und bedeckt bei Leibstadt und Leuggern den Kalkstein. Unterhalb Laufenburg zeigt sich die Molasse seltener, dagegen finden

---

[*]) Interessante Beobachtungen über diese zeither wenig gekannten Gebirgsmassen hat neuerdings STUDER in MEISNERS Annalen der allgemeinen schweizerischen Gesellschaft für die gesammten Naturwissenschaften, B. I, Heft I, Bern 1824, p. 29 — 69, geliefert.

[**]) RENGGER, Beiträge zur Geognosie, B. I, Lief. I, p. 241.

finden sich hier die Geröllablagerungen in der Nähe des Stromes häufiger, und oft in ansehnlichem Niveau über demselben.

Meist bildet die Molasse nur durch flache Hügel unterbrochene Ebenen, die aber demungeachtet ein ansehnliches Niveau erreichen, denn der Bodensee, einer der tiefsten Punkte dieser Gegenden, liegt noch 1200 F. über dem Meer. In der Schweiz hingegen scheint die Molasse wohl zur Bergbildung geeignet, namentlich da, wo auch Nagelfluhe gemeinschaftlich vorkommt. Ueber das Niveau dieser Bildungen bemerkt Herr Ebel*), dass solches in der Schweiz gemeiniglich 2 — 3000 F. betrage, und nur wenige Berge sich 3500 F. über das Meer erheben. Auf der Südostseite des Jura erhebt sich die Molasse oberhalb Grinel im Kanton Waadt 2712 F., an der Südostseite des Saleye 3894 F. Die niedrigeren Sandsteinberge hingegen erheben sich nur 13 — 1700 F. über das Meer, und die grosse schwäbisch-baierische Ebene fällt von 1700 bis 1116 F. nach der Donau bei Regensburg, und auf 877 F. nach den Donauufern bei der Mündung der Vils herab.

In Schwaben liegen die Schichten der Molasse meist horizontal, und werden von starken Lehm- und Dammerdeschichten, oft auch von Geröllablagerungen bedeckt; an vielen Punkten lässt sich daher diese Gebirgsart nicht beobachten, obgleich sie gewiss anstehend' an denselben seyn wird. Gegen Nordwesten wird die Molasse durch den Jurakalkstein der Alp begrenzt, an den sie sich anlehnt. Das Thal der Donau bis unter Ulm bezeichnet fast genau diese Grenzlinie, und es ist dies eine in mehrfacher Hinsicht merkwürdige Erscheinung. Da, wo jüngere Gebirgsmassen den älteren aufliegen, pflegen sie gemeiniglich ein hohes Niveau zu erreichen, hier aber findet das Gegentheil statt, und dies spricht sehr für die durch vielfache Beobachtungen sich bestätigende Thatsache, dass die Molasse dem Jurakalk meist nur an-,

---

*) Ebel, über den Bau der Erde in dem Alpengebirge; B. II, pag. 34.

II.

[26]

und nicht aufgelagert ist. Nach jenen bereits früher
vorgetragenen Beobachtungen wird wohl Griphitenkalk
oder bunte Mergel, aber kein Jurakalk als das Liegende der Molasse erwartet werden dürfen, und das
Bohrloch von Eglisau hat dieses Verhalten direkt bestätigt.

Die neuesten Beobachtungen über jene Molasse
hat Herr Bergrath Hehl bekannt gemacht*). Nach
demselben besteht die-e Gebirgsart in den Gegenden
zwischen Rhein, Iller und Donau aus einem feinkörnigen Mergelsandstein, dessen Bindemittel, kalkhaltiger Thon, stark mit Säuren braust. Das Gestein
verwittert leicht, ist auf- der Lagerstätte ziemlich
weich, erhärtet aber an der Luft. Die Farbe dieses
Sandsteins, der immer mehr oder weniger zarte Glimmerschüppchen enthält, ist stets schmutzig, lichtgelblich-grau, röthlich-braun, bläulich-grau, zumal da,
wo er Abdrücke von Blättern enthält.

Bisweilen ist auch das Bindemittel ein grünlicher
Thon; es wird dann ein grünlicher Sandstein gebildet, oft von schöner Farbe und als Baustein brauchbar. Von solchen, obgleich nicht sehr harten Steinen sind unter andern die Pfeiler der Rheinbrücke
bei Stein gebaut. In diesem Sandstein, der eine
wahre Glauconie sableuse oder ein grünes Eisensilikat
mit Sand gemischt zu seyn scheint, finden sich grün-
lich- oder gelblich-graue Thongallen, oder auch grössere Nieren grünlich-grauen Mergels, im Innern leberbraun, und säulenförmig zerklüftet. Auch ein bol-
artiges Fossil ist nicht selten.

An Erzen ist der Sandstein arm; Schwefelkies
zeigt sich bisweilen eingesprengt; in den unteren
Schichten kommt vielleicht etwas Bohnerz vor, doch
scheint auch dieses mehr auf die Nähe des Jurakalksteins beschränkt zu seyn; Braunsteinerz zeigt sich
nur in dentritischer Form auf Kluftflächen. Die Erzar-
muth der Molasse, namentlich der Mangel an Eisen-

---

*) Hehl, über das Vorkommen des Braunkohlensandsteins
oder tertiären Sandsteins in Oberschwaben. — Im Korrespondenzblatt des würtembergischen landwirthschaftlichen Vereins. B.
V, Jahrg. 1824, p. 1 — 23.

erzen, die untersten, mehr dem Jurakalk angehörigen Schichten abgerechnet, wird auch durch E b e l *)
bestätigt; dagegen ist derselbe geneigt, den Goldsand,
welchen mehrere Flüsse, z. B. die Reuss, die Aar
und auch der Rhein führt, und welcher in letzterem
sich namentlich bei Eglisau, Sekingen, Augst, zwischen Strasburg und Philippsburg, besonders aber zwischen Fort Louis und Germersheim findet, dieser Gebirgsart zuzuschreiben. Nach Z s c h o c k e hingegen **)
ist der Ursprung des Goldsandes und des ihn begleitenden chromsauren Eisensandes unbekannt.

Eigenthümlich sind die Stalaktiten, welche sich
bei Waldkönigsegge, zwischen Riedlingen und Ravensberg, südlich von Saulgau, in einem Steinbruche finden. Diese Stalaktiten, von meist konischer, birnen-
oder kolbenförmiger Gestalt, liegen in einer lichtok-
kerbraunen Sandschicht fast waagerecht und ziemlich
gleichförmig, die kleineren Stalaktiten oben, die grösseren unten, das dicke Ende stets nach Nordosten
gerichtet. Nach Herrn Professor S c h ü b l e r ist das
spezifische Gewicht der Sandsteinstalaktiten 2,593, des
schieferigen festen Sandsteins 2,535; sie enthalten in
100 Theilen:

	der Stalaktiten-sandstein.	der schieferige feste Sandst.
Quarzsand	57,9	64,5
kohlensaure Kalkerde.	39,6	32,5
Thon mit etwas Eiseno-xyd	2,5	3,0
	100,0	100,0

Die Molasse ist sehr deutlich geschichtet. Von
Tage nieder, unter der Dammerde, folgt zuerst eine
Lehmschicht, darauf feiner fester Sand, der in fe-
steren Sandstein übergeht. Bei Ueberlingen unter an-
dern soll nach S e l b dieser Sandstein so regelmässige
Schichten zeigen, wie künstliches Mauerwerk.

In den oberen Lehm- und Sandschichten finden
sich überaus viele Geschiebe der mannigfaltigsten pri-

---

*) E b e l, loc. cit., B. II, p. 41.
**) K a s t n e r s Archiv, II, 35.

mitiven und sekundären Gesteine; unter den letzteren namentlich rother Sandstein und Jurakalkstein.

Animalische Ueberreste finden sich nur selten. In den oberen Schichten des Waldkönigsegger Steinbruchs entdeckte Herr Bergath Hehl kalzinirte Muschelschalen, welche nach Herrn Professor Schübler dem Genus Mya angehören, und mit der Mya pictorum (L.) oder Myacites affinis (Schloth.) Aehnlichkeit haben dürften.

Vegetabilische Ueberreste finden sich häufiger. Sie bestehen theils aus wohl erhaltenen Blätterabdrükken, welche der Salix viminalis, Carpinus betulus und einem Cornus anzugehören scheinen, theils auch kommen kleine Stengel vor, welche einer Art Calamites angehören dürften. Diese Abdrücke haben stets eine schwarze kohlige Farbe.

Auch ganze Flötze von Braun - und Pechkohle finden sich in der Molasse bei der Hatterholzmühle, in der Nähe von Hasenweiler, 2 Stunden von Ravensberg, 2 — 3 Zoll mächtig, und auf eine Länge von 180 F. sichtbar, ferner unterhalb dem Steinbruche bei Oehningen und bei Menetzhofen, unweit Isny, südöstlich von Ravensberg; so auch bei Käpfnach unweit Horgen, auf dem westlichen Ufer des Züricher Sees, wo gleichzeitig Süsswasserschnecken, dem Geschlechte Melania angehörig, und Knochen von Landthieren mit vorkommen.

Die Lagerung, der mineralische Charakter und das Vorkommen der animalischen und vegetabilischen Ueberreste lassen die Molasse, als eine Süsswasserbildung, wahrscheinlich später wie die Kreide erscheinen, und vielleicht dem Argile plastique parallel stehend, welches auch mit der von Humboldt *) und von Brogniart **) aufgestellten Ansicht übereinstimmt.

Der Molasse aufgelagert finden sich noch viele andere tertiäre Bildungen, von denen die des Rhein-

*) Humboldt, essai géognostique, p. 304.

**) Des Lignites par Alexandre Brogniart. Im Dictionnaire des sciences naturelles, Vol. 26.

thales bereits genannt worden sind. Besonders aber, gehören auch zu diesen Süsswasserbildungen die schieferigen Kalkmergel, welche bei Oehningen, in dem Bühler Steinbruch und an einigen anderen Punkten gewonnen werden*). Sie ruhen auf Molasse, und neigen sich sehr schwach h. $7\frac{1}{2}$ Südost. Die Molasse bildet sehr wellenförmige Berge, die steil gegen Bollingen in das Thal der Ach abfallen. Der genannte Steinbruch liegt in einer Höhe von 1755 F., oder 567 F. über dem Spiegel des Rheins bei Stein, aber die Molasse erhebt sich noch um ein Beträchtliches, und wohl eben so hoch, wie die Trappkegel des benachbarten Högau.

VII. Süsswasserbildungen auf der Alp. — Geröllablagerungen.

Auf der schwäbischen Alp kommen kreideartige Bildungen und Süsswasserkalk vor, unter andern im Stubenthal bei Heidenheim und auf dem Michelsberge bei Ulm**). Bei Ulm besteht diese Bildung aus zwei Abtheilungen***). Die obere ist ein gräulich-weisser, harter, etwas poröser Kalkstein, erfüllt mit Heliciten, der Helix tristam im ausgewachsenen Zustande ähnlich, ausserdem kommen kleine Planorben, Lymneen, kleine Amphibulimen und eine kleine Süsswasserpatelle vor.

Die andere Abtheilung enthält keine Schnecken, und ist daher zweifelhaft; es ist ein dichter Kalkstein mit einigen krystallinischen Pünktchen, oder etwas feinkörnig. Die Schichten beider Abtheilungen, dem Jurakalk aufliegend, finden sich zwischen Ulm und Ursprung.

---

*) KARG, uber den Steinbruch zu Oehningen etc., in den Denkschriften der Naturforscher Schwabens, B. I, p. 74.

**) MEMMINGER, Beschreibung von Würtemberg, 2te Auflage, p. 191.

***) OMALIUS D'HALLOY, note sur lexistence du calcaire d'eau douce dans les départements de Borns et de l'Ombrone et dans le royaume de Würtemberg. Journal des mines, No. 192.

Ueber die Süsswasserbildung bei Steinheim, unweit Heidenheim, und im Stubenthale hat Herr Boué interessante Beobachtungen bekannt gemacht*). Dieselbe befindet sich in einem Bassin des Jurakalks, dessen innerer Umfang etwa eine halbe Meile, der äussere hingegen zwei bis drei Meilen betragen mag; denn das Bassin ist von 100 — 150 Fuss hohen Bergen umgeben, die sich sanft verflächen. In der Mitte dieses Bassins ist die Süsswasserbildung, und bildet zwischen Steinheim und Sontheim einen 80 Fuss hohen Hügel, etwa 7 Minuten lang, in der Richtung von Süd nach Nord, und etwa 5 Minuten breit. Zwei Abtheilungen lassen sich ziemlich wohl unterscheiden, eine untere, in welcher der Sand vorherrscht, und eine obere, meist von kalktuffartiger Beschaffenheit. Man bemerkt folgende Schichten von unten nach oben:

		F.	Z.
1)	Mergeliger Sand mit vielen Muscheln, von unbekannter Mächtigkeit.		
2)	Verhärtete Kalkmergel mit Bruchstücken von Fischen und Muscheln	2 F.	2 Z.
3)	Sandmergel mit vielen Muscheln.	10 —	— —
4)	Kalkmergel	1 —	— —
5)	Sandmergel mit drei verhärteten Bänken	1 —	3 —
6)	Kalkmergel	— —	1½ —
7)	Sandmergel mit Muscheln und drei verhärteten Schichten . . .	1 —	6 —
8)	Verhärteter Kalkmergel. . . .	— —	3 —
9)	Sandmergel mit Muscheln . . .	1 —	— —
10)	Kalkmergel	— —	3 —
11)	Gelblicher Sandmergel mit viel Muscheln.	1 —	— —
12)	Kalkmergel	— —	4 —

---

*) Ami Boué, note sur les dépôts tertiaires et basaltiques de la partie du Würtemberg et de la Bavière, au nord du Danube. Annales des sciences naturelles, T. 2, Mai 1824, p. 5 — 12. Auch Schroeter hat in dem 18ten Stück des Naturforschers, Halle 1782, eine Abhandlung über die Versteinerungen von Heidenheim geschrieben, und schon Keysler, in seinen Reisen durch Teutschland, Böhmen und Hannover etc., 1751, p. 95, erwähnt dieser Gegenden.

13) Brauner Sandmergel mit wenig
   Muscheln . . . . 1 F. 6 Z.
14) Gelblicher und weisslicher Sand
   mit Muscheln . . . . 1 — 3 —
15) Verhärteter Kalkmergel . . . . — — 1 —
16) Wie 14 . . . . 1 — 4 —
17) Wie 12 . . . . — — 2 —
18) Wie 14 . . . . 1 — — —
19) Wie 12 . . . . — — 2 —
20) Sandmergel . . . . 1 — — —
21) Wie 12 . . . . — — 1 —
22) Sandmergel mit drei verhärteten
   Kalkmergelschichten . . . . . 3 — — —
23) Darauf folgt eine Bank von braunem, hartem Süsswasserkalk, mit
   kleinen Höhlungen, tuffartig, und
   etwa mächtig . . . . 30 bis 40 — — —

Die Muscheln liegen vorzüglich in den sandigen
Mergeln; es sind grosse und kleine Paludinen (?), die
in ihrer Form sehr wechseln, bald eine erhobene
Windung zeigend, nach Art der Paludinen, bald ab-
geplattet, wie die Planorben. Ausser diesen häufig
vorkommenden Muscheln kommen auch Lymneen
und grosse Heliciten, auch Bruchstücke von Fischen
und Fischskeletten vor, und Lupin fand einen sandigen Kalkstein mit Potamiden. In dem dichten
Kalkstein ist die Anzahl der Muscheln nicht so gross;
dagegen finden sich Ueberreste von Sumpfpflanzen.

In der Uebersicht über die Versteinerungen Wür-
tembergs wird bemerkt, dass sich ausgezeichnet schöne
Heliciten von mannigfaltigen grösseren und kleineren
Arten, namentlich:

Helicites sylvestrinus,
   — globositicus, und
   — trochiformis, neue Species,

in diesem, in seinen oberen Schichten etwas kreideartigen Süsswasserkalk finden, so wie Abdrücke von
Fischen und oft noch ganz gut erhaltene Fischgräten.

Bei Schwenningen findet sich ein tuffartiges Gestein mit Süsswasserschnecken, besonders Heliciten[*].

---

*) STURM, Versuch einer Beschreibung von Schwenningen, p. 21.

Endlich gehören noch hierher die durch die in
ihrer Nähe gefundenen Elephantenknochen bekannten
Tuffkalklager von Canstadt bei Stuttgart. Es ist dies
ein grau- oder gelblich-weisser poröser Kalkstein, in
dem sich Heliciten, Planorben und andere Süsswasserschnecken gleichzeitig mit vegetabilischen Ueberresten finden. Merkwürdig sind runde Röhren, die
wohl 10 — 15 F. tief in etwas geneigter Lage den
Kalkstein durchsetzen; sie sind hohl oder mit gelbem
zerreiblichen Ocker ausgefüllt; man hat sie für Ueberreste palmenartiger Gewächse angesprochen. Die
ganze Bildung ruht auf rauchgrauem Kalkstein, und
erreicht stellenweise eine ansehnliche Mächtigkeit.
Sie wird von Flussgeröllen bedeckt, die aus weissem
Kalkstein der Alp bestehen; diese bilden eine Breccie,
der Nagelfluhe ähnlich, die sich an dem Kahlenstein
bei Canstadt wohl 100 — 150 F. über den gegenwärtigen Spiegel des Neckars erhebt. Nach der mehr
angeführten Uebersicht der Versteinerungen Würtembergs*) enthalten die Kalktufflager bei Canstadt hier
und da Knochenfragmente, Hirschgeweihe u. s. w.
Die Ueberreste von Elephanten, Mammuths, Hiänen,
Wölfen, Hirschen, Ochsen u. s. w. finden sich aber
nicht in diesem Kalktuff, sondern in den Sand- und
Lehmlagern, welche denselben bedecken. Dagegen
kommen sehr schöne Blätterabdrücke, den Erlen-
und Ahornblättern nicht unähnlich, in dem Kalktuff
vor, so wie Pflanzenabdrücke, welche mit Arten der
Gattungen Carex, Arundo, Scirpus und Typha Aehnlichkeit besitzen.

In den Kalktufflagern am Bläsiberg bei Tübingen
kommen manchmal schöne Exemplare der Chara vulgaris vor.

Aehnliche Geröllablagerungen, wie die bei Canstadt, finden sich häufig in den meisten Flüssen, sie
zeigen sich in ganz besonderer Menge im Rheinthal

---

*) Korrespondenzblatt des würtembergischen landwirthschaft-
lichen Vereins, B. VII, Juli und August 1824, p. 19 — 26 u. 88.

Auch enthalten MEMMINGERs Jahrbücher mehrere Nachrichten über das Vorkommen der Knochen bei Canstadt.

von Schaffhausen bis Basel*). Hier herrschen primitive Gesteine vor, mit Jurakalk vermischt; sie sind
durch einen feinen Sand und durch ein kalkiges Cement verbunden.

In dem Wiesenthale finden sich ähnliche Geröllablagerungen, in dem Birs- und Ergolzthale bestehen
die Gerölle meist aus Jurakalk. Sehr mächtige Geröllablagerungen bedecken den südöstlichen Fuss der
Alp und die Bildungen der Molasse, diese Geröllablagerungen erstrecken sich weit in die Hochebene
Baierns hinein.

2. Trappformation.

Das ältere Saarbrücksche Trappgebirge abgerechnet, erscheint die Trappformation nur an wenig, sehr
zerstreut liegenden Punkten. Auf dem linken Rheinufer gehört der Basalt zu den Seltenheiten, sein Vorkommen ist nur an drei Punkten bekannt geworden.

Der erste ist bei Essay, südlich von Lüneville;
hier entdeckte Herr Doktor Gaillardot in Lüneville einen charakteristischen Basalt in dem Gebiete
des rauchgrauen Kalksteins; sein Vorkommen ist nur
auf einen ganz kleinen Raum beschränkt.

Bei Deidesheim, unweit Dürkheim, in der Hardt
finden sich auf den Feldern lose Basaltsäulen**), auch
soll das Gestein hier anstehen.

Zwischen Ebersbach und Reichshofen ist der
dritte Basaltpunkt***). Der Basalt bildet horizontale
Säulen, sein Vorkommen ist auf den Umfang von einigen Hundert Schritten beschränkt, und eigentlich
nur in einem kleinen Steinbruch entblösst; rings um
ist Griphitenkalk anstehend. Er erhebt sich nur zu
einer Höhe von 742 F., und erreicht noch nicht einmal die Höhe der nächsten Kalksteinberge; er bildet
gegen das Ende eines flachen Thales einen kaum 30
— 40 Fuss hoch, flach ansteigenden Hügel.

---

*) Merian, Beiträge, p. 129 — 142.

**) Noeggerath, Rheinland Westphalen, B. I, p. 247.

***) Schreiben des Herrn Drion in Leonhards Taschen-
buch, X. Jahrgang, 2. Abtheilung, 1816, p. 580.

Nach Herrn Steininger*) erheben sich bei Bombogen, eine Stunde östlich von Wittlich, aus dem niedrigen Boden des rothen Sandsteins zwei Kegelberge, grösstentheils aus rothem Sandstein bestehend. An dem südlichsten dieser Berge befinden sich mehrere Steinbrüche, und hier sieht man das Gestein von zwei Basalttuffgängen durchsetzt. Einige Stunden östlich von hier liegen die bekannten Basalt- und Schlakkenmassen der Gegend von Bertrich. Dieses Vorkommen gehört aber schon den vulkanischen Bildungen der Eifel an, und ist hier nur beiläufig zu erwähnen.

Auf dem rechten Rheinufer erscheint die Trappformation mannigfaltiger und weiter verbreitet. Eine der bedeutendsten Massen bildet den Kaiserstuhl**).

Von Freyburg aus erscheint 'das erste Trappgestein in dem Dorfe Lehn. Es ist ein basaltischer Wakkengang, 2½ F. mächtig, h. 3 seiger fallend, die Schichten des Griphitenkalks durchsetzend, welche keine Veränderung erlitten haben. Dieser Gang ist in einem Steinbruch entblösst, den er der Länge nach durchsetzt, daher sich die gangartige Natur deutlich beobachten lässt.

Bei Oberschaffhausen ist plattenförmiger Klingstein anstehend. Die Grundmasse lichtgrau, an den Kanten durchscheinend, etwas körnig-splitterig. Darin glasiger Feldspath und kleine schwarze Körner,

---

*) STEININGER, Gebirgscharte der Länder zwischen dem Rheine und der Maas, 1822, p. 74.

**) Die wichtigsten Nachrichten, welche zeither über den Kaiserstuhl erschienen, sind folgende:

DE DIETRICH, description d'un volcan découverte an 1774 près le vieux Brisach. Journal de physique, T. XXIII, an 1783, p. 161 — 184. Auch in den Mémoires des savans etrangers, T. X, p. 443.

DE SAUSSURE, observations sur les collines volcaniques du Brisgau. Journal de physique, an 2, T. I, an 1794, pag. 325 — 362.

SELB, Frequenz des Augits am Kaiserstuhl im Breisgau. In den mineralogischen Studien von LEONHARD und SELB. Nürnberg 1812, B. I, p. 67.

SELB, Beweis für die Vulkanität der Basaltberge in Schwaben. Nebst einer Charte vom Kaiserstuhl. In LEONHARDS Taschenbuch, Jahrg. 1823, Abth. 1, p. 3 — 54.

wahrscheinlich von Augit. Auf den Klüften ist Zeo-
lith, Kalkspath und Bohl. Dieses Gestein zieht über
Bötzingen nach Eichstädten, und ist nur auf diese
Punkte beschränkt.

Zwischen den neun Linden, dem höchsten Punkt
des Kaiserstuhls (1674 F.), und dem Eichelspitz zieht
die Lössbedeckung hoch hinauf, nur an den höchsten
Punkten geht Gestein zu Tage. Die Grundmasse ist
grau, körnig-splitterig, und enthält viele Augitkörner. Dieses Doleritgestein verwittert leicht, die Grundmasse wird dann schmutziggelblich-weiss, und die
kleinen Augitkrystalle recht sichtbar. Es findet sich
häufig an dem Kaiserstuhl, und auch die neun Linden bestehen aus demselben.

Höher im Thale tritt ein etwas körniger, unregelmässig zerklüfteter, röthlich-brauner Eisenthon
auf. Er enthält gelbe Krystalle und einzelne Parthien,
welche dem Gestein ein breccienartiges Ansehen geben, obgleich es keine Geschiebe zu seyn scheinen.
Sie haben eine graue Farbe, und enthalten kleine,
gelblich-rothe, verwitterte Olivinpunkte, und kleine
weisse Zeolithparthien.

An dem der Voigtsburg zugewandten Abhange
tritt unter der Lössbedeckung wakkenartiges Gestein
hervor, sehr zerklüftet und scheinbar verwittert. Es
ist ebenfalls doleritartig, grau, erdig-körnig, und
scheint aus verschiedenartigen Fossilien zu bestehen.
Besonders unterscheiden sich weisse flimmernde Pünktchen; Augitkrystalle liegen häufig darin, zum Theil
in eine gelbe erdige Masse verwittert, nur noch im
Innern einen schwarzen Kern zeigend. In diesem
Gestein kommt theils auf Klüften, theils in einzelnen
Massen ein hellgelblich-weisser, sehr feinkörnig-kry-
stallinischer, sinterartiger Kalkstein vor. Bisweilen,
und besonders tiefer am Berge, werden diese Kalkmassen mächtiger, sie wechseln in unregelmässigen,
fast horizontalen Lagen mit dem Trappgestein, und
nähern sich schon mehr dem Kalkstein, der auf dem
andern Thalgehänge eine ganze Bergreihe bildet.

Vorzüglich in den Bergen zwischen den von
Voigtsburg nach Schelingen und Oberbergen laufenden Thälern findet sich dieser eigenthümliche Kalkstein.

In dem ersten Steinbruch bei Voigtsburg ist der Kalkstein undeutlich geschichtet, h. 1¼ Nord 15 Grad fallend. Die Hauptmasse ist grossblätterig-grobkörniger Kalkstein, oft nur aus einer Zusammenhäufung von Rhomboedern bestehend, oft aber auch fester zusammen gewachsen. Unter demselben steht ein sehr festes Trappgestein an, auf welchem der Kalkstein zu ruhen scheint. Dieses Gestein zeigt besonders dieselben flach gegen Norden fallenden Zerklüftungen, wie der Kalkstein. Es ist von grauer Farbe, splitterig-körnig. Metallisch glänzende Punkte von Magnet- oder Titaneisen und feine Kalkspathadern liegen darin. In einem zweiten Bruche enthält der Kalkstein schöne gelblich-braune Glimmerblättchen und Trappmassen, die sich gangartig an einander reihen, oder, elliptische Schalen bildend, einen Kern von Kalkstein umschliessen; ähnliche unförmliche Massen finden sich auch in dem Kalkstein des ersten Steinbruches, und geben demselben, so wie die Glimmertafeln, ein eigenthümliches Ansehen. In dem zweiten Steinbruch durchsetzt ein aufgelöstes, graues, wakkenartiges Gestein mit glasigem Erdspath, einige Zoll mächtig, gangartig den Kalkstein, welcher, ausser dem Glimmer, Titaneisen und grüne specksteinartige Massen enthält. An dem Ende des Berges bei Oberbergen tritt wieder doleritartiger Trapp in dem Thale hervor, während die Höhe noch aus Kalkstein besteht.

Dieses wakkenartige Gestein wird von einem 6 — 8 F. mächtigen, h. 4 West 60 Grad fallenden Klingsteingang durchsetzt. Dieser Klingstein ist in Säulen zerklüftet, die senkrecht auf den Seitenwänden des Ganges stehen. Er enthält viele fremdartige Fossilien, Augit oder basaltische Hornblende in grossen Parthien, Melanit, Titaneisen, Magnetkies u. s. w.

Mehrere Schriftsteller über den Kaiserstuhl haben die Spuren eines Kraters in demselben zu finden geglaubt, unter andern v. Dietrich und noch neuerdings Kolb*). Dieser Krater soll zwischen Oberber-

---

*) Kolb, historisch-statistisch-topographisches Lexikon vom Grossherzogthum Baden, II, p. 111.

;en und Bikensohl, in der Nähe des letzteren Ortes
iegen, möchte aber wohl noch einer näheren Bestä-
igung bedürfen; denn die Angabe ist ungewiss und
iöchst wahrscheinlich unrichtig.

Zwischen Rothheim und Leiselheim findet sich
das Gestein, in dem Herr Selb den Leuzit entdeckte *). In einer lichtgrauen Grundmasse liegen sehr
deutliche Leuzitkrystalle, kleine, aber schöne Mela-
nitkrystalle und verwitterte Augitkörner.

Gegenüber liegt eine Hügelreihe von Trappkon-
glommerat, aus ähnlichen Konglommeraten und auch
aus Mandelstein soll der Berg bestehen, auf welchem
Breisach liegt.

Bei Bischoffingen steht unregelmässig zerklüfteter
röthlich-brauner Eisenthon an. Ein Gang, dem bei
Bergen ähnlich, 5 — 6 F. mächtig, in Säulen senkrecht gegen die Seitenflächen zerklüftet, h. 12 60
Grad Nord geneigt, durchsetzt das Gestein. Die
klingsteinartige Gangmasse enthält Glimmer, Quarz,
Feldspath, Kalkspath, Zeolith. Ein ähnlicher Gang
setzt höher am Berge auf, und scheint dem ersteren
parallel.

Noch höher findet sich ein eigenthümliches tra-
chitartiges Gestein; die Grundmasse ist grünlich-grau,
körnig und viel glasiger Feldspath darin. Dicht daneben ist wieder das gewöhnliche wakken- und ei-
senthonartige Gestein. Der Trachit ist säulenförmig
zerklüftet, und enthält grosse runde Massen von glasigem Feldspath, in denen mehrere Fossilien, unter
andern auch Spinellan (?), vorkommen.

Der Lützelberg bei Leiselheim und Saspach wird
durch ein Thal von dem eigentlichen Kaiserstuhl getrennt. Hier ist das Gestein höchst feinkörnig, aus
feinen, fast ziegelrothen und grünen Pünktchen zusammengesetzt, die innig in einander verfliessen.
Darin liegen Parthien von Olivin, meist verwittert
und von rother und gelber Farbe; sie scheinen mit
jenen rothen Pünktchen zusammen zu hängen, welche

---

*) Mineralogische Studien von Leonhard und Selb, B. I,
pag. 54.

vielleicht auch Olivin seyn mögen. Dieses Gestein
enthält Massen von dunkelschwarzem Basalt mit Olivin, und an dem Ufer des Rheins tritt dieser Basalt
in noch grösserer Menge hervor. Es ist der einzige
Punkt, wo sich an dem Kaiserstuhl wahrer Basalt zeigt.
An dem nahe liegenden Limburger oder Mahl-
berge kommt Mandelstein vor, dessen Grundmasse
dunkelröthlich-brauner Eisenthon mit sehr vielen Au-
gitkrystallen ist. In ihm findet sich schöner Bitterkalk, Arragonit und Kalkspath. Hier entdeckte auch
Herr Professor W a l c h n e r den Hyalosiderit, ein
Fossil von lebhaft glänzender Messingfarbe, in kleinen
Octaedern, mit quadratischer Grundfläche, krystallisirt,
in seiner Mischung und in seinem Verhalten manchen
krystallinischen Eisenschlacken nicht unähnlich*). Ein
anderes, dem Sodalit oder grünen Elaeolith nahe kom-
mendes Fossil des Kaiserstuhls ist von I t t n e r beschrieben und von G m e l i n analysirt worden**). Den
Bitterkalk von Limburg hat J o h n ***) analysirt; dieses Fossil, früher als dichter Arragon bekannt, enthält 40,33 Prozent kohlensauren Talk. Der stengliche
Arragonit des Kaiserstuhls enthält nach S t r o m e y e r s
Analyse****) 2,46 Prozent kohlensauern Strontian; er
findet sich bei Burkheim, nach den Beobachtungen
des Herrn S e l b, in einem dichten, meist leberbraunen Basalt, der viel Augit und Titaneisen enthält,
und von vielen Spalten durchsetzt wird. Bei Ihringen
und Niederrothweil kommt nach v o n L e o n h a r d s

---

*) F r. W a l c h n e r, de Hyalosiderite disquisitio mineralogi-
co-chemica. Fryburg 1822.
H a u s m a n n, Bemerkungen über den Hyalosiderit und sein
Verhältniss zum Peridot und zur krystallisirten Eisenschlacke.
L e o n h a r d s mineralogisches Taschenbuch für 1824, p. 40.

**) I t t n e r, in der Eleutheria, III, p. 29.
G m e l i n, vergleichende Untersuchung eines Fossils vom Kaiserstuhl in Freyburg und des grünen Elaeoliths von Lauerwig
in Norwegen. Journal für Chemie und Physik, Jahrg. 1822, B.
XXXVI, p. 74.

***) J o h n, chemische Schriften, B. V, p. 199.

****) S t r o m e y e r, Untersuchungen über die Mischung der
Mineralkörper, B. I, p. 74.

Angabe *) Hyalith als traubiger Ueberzug des doleritartigen Gesteins vor, auch soll sich Nephelin in dem
Dolerit des Kaiserstuhls finden **).

Bei Mahlberg, zwischen dem Kaiserstuhl und
Lahr, kommt die Trappformation in sehr beschränk-
ter Ausdehnung vor. Nach Beyer ***) liegt das
Schloss Mahlberg auf einem mässig hohen, isolirten
Berge, der aus gräulich-schwarzer Wakke besteht,
die viel Kalkspath enthält und viele Basaltstücke von
verschiedener Grösse einschliesst. Nach Selb ist die
Masse dieses Berges ein gewöhnlicher Basalt, mit vielem Olivin, aber ohne eine Spur von Augit.

Ansehnliche Trappmassen befinden sich in dem
Högau, und unter ihnen zeichnet sich besonders die
fast senkrechte Felsmasse des Hohentuil aus, die sich
2111 F. über das Meer und 793 F. über die benach-
barte Ebene erhebt. Dieser ganze Kegel besteht aus
Klingsteinporphir von gelblich-grauer Grundmasse,
mit einzelnen Krystallen glasigen Feldspaths und sparsamen dunkeln Glimmerschüppchen ****). Stellenweise
ist das Gestein senkrecht plattenförmig zerklüftet;
auch wird es von kleinen Natrolithadern durchsetzt †).
Nach Klaproths Untersuchungen enthält der Natrolith 16,5 Prozent Natron, oder etwa doppelt so viel,
wie der Klingstein, in dem er eingewachsen ist, und
dessen Grundmasse wegen ihres Natrongehalts mehr

---

*) v. Leonhard, Charakteristik der Felsarten, p. 123.

**) v. Schmitz, Bullet. philomat., 1822, p. 176.

***) Beyer, Beiträge zur Bergbaukunde, p. 26.

****) Selb, über den Hoeganit, nunmehr Natrolith genannt,
nebst einigen geognostischen Bemerkungen über die Gegenden im
Högau etc. Der Gesellschaft naturforschender Freunde zu Berlin
neue Schriften, B. IV, Jahrg. 1803, p. 395.
Klaproth, Beiträge zur chemischen Kenntniss der Mineralkörper, B. V, p. 44.

†) Manuel, mineralogische Beschreibung der Gegend von
Hohentuil im Högau. Denkschriften der Naturforscher Schwabens,
B. I, p. 266.
Brard, in den Ann. du Mus., T. XIV, p. 369.
Selb, in Leonhards Taschenbuch, Jahrg. 1823, Abth. 1,
pag. 3 u. f.

Albit als Feldspath zu seyn scheint. Ausser dem Natrolith findet sich auch Leuzit *). . Mit Ausnahme des
dem Achthale zugekehrten Abhanges ist der Kegel
von mächtigen Konglommeratschichten umgeben, die
sich bis zur halben Höhe des Berges erheben, und
um denselben ein kleines Plateau bilden. Dieses Konglommerat besteht aus einer bräunlich-gelben, wak-
kenartigen, lockeren Grundmasse, die auf das Man-
nigfaltigste zusammengesetzt ist. Man findet aber auch
in derselben, ausser Geschieben von Jurakalk und
sparsamen kleinen Stücken von Basalt, runde faustgrosse Stücke von Granit, Gneuss und bläulich-grauem
Kalkstein, was um so interessanter ist, da ähnliche
Gesteine in der Nähe nicht anstehen. Nach Herrn
Selb ist die Hauptmasse dieser merkwürdigen Konglommeratbildungen von thoniger Beschaffenheit, grau,
gelblich-braun, porös und rauh anzufühlen. Sie enthält viele Granitgeschiebe, welche den Schweizeralpen
angehören. Bisweilen zeigt die Grundmasse konzentrischschalige Absonderung, oder ist nach allen Richtungen geborsten, die Spalten mit einer Art von
Thonsteinporphir, oder mit halbopalartigen Massen
ausgefüllt. Dieses Konglommerat ist ziemlich weit
verbreitet, jedoch nur auf die Gegend der Trappkegel beschränkt. Er findet sich auf dem südlichen
Fusse des Hohentuil, zieht von hier westlich bis über
Hilzingen hinaus, umlagert die Felsenkuppe Staufen,
begrenzt den kleinen Klingsteinfelsen Gennersbohl,
und zeigt sich ebenfalls an dem Hohenkrähen und
Mägdberg. Die Beschaffenheit dieses Konglommerats
ist sehr mannigfaltig; ausser den sehr zahlreichen Geschieben finden sich in demselben dunkele Glimmerblättchen, Nieren von Grünerde, basaltische Hornblende, Wakke, Basalt, Trippel und Thonstücke,
welche durch Einwirkung von Hitze verändert scheinen. An dem Hohenhöwen scheint dieses Konglommerat

---

*) Selb, zweiter Fundort der Leuzite in Teutsch-
land. In Leonhards Taschenbuch, 1815, IX. Jahrgang, 2te
Abth., p. 359.

merat sogar mit dem Trappgestein lagerartig zu wechseln*).

Aus ähnlichen Trappgesteinen bestehen der Hohenstoffeln oder Hohenstaufen, der Staufen, der Hohenhöwen, der Mägdberg, Hohenkrähen u. s. w. Namentlich dieser letztere bildet einen sehr spitz zulaufenden Kegel, aus Klingsteinporphir bestehend, der häufig dünn-plattenförmig zerklüftet ist. Nach Herrn Selb ist zwar die Hauptmasse aller dieser Kegelberge Klingsteinporphir, aber der Hohenstoffeln, Hohenhöwen und Höweneck, so wie weiterhin der Wartenberg, bestehen aus dunkelem graulich-schwarzen Basalt; diese Berge liegen westlich der Klingsteinporphire, ziemlich genau in der Richtung von Süden nach Norden.

In der schwäbischen Alp kommen trapp-, zumal basalt- und wakkenartige Gesteine an einigen Punkten vor, unter andern an dem Wartenberge bei Geissingen unweit Fürtenberg.

Basalt findet sich lose in grösseren und kleineren Stücken bei Dottingen auf dem Eisenrüttel**), 1⅛ Stunden von da, bei Offenhausen auf dem Sternberge***) und im Faitel - oder Vöhrenthal bei Urach. Anstehend in einigen Fuss mächtigen Bänken, zugleich mit Trapptuff, kommt er am Jusiberge, bei Kappishausen und Kohlberg vor. Auf dem Sternberge wird der Jurakalk in der Nähe des Basalts dolomitartig.

---

*) Dies scheint aus einer Notiz des Grafen RASUMOFSKY (Intelligenzblatt der allgemeinen Literaturzeitung, 1791, No. 139, daraus in VOIGTS Magazin der Physik, VIII. B., 1. Stück, p. 183, und in dem bergmännischen Journal, V. Jahrg., B. I, 1792, p. 190) hervorzugehen, wo die angezogene Stelle also lautet: „Nur auf dem Hohenhöwen erkennt man noch die Gestalt der alten Lavaströme, und zwar an der Stelle, wo der Hügel vor 20 Jahren eingestürzt ist, und wo die Laven mit Lagen von vulkanischen Breccien abwechseln.

Auch in dem 3. Bande der Alpina, p. 314, ist diese Stelle aufgenommen.

**) MEMMINGER, Beschreibung etc., 2. Auflage, p. 192.

***) NOERDLINGER, Beschreibung des Sternberges bei Offenhausen etc. Denkschriften der Aerzte und Naturforscher Schwabens, p. 481.

II.

[27]

Basaltische Wakke oder Basalttuff, durch Härte ausgezeichnet, findet sich im Jurakalk der Hepsisauer und Raubersteigs in Lagern, 18 — 20 F. mächtig, am Jusiberge und dem kegelförmigen Karpfenbühl bei Dottingen unter Urach*), wo er magnetische Polarität besitzt. Ein anderer Basalttuff, mit eingewachsenem Glimmer, Augit und Hornblende, kommt bei Ehningen, unweit Reutlingen, so wie der vorige an der Grenze des Jurakalks und Eisensandsteins, gegen 100 Fuss mächtig, vor.

Oestlich von Bopfingen, in einem flachen, gegen das Ris auslaufenden Thale, unweit des Herrenhofes, findet sich ein in senkrechte dreiseitige Säulen abgesondertes Gestein. Von demselben einige Hundert Schritte entfernt kommen trassartige Massen vor, die eingewachsene schwarze, schlackenartige Massen in ½ — 1 Zoll starken Adern enthalten. Diese Gesteine werden gebrochen und zu Backöfen benutzt. Das spezifische Gewicht dieser trappartigen Gesteine hat Herr Professor Schübler untersucht**). Der Basalt des Eisenrüttel besitzt das grösste spezifische Gewicht, 3,07 bis 3,10, das der Basalte von Sternberg, vom Jusiberge, zwischen Urach und Grabenstädten, beträgt 2,9. Das spezifische Gewicht der Basaltkonglommerate ist von 2,3 — 2,9, in der Regel 2,6 — 2,7. Der Trass und die trassartigen Konglommerate haben ein spezifisches Gewicht von 1,8 — 2,3, und sind daher schwerer, wie der Trass von Andernach, dessen spezifisches Gewicht im trockenen Zustande nur 1,66 beträgt.

Auf der Höhe der Alp, bei Böringen, soll nach Herrn Professor Schübler ***) oft in bedeutenden Massen Kieseltuff, dem Jurakalk aufgelagert, vorkom-

---

*) SCHUEBLER, in LEONHARDS Zeitschrift für Mineralogie, Februar 1825, p. 154.
In MEMMINGERS Jahrbüchern der Vaterlandskunde Würtembergs, Jahrg. 1824, H. 2, befindet sich ein interessanter Aufsatz des Herrn Pr. SCHUEBLER über die Höhlen und den Basalt der Alp.
**) v. LEONHARD, Zeitschrift für Mineralogie, No. 3, März 1825, p. 235.
***) SCHUEBLER, loc. cit. LEONHARDS Zeitschrift, p. 123.

men; hier und da enthält derselbe Feuersteine, und
eine Stunde entfernt findet sich Basalttuff; beide
Gesteine scheinen jedoch in keiner Verbindung zu
stehen. Herr von Leonhard zweifelt an der Aecht-
heit dieses Kieseltuffs, und hält denselben für ein in
Trapptuff eingeschlossenes, durch vulkanische Agen-
zien umgewandeltes Gestein.

Ein eigenthümliches trappartiges Gestein findet
sich auf dem ziemlich hohen Steinsberg bei Sinzheim,
die Umgegend besteht aus rauchgrauem Kalkstein und
bunten Mergeln.

Der letzte kegelförmige Absatz des hohen Kaz-
zenbuckels bei Erbach im Odenwalde besteht aus Dolerit, welcher aus rothem Sandstein emporsteigt. In
demselben ist vom Herrn Hofrath v. Leonhard *)
Mesotyp und Nephelin entdeckt worden. Letzterer
findet sich, in kleinen krystallinischen Parthien zerstreut, in dem doleritartigen Gemenge. Er ist mit
dem frischen Gestein fest und innig verwachsen, und
in manchen Abänderungen so häufig, dass er als we-
sentlicher Gemengtheil erscheint. Der höcht feinkörnige Dolerit enthält die reinsten, am meisten glasig
glänzenden Nephelinkrystalle, aus dem etwas zersetz-
ten Gestein ragen die Säulen des Nephelins hervor,
welche nach und nach ebenfalls in eine graulich-
weisse erdige Substanz verwittern.

Basaltische Gesteine finden sich in geringer Ausdehnung unweit Auerbach, an der Bergstrasse, im
primitiven Gebirge.

Bei Hering, nordöstlich vom Mölibokus, und bei
Grosswallstadt treten basaltische Gesteine aus dem
rothen Sandstein hervor.

Gegen den Main hin, und namentlich auf dem
rechten Ufer, tritt Basalt in Menge an vielen Punkten auf, die auf der Charte, so weit solches möglich
war, angegeben worden sind. Sie gehören schon
dem Zuge basaltischer Trappgesteine an, welche sich
in der Richtung des grossen Schiefergebirges aus der
Eifel bis nach Thüringen und Sachsen erstrecken.

*) v. LEONHARD, Chatakteristik der Felsarten, p. 123.
Derselbe, über Nephelien und Dolerit, 1822.

3. Kurze Uebersicht der beschriebenen Flützgebirgsformationen.

Das lothringische und schwäbische Flötzgebirge besteht aus folgenden Gebirgsformationen:

1) Rother Sandstein, in dem sich folgende Bildungen vereinigen:
   a) Rothe Thon- und Hornsteinporphire und Porphirkonglommerate.
   b) Eigentlicher rother Sandstein.
   c) Rother Schieferletten, bunte Mergel und Gips.

2) Rauchgrauer Kalkstein, bestehend aus rauchgrauem Kalkstein mit etwas grauem Thon und Mergel, und einer Einlagerung von Gips, Salzthon und Steinsalz.

3) Formation der oberen bunten Mergel, aus folgenden, keine regelmässige Ordnung beobachtenden Schichten bestehend:
   a) Salzthon, Mergel, Gips, Anhydrit und Steinsalz.
   b) Grauer Schieferthon und Vitriolkohle.
   c) Rothe und graue thonige Sandsteine.
   d) Bunte Mergel und Mergelkalksteine.
   e) Obere Gipseinlagerung mit bunten Mergeln.
   f) Bunte Mergel und Mergelkalksteine.
   g) Bunte thonige Sandsteine.
   h) Bunte Mergel.
   i) Weisse Quarzsandsteine.

4) Formation des Griphitenkalks, bestehend aus:
   a) eigentlichem Griphitenkalk,
   b) bituminösen schieferigen Mergeln.

5) Formation des eisenhaltigen Sandsteins, bestehend aus einem weissen Quarzsandstein, mit Einlagerungen von körnigem Thoneisenstein und grauem Mergel.

6) Formation des Jurakalksteins, aus folgenden, jedoch nicht überall vorkommenden Schichten bestehend:
   a) Aelterer oolithischer Jurakalk.
   b) Hellgraue Mergel und Mergelkalksteine.

c) Dichter Jurakalkstein.
d) Jüngerer oolithischer Jurakalk.
e) Bildungen von Eisenniere und Bohnerz.
f) Breccienartige Jurakalksteine.
g) Uebergang von Jurakalk in Kreide.

7) **Tertiäre Bildungen**, bestehend aus:
  a) Molasse, nebst Bildungen von Nagelfluhe, Braunkohle und Bergtheer,
  b) Cerithenkalk mit zugehörigen Sandsteinen,
  c) Süsswasserkalk,
  d) Sandstein und Löss,
  e) Anschwemmungen von Flüssen und Geröllablagerungen.

Die Schichten sind von dem Liegenden in das Hangende gezählt. Unter allen diesen Bildungen liegt aber noch an einem Punkte des Spessarter Waldes die **Kupferschieferformation**, bestehend aus:
  a) Grauliegendem,
  b) einem Kupferschieferflötz,
  c) Dachgestein,
  d) einer Einlagerung von Eisenstein, und
  e) einem mergel- und dolomitartigen Kalkstein.

Ueber die Altersfolge dieser 8 Hauptgruppen findet keine Verschiedenheit der Ansichten statt. Auch die Zulässigkeit derselben ist in der Natur gegründet, und wenn auch in einzelnen Gegenden eine oder die andere Gruppe mit der ihr zunächst liegenden zusammen zu fallen scheint, so ist dies doch nur Folge der Lokalität oder geringer Entwickelung; denn meist tragen alle Gruppen einen sehr selbstständigen Charakter.

Versucht man aber diese Gruppen in das allgemeine geognostische System einzutragen, so wird eine grosse Verschiedenheit der Ansichten sichtbar, zum Theil wohl entstanden, weil die meisten Geognosten, welche über diese Gegenden geschrieben haben, ihre Beobachtungen nur auf einzelne Bezirke beschränkten. Zur besseren Uebersicht ist es zweckmässig, die einzelnen Gruppen der Reihe nach durchzugehen.

1. Die Kupferschieferformation.

Die Analogie der bei Bieber vorkommenden Kupferschieferformation mit der grossen mansfeldischen, mit der des thüringer Waldes, an dem Fusse des Harzes, bei Riegelsdorf u. s. w. ist noch nicht in Zweifel gezogen worden. Es würde daher diese Gegend einen höchst wichtigen Vergleichungspunkt zwischen Nord- und Südteutschland darbieten, wenn die Verbreitung der Kupferschieferformation nicht so sehr gering wäre. Doch bleibt diese Gegend immer von Wichtigkeit für die Bestimmung der Formation des rothen Sandsteins, weil es hier wenigstens fest steht, dass der rothe Sandstein dem Kupferschiefer aufliegt.

2. Rother Sandstein.

Der rothe Sandstein erscheint unter so mannigfaltigen Verhältnissen, dass die Verschiedenheit der Ansichten, welche dadurch veranlasst wurde, nicht auffallen kann, obgleich dieselbe auf die Bestimmung aller andern nachfolgenden Formationen den grössten Einfluss ausübt. Wesentlich finden jedoch nur zwei verschiedene Ansichten statt, nach denen dieser Sandstein entweder für Rothliegendes oder für bunten Sandstein angesprochen wird.

Die erste Ansicht ist von Charpentier, Kleinschrodt, Hundshagen, von Leonhard und mehreren schwäbischen Geognosten ausgesprochen, aber eigentlich nicht direkt bewiesen, sondern mehr als schon bekannt und angenommen vorausgesetzt worden. Dagegen haben schon früher Nöggerath und Freisleben [*]), neuerdings Steininger, und besonders Merian in der vortrefflichen Beschreibung des Kantons Basel, endlich ganz kürzlich Herr Hofrath Hausmann [**]) diesen Sandstein als der Formation des bunten Sandsteins angehörig angesehen, und auch Herr Keferstein [***]) ist dieser Ansicht beigetreten.

---

[*]) Nöggerath, Beschreibung des Bleiberges bei Commern. Annalen der wetterau'schen Gesellschaft für die gesammte Naturkunde, B. III, p. 29.

Freisleben, geognostische Arbeiten, B. I, p. 99 u. 181.
[**]) Göttingensche gelehrte Anzeigen für 1823.
[***]) Keferstein, Versuch einer vergleichenden Darstellung der geognostischen Verhältnisse in Würtemberg und Nordteutschland etc., mit Anmerkungen von Professor Schübler. Kor-

Zur Unterstützung der ersteren Ansicht würde angeführt werden können:

a) dass dieser Sandstein auf primitivem und Uebergangsgebirge aufliegt, und als die älteste Flötzgebirgsschicht jener Gegenden erscheint;

b) dass derselbe so mächtig auftritt und so bedeutende Gebirgshöhen bildet;

c) dass er häufig konglommeratartig wird, namentlich in dem höheren Gebirge;

d) dass endlich mit ihm eine Porphirformation verbunden ist, welche der des nordteutschen Rothliegenden sehr ähnlich, ja von derselben nicht wohl zu unterscheiden ist.

Von diesen Gründen möchte nur der erste und letzte einiges Gewicht haben. Aber die Bedeutsamkeit des Ersten verschwindet, wenn berücksichtigt wird, dass in dem Schwarzwalde und Odenwalde die Uebergangsformation fast gänzlich fehlt, und dass, so gut wie diese, auch die ältesten Schichten des Flötzgebirges fehlen oder doch nur sehr sparsam auftreten können. Der zweite und dritte Grund erscheinen nur als Einflüsse der Lokalität, und sind also ohne Gewicht, desto bedeutender hingegen ist der Letzte. Die Porphirbildung, welche in dem Schwarzwalde, Odenwalde und den Vogesen so regelmässig auf der Grenze des älteren Gebirges und des rothen Sandsteins vorkommt, hat mit der des Rothliegenden die grösste Aehnlichkeit, und wenn sich die eisenthonige Grundmasse der Porphire mit dem Sandstein mischt, wird wahres Rothliegendes gebildet. Man kann daher wohl sagen, dass in diesen Gegenden die untersten Schichten des rothen Sandsteins die grösste Aehnlichkeit mit dem Rothliegenden haben, und vielleicht sogar wahres Rothliegendes sind, oder als Stellvertreter desselben betrachtet werden dürfen.

Aber es bleibt auch unverkennbar, dass in dem Vorkommen dieser Porphire etwas sehr Lokales herrscht, dass dieselben nicht allein nur auf die un-

respondenzblatt des würtembergischen landwirthschaftlichen Vereins, B. V, Juni 1824, p. 331.

Dessen Tabellen über die vergleichende Geognosie. Halle 1826.

tersten Schichten der Formation, sondern sogar nur auf
die Berührungsebene mit gewissen primitiven und einigen
Uebergangsgebirgen stets beschränkt bleiben, dass dieselben als etwas der rothen Sandsteinformation Fremd-
artiges erscheinen. Sie bestimmen mithin nicht den
Charakter dieser Formation, und können dies um so
weniger, da das Vorkommen und die Entstehung
derselben noch mit so viel Dunkelheiten umhüllt ist,
und so viele räthselhafte Erscheinungen darbietet.

Nicht unzweckmässig dürfte es seyn, hier zu bemerken, dass auf dem südlichen Abfalle der Vogesen
und auch an einigen Punkten auf dem Schwarzwalde
Konglommeratbildungen vorkommen, welche vielleicht
dem nordteutschen Rothliegenden analog gestellt werden könnten; schon Herr Merian hat hierauf aufmerksam gemacht, und es sind diese Bildungen anhangsweise bei dem Abschnitt über die Kupferschieferformation (pag. 8 — 11) beschrieben. Zu diesen
oder ähnlichen Bildungen kann vielleicht auch das
Gestein gerechnet werden, in dem die Erzlagerstätte von Badenweiler aufsetzt; ferner die Konglommerate bei Sirnitz und in dem Holderpfad, endlich
in den Vogesen das eigenthümliche Konglommerat des
Schlüsselsteins bei Ribauvillé. Es ist auch in dem ersten Abschnitt bei Beschreibung des Saarbrücker
Steinkohlengebirges bemerkt worden, dass manche
Schichten desselben auffallende Aehnlichkeit mit dem
konglommeratartigen Rothliegenden haben. Es lassen
sich also in diesen Gegenden Gebirgsmassen nachweisen, wenn gleich gering an Masse und meistens sehr
zerstreut, welche dem Rothliegenden nahe, und wenigstens näher stehen möchten, wie die Hauptmasse
des rothen Sandsteins.

Die Gründe, welche diesen rothen Sandstein der
Formation des nordteutschen bunten Sandsteins angehörig erscheinen lassen, sind bereits von Herrn Merian so schön entwickelt, dass eine kurze Angabe
derselben hier genügen wird. Sie sind theils geognostisch und aus der Lagerung des Gesteins genommen, theils mineralogisch aus der Beschaffenheit desselben abgeleitet. Zu den Ersteren gehören:

a) Dass diese Formation abweichend auf Grauwakke und Kohlensandstein aufgelagert ist, eine bei dem wahren Rothliegenden wohl seltene Erscheinung.

b) Von grossem Gewicht ist das Verhalten bei Bieber, wo die Zechsteinformation und das Grauliegende unter diesem Sandstein befindlich sind.

c) Da das wahre Rothliegende dem Uebergangsgebirge näher steht, wie dem Flötzgebirge, so ist es wahrscheinlicher, dass in dem Schwarzwalde und den Vogesen diese Formation eben so selten auftreten werde, wie die Uebergangsbildung, als umgekehrt, dass sich dieselbe in solcher ausserordentlichen Mächtigkeit entwickelt haben sollte. Und wirklich, wenn die vorhin erwähnten Bildungen dem Rothliegenden beigeordnet werden, so erscheint diese Formation zwar in diesen Gegenden, aber nur mit sehr beschränktem Vorkommen.

Die aus der mineralogischen Beschaffenheit hergenommenen Gründe scheinen zwar weniger gewichtvoll wie diejenigen, welche die geognostische Lagerung darbietet, allein auch sie sind der von Merian aufgestellten Ansicht günstig; denn

d) das Bindemittel des rothen Sandsteins ist nie in solcher Menge vorhanden, wie bei dem Rothliegenden, auch wird dasselbe wohl nur selten ein wahrer Eisenthon, welcher so häufig das Bindemittel des Rothliegenden ausmacht.

e) Der rothe Sandstein wird oft, jedoch nicht immer konglommeratartig; aber selbst auch ganz konglommeratartig, ist er von dem Rothliegenden wesentlich verschieden; in diesem nämlich werden die Geschiebe durch ein thoniges Bindemittel verbunden, in dem rothen Sandstein aber ist das Bindemittel immer und ohne Ausnahme feinkörniger Sandstein. Das Rothliegende daher ist wahres Konglommerat, der rothe Sandstein bleibt immer wahrer Sandstein.

f) Die obersten Schichten dieser Formation bestehen aus rothen, meist schieferigen Letten, aus

bunten Mergeln und Einlagerungen von Gips.
Bildungen, die zum Theil eine ansehnliche
Mächtigkeit erreichen. Dem Rothliegenden sind
solche Bildungen fremd, aber sie kommen auf
ähnliche Art in dem nordteutschen bunten Sandstein vor.

g) Aussonderungen von Thongallen, abwechselnde
bunte Farben, theils weiss, theils grau, die rothe Farbe immer vorherrschend, sind diesem,
so wie dem nordteutschen bunten Sandstein eigenthümlich; selten finden sich in beiden Ueberreste von Vegetabilien, animalische Ueberreste selten oder nie.

h) Die Erzbildungen dieses rothen Sandsteins beweisen weder für die eine noch die andere Ansicht; ähnliche Bildungen sind in dem Rothliegenden und in dem nordteutschen bunten Sandstein gleich unbekannt.

i) Der rothe Sandstein besitzt in seinen unteren
Schichten eine Porphir- und Trümmerporphir-
bildung, welche dem nordteutschen bunten
Sandstein fehlt, und wodurch daher ein wesent-
licher Unterschied begründet zu werden scheint.
Da aber diese Bildungen nur auf solche Punkte
beschränkt bleiben, wo der rothe Sandstein mit
dem primitiven Gebirge und mit Diorit und
Feldspathporphiren in Berührung tritt, und da
solche Punkte bei dem bunten Sandstein des
nördlichen Teutschlandes noch nicht bekannt
geworden sind, so scheint auch dieser Unterschied zu verschwinden. In dem thüringer
Walde aber und dem Fichtelgebirge, zweien
Gebirgen, welche mit den Vogesen manche
Aehnlichkeit haben dürften, mag auch der bunte
Sandstein unter sehr ähnlichen Verhältnissen
auftreten.

k) Endlich liefert auch die Verbreitung des rothen
Sandsteins einen wichtigen Beweis für die Iden-
tität desselben mit dem nordteutschen bunten
Sandstein. Dass der rothe Sandstein der Vo-
gesen, des Schwarzwaldes, Odenwaldes und
Spessarts einer und derselbe ist, leidet keinen

Zweifel. Aber aus dem Spessart lässt sich eben dieser Sandstein ohne eigentliche Unterbrechung nach Hessen, und so in das nördliche Teutschland verfolgen, wo er sich dem wahren bunten Sandstein anschliesst; demjenigen, der sich in dem Hochstift Fulda, an dem östlichen Fusse des rheinischen Schiefergebirges und an den Ufern der Weser verbreitet, und von welchem die Benennung bunter Sandstein eigentlich ausgegangen ist.

Es dürfte also dieses ausgedehnte Sandsteingebirge der Formation des bunten Sandsteins angehörig zu betrachten seyn. Stellenweise mag diese Formation in Rothliegendes übergehen, solche Uebergänge sind nicht unmöglich, doch noch nicht mit Bestimmtheit beobachtet worden. Auf dem thüringer Walde führt Heim *) mehrere Punkte an, wo die Zwischenglieder von Zechstein und Rauchwakke fehlen, und der bunte Sandstein unmittelbar auf dem Rothliegenden ruht, und andere Beispiele**), wo eben dieser bunte Sandstein unmittelbar auf primitivem Gebirge, auf Trapp, Porphir, Grauwakke und Thonschiefer ruht. Hier findet ebenfalls keine scharfe Grenze statt, und Rothliegendes und bunter Sandstein fallen an solchen Punkten in eine Bildung zusammen***). Solche Fälle werden aber an sich selten bleiben, und wenn stellenweise das Rothliegende und der bunte Sandstein in eine Bildung zusammen fallen, so müssen quantitative oder qualitative Verhältnisse, oder die Reihenfolge der übrigen Gebirgsmassen den Ausschlag geben, ob das Ganze zur Formation des Rothliegenden oder zu der des bunten Sandsteins zu rechnen ist.

---

*) Heim, geologische Beschreibung des thüringer Waldgebirges, B. II, Abth. V, p. 68 u. 186.

So unter andern liegt in dem Stillergrund der bunte Sandstein neben dem Rothliegenden, bei Breitenbach und von Hinternach bis Waldau auf demselben. Zwischen Langerwiesen und Amt Gehren ist das Rothliegende nicht immer genau zu unterscheiden, weil es mit dem bunten Sandstein zusammengrenzt.

**) Heim, loc. cit., p. 185 u. 186.

***) v. Raumer, geognostische Fragmente, p. 44.

Auf den rothen Sandstein angewendet, leidet es aber keinen Zweifel, dass die Hauptmasse desselben sich weit mehr dem bunten Sandstein als dem Rothliegenden nähert, und auch die Reihenfolge der Gebirgsmassen, in der er sich findet, weist ihn weit eher dem bunten Sandstein als dem Rothliegenden zu.

3. Rauchgrauer Kalkstein.

Die abweichenden Ansichten über das Formationsalter des rothen Sandsteins haben zwei verschiedene Meinungen über die Formation des rauchgrauen Kalksteins erzeugt.

Diejenigen nämlich, welch den rothen Sandstein als Rothliegendes betrachten, halten den rauchgrauen Kalkstein für Zechstein, den Gips für älteren Flötzgips. Diejenigen aber, welche jene Formation für bunten Sandstein ansehen, erklären den rauchgrauen Kalkstein für Muschelkalk; dies letztere namentlich ist die Ansicht der Herren Merian und Hausmann, für die sich neuerdings auch Herr Keferstein ausgesprochen hat.

Die erstere Ansicht ist wohl noch nie erwiesen, sondern nur als Behauptung aufgestellt worden. Einige, welche diese Behauptung aufstellten, und denen die Einlagerung der Gipsformation unbekannt war, erklärten dennoch den Gips für älteren Flötzgips, den darüber liegenden Kalkstein für Zechstein, eine Ansicht, die schon in sich selbst widerlegt wird, denn der ältere Flötzgips liegt niemals unter dem Zechstein, und unstreitig muss bei Bestimmung der Formationen die Reihenfolge der Lagerung als der wichtigste Moment betrachtet werden.

Andere, denen die Einlagerung der Gips- und Salzbildung bekannt war, stellten den rauchgrauen Kalkstein zwar dem Zechstein parallel, theilten aber den Ersteren in oberen und unteren oder in jüngeren und älteren Zechstein, zwischen beiden die Formation des älteren Flötzgipses einschaltend. Ein so gebildeter Zechstein ist in dem nördlichen Teutschland nicht bekannt, und schon deshalb würde es gewagt seyn, zwei so verschieden zusammengesetzte Gebirgsmassen einander gleich zu stellen. Aber noch viel unzulässi-

ger ist diese Vergleichung, wenn die mineralogische
Beschaffenheit des nordteutschen Zechsteins und des
rauchgrauen Kalksteins berücksichtigt wird.

Vergleicht man den rauchgrauen Kalkstein mit
nordteutschem Muschelkalk, so tritt eine Analogie
nach der anderen hervor, so dass kaum noch Zweifel über die Identität beider Formationen übrig bleiben möchten. Dies ist bereits von Herrn Merian
vollständig entwickelt, auch hat schon Herr von
Raumer den lothringischen rauchgrauen Kalkstein
als nordteutschen Muschelkalk anerkannt *), und eben
so ist der schwäbische rauchgraue Kalkstein von den
Herren Heim und Freisleben betrachtet worden**), welche Ansicht auch Herr von Humboldt
sowohl für den schwäbischen als lothringischen rauchgrauen Kalkstein ausspricht ***). Die wichtigsten
Gründe, welche für die Identität beider Formationen
sprechen, sind folgende.

a) Die Auflagerung auf den als bunten Sandstein
anzusehenden rothen Sandstein, wodurch allein
schon jede Verwechselung mit Zechstein unmöglich gemacht würde, wenn die Frage
über das Formationsalter des rothen Sandsteins
bereits als ganz entschieden anzusehen wäre.

b) Die mineralogische Beschaffenheit beider Gesteine ist, wie bereits Herr Merian bemerkt.
so ähnlich, dass die Beschreibung des Herrn
Freisleben vollkommen auf beide passt. Jede
Gesteinsmodifikation, jedes fremdartige Fossil
findet sich gleichmässig in beiden Gegenden,
und in Handstücken sind beide Gesteine durchaus nicht zu unterscheiden. Namentlich auch
das Vorkommen von Feuer- und Hornsteinen,
ist beiden Gebirgsarten charakteristisch, und in
dem Muschelkalk nicht minder häufig wie in

---

*) v. Raumer, das Gebirge Niederschlesiens etc., p. 161.
Derselbe und Engelhardt, geognostische Versuche, pag.
56 u. 59.

**) Freisleben, geognostische Arbeiten, B. I, p. 88.

***) v. Humboldt, essai géognostique sur le Gisement des
Roches, p. 275.

dem rauchgrauen Kalkstein*). Eben so verhält
es sich mit der beschriebenen Bildung von Vitriolkohle, 'welche mit Voigts Lettenkohle
überein zu kommen scheint, und von welcher
Freisleben bemerkt**), dass sie sehr letten-
haltig, reich an Schwefelkies und nur den obersten Schichten des Muschelkalks angehörig sey.

c) Es möchte vielleicht die Gipseinlagerung einige
Verschiedenheit zu begründen scheinen, allein
in vielen Gegenden kann die obere Abtheilung
des rauchgrauen Kalksteins nebst der Gipseinlagerung, oder auch diese allein fehlen, ohne wesentlichen Unterschied zu begründen, und auch
in dem nördlichen Teuschland zeigt sich diese
Gipseinlagerung an mehreren Punkten. So soll
Gips als liegender Stock in dem Muschelkalk
bei Neusalze, auf dem linken Saalufer, gegen
Stemmdorf zu, vorkommen; in dem Muschelkalk bei Sulzburg, oberhalb Naumburg, soll eine
beträchtliche Gipsparthie mit Mergel liegen***),
und auf den von Herrn Berghaus heraus gegebenen geognostischen Blättern der Reymann-
schen Charte ist eine grosse Gipseinlagerung in
dem Muschelkalk am grossen Ettersberge bei
Weimar verzeichnet, und zwischen dem Muschelkalk und dem bunten Sandstein werden
Gipseinlagerungen an vielen Punkten angegeben.
Sehr deutliche Einlagerungen von Gips kommen
an mehreren Punkten in dem Muschelkalkstein
der Wesergegenden, unterhalb Höxter, und
zwischen Brakel und Warburg vor; ferner in
der Magdeburger Gegend bei Schwanebeck,
Burg, unweit Quedlinburg, bei Kochstädt u. s.
w.****). Endlich

d) ganz besonders zu berücksichtigen ist die auffallende Uebereinstimmung der Versteinerungen

---

*) Freisleben, loc. cit., B. I, p. 75, 76, B. IV, p. 311.
**) Derselbe, loc. cit., B. IV, p. 307 u. 274.
***) Derselbe, loc. cit., B. IV, p. 314.
****) Hoffmann, Beiträge zur genaueren Kenntniss der
geognostischen Verhältnisse Nordteutschlands, p. 107.

dieses rauchgrauen Kalksteins und des nordteutschen Muschelkalks. Namentlich finden sich
Ammonites nodosus, Mytilus socialis, Chamites
stryatus, Encrinites liliiformis u. s. w. gleichmässig und häufig in beiden Kalksteinbildungen,
Versteinerungen, die nur in dem Muschelkalk
vorkommen und nie in anderen Bildungen gefunden worden sind. Ueberhaupt fast alle Versteinerungen des nordteutschen Muschelkalks finden sich auch in dem rauchgrauen Kalkstein, und
umgekehrt, dergestalt, dass in dieser Hinsicht
keine grössere Aehnlichkeit statt finden könnte.

4. Formation der oberen bunten Mergel.

Die Zusammensetzung der Formation der oberen
bunten Mergel wurde bereits in dem Vorhergehenden
beschrieben, auch die Gründe angegeben, warum die
lothringische Salzformation diesen Bildungen beigeordnet; es kommt daher nur darauf an, die Stellung
dieser Formation in der allgemeinen Reihenfolge der
Gebirgsmassen noch näher zu bezeichnen.

Auch hier sind die Ansichten sehr getheilt. Diejenigen, welche den rothen Sandstein für Rothliegendes halten, betrachten diesen bunten Mergel als nordteutschen bunten Sandstein. Charbaut, in der Beschreibung der Gegend von Lons-le-Saunier, vereinigt diese Bildung mit der des Griphitenkalks, und
Merian ist dieser Ansicht gewissermassen gefolgt,
indem er die bunten Mergel und den Griphitenkalk
als die untere Abtheilung der Jurakalkformation betrachtet. Herr Voltz hingegen, in der mit so grosser Genauigkeit entworfenen Beschreibung der Umgegend von Vic, trennt die in dieser Gruppe vereinigten Bildungen in mehrere Formationen, in die des
eigentlichen Salzgebirges, des bunten Sandsteins, des
Muschelkalks, der eigentlichen bunten Mergel und
des Quadersandsteins. In Ansehung dieser letzteren,
von Herrn Voltz mit so vielem Scharfsinn entwik-
kelten Ansicht glauben wir auf das bereits früher Ge-
sagte (pag. 151) Bezug nehmen zu können, woraus
hervorgehen dürfte, dass nach den jetzigen Erfahrun-
gen eine solche Trennung nicht wohl statthaft, dass

vielmehr alle diese Gruppen nur einer Bildung oder Formation angehörig seyn möchten.

Es bleiben daher nur noch die beiden anderen Ansichten näher zu prüfen, und namentlich zunächst die erstere, nach welcher diese bunten Mergel dem bunten Sandstein gleichgestellt werden. Hierbei ist zuvörderst zu bemerken, dass bei dieser Vergleichung zwar die wichtigsten Kennzeichen fast ganz versagen, nämlich das der Versteinerungen und der geognostischen Lagerung, wenn man nämlich die Formation des rauchgrauen Kalksteins als noch nicht mit Gewissheit ausgemittelt betrachtet. Das erstere Kennzeichen versagt gänzlich, denn der Versteinerungen in den bunten Mergeln sind theils zu wenig, theils sind dieselben noch nicht genau genug untersucht. Was hingegen die geognostische Lagerung betrifft, so würde man vor der Hand davon abstrahiren müssen, dass diese bunten Mergel auf Muschelkalk ruhen, mithin kein bunter Sandstein seyn können. Aus der Lagerung würde sich daher weder etwas für noch gegen die aufgestellte Ansicht folgern lassen. Aber es verdient doch bemerkt zu werden, dass alle Folgerungen, die etwa aus der Lagerung gezogen werden könnten, der Ansicht, dass diese Mergel bunter Sandstein, nur ungünstig ausfallen. Im Hangenden nämlich folgt den bunten Mergeln unmittelbar der Griphitenkalk; aber es ist gewiss, dass dieser einer weit jüngeren Formation angehört wie der nordteutsche Muschelkalk, mithin würde in dem südlichen Teutschland der Muschelkalk gänzlich fehlen, wenn jene bunten Mergel bunter Sandstein wären.

Noch weit ungünstiger fällt eine Vergleichung der mineralogischen Verhältnisse für die Annahme aus, dass diese Mergel dem bunten Sandstein angehören; denn

a) in dem bunten Sandstein wie in den bunten Mergeln kommen zwar Einlagerungen von Gips vor, aber bei Ersterem finden sie sich in den oberen, hier hingegen in den unteren Schichten. Selbst in Lothringen ist dies gewissermassen der Fall, denn man kann hier das untere Gips-, Salzthon- und Steinsalzgebirge als analog

der

der Gipseinlagerung im rauchgrauen Kalkstein betrachten, annehmend, dass hier die obere Abtheilung des rauchgrauen Kalksteins fehlt; alsdann wird die obere Gipseinlagerung daselbst ebenfalls den unteren Schichten der bunten Mergelformation angehörig erscheinen.

b) Mergelkalksteine, wenigstens solche, wie in den bunten Mergeln vorkommen, sind dem nordteutschen bunten Sandstein fremd; eben so fehlen die bunten kalkhaltigen Thonmergel mit dem ihm so charakteristischen Strontian und Schwerspath, und ihren so ausgezeichneten Farbennüancen.

c) Der nordteutsche bunte Sandstein besteht aus vorwaltendem feinkörnigen Sandstein, mit nicht vorwaltendem thonigen Bindemittel. Hier findet das Gegentheil statt; die eigentlichen bunten Mergel bleiben immer vorherrschend, und in den Sandsteinen ist das thonige Bindemittel vorwaltend.

d) Mächtige Lager von Rogenstein bilden in den nördlichen Teutschland häufig die liegendsten Schichten des bunten Sandsteins. Aehnliche Rogensteinschichten finden sich in dem rothen Sandstein von Lothringen und Schwaben gar nicht; aber eben so wenig in der Formation der oberen bunten Mergel. Es kommen zwar in derselben bisweilen schmale oolithische Schichten vor, sie sind aber so unbedeutend, dass sie kaum angeführt zu werden verdienen. Ueberhaupt scheint der Rogenstein kein durchaus wesentliches Glied der bunten Sandsteinformation auszumachen, denn er fehlt an vielen Punkten gänzlich, an anderen zeigt er sich nur sparsam, und wieder an anderen erreicht er eine ungewöhnliche Mächtigkeit; in seinem Vorkommen findet daher viel Unregelmässigkeit statt. Der Grund, weshalb derselbe dem südteutschen rothen Sandstein fremd ist, liegt vielleicht in der Abwesenheit des Zechsteins und überhaupt aller Kalksteinlager im Liegenden desselben.

II.   [28]

Wenn nun auch die mineralogischen Kennzeichen
von keinem grossen Gewicht sind, so findet doch
hier eine Ausnahme statt; denn die Formation der
bunten Mergel wird selbst in Schwaben und in Lothringen der Formation der unteren rothen Schieferletten oft so täuschend ähnlich, dass nur allein die
geognostische Lagerung beide unterscheiden lehrt. Es
kann daher nicht auffallen, wenn diese oberen bunten Mergel dem nordteutschen rothen Schieferletten
ebenfalls oft täuschend ähnlich werden. Wenn sich
aber dennoch Verschiedenheiten auffinden lassen, so
erhalten dieselben eben dadurch eine viel wesentli-
chere Bedeutung.

Doch selbst in dem nördlichen Teutschland giebt
es Gegenden, wo der Unterschied dieser oberen bunten Mergel und des bunten Sandsteins deutlich beobachtet werden kann. In den Wesergegenden unter
andern folgt auf den bunten Sandstein des Solling der
Muschelkalk, und diesem dieselben bunten Mergel
wie in Schwaben und Lothringen; auch leidet es hier
keinen Zweifel, dass diese Mergel eine von dem bunten Sandstein verschiedene Formation ausmachen*).
Aehnliche Erscheinungen bieten die Gegenden von
Quedlinburg, Halberstadt und Helmstädt dar**).
Nach Herrn Pr. Völker besteht der Petersberg
bei Erfurt aus bunten Mergeln und Sandsteinen, welche dem Muschelkalk aufgelagert sind***), und
die Mergel und Sandsteine des Seeberges bei Gotha, welche für Quadersandstein angesprochen worden sind,

---

*) STIFFT, Mineralogisch-geognostische Skizze des Fürsten-
thums Corvey. — LEONHARDs Taschenbuch der Mineralogie,
Jahrgang II, p. 81 — 130.
HAUSMANN, Uebersicht der jüngeren Flötzgebilde im Flussgebiete der Weser etc. Göttingen 1824.
Namentlich auch haben die vortrefflichen Untersuchungen,
welche neuerdings Herr Professor HOFFMANN in den Wesergegenden angestellt hat, gezeigt, dass die geognostische Bildung dieser
Gegenden mit derjenigen, welche in Schwaben und Lothringen
beobachtet worden, auf das Genaueste übereinstimmt.

**) KEFERSTEIN, Teutschland geognostisch-geologisch dar-
gestellt, B. III, H. 2, p. 249 u. 319.

***) REICHARTs Land- und Gartenschatz, 6. Aufl. Erfurt 1819.

gehören ebenfalls diesen oberen bunten Mergeln an *),
welche überhaupt in dem nördlichen Teutschland sehr
häufig aufzutreten scheinen, namentlich in den Gegenden zwischen Elbe und Weser, in Thüringen u. s. w.
Es sind daher keine direkten Gründe vorhanden,
die oberen bunten Mergel der Formation des bunten
Sandsteins gleich zu stellen, aber alles vereinigt sich,
dieselben als eine für sich bestehende Formation erscheinen zu lassen.

Bei Beschreibung dieser oberen bunten Mergel ist
häufig einer Schicht weissen Quarzsandsteins erwähnt
worden, welche gewöhnlich die oberste Stelle einzunehmen pflegt, und welche die Herren Voltz und
Steininger für Quadersandstein ansehen. Wenn
der Sandstein von Luxemburg dieser Schicht angehört, wie es doch höchst wahrscheinlich ist, so nimmt
dieselbe hier wirklich ganz die mineralogischen Charaktere des Quadersandsteins an. In dieser Hinsicht
würde daher diese oberste Schicht der bunten Mergel als Quadersandstein betrachtet werden können,
oder vielmehr der Quadersandstein würde als ein un-
tergeordnetes Glied der Formation der oberen bunten Mergel erscheinen. Aber auch über der Formation des Griphitenkalks und in den Schiefern des Griphitenkalks finden sich dem Quadersandstein höchst
ähnliche Bildungen. Möglich, und sogar wahrscheinlich ist es, dass zur Zeit noch mehrere, dem Quadersandstein im Aeusseren sehr ähnliche, aber durch ihre
geognostische Lagerung wesentlich verschiedene Bildungen mit dem gemeinschaftlichen Namen Quadersandstein belegt werden, welche zu sondern eine genauere Untersuchung der Quadersandsteinformation
erforderlich seyn dürfte.

Es bleibt jetzt noch die Ansicht der Herren Merian und Charbaut zu prüfen, nach welcher die
oberen bunten Mergel und der Griphitenkalk einer
Formation oder Gruppe angehören sollen. Beide sind
einig, dass die bunten Mergel die untere, der Gri-

---

*) Hess, Beschreibung des Seeberges, in Leonhards mi-
neralogischem Taschenbuch für das Jahr 1820, p. 120.

phitenkalk die obere Abtheilung dieser Gruppe ausmachen; aber bei Basel und Lons-le-Saunier treten
die bunten Mergel und der Griphitenkalk gegen die
grosse Masse des Jurakalksteins zurück, und die
Schichten sind häufig in einer verrückten Lage; bei-
des mag jene beiden vortrefflichen Beobachter bewogen haben, zur Erleichterung der Uebersicht beide
Bildungen in eine Gruppe zu vereinigen. Ein Blick
aber auf die geognostische Charte überzeugt, dass in
vielen Gegenden die bunten Mergel unabhängig von
dem Griphitenkalk entwickelt sind, und dass derselbe
mehr dem Zuge des Jurakalks folgt, sich daher nicht
den bunten Mergeln anschliesst. Ausserdem sind beide
Bildungen so scharf charakterisirt, sie sind mineralogisch und durch das Vorkommen organischer Ueberreste so sehr verschieden, dass sie wohl als zwei verschiedene Formationen betrachtet zu werden verdienen, vorzüglich wenn berücksichtigt wird, in welcher
Mächtigkeit, in welcher ausnehmenden Verbreitung
sie auftreten, und welche wichtige Rolle sie in dem
Flötzgebirge spielen.

Die Gruppe der oberen bunten Mergel dürfte
daher als eine selbstständige Formation zu betrachten
seyn, als eine Bildung, welche den rauchgrauen Kalkstein oder den Muschelkalk von dem Griphitenkalk
scheidet, so wie der bunte Sandstein den Zechstein
von dem Muschelkalk trennt.

Um das südteutsche Flötzgebirge mit dem nordteutschen zu verbinden, ist eine Profillinie von den
Neckar - und Kochergegenden, über den thüringer
Wald, bis gegen den Kiffhäuser, vorzüglich geeignet.
Man sieht hier zunächst bei Niederhall, Krautheim, Königshofen und Gerlachsheim den rauchgrauen
Kalkstein mit seiner Gipseinlagerung, und an den
drei ersten Punkten den darunter liegenden rothen
Sandstein, bei Niederhall nur durch Schachtabteufen
bekannt; von Gerlachsheim bis Würzburg ununterbro-
chen rauchgrauen Kalkstein, auf den sich bei Opfer-
baum bunte Mergel legen. Aber bei Werneck, Pap-
penhausen und Münnerstädt ist wieder rauchgrauer
Kalkstein. Von Münnerstädt bis Neustadt, im Thale
der fränkischen Saale, sind bunte Mergel mit Gips,

welche höchst wahrscheinlich der Formation der oberen bunten Mergel angehören. Von Neustadt bis jenseits Eisenhausen ist rauchgrauer Kalkstein. Hier tritt
unter demselben rother Thon hervor, der Formation
des rothen Sandsteins angehörig, dann kommt noch
eine Kalksteinkuppe, und bei Henneberg rother Sandstein. Von Meinungen bis Wasungen ist der letzte
rauchgraue Kalkstein, dann tritt unter demselben rother Sandstein auf, über Schmalkalden bis gegen Flohe
anhaltend. Unter demselben soll bei Schmalkalden
Schlottengips durch Bohrversuche bekannt seyn, über
Tage wird er nicht sichtbar, aber es befindet sich
hier eine Saline. Nun tritt bei Flohe, gegen den
Zug des thüringer Waldes einfallend, Diorit, Feld-
spathporphir und Grauwakke auf, Gesteine, denen
der Vogesen ähnlich; dann rothe Porphire; dann
Rothliegendes bis gegen Georgenthal auf dem nördlichen Abhange des thüringer Waldes. Zwischen
Schmalkalden und Georgenthal besteht ausnahmsweise
der Kamm des Gebirges aus Rothliegendem, denn eigentlich tritt diese Gebirgsart erst auf dem nördlichen
Abfall auf. Demselben ist bei Georgenthal Zechstein
und bunter Sandstein aufgelagert, nur wenige Hundert Fuss mächtig. Darauf folgt Muschelkalk, welcher, noch vor Hohenkirchen mit Geröll bedeckt,
bei Gotha wieder zum Vorschein tritt. Auf demselben liegen bei Gotha und am Seeberge obere-bunte
Mergel, eben so bei Ballstädt. Von Gräventonna
bis Tennstädt ist Muschelkalk, der bis Oberböse von
bunten Mergeln mit Gips bedeckt wird; von hier bis
Sega Muschelkalk, unter dem in dem tiefen Wipper-
thale rother Schieferletten und bunter Sandstein hervortreten. Der bunte Sandstein von Sega geht bis
Frankenhausen, wo eine Saline ist und der ältere
Flötzgips unter demselben hervortritt. Darauf endlich
folgt Rauchwakke, Zechstein und Rothliegendes bis
Ichstädt.

Es dürfte aus diesem Profile mit höchster Wahrscheinlichkeit hervorgehen:

    a) dass sich der rauchgraue Kalkstein ohne Unter-
        brechung aus den Neckargegenden bis Meinun-
        gen ausdehnt;

b) dass hinter Meinungen unter diesem Kalkstein derselbe rothe Sandstein hervortritt, der bei Niederhall, bei Krautheim und Königshofen unter demselben bekannt ist;

c) dass die Nord- und Südseite des thüringer Waldes sehr ähnlich gebildet sind; dass namentlich die oberen bunten Mergel auf der Nordseite ebenfalls, wenn gleich in geringerer Menge, wieder erscheinen. Eben weil sie in geringerer Menge erscheinen, mag ihre Natur häufig verkannt werden, und oft eine Verwechselung mit der Formation der rothen Schieferletten des bunten Sandsteins statt finden, der sie so sehr ähnlich sehen.

Es dürfte aber hieraus die Uebereinstimmung des südteutschen rauchgrauen Kalksteins mit dem nordteutschen Muschelkalk klar hervorgehen; denn da der Kalkstein von Meinungen bestimmt dem Muschelkalk angehört, zugleich aber auch genau mit dem Kalkstein von Würzburg übereinstimmt, so leidet es wohl keinen Zweifel, dass dieser und aller rauchgrauer Kalkstein Muschelkalk seyn werde.

Ist aber dies einmal begründet, so scheinen auch alle Zweifel über den rothen Sandstein zu verschwinden, denn bei Wasungen tritt derselbe als entschieden bunter Sandstein unter dem Muschelkalk hervor; dagegen wird an diesem Punkte das rothe Todte auf dem südlichen Abhange des thüringer Waldes vermisst.

Wenn der rothe Sandstein als rothes Todtes, die oberen bunten Mergel als bunter Sandstein betrachtet werden, so ist noch zu berücksichtigen, dass zwischen diesen beiden Bildungen 3 oder 4 Gipseinlagerungen vorkommen, eine unter dem rauchgrauen Kalkstein, eine in demselben und zwei in den oberen bunten Mergeln, von denen die unterste vielleicht der Gipseinlagerung des rauchgrauen Kalksteins parallel gestellt werden dürfte. In dem niedersächsisch-thüringischen Gebirge sind zwischen dem Rothliegenden und dem bunten Sandstein nur zwei Gipseinlagerungen bekannt, der ältere Flötzgips und der Thongips, wenn dieser nicht schon selbst über dem bunten Sandstein liegt.

Für eine Gipseinlagerung also auf jeden Fall lässt sich
auf diese Art kein entsprechendes Glied auffinden.
Diese Ansicht führt also auf Abweichungen, wogegen
alles die grösste Uebereinstimmung erhält, wenn jener rothe Sandstein als bunter Sandstein betrachtet wird.

Diese Ansicht zu vollenden, dürfte noch die Bemerkung dienen, dass sich das wahre Rothliegende
mehr dem Uebergangsgebirge als dem Flötzgebirge
anschliesst, indem eigentlich erst das Kupferschieferflötz als das älteste Glied des Flötzgebirges erscheint.
Es leidet keinen Zweifel, dass in Lothringen und
Schwaben die Uebergangsformation fast gänzlich fehlt,
dass auch kein Kupferschieferflötz daselbst vorhanden,
ist gewiss; dagegen erscheinen die jüngeren Flötzbildungen in grosser Entwickelung. Die Wahrscheinlichkeit spricht also auch dafür, dass dieselben Ursachen, welche die Bildung des Uebergangsgebirges und
der ältesten Schicht des Flötzgebirges unterdrückten,
die Entwickelung des Rothliegenden gehemmt haben;
es ist um so wahrscheinlicher, da dem Rothliegenden ähnliche Bildungen, aber nur sparsam, erscheinen, das ältere Flötzgebirge aber fehlt, mithin von
dem Rothliegenden bis zum Muschelkalk ein ausserordentlicher Sprung statt findet.

Sobald der rothe Sandstein für bunten Sandstein
anerkannt wird, erscheinen dann auch die oberen
bunten Mergel als eine selbstständige Formation über
dem Muschelkalk, als eine Bildung, die zwar ansehnlich verbreitet, bis jetzt aber nur noch wenig beschrieben worden ist. Charbaut, einer der Ersten, welcher auf dieselbe aufmerksam machte, hat sie nicht
unpassend marnes irisées genannt; hier wurde, in Er-
mangelung eines schicklicheren Namens, die Benennung obere bunte Mergel gewählt, im Gegensatz der
älteren Bildung des rothen Schieferlettens. In Franken und im Koburgschen, wo diese Bildung häufig ·
auftritt, soll sie Keuper genannt werden, ein Name,
der sich durch Unabhängigkeit von jedem Nebenbe-
griff und durch Kürze gleich wohl empfiehlt. Hiernach würde diese Bildung Keuper benannt werden
können, und Keupermergel, Keupersandstein, Keu-

pergips u. s. w. würden passend die einzelnen Schichten derselben bezeichnen, denn der Name bunte Mergel ist nicht glücklich gewählt, da Mergel zwar die Hauptmasse dieser Bildung bezeichnen, aber Sandsteine nicht weniger wesentlich derselben angehören.

5. Formation des Griphitenkalks.

Die Gruppe des Griphitenkalks zerfällt in eigentlichen Griphitenkalk und in bituminöse Mergel, beide gehören einer Formation an; denn sie wechseln häufig mit einander, enthalten ähnliche Versteinerungen und kommen immer gemeinschaftlich vor. Der Uebergang zwischen beiden ist geognostisch und mineralogisch, denn der Griphitenkalkstein enthält thonige und bituminöse, der bituminöse Mergel enthält kalkige Theile, und es walten daher in dieser Bildung im Anfang die kalkigen, gegen das Ende die thonigen Theile vor.

Einige Geognosten haben zwar geglaubt, in dem südteutschen Griphitenkalk den nordteutschen Muschelkalk wieder zu finden, eine Ansicht, die durch das Bisherige schon hinreichend, und dadurch vollends widerlegt wird, dass auch in dem nördlichen Teutschland ausgezeichneter Griphitenkalk unter denselben Lagerungsverhältnissen, wie in dem südlichen Teutschland, vorkommt. Durch die Lagerung, die ihm eigenthümlichen Versteinerungen und seine mineralogische Beschaffenheit charakterisirt sich der Griphitenkalk nebst seinen bituminösen Mergeln hinreichend als eine selbstständige Formation.

Herr Merian vereinigt den Griphitenkalk mit den bunten Mergeln, und rechnet beide zur zweiten Gruppe des Jurakalks; Herr Charbaut rechnet den eigentlichen Griphitenkalk zu der Formation der bunten Mergel, und die bituminösen Schiefer desselben zur Formation des Jurakalksteins. Das Verhalten dieser Formation zu den bunten Mergeln ist im Vorhergehenden bereits angegeben worden. In Bezug auf den Jurakalk aber ist zu bemerken, dass zwischen den bituminösen Schiefern des Griphitenkalks und dem Jurakalk an vielen Orten eine Sandsteinbildung erscheint, welche nach gegenwärtiger Lage der Beobachachtungen wohl vielleicht die Quadersandsteinformation seyn könnte. Hieraus folgt aber, und dies ergiebt auch ein Blick auf die Charte, dass der Griphitenkalk und seine Mergel eine selbstständige und sehr scharf charakterisirte Formation bilden, eine Formation zwischen den bunten Mergeln und dem Quadersandstein.

6. Formation des eisenhaltigen Sandsteins.

Die Beobachtungen, welche über den schwäbischen eisenhaltigen Sandstein mitgetheilt werden konnten, sind unvollständig. Seine Lagerung zwischen den Mergeln des Griphitenkalks und dem Jurakalkstein scheint keinem Zweifel unterworfen, eben so seine ansehnliche Verbreitung im Bambergischen und Ansbach. Nach den Beobachtungen der Herren Hausmann und Hoffmann folgt in den Wesergegenden die Quadersandsteinformation dem Griphitenkalk und seinen Mergeln; hiernach scheint es erlaubt, den Eisensandstein, wenn auch vor der Hand nur problematisch, der Formation des nordteutschen Quadersandsteins entsprechend zu betrachten. Das Verhalten dieses Eisensandsteins zu den Mergeln des Griphitenkalks bedarf noch einer näheren Untersuchung. Nach den vortrefflichen Beobachtungen des Herrn Professor Hoffmann sind in den Wesergegenden zwei dem Quadersandstein sehr ähnliche Sandsteinbildungen, von denen die eine mit den bituminösen Schiefern des Griphitenkalks wechsellagert, die andere hingegen der Formation des Griphitenkalks aufliegt, ohne mit ihren Mergeln zu wechseln. Beide Sandsteinbildungen sind einander sehr ähnlich, aber bergmännisch wenigstens sehr wesentlich verschieden, weil nur in der ersteren Steinkohlenflötze vorkommen. Ob beide Bildungen nur einer Formation angehören oder zu trennen sind, müssen fernere Beobachtungen aufklären. Aehnliche Einlagerungen von Sandstein in den bituminösen Schiefern des Griphitenkalks sind von uns in Lothringen und Schwaben nicht beobachtet worden, womit jedoch keineswegs behauptet werden soll, dass dieselben dort gänzlich fehlen; es würde vielmehr sehr

LL

wünschenswerth seyn, hierüber genauere Beobachtungen zu erhalten.

7. Formation des Jurakalksteins.

Ueber dem Quadersandstein folgt, als eine der jüngsten Formationen des Flötzgebirges, der Jurakalkstein, an den sich die Bildung der Kreide unmittelbar anzuschliessen scheint. Diese Formation erscheint theils als oolithischer, theils als dichter Kalkstein, theils der Craie tuffeau ähnlich, theils endlich als Mergel, und bisweilen als Dolomit. Ob diese Gesteine bestimmt geschiedene Gruppen bilden, und welche Reihenfolge dieselben beobachten, bleibt noch durch genauere Beobachtungen näher fest zu stellen.

8. Tertiäre Bildungen.

Unsere Beobachtungen über die tertiären Bildungen sind zu unvollständig, als dass wir es wagen könnten, diese Formationen mit denen anderer Gegenden, namentlich mit denen des Pariser Bassins zu vergleichen. Wir beschränken uns daher auf dasjenige, was bei Beschreibung dieser Bildungen angeführt wurde, deren ungefähre Altersfolge sub No. 7 (pag. 421) angegeben.

9. Trappgebirge.

In Ansehung des Trappgebirges gilt dieselbe Bemerkung. Es sind unter dieser Benennung sehr verschiedenartige Gesteine vereinigt, die unter sehr verschiedenen Umständen und zu sehr verschiedenen Zeiten erzeugt seyn mögen. Darin kommen sie indessen überein, dass sie mit den Flötzgebirgsformationen nichts gemein haben, und dass sie meist viel später als diese aus dem Innern der Erde emporgestiegen scheinen.

Als Resultat der angestellten Untersuchungen erscheinen daher nachstehende Formationen, in den beschriebenen Gegenden vorhanden:

I. **Kupferschiefergebirge.**
   a) Grauliegendes.
   b) Kupferschieferflötz.
   c) Dachgestein.

d) Eisensteinflötz.
e) Zechstein.
II. Rother oder bunter Sandstein.
a) Eigentlicher rother Sandstein.
b) Rother Schieferletten oder untere bunte Mergel, mit Gips und Spuren von Salz.
III. Rauchgrauer Kalkstein oder Muschelkalk.
a) Untere Abtheilung des Kalksteins.
b) Einlagerung von Gips, Salzthon und Steinsalz.
c) Obere Abtheilung des Kalksteins.
IV. Obere bunte Mergel oder Keuper, bestehend aus bunten Mergeln, thonigen Sandsteinen, zwei Gips- und einer Steinsalzeinlagerung und Mergelkalksteinen.
V. Formation des Griphitenkalks.
a) Eigentlicher Griphitenkalk.
b) Bituminöser Schiefer.
VI. Formation des Eisen- oder Quadersandsteins, bestehend aus Quarzsandstein und körnigem Thoneisenstein.
VII. Formation des Jurakalksteins.
VIII. Tertiäre Bildungen.
IX. Trappformation.

In dem Liegenden aller dieser Bildungen befindet sich in einzelnen geringen Massen die Formation des Rothliegenden; aber es ist der rothe oder bunte Sandstein, welcher als die Basis der Steinsalz und Salzquellen führenden Formationen No. II, III und IV erscheint; die älteren Flötzgipsformationen aber und die ihr zugehörigen Salzquellen fehlen in den beschriebenen Gegenden.

Berlin, gedruckt bei G. Hayn.

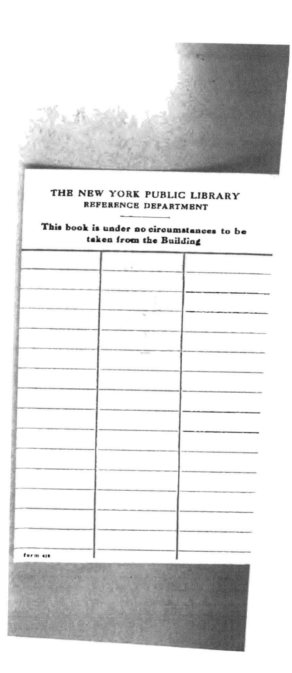

THE NEW YORK PUBLIC LIBRARY
REFERENCE DEPARTMENT

This book is under no circumstances to be
taken from the Building

form 410

FSC
www.fsc.org

MIX

Papier aus ver-
antwortungsvollen
Quellen

Paper from
responsible sources

FSC® C141904

Druck:
Customized Business Services GmbH
im Auftrag der KNV-Gruppe
Ferdinand-Jühlke-Str. 7
99095 Erfurt